NICARAGUA

MAR CARIBE

COSTA
RICA

Barranquilla

Maracaibo

PANAMÁ

⬢ Caracas

Río Orinoco

Medellín

VENEZUELA

Georgetown

⬢ Bogotá

GUYANA

Paramaribo

Cali

⬢ Cayenne

COLOMBIA

GUAYANA FRANCESA

SURINAM

Quito ⭐

ECUADOR

Ecuador

Guayaquil

Manaus

Río Amazonas

Belém

OCÉANO
PACÍFICO

PERÚ

CORDILLERA DE LOS ANDES

BRASIL

Recife

Lima

Machu Picchu
Cuzco

Lago Titicaca

BOLIVIA

Arequipa

La Paz

Sucre

Brasília ⭐

Antofagasta

PARAGUAY

São Paulo

Asunción ⬢

*Trópico de
Capricornio*

CHILE

Puerto Iguazú

Río de Janeiro

Río Paraná

Valparaíso

Córdoba

Santiago ⬢

Rosario

URUGUAY

OCÉANO
ATLÁNTICO

ARGENTINA

Buenos
Aires

Montevideo

Río de la Plata

Concepción

Bahía Blanca

San Carlos de
Bariloche

OCÉANO
PACÍFICO

*Islas
Malvinas*

Punta Arenas

*Estrecho de
Magallanes*

Tierra del Fuego

Cabo de Hornos

AMÉRICA DEL SUR

0   250   500   750 MILLAS

0   250   500   750 KILÓMETROS

ELEVACIÓN

METROS		PIES
3050		10000
1525		5000
610		2000
305		1000
152.5		500
0		0

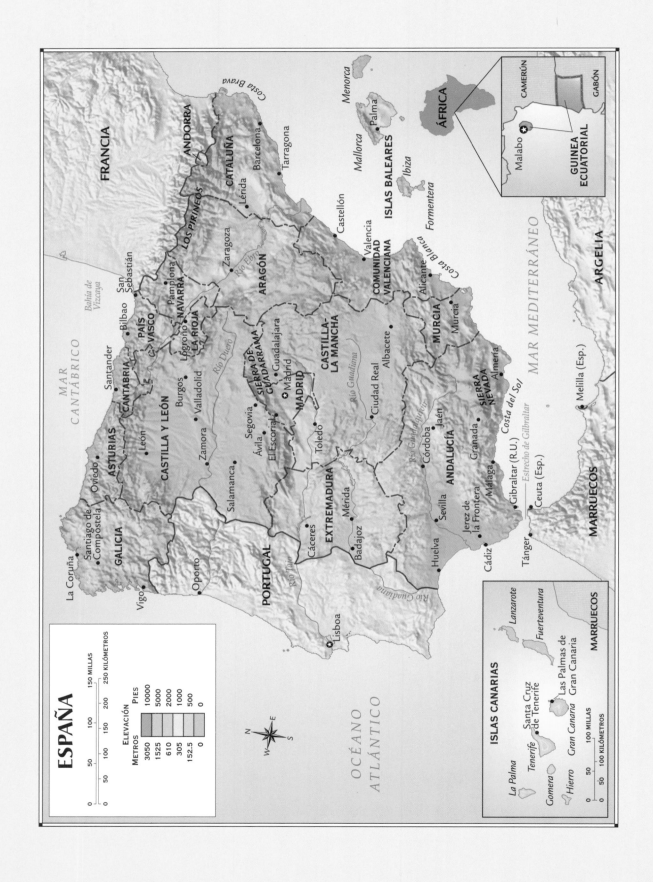

ESPAÑA

ELEVACIÓN
METROS   PIES
3050   10000
1525   5000
610   2000
305   1000
152.5   500
0   0

N
W   E
S

OCÉANO
ATLÁNTICO

MAR
CANTÁBRICO

Bahía de
Vizcaya

FRANCIA

Costa Brava

ANDORRA

CATALUÑA

LOS PIRINEOS

Barcelona

Tarragona

Lérida

Zaragoza

Río Ebro

ARAGÓN

Menorca

Palma

Mallorca

ISLAS BALEARES

Ibiza

Formentera

Castellón

Valencia

COMUNIDAD
VALENCIANA

Alicante

Costa Blanca

MAR MEDITERRÁNEO

ARGELIA

ÁFRICA

CAMERÚN

GABÓN

GUINEA
ECUATORIAL

Malabo

San Sebastián

Pamplona

NAVARRA

Bilbao

PAÍS
VASCO

Logroño

LA RIOJA

Santander

CANTABRIA

Santiago de
Compostela

La Coruña

GALICIA

ASTURIAS

Oviedo

León

CASTILLA Y LEÓN

Burgos

Valladolid

Zamora

Río Duero

Segovia

SIERRA DE
GUADARRAMA

Ávila

El Escorial

Guadalajara

MADRID

Madrid

Toledo

CASTILLA-
LA MANCHA

Río Guadiana

Ciudad Real

Albacete

MURCIA

Murcia

Almería

SIERRA
NEVADA

Costa del Sol

Granada

Jaén

ANDALUCÍA

Córdoba

Río Guadalquivir

Málaga

Gibraltar (R.U.)

Estrecho de Gibraltar

Ceuta (Esp.)

Tánger

Melilla (Esp.)

MARRUECOS

Vigo

Oporto

PORTUGAL

Río Tajo

Lisboa

Salamanca

Cáceres

EXTREMADURA

Mérida

Badajoz

Río Guadiana

Huelva

Sevilla

Jerez de
la Frontera

Cádiz

ISLAS CANARIAS

La Palma

Tenerife

Santa Cruz
de Tenerife

Gomera

Hierro

Gran Canaria

Las Palmas de
Gran Canaria

Lanzarote

Fuerteventura

MARRUECOS

0   50   100 MILLAS
0   50   100 KILÓMETROS

0   50   100   150 MILLAS
0   50   100   150   200   250 KILÓMETROS

PUNTOS DE PARTIDA

AN INVITATION TO SPANISH

PUNTOS DE
AN INVITATION TO SPANISH
PARTIDA

CANADIAN EDITION

KNORRE

DORWICK

PÉREZ-GIRONÉS

GLASS

VILLARREAL

ZAPATA

The McGraw-Hill Companies

McGraw-Hill Ryerson
Connect. Learn. Succeed.™

Puntos de partida
Canadian Edition

Copyright © 2011 by McGraw-Hill Ryerson Limited, a Subsidiary of The McGraw-Hill Companies.
Copyright © 2009, 2005, 2001, 1997, 1993, 1989, 1985, 1981 by The McGraw-Hill Companies.
All rights reserved. No part of this publication may be reproduced or transmitted in any form
or by any means, or stored in a data base or retrieval system, without the prior written permission
of McGraw-Hill Ryerson Limited, or in the case of photocopying or other reprographic copying,
a licence from The Canadian Copyright Licensing Agency (Access Copyright). For an Access
Copyright licence, visit www.accesscopyright.ca or call toll free to 1-800-893-5777.

Statistics Canada information is used with the permission of Statistics Canada. Users are forbidden
to copy this material and/or redisseminate the data, in an original or modified form, for commercial
purposes, without the expressed permission of Statistics Canada. Information on the availability of the
wide range of data from Statistics Canada can be obtained from Statistics Canada's Regional Offices,
its World Wide Web site at http://www.statcan.ca and its toll-free access number 1-800-263-1136.

ISBN-13: 978-0-07-013161-3
ISBN-10: 0-07-013161-9

1 2 3 4 5 6 7 8 9 0 QDB 1 9 8 7 6 5 4 3 2 1

Printed and bound in the United States of America

Care has been taken to trace ownership of copyright material contained in this text; however, the publisher
will welcome any information that enables it to rectify any reference or credit for subsequent editions.

Vice-President and Editor-in-Chief: *Joanna Cotton*
Publisher: *Cara Yarzab*
Sponsoring Editor: *Karen Krahn*
Managing Editor, Development: *Kelly Dickson*
Marketing Manager: *Margaret Janzen*
Developmental Editors: *Christopher Sol Cruz, Jennifer Oliver*
Editorial Associate: *Marina Seguin*
Photo/Permissions Researcher: *Alison Lloyd Baker*
Manager, Editorial Services: *Margaret Henderson*
Supervising Editor: *Cathy Biribauer*
Copy Editor: *Tanjah Karvonen*
Production Coordinator: *Michelle Saddler*
Inside Design: *Greg Devitt Design*
Composition: *Aptara®, Inc.*
Cover Design: *Greg Devitt Design*
Cover Photo: *istockphoto/Peter Spiro*
Printer: *Quad/Graphics*

Library and Archives Canada Cataloguing in Publication Data

Puntos de partida / Marty Knorre . . . [et al.].—1st Canadian ed.

Includes index.
ISBN 978-0-07-013161-3

  1. Spanish language—Textbooks for second language learners—
English speakers.   I. Knorre, Marty

PC4129.E5P85 2010   468.2′421   C2010-904853-9

Gabriela C. Zapata is Associate Professor of Spanish Applied Linguistics at the University of Alberta, where she was also in charge of the Spanish Language Program until June 2010. She received her PhD in Spanish Applied Linguistics from the Pennsylvania State University in 2002. Dr. Zapata's main research foci are bilingualism, second language acquisition (vocabulary and syntax), second language pedagogy and teacher education, and first language attrition/incomplete acquisition. She has published numerous articles on different aspects of bilingualism, and second language acquisition and pedagogy in journals such as *Computer Assisted Language Learning, Hispania, Language Learning,* and *Language Awareness,* among others. Dr. Zapata is a native of Argentina.

Marty Knorre was formerly Associate Professor of Romance Languages and Coordinator of basic Spanish courses at the University of Cincinnati, where she taught undergraduate and graduate courses in language, linguistics, and methodology. She received her Ph.D. in foreign language education from The Ohio State University in 1975. Dr. Knorre is coauthor of *Cara a cara* and *Reflejos* and has taught at several NEH Institutes for Language Instructors. She received a Master of Divinity at McCormick Theological Seminary in 1991.

Thalia Dorwick retired as McGraw-Hill's Editor-in-Chief for Humanities, Social Sciences, and Languages. For many years she was also in charge of McGraw-Hill's World Languages college list in Spanish, French, Italian, German, Japanese, and Russian. She has taught at Allegheny College, California State University (Sacramento), and Case Western Reserve University, where she received her Ph.D. in Spanish in 1973. She was recognized as an Outstanding Foreign Language Teacher by the California Foreign Language Teachers Association in 1978. Dr. Dorwick is the coauthor of several textbooks and the author of several articles on language teaching issues. She is a frequent guest speaker on topics related to language learning, and she was also an invited speaker at the *II Congreso Internacional de la Lengua Española,* in Valladolid, Spain, in October 2001. In retirement, she consults for McGraw-Hill, especially in the area of world languages, which is of personal interest to her. She also serves on the Board of Trustees of Case Western Reserve University and on the Board of Directors of the Berkeley Repertory Theatre.

Ana María Pérez-Gironés is an Adjunct Associate Professor of Spanish at Wesleyan University, Middletown, Connecticut, where she teaches and coordinates Spanish language courses. She received a *Licenciatura en Filología Anglogermánica* from the *Universidad de Sevilla* in 1985, and her M.A. in General Linguistics from Cornell University in 1988. Professor Pérez-Gironés' professional interests include second language acquisition and the use of technology in language learning. She is a coauthor of *A otro nivel, Puntos en breve,* Second Edition, and *¿Qué tal?,* Seventh Edition. She is also a coauthor of the *Student Manuals for Intermediate Grammar Review* and *Intensive and High Beginner Courses* that accompany *Nuevos Destinos.*

William R. Glass is the Publisher for World Languages and Health and Human Performance at McGraw-Hill Higher Education. He received his Ph.D. from the University of Illinois at Urbana-Champaign in Spanish Applied Linguistics with a concentration in Second Language Acquisition and Teacher Education (SLATE). He was previously Assistant Professor of Spanish at The Pennsylvania State University, where he was also Director of the Language Program in Spanish. He has published numerous articles and edited books on issues related to second language instruction and acquisition.

Hildebrando Villarreal is Professor of Spanish at California State University, Los Angeles, where he teaches undergraduate and graduate courses in language and linguistics. He received his Ph.D. in Spanish with an emphasis in Applied Linguistics from UCLA in 1976. Professor Villarreal is the author of several reviews and articles on language, language teaching, and Spanish for Native Speakers of Spanish. He is the author of *¡A leer! Un paso más,* an intermediate textbook that focuses on reading skills.

A. Raymond Elliott is Associate Professor of Spanish and Chair of the Department of Modern Languages at the University of Texas, Arlington. He received his Ph.D. from Indiana University-Bloomington in 1993. His areas of specialization are Spanish applied linguistics, second language acquisition, the acquisition of second language phonological skills, and the historical development of Spanish. Dr. Elliott has published several articles, book chapters, reviews in *The Modern Language Journal, Hispania,* and with Georgetown University Press. He served as a panelist in the McGraw-Hill Annual Teleconference on Authentic Materials, and as a member of the Academic Advisory Board for the package to accompany *Nuevos Destinos.* He is the author of *Nuevos Destinos: Español para hispanohablantes* and coauthor of the annotated Instructor's Edition of both *Puntos en breve* and *¿Qué tal?,* Seventh Edition. Dr. Elliott directs UT-Arlington's Study Abroad Program in Cuernavaca, Mexico.

brief table of contents

CAPÍTULO 1   Introducción al mundo hispano   2

CAPÍTULO 2   En una clase en México   30

CAPÍTULO 3   Una familia en Guatemala   68

CAPÍTULO 4   De compras en Colombia   108

CAPÍTULO 5   Una casa en España   138

CAPÍTULO 6   El tiempo en Costa Rica   180

CAPÍTULO 7   Una comida en Argentina   224

CAPÍTULO 8   De vacaciones en el Caribe   264

CAPÍTULO 9   El tiempo libre en Chile   304

CAPÍTULO 10   Las celebraciones en los países andinos   336

CAPÍTULO 11   La salud en Venezuela   380

contents

Preface   xiv

CAPÍTULO 1
Introducción al mundo hispano   2

Vocabulario: Preparación
Saludos y expresiones de cortesía   4
   Nota comunicativa: Otros saludos y expresiones
     de cortesía   6
El alfabeto español   8
   Nota comunicativa: Los cognados   9

Primera parte
¿Cómo eres tú? (What are you like?):
   The Verb **ser** (Part 1)   10

Pronunciación
Las vocales (*Vowels*): *a, e, i, o, u*   12
   Nota comunicativa: Las expresiones de la clase   14

Segunda parte
Los números del 0 al 30; **hay**   16
Los gustos (*Likes*) y las preferencias (Part 1)   18
   A conversar: Compañeros de cuarto (*roommates*) /
     Vecinos (*neighbours*)   19
¿Qué hora es?   20
   Nota comunicativa: Para expresar la hora   20
   A conversar: Los horarios de los compañeros
     de cuarto   22

Un poco de todo
Videoteca: Entre amigos   22
Lectura: La geografía del mundo hispano   23

Cultura
   Nota cultural: Spanish Around the World   11

Perspectivas culturales
Los hispanos en Canadá   26

En resumen   28

CAPÍTULO 2
En una clase en México   30

Vocabulario: Preparación
Un estudiante nuevo en la universidad de Guanajuato   32
En el salón / En el aula de clase   33
Las materias   36
   Nota comunicativa: Las palabras interrogativas (Part 1)   37
   A conversar: Un/a estudiante internacional   39

Gramática 1
Identifying People, Places, Things, and Ideas (Part 1) • Singular
   Nouns: Gender and Articles   40
Gramática en acción: La lista de James   40

Gramática 2
Identifying People, Places, Things, and Ideas (Part 2) • Nouns and
   Articles: Plural Forms   45
Gramática en acción: Un anuncio   45

El español en acción
En la clase de literatura española   47
   Ahora te toca a ti: En una clase de español en México   47

Gramática 3
Expressing Actions • Subject Pronouns (Part 1);
   Present Tense of -**ar** Verbs; Negation   48
Gramática en acción: Una escena en la biblioteca   48
   Nota comunicativa: The Verb **estar**   50
   Nota comunicativa: Expressing the Time of Day and
     Days of the Week   53
   A conversar: En la fiesta   54

Gramática 4
Getting Information • Asking Yes/No Questions   55
Gramática en acción: La oficina de matrículas   55
   A conversar: En la oficina de matrículas   59

Un poco de todo
Videoteca: En contexto   59
Lectura: Las universidades hispánicas   60
Redacción: La vida universitaria   62

Cultura
Nota cultural I: Las universidades en el mundo hispanohablante   35
Nota cultural II: La educación universitaria en México   44

Perspectivas culturales
México   64
Los mexicanos en Canadá   65

En resumen   66

CAPÍTULO 3
Una familia en Guatemala 68

Vocabulario: Preparación
Unas vacaciones en Guatemala 70
La familia y los parientes (*relatives*) 71
Los números del 31 al 100 74
> **Nota comunicativa:** Expressing Age 74

Gramática 1
Describing • Adjectives: Gender, Number, and Position 76
Gramática en acción: La familia de Patricia 76
Los adjetivos 77
> **Nota comunicativa:** Más nacionalidades 80

Pronunciación
Stress and Written Accent Marks 81

Gramática 2
Expressing *to be* • Present Tense of **ser**; Summary of Uses (Part 2) 82
Gramática en acción: Presentaciones 82
> **Nota comunicativa:** Explaining Your Reasons 85
> **A conversar:** Un informe (*report*) para la clase de español 85

Gramática 3
Expressing Possession • (Unstressed) Possessive Adjectives 87
Gramática en acción: Invitación y posesión 87

El español en acción
Patricia y Alex: dos amigas internacionales 89
> **Ahora te toca a ti:** En Antigua… 90

Gramática 4
Expressing Actions • Present Tense of -**er** and -**ir** Verbs; Subject Pronouns (Part 2) 90
Gramática en acción: Un estudiante típico 90
> **Nota comunicativa:** Telling How Frequently You Do Things 93

Un poco de todo
Videoteca: Entre amigos 95
Lectura: La familia afectada por la migración en Centroamérica 96
Redacción: Un aviso personal 98

Cultura
Nota cultural I: Los apellidos hispánicos 73
Nota cultural II: Los mayas en el siglo XXI 86

Perspectivas culturales
Guatemala, Honduras, El Salvador y Nicaragua 100
Los centroamericanos en Canadá 104

En resumen 106

CAPÍTULO 4
De compras en Colombia 108

Vocabulario: Preparación
La ropa en Medellín 110
De compras: La ropa y los accessorios 111

El español en acción
En una tienda de ropa 114
> **Ahora te toca a ti:** La tienda de ropa 115
Más alla del número 100 116

Gramática 1
Expressing Actions and States: **tener, venir, preferir, querer,** and **poder;** Some Idioms with **tener** 118
Gramática en acción: Un mensaje telefónico en Edmonton, Alberta 118
> **Nota comunicativa:** Using **mucho** and **poco** 122
> **A conversar:** El / La compañero/a de casa 122

Gramática 2
Expressing Destination and Future Actions: **ir; ir** + **a** + Infinitive; The Contraction **al** 123
Gramática en acción: ¿Adónde vas? 123
> **A conversar:** Los planes del fin de semana 126

Gramática 3
Expressing *to who(m)* or *for who(m):* Indirect Object Pronouns; **dar** and **decir** 126
Gramática en acción: En la tienda 126

Un poco de todo
Videoteca: En contexto 129
Lectura: Ropa inteligente en Europa 130
Redacción: Mi tienda favorita 131

Cultura
Nota cultural I: La ropa en Colombia: Primera parte 116
Nota cultural II: La ropa en Colombia: Segunda parte 123

Perspectivas culturales
Colombia 132
Los colombianos en Canadá 134

En resumen 136

CAPÍTULO 5
Una casa en España   138

Vocabulario: Preparación
Un piso en Granada   140
Una casa: los cuartos y los muebles   141
Los quehaceres domésticos   142
   A conversar: Un piso en Barcelona   144
¿Qué día es hoy? • Repaso: Las actividades de
   Javier durante la semana   145
   Nota comunicativa: Expressing *on* with Days of the Week
      (Review)   146
¿Cuándo? • Las preposiciones   149

El español en acción
La fiesta de Ryan   150
   Ahora te toca a ti: Una fiesta   151

Gramática 1
Hacer, oír, poner, salir, traer, and **ver**   152
Gramática en acción: Aspectos de la vida de Julio   152

Gramática 2
Expressing Actions, Emotions, and Opinions • Present Tense of
   Stem-Changing Verbs (Part 2)   156
Gramática en acción: ¿Una fiesta exitosa?   156
   A conversar: El fin de semana   159

Gramática 3
¿Qué están haciendo? • Present Progressive: **estar** + **-ndo**   161
Gramática en acción: ¿Qué está haciendo Elisa?   161
   A conversar: Una llamada de España   167

Un poco de todo
Videoteca: En contexto   167
Lectura: Los avisos clasificados   168
Redacción: Mi casa ideal   170

Cultura
Nota cultural I: Las casas en el mundo hispánico   148
Nota cultural II: La arquitectura histórica musulmana   160

Perspectivas culturales
España   172
Los españoles en Canadá   174

En resumen   178

CAPÍTULO 6
El tiempo en
Costa Rica   180

Vocabulario: Preparación
Un blog interesante: Costa Rica para Canadá   182
¿Qué tiempo hace hoy en América del Sur?   183
Los meses y las estaciones del año   185
¿Dónde está? • Las preposiciones   188
   Nota comunicativa: Los pronombres preposicionales   188

Gramática 1
Ser or **estar** • Summary of the Uses of **ser** and **estar**   190
Gramática en acción: Una conversación de larga
   distancia   190
   A conversar: En la agencia de viajes   195

El español en acción
El viaje de Araceli   196
   Ahora te toca a ti: Nuestras vacaciones   196

Gramática 2
Talking About the Past (Part 1) • Preterite of Regular Verbs
   and of **dar, hacer, ir,** and **ser**   197
Gramática en acción: Un viaje a Panamá   197
   A conversar: Dos fines de semana diferentes   203

Gramática 3
Describing • Comparisons   204
Gramática en acción: México, D.F. y Sevilla, España   204

Un poco de todo
Videoteca: En contexto   210
A conversar: Planificar un viaje   211
Lectura: Todos juntos en los trópicos   211
Redacción: Un viaje inolvidable   214

Cultura
Nota cultural I: El efecto de los huracanes en Costa Rica   187
Nota cultural II: El canal de Panamá   204

Perspectivas culturales
Costa Rica y Panamá   216
Los costarricenses y panameños en Canadá   220

En resumen   222

CAPÍTULO 7
Una comida en Argentina 224

Vocabulario: Preparación
En un café de Buenos Aires 226
La comida y las comidas 227

> **Nota comunicativa:** Más frases relacionadas
> con la comida 229

> **A conversar:** En un restaurante latinoamericano 231

Gramática 1
Talking About the Past (Part 2) • Irregular Preterites 233
Gramática en acción: La fiesta de Sofía 233

Gramática 2
Talking About the Past (Part 3) • Preterite of
Stem-Changing Verbs 237
Gramática en acción: La fiesta de quince años 237

El español en acción
Una fiesta para Ricardo 240
> **Ahora te toca a ti:** Nuestra fiesta 241

Gramática 3
Expressing Likes and Dislikes • **Gustar** and Similar Verbs
(Part 2) 242
Gramática en acción: Las preferencias culinarias de los
uruguayos 242

Gramática 4
Expressing Extremes • Superlatives 247
Gramática en acción: El mejor restaurante de Asunción 247
> **A conversar:** Dos cenas inolvidables 250

Un poco de todo
Videoteca: En contexto 250
A conversar: En el mercado 252
Lectura: La cocina de Palomino 252
Redacción: Una comida inolvidable 254

Cultura
Nota cultural I: La comida del mundo hispánico 231
Nota cultural II: El mate: una tradición compartida 236

Perspectivas culturales
Argentina, Uruguay y Paraguay 256
Los argentinos, uruguayos y paraguayos en Canadá 260

En resumen 262

CAPÍTULO 8
De vacaciones en el Caribe 264

Vocabulario: Preparación
Vacaciones de invierno en el Caribe 266
De viaje 268

El español en acción
Mis vacaciones 270
> **Ahora te toca a ti:** Mis vacaciones de invierno 271
De vacaciones 271
> **Nota comunicativa:** Uses of **se** (for Recognition) 273
¿Qué sabes tú y a quién conoces? 275

Gramática 1
Expressing *what* or *who(m)* • Direct Objects: The Personal **a**;
Direct Object Pronouns 277
Gramática en acción: Turismo en Cuba 277
> **Nota comunicativa:** Talking About What You Have
> Just Done 281
> **Ahora te toca a ti:** Las relaciones en el cine y
> la televisión 282

Gramática 2
Expressing *-self/-selves* • Reflexive Pronouns 284
Gramática en acción: La rutina diaria de Andrés 284
> **Nota comunicativa:** Sequence Expressions 286
> **A conversar:** Vamos de vacaciones 288

Un poco de todo
Videoteca: En contexto 289
A conversar: En la estación de trenes 290
Lectura: Entrevista con Frank Rainieri: Un pionero de la
República Dominicana 290
Redacción: Unas vacaciones inolvidables 292

Cultura
Nota cultural I: Los nuevos tipos de turismo en el mundo
hispánico 272
Nota cultural II: Puerto Rico: Una historia particular 283

Perspectivas culturales
La República Dominicana, Cuba y Puerto Rico 294
Los dominicanos, cubanos y puertorriqueños en Canadá 299

En resumen 302

CAPÍTULO 9
El tiempo libre
en Chile   304

Vocabulario: Preparación
Los pasatiempos en Valparaíso   306
Los pasatiempos, diversiones y aficiones   307

Gramática 1
Talking About the Past (Part 4) • Descriptions and
   Habitual Actions in the Past: Imperfect of Regular
   and Irregular Verbs   310
Gramática en acción: Estoy deprimida…   310
   Nota comunicativa: The Past Progressive   314
   A conversar: Nuestra infancia   315

El español en acción
La abuela chilena de Natalia y Noemí   315

Gramática 2
Expressing Direct and Indirect Objects Together • Double
   Object Pronouns   316
Gramática en acción: Noemí habla de la fiesta de Anita   316

Gramática 3
Getting Information (Part 2) • Summary of
   Interrogative Words   321
Gramática en acción: El restaurante preferido del tío de
   Natalia y Noemí   321

Un poco de todo
Videoteca: Entre amigos   325
Lectura: Noctámbulos   327
Redacción: Una aventura fantástica   329

Cultura
Nota cultural I: Los deportes más importantes en los
   países hispanos   309
Nota cultural II: Condorito   319

Perspectivas culturales
Chile   330
Los chilenos en Canadá   332

En resumen   334

CAPÍTULO 10
Las celebraciones en
los países andinos   336

Vocabulario: Preparación
Una fiesta sorpresa   338
La fiesta de cumpleaños de Javier   340
Otras celebraciones importantes   341

El español en acción
Las emociones del Día de Reyes   344
Las emociones y los estados afectivos   345
   Nota comunicativa: Being Emphatic   346

Gramática 1
Influencing Others (Part 1) • Informal (**tú** and **ustedes**)
   Commands   347
Gramática en acción: Mandatos de la adolescencia   347
   Nota comunicativa: Vosotros Commands   350
   A conversar: El estrés de las clases   353
   Ahora te toca a ti: La cita perfecta   353
   Nota comunicativa: El subjuntivo   354

Gramática 2
¿Por o para? • A Summary of Their Uses   355
Gramática en acción: ¿Qué se representa?   355

Gramática 3
Narrating in the Past • Using the Preterite and the Imperfect:
   Summary   360
Gramática en acción: La fiesta de Roberto   360

Un poco de todo
Videoteca: Entre amigos   366
Lectura: ¡Época de tradiciones!   368
Redacción: Mi día festivo favorito   370

Cultura
Nota cultural I: Los días festivos importantes del mundo
   hispánico   343
Nota cultural II: Ch'aska Palomas: Las artesanías textiles
   de Bolivia   359

Perspectivas culturales
Perú, Bolivia y Ecuador   372
Los peruanos, bolivianos y ecuatorianos en Canadá   376

En resumen   378

CAPÍTULO 11
La salud en Venezuela   380

Vocabulario: Preparación

Me siento muy mal   382
En el consultorio del médico   383
La salud y el bienestar   384

   Nota comunicativa I: Expresiones y exclamaciones   386
   Nota comunicativa II: More on Adverbs   387

Gramática 1

Telling How Long Something has been Happening or
   How Long Ago Something Happened • **Hace... que:**
   Another Use of **hacer**   389
Gramática en acción: En el consultorio de la Dra. Méndez   389

Gramática 2

Influencing Others • Commands (Part 2): Formal **usted**
   Commands   391
Gramática en acción: Instrucciones para lavarnos
   las manos   391

   A conversar: La entrevista con un/a consejero/a de
      trabajo   395

Gramática 3

Expressing Subjective Actions or States • Present Subjunctive
   (Part 1): An Introduction   397
Gramática en acción: Los consejos de papá   397

El español en acción

Consejos para buscar pareja en Internet   401

   Ahora te toca a ti: Una pareja ideal   402

Gramática 4

Expressing Desires and Requests • Use of the Subjunctive
   (Part 2): Influence   402
Gramática en acción: ¿Quién debe hacerlo?   402

Un poco de todo

Videoteca: En contexto   407
A conversar: En el consultorio del médico   408
Lectura: Divórciese del estrés   408
Redacción: El estrés y los estudiantes **o** Mi última visita al
   consultorio   410

Cultura

Nota cultural I: La medicina en los países hispanos   388
Nota cultural II: Los estudiantes venezolanos: Trabajo y
   participación política   395

Perspectivas culturales

Venezuela   412
Los venezolanos en Canadá   414

En resumen   416

Appendices

Glossary of Grammatical Terms   A-1
Verbs   A-7

Vocabularies

Spanish-English   V-1
English-Spanish   V-29

Credits   C-1

Index   I-1

preface

WELCOME TO *PUNTOS DE PARTIDA*, CANADIAN EDITION

The impetus behind this edition of *Puntos de partida* was the need to provide Canadian students and instructors with a concise textbook that would not only embody the main tenets of communicative language teaching, but would also reflect their geographical and cultural realities. The result is a textbook that offers a comprehensive approach to Spanish by focusing on the development of the four traditional language skills—speaking, writing, listening, and reading—as well as students' intercultural awareness.

Here are some of the specific features of *Puntos de partida*, Canadian Edition.

NEW ILLUSTRATIONS, PHOTOS, AND REALIA

- New colour culture-relevant photographs, illustrations, and pieces of realia (authentic posters, websites, etc.) bring an exciting new visual appeal to the program and enhance the pedagogy of the text.

- New dialogues and communicative texts have been created for all **Vocabulario: Preparación** and **Gramática** sections to ensure that select theme vocabulary items and grammatical structures are presented more clearly and communicatively. In addition, lexical dialectal differences are highlighted in the new vocabulary section **El español camaleón,** which provides students with examples of varieties of a same word that are used in different Latin American countries and in Spain.

- New photographs appear in the new chapter openers and in the **Nota cultural** and **Perspectivas culturales** sections spreads.

- More realia-based activities have been added to help students connect with the target culture.

DIVERSE CULTURAL CONTENT

- Each chapter explores a different country or group of countries in the Spanish-speaking world, and its contents reflect and are embedded in specific cultural aspects. In addition, all the audio segments in each chapter were recorded by native speakers of the dialect spoken in the featured country/countries.

- More cultural information is provided in the two **Nota cultural** sections that appear in each chapter.

- The revised **Perspectivas culturales** section in each chapter highlights the country or countries of focus through demographic information, and up to five photos with extended captions. A new **La música, el arte y la literatura de…** feature presents a brief introduction to the unique musical style, art, and literature of each country. In addition, the new feature **Los… en Canadá** provides information about Hispanic immigrant groups in this country, emphasizing their organizations and activities.

- The **Perspectivas culturales** spread has also been expanded to incorporate a cultural group project that provides students with the opportunity to learn more about the country highlighted in the chapter or specific Hispanic immigrant groups in Canada.

- All culture sections include questions about Canadian culture to allow for reflection and critical thinking on intercultural similarities and differences.

- New chapter opening spreads now offer a culture-relevant photo, and questions on the online cultural videos about the country or countries highlighted in the chapter. These questions are meant to spark in-class discussion, get students thinking about cultural themes, and help them relate those themes to their own culture and life experience. Thus, students will start making connections between their own country and the country or countries highlighted in each chapter.

- More culture-based activities have been added throughout, and there are now direct links between the linguistic and cultural content in each chapter.

SKILL FOCUS

- New activities have been added throughout to develop learners' four traditional skills as well as their intercultural awareness.

- **Práctica** activities have been restructured throughout *Puntos de partida,* Canadian Edition, and many of them are now organized into a series of **pasos** that encourage students to prepare themselves for the completion of tasks with a partner or group, and to share information with the whole class or with their instructor.

- The new role-play sections **A conversar…** and **Ahora te toca a ti…** maximize students' use of the target language in communicative situations.

- The passages in **Nota cultural** and **Lectura** sections focus on students' reading comprehension skills. In addition, each **Lectura** section highlights a reading strategy that can facilitate students' comprehension.

- The dialogues and texts in the introductory vocabulary sections and in the new feature **El español en acción** reinforce students' listening skills. In addition, more listening activities are provided in the new video segments in the feature **Videoteca** in the section **Un poco de todo.**

- The new **Redacción** sections guide students through the writing process with pre- and post writing activities, and they provide them with opportunities to explore a topic related to the themes of the chapter and to use specific vocabulary and grammatical structures.

- The questions in the **Nota cultural** sections and the group projects in **Perspectivas culturales** allow for reflection and critical thinking on intercultural issues.

STUDENT-FRIENDLY FEATURES

- All the vocabulary and grammar in each chapter is introduced in communicative contexts and is enhanced to focus students' attention on both meaning and form.

- The **Vocabulario personal** box at the end-of-chapter vocabulary lists allows students to jot down new vocabulary items related to the chapter themes that come up as they complete activities throughout each chapter but which are not included in the chapter's active vocabulary list.

- More **¿Recuerdas?** features have been added so that previously taught grammar is now consistently reviewed before new grammar on which it is based is presented.

- A number of grammar explanations have been rewritten, reorganized, or made more visual so that they are simpler and easier for students to grasp.

- The examples and activities in the grammar sections are now related to the cultural aspects and themes in each chapter.

- The number of chapters has been reduced to address the curriculum needs of most Canadian institutions.

While much is new to *Puntos de partida,* Canadian Edition, you will continue to find the many hallmarks that made the original edition the book of choice for hundreds of instructors across the country and in the United States. These hallmark features include:

- an abundance of classroom-tested practice material, ranging from form-focused exercises to communicative activities that promote real conversation

- vocabulary, grammar, and culture that work together as interactive units

- an emphasis on the meaningful use of Spanish

- a positive portrayal of contemporary Hispanic cultures

- print and media supplementary materials that are carefully coordinated with the core text

The pages that follow provide a more detailed overview of changes to this edition in a section called "What's New in the Canadian Edition?" A comprehensive discussion of supplementary materials follows a brief explanation of how to use *Puntos de partida,* Canadian Edition in the classroom. The Preface closes with the acknowledgment of the many instructors and students who helped shape this Canadian Edition.

what's new in the Canadian edition?

CHAPTERS

- The chapter opening pages have been redesigned to be more visually engaging, provide a better thematic and cultural springboard into the chapter, and function more effectively as an advance organizer for the upcoming chapter's content.
- The number of chapters has been reduced to address the curriculum needs of most Canadian institutions.

VOCABULARY: CLEAR, CURRENT, AND PERSONAL

- All presentations and activities have been thoroughly reviewed by the author and revised as needed, with special attention paid to updating vocabulary and ensuring that personalized activities reflect the interests of today's students in Canada.
- The new **El español camaleón** feature introduces regional variations on theme vocabulary from around the Spanish-speaking world.
- To further personalize students' learning of Spanish, a new **Vocabulario personal** feature in the **En resumen** section of the chapter invites students to record new words that they may have used in class or while doing homework, and that are of personal interest to them.

A FRESH APPROACH TO VOCABULARY AND GRAMMAR

- All the vocabulary and grammar in each chapter is introduced in communicative contexts. Students see the vocabulary and grammar points at a glance, in a natural context, making the upcoming presentations more meaningful and understandable.
- The use of coloured type and bold has been expanded to the communicative contexts that introduce the vocabulary and grammar points, thus helping students to more easily see the target vocabulary and structures in context. In addition, this feature draws students' attention to both meaning and form.

ACTIVITIES: UPDATED FOR TODAY'S LEARNERS IN CANADA

- All activities have been carefully examined and revised, as needed, to ensure that they are of interest to today's students, reflecting what they really want to—and will—talk about.
- All activities reflect the geographical, cultural, and everyday realities of Canadian students.
- New role-play activities have been added throughout to ensure students' use of the target language in communicative contexts.

RECYCLING: CONSISTENTLY AND FREQUENTLY

The recycling of vocabulary and grammar is critical to successful learning. *Puntos de partida,* Canadian Edition has paid special attention to review and recycling.

- Opportunities for recycling of linguistic and cultural content have been greatly increased. Vocabulary presentations now consistently list previously learned theme vocabulary, and the number of **¿Recuerdas?** recycling boxes has been increased so that previously explained grammar points on which the new grammar point is based are always reviewed.

RETHINKING CULTURE

In this edition, the author has significantly revised virtually all aspects of the existing cultural content and has added new cultural features.

- More cultural information has been introduced in the two **Nota cultural** sections that appear in each chapter.
- The new **La música, el arte y la literatura de…** feature in the revised **Perspectivas culturales** section offers a brief introduction to the unique musical style, art, and literature of each country.
- The new feature **Los… en Canadá** provides information about Hispanic immigrant groups in this country, emphasizing their organizations and activities.
- The new cultural group project at the end of the **Perspectivas culturales** section offers Canadian students the opportunity to learn more about the country or countries highlighted in the chapter or about specific Hispanic immigrant groups in their own country.
- All culture sections include questions about Canadian culture to allow for reflection and critical thinking on intercultural similarities and differences.
- New chapter opening spreads now offer culture-relevant photos and questions highlighting the cultural information in the online cultural videos.
- More culture-based activities have been added throughout, and there is now a direct relationship between the linguistic and cultural content of each chapter.
- All the audio segments in each chapter were recorded by native speakers of the dialect spoken in the featured country/countries.

NEW, ENGAGING READINGS

- The **Nota cultural** and **Lectura** sections provide content to develop learners' reading and writing skills. Most of the readings in these sections are new to the Canadian Edition, and all of these were chosen from sources written for native speakers of Spanish.

NEW, ENGAGING VIDEO AND WRITING SECTIONS

- The new **Videoteca** section in each chapter offers video segments that highlight the themes, functions, vocabulary, and grammatical structures in the chapter. The segments are accompanied by pre- and post-viewing activities.
- The original writing activities have been replaced by the new **Redacción** section which provides learners with guidance in the writing process through pre- and post-writing tasks.

a guided tour

CHAPTER OPENING SPREAD

Each chapter opens with an engaging two-page spread that provides a purposeful introduction to the chapter for both the instructor and the students. A photo and map, together with an activity based on a video clip (available at the *Online Learning Centre*) introduce students to both the chapter theme and the chapter's culture(s) of focus.

En este capítulo is a brief table of contents of the learning goals of the chapter, including key vocabulary, language functions, grammar, and cultural points.

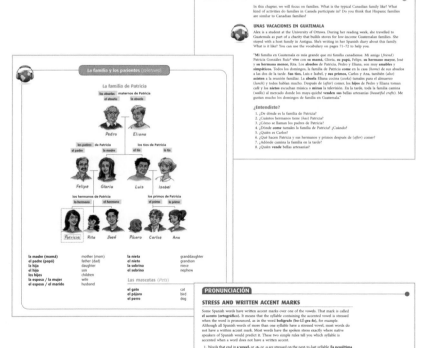

VOCABULARIO: PREPARACIÓN

This section presents and practises the chapter's thematic vocabulary. Each set of key vocabulary is presented within a useful context such as a conversation or a written text, followed by a visual presentation of the items. The items in these sections, marked with a Web audio icon, are available in audio format at the *Online Learning Centre*.

PRONUNCIACIÓN

This section focuses on accent marks and vowel sounds that are particularly difficult for native speakers of English. Similar pronunciation practice with the sounds of the Spanish consonants is available in the *Puntos Workbook*.

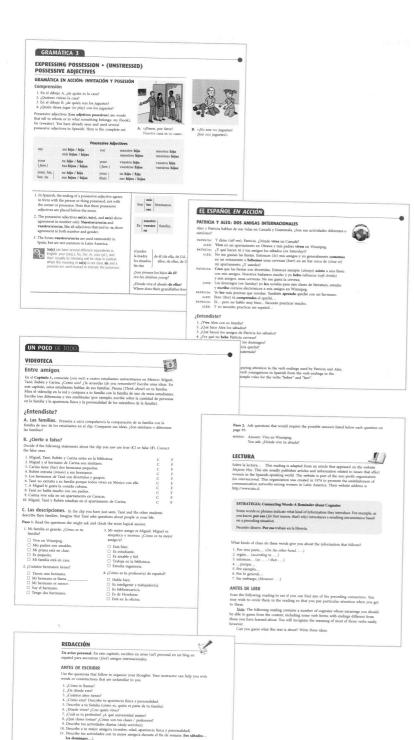

GRAMÁTICA

This section presents two to four grammar points. Each point is introduced by a **Gramática en acción**, which can be a short dialogue, a cartoon or drawing, realia, or a presentation device that presents the grammar topic in context. Grammar explanations, in English, appear with paradigms and sample sentences in Spanish. Each grammar presentation is followed by a series of contextualized activities that progress from more controlled (**Práctica**) to more open-ended communicative tasks.

El español en acción sections provide opportunities for students to hear and practise the grammar points in a context related to the topic of the chapter, and experiment with new language in role plays and discussions.

UN POCO DE TODO

Un poco de todo presents tasks and activities that further develop learners' listening, reading, and writing skills, and complements the chapter theme and the culture(s) of focus.

The **Videoteca** section offers additional listening practice for students through video-based activities with clips available at the *Online Learning Centre*. The video clips provide contextualized presentations of key learning points in each chapter.

The **Lectura** section presents a brief text from the culture(s) of focus, tied into the topic of each chapter, and is accompanied by a reading strategy (**Estrategia**). A combination of adapted and authentic readings from books, magazines, websites, and blogs provides a further look inside the various cultures presented throughout the *Student Edition*.

Following the **Lectura** section is **Redacción**, a series of process-oriented writing tasks that vary from writing simple sentences to extended narrations in Spanish.

PERSPECTIVAS CULTURALES

This section highlights the country or countries of focus through demographic information and a wide range of photos with extended captions. In addition to exposing students to the sights and traditions of cultures across the Spanish-speaking world, **La música, la literatura y la pintura** sections provide examples of and short reading texts about famous artists.

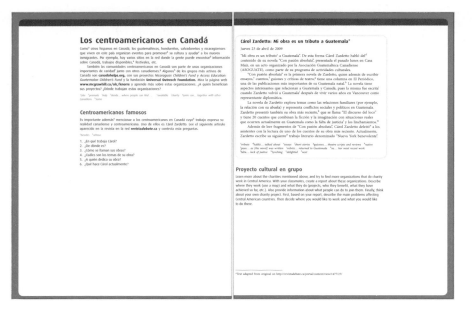

LOS HISPANOS EN CANADÁ

Each chapter provides authentic reading texts and exercises about various Hispanic communities and organizations across Canada. A **Proyecto cultural en grupo** task offers students the chance to learn more about and connect with these cultures in their own communities.

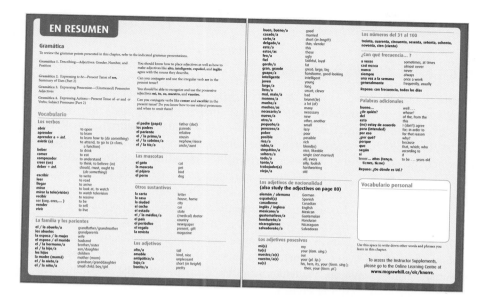

EN RESUMEN

This end-of-chapter grammar and vocabulary summary consists of two sections: **Gramática** and **Vocabulario.** The Gramática section provides students with a quick overview of the major grammar points within the chapter as well as a reminder of what they should know for assessment puposes. The Vocabulario section includes all important words and expressions from the chapter that are considered active. A **Vocabulario personal** feature invites students to jot down new words that come up as they work through a chapter.

ADDITIONAL FEATURES

Other important features that appear throughout the text include:

- **El español camaleón** features regional variations on theme vocabulary from around the Spanish-speaking world.

- **Vocabulary útil** boxes that give additional vocabulary that may be helpful for completing specific activities.

- Theme-related **Nota cultural** features that highlight an aspect of Hispanic cultures throughout the world.

- **Nota comunicativa** sections that provide additional information and strategies for communicating in Spanish.

- **A conversar…** boxes that invite students to create and practise dialogues based on key language points.

- **Ahora te toca a ti…** sections that provide ideas for students to practise the language in situation-based role plays.

- **¿Recuerdas?** features that review an earlier grammar point to make sure that it's fresh in the minds of students before they begin a related new grammar point.

using *Puntos de partida,* Canadian edition in the classroom

DEVELOPING LANGUAGE PROFICIENCY

The author believes that students' (and instructors') class time is best spent using Spanish: listening to and speaking with their instructor and classmates, listening and viewing audio-visual materials of many kinds, and reading in-text and supplementary materials. For that reason, grammar explanations have been written to be self-explanatory, and sample answers for many exercises are provided online at **www.mcgrawhill.ca/olc/knorre** so that students can check their work before going to class. Thus, instructors can spot-check exercises as needed in class but devote more time to the multitude of extensions, follow-up suggestions, and special activities offered in the *Instructor's Manual.* Consequently, class time can be focused on new material and novel language experiences that will maintain student interest and provide more exposure to spoken and written Spanish. Research in second language acquisition has revealed that environments that offer learners opportunities to use the language in meaningful ways provide an optimal learning situation. Students make few gains in language learning when all of their class time is spent correcting exercises.

The preceding comments underscore the author's conceptualization of *Puntos de partida,* Canadian Edition as a text that fosters Canadian students' proficiency in Spanish. The following features help realize this objective:

- a focus on the acquisition of vocabulary in each chapter throughout the text
- an emphasis on meaningful and creative use of language
- careful attention to skills development rather than grammatical knowledge alone
- a cyclical organization in which vocabulary, grammar, and language functions are consistently reviewed and reentered
- an integrated cultural component that embeds practice in a wide variety of culturally significant contexts
- content that aims to raise student awareness of the interaction of language, culture, and society

comprehensive learning and teaching package

FOR STUDENTS

- The **Workbook** provides additional practice with vocabulary and structures through a variety of input-based, controlled, and open-ended activities and guided compositions. Special features include the Prueba corta which allows students to quickly assess what they have learned in the chapter. The Perspectivas culturales section offers focused vocabulary and fact-based activities related to the same feature found in the student textbook. In addition, each Workbook chapter contains a variety of listening comprehension activities as well as cultural listening passages with listening strategies and audio segments recorded by native speakers of the dialect spoken in the featured country/countries. Many of the Workbook exercises also make reference to the characters and situations that appear in the textbook.

- The **Online Workbook,** developed in collaboration with Quia™, offers an online version of the Workbook with such benefits as an integrated Audio program, self-scoring activities, and a voice board for pronunciation practice and conversations.

- Benefits **for the instructor** include a gradebook that automatically scores, tracks, and records student grades and provides the opportunity to review individual and class performance. Other benefits include customizable activities and features, including voice board and pronunciation activities, and instant access to grades and performance.

- The **Audio Program** emphasizes listening comprehension activities as well as cultural listening passages with listening strategies.

- The **Online Learning Centre** (www.mcgrawhill.ca/olc/knorre) provides students with a wealth of additional resources including the Workbook Audio program, Videoteca and cultural videos, Textbook Audio recordings that correspond to the textbook sections with the Web Audio icon, Flash Grammar Tutorials, Cultural Calendar, and Interactive Verb Charts.

FOR INSTRUCTORS

- The **Online Learning Centre** (www.mcgrawhill.ca/olc/knorre) offers password-protected access to the resources listed below, as well as the Audio Script, Video Script, an Image Bank, and Calendario cultural. The Online Learning Centre is a valuable resource for instructors to use in developing their course, and for students to use for review.

- The **Instructor's Manual** offers teaching techniques, suggestions for lesson planning, and interactive and communicative activities for practising vocabulary and grammar.

- A **Computerized Test Bank,** available through EZ Test Online, McGraw-Hill's flexible and easy-to-use test creation website. The program allows instructors to create tests, accommodates a wide range of question types, and allows instructors to create their own questions. Multiple versions of a test can be created, and any test can be exported for use with course management systems such as WebCT or Blackboard.

- The **Testing Program** contains additional activities, quizzes, and exams.

- **Grammar PowerPoint Presentations** reinforce chapter-specific grammatical concepts.

- **Cultural PowerPoint Presentations** introduce students to over 20 Spanish-speaking cultures, highlighting the history, landmarks, celebrations, and tradition of each.

COURSE MANAGEMENT

- McGraw-Hill Ryerson offers a range of flexible integration solutions for **WebCT** and **Blackboard** platforms. Please contact your local McGraw-Hill Ryerson *i*Learning Sales Specialist for details.

- **Centro**™ (www.mhcentro.com) provides a central area from which a student or instructor can access Quia products, such as the Workbook, and McGraw-Hill products, like the Online Learning Centre and Interactivities, eliminating the need for separate websites and log-ons. Centro acts as a LMS, allowing instructors to upload grades into a cumulative, exportable gradebook. Instructors can create assignments, activities, and quizzes and administer feedback, deadlines, and grading options.

SUPERIOR SERVICE

At McGraw-Hill Ryerson, we take great pride in developing high-quality learning resources while working hard to provide you with the tools necessary to utilize them. We want to help bring your teaching to life, and we do this by integrating technology, events, conferences, training, and other services. We call it *i*Services. For more information, visit **www.mcgrawhill.ca/olc/iservices.**

*i*LEARNING SALES SPECIALIST

Your Integrated-Learning Sales Specialist is a McGraw-Hill Ryerson representative who has the experience, product knowledge, training, and support to help you assess and integrate our products, technology, and services into your course for optimum teaching and learning performance. Whether it's how to use our test bank software, helping your students to improve their grades, or how to put your entire course online, your *i*Learning Sales Specialist is there to help. Contact your *i*Learning Sales Specialist today to learn how to maximize all McGraw-Hill Ryerson resources!

NATIONAL TEACHING AND LEARNING CONFERENCE SERIES

The educational environment has changed tremendously in recent years and McGraw-Hill Ryerson continues to be committed to helping you acquire the skills you need to succeed in this new milieu. Our innovative National Teaching and Learning Conference Series brings faculty together from across Canada with 3M Teaching Excellence award winners to share teaching and learning best practices in a collaborative and stimulating environment. Pre-conference workshops on general topics, such as teaching large classes and technology integration, are also offered. We will also work with you at your own institution to customize workshops that best suit the needs of the faculty at your institution.

COURSESMART

CourseSmart brings together thousands of textbooks across hundreds of courses in an eText-book format, providing unique benefits to students and faculty. By purchasing an eTextbook, students can save up to 50 percent on the cost of a print textbook, reduce their impact on the environment, and gain access to powerful Web tools for learning including full-text search, notes and highlighting, and email tools for sharing notes between classmates. For faculty, CourseSmart provides instant access for reviewing and comparing textbooks and course materials in their discipline area without the time, cost, and environmental impact of mailing print exam copies. For further details contact your *i*Learning Sales Specialist or go to **www.coursesmart.com**.

CREATE ONLINE

McGraw-Hill's Create Online gives you access to the most abundant resource at your fingertips—literally. With a few mouse clicks, you can create customized learning tools simply and affordably. McGraw-Hill Ryerson has included many of our market-leading textbooks within Create Online for e-book and print customization as well as many licensed readings and cases. For more information, go to www.mcgrawhillcreate.com.

acknowledgments

AUTHOR'S DEDICATION

I want to express my deepest thanks to my wonderful husband, Pat, my beloved son, Seany, and my dear mother-in-law, Jan, for their unconditional love and support. I cannot imagine my life without them. Thanks, guys!

Este libro está dedicado a mis padres, Juan Carlos y Tere. No hay palabras adecuadas para expresar mi agradecimiento por su amor y amistad incondicionales. Su bondad, honestidad, sacrificio y ética de vida son mis constantes fuentes de inspiración.

Gabriela C. Zapata

In addition, the publisher wishes to acknowledge the following manuscript reviewers and focus group participants:

Manuscript reviewers:

Adam Spires, *Saint Mary's University*
Ana Vialard, *University of Manitoba*
Annette D. Dominik, *Thompson Rivers University*
Caterina Reitano, *University of Manitoba*
Anna Hamling, *University of New Brunswick*
Cecilia Sessarego, *Mount Royal University*
Christina Santos, *Brock University*
Christine Forster, *University of Victoria*
Diana Pifano, *Dalhousie University*
Donna M. Rogers, *Dalhousie University*
Carol A. Stos, *Laurentian University*
Felipe Ruan, *Brock University*
Geni Pontrelli, *McMaster University*
Gordon Berg, *Seneca College*
Grisel Mariá Garciá Pérez, *University of British Columbia*
Isolde Dyson, *University of Toronto, Scarborough*
Jan Mennell, *Queen's University*
Joanne Rotermundt-de la Parra, *Queen's University*
John Bruhn de Garavito, *The University of Western Ontario*
John Kirk, *Dalhousie University*
John W. Schwieter, *Wilfrid Laurier University*
Li McLeod, *University of Regina*
Lilian Zuccolo, *Simon Fraser University*
María-Jesús Plaza, *Mount Royal College*
Marie-Christine Rey-Bilbey, *Thompson Rivers University*
Mercedes Rowinsky, *Wilfrid Laurier University*
Michael Dabrowski, *Athabasca University*
Michol Hoffman, *York University*
Monica Ruiz, *University of Winnipeg*
Nelly Muresan, *Dawson College*
Ritanna Terrón, *Fanshawe College*
Rosanna Vitale, *University of Windsor*
Sophie M. Lavoie, *University of New Brunswick*
Stephanie E. Spacciante, *University of British Columbia*

Susan Bauman, *Seneca College*
Vanna Fonsato, *Champlain College*

Focus group participants:

Annette D. Dominik, *Thompson Rivers University*
Ana Maria Donat, *Vancouver Island University*
Caterina Reitano, *University of Manitoba*
Christine Forster, *University of Victoria*
Donna M. Rogers, *Dalhousie University*
Enrique Manchon, *University of British Columbia*
Grisel Mariá Garciá Pérez, *University of British Columbia*
Ibis Lam, *University of Waterloo*
Joanne Rotermundt-de la Parra, *Queen's University*
Patrick Karsenti, *Kwantlen Polytechnic University*
Regina Vera-Quinn, *University of Waterloo*
Serge Gingras, *Red Deer College*
Tamara Al-Kasey, *University of Toronto, Scarborough*
Xavier Gutierrez, *University of Windsor*

CAPÍTULO 1

Introducción al mundo hispano

Ante todo

Puntos de partida means *points of departure* in Spanish. This book will be your point of departure in Spanish language and culture. With **Puntos de partida, Canadian Edition** you will begin to learn Spanish and get ready to communicate with Spanish speakers in this country and elsewhere in the Spanish-speaking world.

To speak a language involves much more than just learning its grammar and vocabulary; to know a language is to know the people who speak it. For this reason **Puntos de partida** will provide you with cultural information to help you understand and appreciate the traditions and values of Spanish-speaking people all over the world.

Are you ready for the adventure of learning Spanish? Pues, ¡adelante! (*Well, let's go!*)

In this chapter, we will learn more about the places where Spanish is spoken. Can you name some of the countries where people speak Spanish? Do you know anything about these countries? Write down some ideas, and then discuss them with the rest of your class.

Estudiantes en México

Estudiantes en Madrid, España

Estudiantes en Lima, Perú

En este capítulo

A comunicarnos

In this chapter, we will learn how to . . .

- greet friends and people we don't know very well
- describe ourselves and others
- use numbers 0–30 to talk about quantities
- talk about likes and dislikes
- spell names and words in Spanish (the alphabet)
- pronounce Spanish consonants and vowels
- tell the time and talk about the days of the week
- use classroom expressions in Spanish

Gramática

- The present tense of the verb *ser* (singular forms)
- The present tense of the verb *haber*

Cultura

- El español en el mundo
- La geografía del mundo hispano
- Los hispanos en Canadá

In this chapter, we will learn how to greet friends and people we don't know very well. We will also see some expressions you can use when you meet someone for the first time. How do you greet people in Canada? Do you use different expressions for people you know and for those who you don't know well? How do these greetings differ in English and Spanish? Listen to the following conversations, and try to discover some of the social rules that apply to each situation.

SALUDOS Y EXPRESIONES DE CORTESÍA

Situación 1. Jorge and his girlfriend Analía visit Jorge's mom. Analía meets her for the first time.

Una familia en Santiago de Chile, Chile

JORGE:	¡Hola, mamá!
MAMÁ DE JORGE:	¡Hola! ¿Qué tal, Jorgito? ¿Cómo estás?
JORGE:	Muy bien. ¿Y tú?
MAMÁ DE JORGE:	Bien, gracias.
JORGE:	Mamá, te presento a mi novia…
MAMÁ DE JORGE:	Buenas tardes. ¿Cómo te llamas?
ANALÍA:	Buenas tardes, señora García. Me llamo Analía.
MAMÁ DE JORGE:	Mucho gusto, Analía.
ANALÍA:	Igualmente.

Situación 2. Carlos and Antonio are students at the Universidad Metropolitana de Caracas. They are good friends. Their girlfriends, Andrea and Karina, are not from Venezuela. They meet for the first time.

ANTONIO:	Hola, Carlos.
CARLOS:	¿Cómo estás?
ANTONIO:	Muy bien. ¿Y tú?
CARLOS:	Regular. Nos vemos el sábado, ¿sí?
ANTONIO:	Sí. Hasta luego.
ANDREA:	¡Hola! Me llamo Mariela. ¿Y tú? ¿Cómo te llamas?
KARINA:	Me llamo Karina. Mucho gusto.
ANDREA:	Mucho gusto, Karina. Y, ¿de dónde eres?
KARINA:	Yo soy de Panamá. ¿Y tú?
ANDREA:	Yo soy de Colombia.

Estudiantes en Caracas, Venezuela

¿Qué tal?, **¿Cómo estás?**, and **¿Y tú?** are expressions used in informal situations with people you know well, on a first-name basis.

¿Cómo te llamas? is used in informal situations—for example, with other students. In addition, someone older than you (for example, your instructor or an elderly neighbour) can use this expression to ask for your name. If you don't know the person well or if he/she is older than you, you need to use **¿Cómo se llama usted?** instead. **Usted** is the formal alternative for **tú**, and it is used in formal situations.

The phrases **mucho gusto** and **igualmente** are used by both men and women when meeting for the first time in both formal and informal situations. In response to **mucho gusto**, a woman can also say **encantada**; a man can say **encantado**.

¿De dónde eres? is used in informal situations to ask where someone is from. In formal situations the expression used is **¿De dónde es usted?** To reply to either question, the phrase **(Yo) Soy de _____** is used.

Situación 3. El señor Gómez y la señora Velasco are neighbours. They don't know each other very well.

ELISA VELASCO:	Buenas tardes, señor Gómez.
MARTÍN GÓMEZ:	Muy buenas, señora Velasco. ¿Cómo está?
ELISA VELASCO:	Bien, gracias. ¿Y usted?
MARTÍN GÓMEZ:	Muy bien, gracias. Hasta luego.
ELISA VELASCO:	Adiós.

Vecinos (*neighbours*) en Quito, Ecuador

¿Cómo está? and **¿Y usted?** are used to address someone with whom you have a formal relationship. For example, you would use these expressions with your instructors, elderly people, and people who you don't know well, such as shop assistants, flight attendants, etc. The distinction between **tú** and **usted** is very important for people in the Spanish-speaking world.

¿Entendiste?

This section will check your understanding of the dialogues and language presented in each chapter. You will be asked comprehension and language (**Lengua**) questions. In this chapter the questions will be in English, but in the rest of the book, Spanish will be used. To answer the following questions, you can resort to the information in the textboxes under the dialogues and in **Nota comunicativa** on page 6.

1. Is **Situación 1** formal or informal? Or both? Make a list of expressions that define the register. Could the same distinctions in the register of the expressions used be found in Canada?

2. What is happening in **Situación 2**? Why are Carlos and Antonio using **tú** instead of **usted**? What can you say about the body language in the picture? How do young men and young women greet in Latin America? Is it the same in Canada?

3. Make a list of the differences between **Situación 2** and **Situación 3**. Take into account the relationship between participants, situation, expressions, and body language.

4. Based on your answers, with a classmate, make a list of the similarities and differences between greetings and introductions in formal and informal situations in the Spanish-speaking world.

Nota comunicativa

Otros saludos y expresiones de cortesía

buenos días	good morning (*used until the midday meal*)
buenas tardes	good afternoon (*used until the evening meal*)
buenas noches	good evening; good night (*used after the evening meal*)
hasta luego	see you later/goodbye
nos vemos	see you
mañana	tomorrow
el lunes	on Monday
el martes	on Tuesday
el miércoles	on Wednesday
el jueves	on Thursday
el viernes	on Friday
el sábado	on Saturday
el domingo	on Sunday
señor (Sr.)	Mr., sir
señora (Sra.)	Mrs., ma'am
señorita (Srta.)	Miss
gracias	thanks, thank you
muchas gracias	thank you very much
de nada, no hay de qué	you're welcome
por favor	please (*also used to get someone's attention*)
perdón	pardon me, excuse me (*to ask forgiveness or to get someone's attention*)
con permiso	pardon me, excuse me (*to request permission to pass by or through a group of people*)

El español camaleón*

These greetings are used (especially by young people) to express *What's up?* or *What's happening?*

¿Qué hay?
¿Qué pasa?
¿Qué hubo?
¿Qué onda? (*Mex.*)
¿Qué hacés? (*Arg.*)
Adios: Chau (*Arg.*)

When you tell someone **¡Gracias!**, the person can use the phrase **por nada** instead of **de nada. Con permiso** is often abbreviated to just **permiso.**

There is no Spanish equivalent for *Ms.*; use **Sra.** or **Srta.** as appropriate. Use the titles **profesor** and **profesora** to address your college instructors.

---

*El español camaleón** boxes in each chapter of ***Puntos de partida,* Canadian Edition** will introduce optional vocabulary and expressions from across the Spanish-speaking world.

Práctica

A. Expresiones de cortesía. In how many different ways can you respond to the following greetings and phrases?

1. Buenas tardes.
2. Adiós.
3. ¿Qué tal?
4. ¡Hola!
5. ¿Cómo está?
6. Buenas noches.
7. Muchas gracias.
8. Hasta mañana.
9. ¿Cómo se llama usted?
10. Mucho gusto.
11. ¿De dónde eres?
12. Buenos días.
13. Nos vemos el domingo.

B. Situaciones. If the following people met or passed each other at the times given, what might they say to each other? And if they met for the first time? Role-play the situations with a classmate.

1. Mr. Santana and Miss Pérez, at 5:00 P.M.
2. Mrs. Ortega and Pablo, at 10:00 A.M.
3. Ms. Hernández and Olivia, at 11:00 P.M.
4. Professor Medina meets one of her students, Clara Torres, for the first time.
5. You and a classmate, just before your Spanish class.
6. You and a classmate meet your Spanish instructor for the first time.

C. Más (More) situaciones. Are the people in these drawings saying **por favor, con permiso,** or **perdón?** ¡OJO! More than one response is possible in some instances.

D. Entrevista (Interview)

Paso (Step) **1.** Turn to a person sitting next to you and do the following.

- Greet him or her appropriately, that is, with informal forms.
- Ask how he or she is.
- Find out his or her name.
- Ask where he or she is from.
- Conclude the exchange.

Paso 2. Now have a similar conversation with your instructor, using the appropriate formal or familiar forms, according to your instructor's request.

EL ALFABETO ESPAÑOL

There are thirty letters in the Spanish alphabet (**el alfabeto** or **el abecedario**)—four more than in the English alphabet. The four additional letters are the **ch,** the **ll,** the **ñ,** and the **rr.** The letter **ñ** comes after **n** in alphabetized lists in Spanish. The letters **k** and **w** appear only in words borrowed from other languages.

Letters	Names of Letters	Examples		
a	a	Antonio	Ana	(la) Argentina
b	be, be larga	Benjamín	Blanca	Bolivia
c	ce	Carlos	Cecilia	Cuba
ch	che	Pancho	Chabela	Chile
d	de	Diego	Dolores	República Dominicana
e	e	Eduardo	Elena	(el) Ecuador
f	efe	Fernando	Florencia	Florida
g	ge	Gerardo	Gloria	Guatemala
h	hache	Héctor	Hortensia	Honduras
i	i	Ignacio	Inés	Ibiza
j	jota	José	Juana	Jalisco
k	ca (ka)	(Karl)	(Karina)	(Kansas)
l	ele	Luis	Lola	Lima
ll*	elle	Guillermo	Estrella	Sevilla
m	eme	Manuel	María	México
n	ene	Nicolás	Natalia	Nicaragua
ñ	eñe	Íñigo	Begoña	España
o	o	Octavio	Olivia	Oviedo
p	pe	Pablo	Pilar	Panamá
q	cu	Enrique	Raquel	Quito
r	ere	Álvaro	Armando	(el) Perú
rr**	erre	Arroyo	Guerra	Puerto Rico
s	ese	Salvador	Sara	San Juan
t	te	Tomás	Teresa	Toledo
u	u	Agustín	Úrsula	(el) Uruguay
v	ve, ve corta, *or* uve	Víctor	Victoria	Venezuela
w	doble ve, ve doble, *or* uve doble	(Walter)	(Wilma)	(Washington)
x	equis	Xavier	Ximena	Extremadura
y***	i griega	Pelayo	Yolanda	(el) Paraguay
z	ceta (zeta)	Gonzalo	Zulma	Zaragoza

Práctica

A. ¡Pronuncia! The following letters and letter combinations represent the Spanish sounds that are the most different from English. Pay particular attention to their pronunciation when you see them. Can you match the Spanish letters with their equivalent pronunciation?

---

*The **ll** is pronounced as a type of y sound. Spanish examples of this sound that you may already know are **tortilla** and **Sevilla**.*

The **rr is pronounced with a rolling **r** sound.*

***The word **y** (and) is also pronounced like the letter **i**.*

EXAMPLES/SPELLING	PRONUNCIATION
1. _____ mucho: **ch**	a. like the *g* in English *garden*
2. _____ Geraldo: **ge** (also: **gi**); Jiménez: **j**	b. similar to *tt* of *butter* when pronounced very quickly
3. _____ hola: **h**	c. like *ch* in English *cheese*
4. _____ **gu**sto: **gu** (also: **ga, go**)	d. like Spanish **b**
5. _____ me llamo: **ll**	e. similar to a "strong" English *h*
6. _____ señor: **ñ**	f. like *y* in English *yes* or like the *li* sound in *million*
7. _____ profesora: **r**	g. a trilled sound, several Spanish **r**'s in a row
8. _____ Ramón: **r** (to start a word); Monter**rey**: **rr**	h. similar to the *ny* sound in *canyon*
	i. never pronounced
9. _____ nos vemos: **v**	

B. ¿Cómo se escribe...? *(How do you write . . . ?)*

Paso 1. One of the many interesting aspects of Latin America and Spain is food. Each country has a distinct culinary tradition that usually combines elements from the native people of each area and Europe. Many Canadians enjoy Latin American and Spanish food. Do you know the following dishes? Do you know where they are from? Spell their names aloud in Spanish, and try to discover where they are from. Your instructor can help you! You can find more information about this food at **www.mcgrawhill.ca/olc/knorre.**

1. tortilla de papas
2. enchiladas
3. tamales
4. asado
5. empanadas
6. tacos
7. pupusas
8. ceviche
9. arroz con frijoles negros
10. sancocho

¿Tienes hambre ahora? *Are you hungry now?*

Paso 2. Spell your own name aloud in Spanish, and listen as your classmates spell their names. Try to remember as many of their names as you can.

MODELO: Me llamo María: **M** (eme) **a** (a) **r** (ere) **í** (i acentuada) **a** (a).

Nota comunicativa

Los cognados

As you begin your study of Spanish, you will probably notice that many Spanish and English words are similar or identical in form and meaning. These related words are called *cognates* (**los cognados**). You will see them used in this chapter and throughout *Puntos de partida,* **Canadian Edition.** At this early stage of language learning, it's useful to begin recognizing cognates and how they are pronounced in Spanish. Here are some examples of Spanish words that are cognates of English words. These cognates and others will help you enrich your Spanish vocabulary and develop your language proficiency!

words to name or describe people, places, and things

cruel	paciente	banco	hotel
elegante	pesimista	bar	museo
importante	responsable	café	oficina
inteligente	sentimental	diccionario	parque
interesante	terrible	estudiante	teléfono
optimista	tolerante	examen	televisión

Can you think of other cognates?

PRIMERA PARTE

¿CÓMO ERES TÚ? (*WHAT ARE YOU LIKE?*):
THE VERB *SER* (PART 1)*

You can use these forms of the verb **ser** (*to be*) to describe yourself and others.

(yo)	**soy**	I am
(tú)	**eres**	you (*familiar*) are
(usted)	**es**	you (*formal*) are
(él / ella)	**es**	he/she is

—¿Cómo es usted?
—Bueno… (*Well . . .*) Yo soy moderna, independiente, sofisticada…

verb = a word that describes an action or state of being

Práctica

Descripciones

Paso 1. Form complete sentences with the cognates given. Use **no** when necessary.

1. Yo (no) soy…
   estudiante.
   cruel.
   responsable.
   optimista.
   paciente.
2. El / La líder (*leader*) de esta (*this*) nación (no) es…
   importante.
   inteligente.
   pesimista.
   flexible.
   tolerante.
3. Avril Lavigne (no) es…
   elegante.   egoísta.
   introvertida.   moderna.
   romántica.   espectacular.
   sentimental.   extravagante.

Paso 2. Now think of people you might describe with the following additional cognates. For example, you can talk about your boyfriend/girlfriend (**mi novio / mi novia**), your roommate (**mi compañero / mi compañera de cuarto**), etc. Use **es** to express *is*. Your instructor can help you.

MODELO: eficiente → El profesor / La profesora es eficiente.

1. arrogante
2. egoísta
3. emocional
4. idealista
5. independiente

6. liberal
7. materialista
8. paciente
9. realista
10. rebelde

---

*You will learn more about the verb **ser** in Chapter 3.

Nota cultural

In the **Nota cultural** sections, you will learn more about particular cultural aspects of the Spanish-speaking world. In this chapter, it will be in English, but in the next chapters, Spanish will be used. What do you know about the Spanish-speaking world? Remember the notes you took at the beginning of the chapter? Have a look at them, read the following text, and see what else you can learn about Spanish and the people who speak it.

Spanish Around the World

Although no one knows exactly how many languages are spoken around the world, linguists estimate that there are between 3,000 and 6,000. Spanish, with 425 million native speakers, is among the top five languages. It is the official language spoken in Spain, in Mexico, in all of South America (except Brazil and the Guyanas), in most of Central America, in Cuba, in Puerto Rico, in the Dominican Republic, and in Ecuatorial Guinea (in Africa)—in approximately twenty-one countries in all. It is also spoken by a great number of people in Canada and the United States.

Like all languages spoken by large numbers of people, modern Spanish varies from region to region. The Spanish of Madrid is different from that spoken in Mexico City, Buenos Aires, or Toronto. Although these differences are most noticeable in pronunciation ("accent"), they are also found in vocabulary and special expressions used in different geographical areas. Despite these differences, misunderstandings among native speakers are rare, since the majority of structures and vocabulary are common to the many varieties of Spanish.

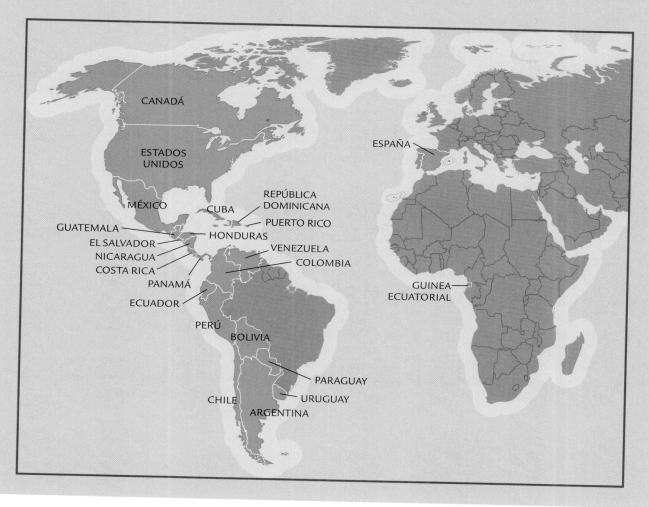

You don't need to go abroad to encounter people who speak Spanish on a daily basis. The Spanish language and people of Hispanic descent have been an integral part of life in Canada and the United States for centuries. In fact, according to *Statistics Canada*, in 2006, 6% of the total population of Canada was of Latin American origin. Hispanics in Canada live mostly in four provinces: Ontario, Québec, British Columbia, and Alberta.*

The people of Latin American origin that live in Canada come from different countries. For example, in 2006, 18.6% were from El Salvador, 15.1% from Colombia, 10.3% from Mexico, and the rest from different countries such as Chile, Peru, Argentina, Bolivia, etc.* As you will discover in subsequent chapters of **Puntos de partida, Canadian Edition,** the Spanish language and people of Hispanic descent have been and will continue to be an integral part of the fabric of this country.

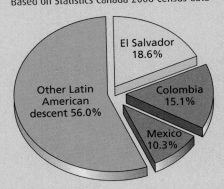

Comparing origins of Canada's Latin American population
Based on Statistics Canada 2006 Census data

- El Salvador 18.6%
- Colombia 15.1%
- Mexico 10.3%
- Other Latin American descent 56.0%

*Source: *Statistics Canada: Catalogue no. 97-562.* http://www.statcan .gc.ca/cgi-bin/af-fdr.cgi?l=eng&t=Canada's%20Ethnocultural%20 Mosaic,%202006%20Census&loc=http://www12.statcan.ca/english/ census06/analysis/ethnicorigin/pdf/97-562-XIE2006001.pdf

PRONUNCIACIÓN

You have probably already noted that there is a very close relationship between the way Spanish is written and the way it is pronounced. This makes it relatively easy to learn the basics of Spanish spelling and pronunciation.

Many Spanish sounds, however, do not have an exact equivalent in English, so you can't always trust English to be your guide to Spanish pronunciation. Even words that are spelled the same in both languages are usually pronounced quite differently.

LAS VOCALES *(VOWELS)*: *a, e, i, o, u*

Unlike English vowels, which can have many different pronunciations or may be silent, Spanish vowels are always pronounced, and they are almost always pronounced in the same way. Spanish vowels are always short and tense. They are never drawn out with a *u* or *i* glide as in English: **lo** ≠ *low;* **de** ≠ *day.*

> **a:** pronounced like the *a* in *father,* but short and tense
> **e:** pronounced like the *e* in *bet*
> **i:** pronounced like the *i* in *machine,* but short and tense
> **o:** pronounced like the *o* in *home,* but without the *u* glide
> **u:** pronounced like the *u* in *rule,* but short and tense

 The *uh* sound or schwa (which is how most unstressed vowels are pronounced in English: *c*a*nal, wait*e*d, at*o*m*) does not exist in Spanish.

Práctica

A. Sílabas. Repeat the following Spanish syllables, being careful to pronounce each vowel with a short, tense sound.

1. ma fa la ta pa
2. me fe le te pe
3. mi fi li ti pi
4. mo fo lo to po
5. mu fu lu tu pu
6. mi fe la tu do
7. su mi te so la
8. se tu no ya li

B. Palabras (*Words*). Repeat the following words after your instructor. Pay attention to *both* the vowel and consonant sounds.

1. hasta   tal   nada   mañana   natural   normal   fascinante
2. me   qué   Pérez   martes   rebelde   excelente elegante
3. sí   señorita permiso   miércoles imposible tímido   Ibiza
4. yo   con   como   noches   profesor señor   domingo
5. uno   usted   tú   mucho   lunes   jueves   universidad

C. Trabalenguas (*Tongue twister*)

Paso 1. Here is a popular nonsense rhyme, the Spanish version of "Eeny, meeny, miney, moe." (Note: The person who corresponds to **fue** is "it.") Listen as your instructor pronounces it.

Pin, marín
de don Pingüe
cúcara, mácara
títere, fue.

Paso 2. Now pronounce the vowels and consonants clearly as you repeat the rhyme.

D. Las naciones

Paso 1. Here is part of a rental car ad in Spanish. Say aloud the names of the countries where you can find this company's offices. Pay attention to vowels *and* consonants. Can you recognize all of the countries? Is Canada there?

Paso 2. Find the following information in the ad.

1. How many cars does the agency have available?
2. How many offices does the agency have?
3. What Spanish word expresses the English word *immediately*?
4. Can you find other cognates? Make a list and pronounce the words you've found paying attention to both vowels and consonants.

Nota comunicativa

Escriban, por favor.

Levanten la mano, por favor.

Abran los libros, por favor.

Tengo una pregunta...

Las expresiones de la clase

In order to acquire Spanish and to become a fluent speaker, it is important that you maximize the opportunities when you can use it. One of the ways you can start speaking Spanish is by communicating with your instructor and classmates. Here are some classroom expressions that will help you understand and speak Spanish:

Abran* el libro en la página...	*Open your book to page . . .*
Cierren los libros.	*Close your books.*
Repitan, por favor.	*Repeat, please.*
Escriban, por favor.	*Write, please.*

When the verbs end in n, the instructor is asking two or more students to do something.

Lean, por favor.	*Read, please.*
¿Entienden? / ¿Comprenden?	*Do you understand?*
No entiendo. / No comprendo.	*I don't understand.*
Levanten la mano.	*Raise your hand.*
Contesta, por favor.	*Answer, please.*
¿Tienen preguntas?	*Do you have any questions?*
Tengo una pregunta...	*I have a question . . .*
De tarea...	*For homework . . .*
Presente.	*Here! (you can say this when your instructor is checking attendance)*
Otra vez, por favor.	*Again, please.*
Más despacio, por favor.	*More slowly, please.*
Más alto, por favor.	*Louder, please.*
¿Qué página?	*Which page?*
¿Cómo se dice «book» en español?	*How do you say "book" in Spanish?*
¿Cómo se escribe «señor»?	*How do you spell "señor"?*
Lo siento, no sé.	*I'm sorry, but I don't know.*

Práctica

Paso 1. Practise these expressions. What could you or your instructor say in the following situations? Choose one or more appropriate expressions.

1. Your instructor has just introduced a new grammar point or vocabulary.
2. Your instructor has just started your class.
3. You don't know how to spell "geografía".
4. Your instructor wants the class to read something.
5. You didn't hear on what page an activity in the book is found.
6. You can't hear what your classmate is saying.
7. Your classmate has asked you a question, but you don't know the answer.
8. You cannot understand what your instructor is saying because he's speaking too fast in Spanish.
9. You cannot understand the new grammar point that your instructor has just explained.
10. You would like to know how to spell "fotografía".

Paso 2. Are there any other expressions you and your classmates would like to know? Write two or three expressions and ask your instructor how to say them. Remember to use the Spanish question to do it!

SEGUNDA PARTE

LOS NÚMEROS DEL 0 AL 30; *HAY*

Canción infantil
Dos y dos son cuatro,
cuatro y dos son seis,
seis y dos son ocho,
y ocho dieciséis.

0	cero				
1	uno	11	once	21	veintiuno
2	dos	12	doce	22	veintidós
3	tres	13	trece	23	veintitrés
4	cuatro	14	catorce	24	veinticuatro
5	cinco	15	quince	25	veinticinco
6	seis	16	dieciséis	26	veintiséis
7	siete	17	diecisiete	27	veintisiete
8	ocho	18	dieciocho	28	veintiocho
9	nueve	19	diecinueve	29	veintinueve
10	diez	20	veinte	30	treinta

LOS NÚMEROS DEL 0 AL 30

noun = a word that denotes a person, place, thing, or idea

The number *one* has several forms in Spanish. **Uno** is the form used in counting. The forms **un** and **una** are used before nouns. How will you know which one to use? It depends on the gender of the noun.

In **Capítulo 2,** you will learn that all Spanish nouns are either masculine or feminine in gender. For example, the noun **señor** is masculine (*m.*) in gender, and the noun **señora** is feminine (*f.*) in gender. (As you will learn, Spanish nouns that are not sex-linked also have gender.) Here is how the word *one* is expressed with these nouns: **un señor, una señora.** Also note that the number **veintiuno** becomes **veintiún** before masculine nouns and **veintiuna** before feminine nouns: **veintiún señores, veintiuna señoras.** Do get used to using **un** and **uno** with nouns now, but don't worry about the concept of gender for the moment.

uno, dos,... veinti**uno**, veintidós,...
   but
un señor, veinti**ún** señores
una señora, veinti**una** señoras

HAY

Use the word **hay** to express both *there is* and *there are* in Spanish. **No hay** means *there is not* and *there are not*. **¿Hay...?** asks *Is there . . . ?* or *Are there . . . ?*

—¿Cuántos estudiantes **hay** en la clase?
—(**Hay**) Treinta.

How many students are there in the class?
(There are) Thirty.

—Mami, ¿cuántos días hay en una
  semana?
—(**Hay**) Siete, corazón: lunes, martes,
  miércoles, jueves, viernes, sábado y
  domingo.

Mommy, how many days are there in
a week?
(There are) seven, honey: Monday, Tuesday,
Wednesday, Thursday, Friday, Saturday,
and Sunday.

—¿**Hay** pandas en Jasper?
—**Hay** muchos osos, pero **no**
  hay pandas.

Are there any pandas in Jasper?
There are many bears, but there aren't
any pandas.

Práctica

A. Los números en la universidad. Here are some things and people that you can find at any university in Canada. Practica los números, según (*according to*) el modelo.

MODELO: 1 profesor → Hay un profesor.

1. 4 secretarias
2. 12 computadoras
3. 1 café (*m.*)
4. 21 cafés (*m.*)
5. 14 libros (*books*)

6. 1 clase de francés (*f.*)
7. 21 ideas (*f.*)
8. 11 profesoras
9. 15 estudiantes
10. 13 teléfonos

11. 28 departamentos
12. 5 laboratorios
13. 1 biblioteca (*library*) (*f.*)
14. 30 señores
15. 20 oficinas

B. Problemas de matemáticas. Express the following simple mathematical equations in Spanish. Note: + (**y**), − (**menos**), = (**son**).

MODELOS: $2 + 2 = 4$ → Dos y dos son cuatro.
          $4 − 2 = 2$ → Cuatro menos dos son dos.

1. $2 + 4 = 6$
2. $8 + 17 = 25$
3. $11 + 1 = 12$
4. $3 + 18 = 21$
5. $9 + 6 = 15$
6. $5 + 4 = 9$
7. $1 + 13 = 14$

8. $15 − 2 = 13$
9. $9 − 9 = 0$
10. $13 − 8 = 5$
11. $14 + 12 = 26$
12. $23 − 13 = 10$
13. $1 + 4 = 5$
14. $1 − 1 + 3 = 3$

15. $8 − 7 = 1$
16. $13 − 9 = 4$
17. $2 + 3 + 10 = 15$
18. $28 − 6 = 22$
19. $30 − 17 = 13$
20. $28 − 5 = 23$
21. $19 − 7 = 12$

C. La clase de español, la universidad y Canadá. Answer the following questions about your Spanish class, university, and Canada. Work with a classmate. Take turns asking and answering questions.

1. ¿Cuántos (*How many*) estudiantes hay en la clase de español? ¿Cuántos estudiantes hay en clase hoy (*today*)? ¿Hay tres profesores o un profesor / una profesora? ¿Cuántos días (*day*) de clase de español hay? ¿Qué (*what*) días?

2. En esta (*this*) universidad, hay muchos edificios (*many buildings*). Pero (*But*), ¿hay una cafetería? (Sí, hay… / No, no hay…) ¿un teatro? ¿un laboratorio de lenguas (*languages*)? ¿un bar? ¿una clínica? ¿un hospital? ¿un museo? ¿muchos estudiantes? ¿muchos profesores?

3. ¿Cuántas provincias hay en Canadá? ¿Cuántos parques nacionales y / o provinciales hay en tu provincia? ¿Cuántos feriados (*holidays*) hay en Canadá? ¿Cuántos bares buenos (*good bars*) hay en tu ciudad? ¿Y cuántas discotecas buenas?

En español, **fútbol** = *soccer* y **fútbol americano** = football

> **Infinitive** = a verb form that indicates action or state of being without reference to person, time, or number

LOS GUSTOS (*LIKES*) Y LAS PREFERENCIAS: (PART 1)*

¿Te gusta el fútbol? → • Sí, **me gusta** mucho el fútbol.
  • No, **no me gusta** el fútbol.

To indicate you like something:	**Me gusta** _____.
To indicate you don't like something:	**No me gusta** _____.
To ask a classmate if he or she likes something:	**¿Te gusta** _____?
To ask your instructor the same question:	**¿Le gusta** _____?

In the following activities, you will use the word **el** to mean *the* with masculine nouns and the word **la** with feminine nouns. Don't try to memorize which nouns are masculine and which are feminine. Just get used to using the words **el** and **la** before nouns.

You will also be using a number of Spanish verbs in the infinitive form, which always ends in **-r**. Here are some examples: **estudiar** = *to study*; **comer** = *to eat*. Try to guess the meaning of the infinitives used in these activities from context. If someone asks you, **¿Te gusta** *beber* **Coca-Cola?**, it is a safe guess that **beber** means *to drink*.

Práctica

A. Los gustos y las preferencias

Paso 1. Make a list of six things you like and six things you don't like, following the model. You may choose items from the **Vocabulario útil** box. All words are provided with the appropriate definite article **el** or **la**, the Spanish equivalent of *the*, depending on the gender of the noun.

MODELO: Me gusta _____. No me gusta _____.
Me gusta *la clase de español*. No me gusta *la clase de matemáticas*.

Vocabulario útil

You will find **Vocabulario útil** boxes in all the chapters. The material in this section is not active; that is, it is not part of what you need to focus on learning at this point. Instead, you are expected to use these words and phrases to complete exercises or to help you converse in Spanish, if you need them.

el actor _____, **la actriz** _____

el café, el té, la limonada, la cerveza (*beer*)

el / la cantante (*singer*) _____ (The word **cantante** is used for both men *and* women.)

el cine (*movies*), **el teatro, la ópera, el arte abstracto, el fútbol**

la música moderna, la música clásica, el rap, la música *country*, **el hip hop**

la pizza, la pasta, la comida (*food*) **mexicana, la comida de la cafetería**

Paso 2. Now ask a classmate if he or she shares your likes and dislikes.

MODELO: ESTUDIANTE 1: ¿Te gusta la clase de español?
ESTUDIANTE 2: Sí, me gusta (la clase de español).
ESTUDIANTE 1: ¿Y la clase de matemáticas?
ESTUDIANTE 2: Sí, también (*also*) me gusta (la clase de matemáticas).

---

*You will learn more about gustar in Capítulo 8.

B. Más gustos y preferencias

Paso 1. Here are some useful verbs and nouns to talk about what you like. For each item, combine a verb on the left with a noun (on the right) to form a sentence that is true for you. Can you use context to guess the meaning of verbs you don't know?

MODELO: Me gusta _____. → Me gusta *estudiar inglés.*

1. beber	café	chocolate	limonada	té
2. comer	pasta	ensalada	hamburguesas	pizza enchiladas
3. estudiar	español	historia	matemáticas	francés
4. hablar	español	por teléfono	con mis amigos (*with my friends*)	
5. jugar	al hockey	al fútbol	al fútbol americano	al tenis
6. tocar	la guitarra	el piano	el violín	

Paso 2. Ask a classmate about his or her likes, using your own preferences as a guide.

MODELO: ¿Te gusta *comer enchiladas?*

A conversar...

A. Compañeros de cuarto (*roommates*)

Estudiante A: Imagine that this is your first semester at your university. You're going to share a room with another student in the dorms. You meet this person for the first time. He/She is from a Spanish-speaking country. Greet him/her, ask him/her what his/her name is, and where he/she is from. Answer his/her questions. Discuss your likes and dislikes, and ask about his/hers. You can use the questions and vocabulary we learned in previous sections.

Estudiante B: Imagine that this is your first semester at your university. You're going to share a room with another student in the dorms. You are from a Spanish-speaking country. You meet your roommate for the first time. Greet him/her, ask him/her what his/her name is, and where he/she is from. Answer his/her questions. Discuss your likes and dislikes, and ask about his/hers. You can use the questions and vocabulary we learned in previous sections.

B. Vecinos (*neighbours*)

Estudiante A: Imagine that you and your family are moving to a new house. You meet your elderly neighbour for the first time. He/She is from a Spanish-speaking country. Greet him/her, ask him/her what his/her name is, and where he/she is from. Answer his/her questions. Discuss your likes and dislikes, and ask about his/hers. You can use the questions and vocabulary we learned in previous sections. Remember to use the **formal** forms we have learned.

Estudiante B: You are from a Spanish-speaking country. You meet your new neighbour for the first time. Greet him/her, ask him/her what his/her name is, and where he/she is from. Answer his/her questions. Discuss your likes and dislikes, and ask about his/hers. You can use the questions and vocabulary we learned in previous sections. Remember to use the **formal** forms we have learned.

¿QUÉ HORA ES?

Es la una.   Son las dos.   Son las cinco.

¿Qué hora es? is used to ask *What time is it?* In telling time, one says *Es la una* but *Son las dos* (**las tres, las cuatro,** and so on).

Note that from the hour to the half-hour, Spanish, like English, expresses time by adding minutes or a portion of an hour to the hour.

Es la una y { cuarto.   Son las dos y { media.
            { quince.   { treinta.

Son las cinco y diez.   Son las ocho y veinticinco.

From the half-hour to the hour, Spanish usually expresses time by subtracting minutes or a part of an hour from the *next* hour.

Son las dos menos { cuarto.   Son las ocho   Son las once
                  { quince.   menos diez.   menos veinte.

Nota comunicativa

Para expresar la hora

de la mañana	A.M., in the morning
de la tarde	P.M., in the afternoon (and early evening)
de la noche	P.M., in the evening
en punto	exactly, on the dot, sharp
¿A qué hora... ?	(At) what time . . . ?
A la una (las dos,...)	At 1:00 (2:00, . . .)
Hay una recepción **a las once de la mañana** el jueves.	There is a reception at 11:00 A.M. on Thursday.
Son las cuatro **en punto de la tarde.**	It's exactly 4:00 P.M.
¿A qué hora es la clase de español?	(At) What time is Spanish class?

Don't confuse **Es la... / Son las...** with **A la(s)...** . The first two are used for telling time, the third for telling *at* what time something happens (at what time class starts, at what time one arrives, and so on).

Práctica

A. ¿Qué hora es? Express the time in full sentences in Spanish.

1. 1:00 P.M.
2. 6:00 P.M.
3. 11:00 A.M.
4. 1:30
5. 3:15

6. 6:45
7. 4:15
8. 11:45 exactly
9. 9:10 on the dot
10. 7:50 sharp

B. Los horarios

Paso 1. Ask a classmate at what time the following events or activities take place. He or she will answer according to the cue or will provide the necessary information. Take turns asking and answering the questions. In your answer also include the day/days of the week when something takes place, as in the example.

MODELO: la clase de español (10:00 A.M.) →
ESTUDIANTE 1: ¿A qué hora es tu (*your*) clase de español?
ESTUDIANTE 2: A las diez de la mañana el lunes y el miércoles y a las nueve y
media el martes y el jueves.

1. tu clase de francés (1:45 P.M.)
2. la sesión de laboratorio (3:10 P.M.)
3. la excursión (8:45 A.M.)

4. el concierto (7:30 P.M.)
5. tu clase de física (11:50 A.M.)
6. la fiesta (10:00 P.M.)

Paso 2. Now ask at what time your partner likes to do the following activities. He or she will provide the necessary information. Take turns asking and answering the questions.

MODELO: cenar (*to have dinner*) →
ESTUDIANTE 1: ¿A qué hora te gusta cenar?
ESTUDIANTE 2: Me gusta cenar a las ocho de la noche.

1. almorzar (*to have lunch*)
2. mirar (*to watch*) televisión
3. ir (*to go*) al (*to the*) gimnasio

4. ir al cine
5. estudiar
6. ir a una fiesta

C. Saludos.
How might the following people greet each other if they met at the indicated time? With a classmate, create a brief dialogue for each situation. Remember to use the formal and informal forms according to the situation.

MODELO: Jorge y María, a las once de la noche →
JORGE: Buenas noches, María.
MARÍA: ¡Hola, Jorge! ¿Cómo estás?
JORGE: Bien, gracias. ¿Y tú?
MARÍA: ¡Muy bien!

1. el profesor Martínez y Gloria, a las diez de la mañana
2. la Sra. López y la Srta. Luna, a las cuatro y media de la tarde
3. tú y tu (*your*) profesor(a) de español, en la clase de español

A conversar...

Los horarios de los compañeros de cuarto

You and your Spanish-speaking roommate are organizing your schedules. Discuss the times and days of the week when you have different classes, when you like to do different activities, etc. Ask and answer questions. You can use the verb **gustar** and the questions and vocabulary we learned to ask about and express time. To ask about your roommate's classes, you can use the pronoun **tu** (*your*).

UN POCO DE TODO

In the **Un poco de todo** sections, you will have the opportunity to use Spanish to watch videos, and to read and write different kinds of texts. This section recycles the vocabulary and structures presented in each chapter.

VIDEOTECA

Entre amigos

On the *Puntos de partida,* **Canadian Edition** website, you will find a set of video clips with which we will work in this section. In this first clip, you will be introduced to four university students studying in Mexico. These students meet one another for the first time. What do you think they will say to one another when they meet? Write down three possible expressions that they can use. Now watch the video online and see if they use your expressions or not.

¿Entendiste?

A. Los estudiantes.

Paso 1. Try to answer the following questions about the dialogue you saw.

1. How does the first male student greet the first female student? What does he ask her?
2. Why does he use the informal forms?
3. How does the second male student greet the second female student?
4. What information do the students provide one another?

Paso 2. Now watch the clip again and try to complete the following sentences.

1. El nombre del primer (*first*) estudiante (*m.*) es _____. Este estudiante tiene _____ años (*years old*) y es de _____.

2. El nombre de la primera estudiante (*f.*) es _____. Esta estudiante tiene _____ años y es de _____.

3. El nombre del segundo (*second*) estudiante (*m.*) es _____. Este estudiante tiene _____ años y es de _____.

4. El nombre de la segunda estudiante (*f.*) es _____. Esta estudiante tiene _____ años y es de _____.

B. Los saludos. In the clip you have just seen, Miguel, Tané, Rubén, and Carina meet one another. Imagine that you are meeting one of them for the first time, and he/she is introducing himself/herself. He/She is also asking you some questions about yourself. Read the questions she might ask and check the most logical answer.

1. Buenos días. Me llamo Miguel René. ¿Cómo te llamas?

   ☐ Mucho gusto.
   ☐ Me llamo _____.
   ☐ Te llamas _____.
   ☐ Se llama _____.
   ☐ Igualmente.

2. Mucho gusto.

   ☐ ¿Cómo se llama?
   ☐ Bien, gracias.
   ☐ Con permiso.
   ☐ Igualmente.
   ☐ Regular.

3. ¿De dónde eres?

   ☐ Me gusta.
   ☐ ¿Te gusta la universidad?
   ☐ Son las _____.
   ☐ Eres de _____.
   ☐ Soy de _____.

4. ¿A qué hora es tu clase de español?

   ☐ Son las _____.
   ☐ A las _____
      el martes y el jueves.
   ☐ Soy de _____.
   ☐ Me llamo _____.
   ☐ Soy estudiante.

LECTURA

> **ESTRATEGIA:** Guessing Meaning from Context

You will recognize the meaning of a number of cognates in the following reading about the geography of the Hispanic world. In addition, you should be able to guess the meaning of the underlined words from the context (the words that surround them); they are the names of geographical features. The photo captions will also be helpful.

ANTES DE LEER

A series of headings divides the reading into brief parts. It is always a good idea to scan such headings before starting to read, in order to get a sense of a reading's overall content. Scan them now, and try to guess what aspects of the geography of the Hispanic world will be discussed.

A LEER

Now read the whole text, and see if your ideas are correct. Pay attention to the underlined cognates.

La geografía del mundo[a] hispano

Introducción

La geografía del mundo hispano es impresionante y muy variada. En algunas[b] regiones hay de todo.[c]

En América

En la Argentina hay <u>pampas</u> extensas en el sur[d] y la <u>cordillera</u> de los Andes en el oeste. En partes de Venezuela, Colombia y el Ecuador, hay regiones tropicales de densa <u>selva</u>. En el Brasil está[e] el famoso <u>río</u> Amazonas. En el centro de México y también en El Salvador, Nicaragua y Colombia, hay <u>volcanes</u> activos. A veces[f] producen erupciones catastróficas. El Perú y Bolivia comparten[g] el enorme <u>lago</u> Titicaca, situado en una <u>meseta</u> entre los dos países.[h]

La <u>cordillera</u> de los Andes, Chile

La <u>isla</u> de Caja de Muertos, Puerto Rico

En el Caribe

Cuba, Puerto Rico y la República Dominicana son tres <u>islas</u> situadas en el <u>mar</u> Caribe. Las bellas playas[i] del mar Caribe y de la <u>península</u> de Yucatán son populares entre[j] los turistas de todo el mundo.

En la Península Ibérica

España comparte[k] la Península Ibérica con Portugal. También tiene[l] una geografía variada. En el norte están los Pirineos, la <u>cordillera</u> que separa a España del[m] resto de Europa. Madrid, la capital del país, está situada en la <u>meseta</u> central. En las <u>costas</u> del sur y del este hay playas tan hermosas como las de[n] Latinoamérica y del Caribe.

Una <u>meseta</u> de La Mancha, España

[a]*world* [b]*some* [c]*de... a bit of everything* [d]*south* [e]*is* [f]*A... Sometimes* [g]*share* [h]*naciones* [i]*bellas... beautiful beaches* [j]*among* [k]*shares* [l]*it has* [m]*from the* [n]*tan... as beautiful as those of*

¿Y las <u>ciudades</u>?

Es importante mencionar también la gran[n] diversidad de las ciudades del mundo hispano. En la Argentina está la gran ciudad de Buenos Aires, que[o] muchos consideran como[p] «el París» o «la Nueva York» de Sudamérica. En Venezuela está Caracas, y en el Perú están Lima, la capital, y Cuzco, una ciudad indígena antigua.

La <u>ciudad</u> de Montevideo, Uruguay

Conclusión

En fin,[q] el territorio del mundo hispano es muy diverso. ¿Y el de[r] este país?

[n]*great* [o]*which* [p]*as* [q]*En... In short* [r]*el... that of*

DESPUÉS DE LEER

A. Cognados.
What are some of the cognates that helped you understand the topic of the text?

B. ¿Entendiste?
Now try to complete the following sentences about the preceding text and pictures.

1. La Cordillera de los Andes está en _____.

2. En Venezuela, Colombia y Ecuador hay _____.

3. Hay volcanes activos en _____.

4. Hay playas bellas en _____.

5. Las ciudades importantes de España y Latinoamérica son _____.

C. La geografía de Canadá.
Give examples of similar geographical features found in this country. Then give examples from the Spanish-speaking world.

MODELO: un río → *the Saskatchewan*, el río Amazonas

1. un lago
2. una cordillera
3. una isla
4. una playa
5. una costa
6. un mar
7. un volcán
8. una península

In the **Perspectivas culturales** section, you will find cultural information about the country featured in each chapter and Hispanic people in Canada. In this chapter, you will learn more about the Spanish-speaking communities in this country.

Los hispanos en Canadá

Los hispanos constituyen un grupo muy activo en la sociedad canadiense. Según[a] la información en el cuestionario *Ethnic Diversity Survey**, la mayoría de los hispanos, un 82%, se sienten[b] parte de Canadá y un 66% participó con su voto en las elecciones federales del 2000.

Al mismo tiempo,[c] los hispanos tratan de mantener su lengua y tradiciones a través[d] de actividades culturales y la publicación de material en español. Por ejemplo, hay varios festivales de música, baile[e] y comidas[f] típicas como **Salsa on St. Clair Street** en julio y la **Fiesta Hispánica** (*Hispanic Fiesta*) en septiembre en Toronto y el **Festival Internacional de Salsa** en febrero en Vancouver. Además,[g] todos los años,[h] los hispanos eligen[i] a **Miss Latina Canada.**

También[j] los hispanos tienen[k] acceso a periódicos[l] canadienses en español como **El Mundo Latino News,** donde pueden leer noticias sobre[m] Canadá y Latinoamérica y pueden anunciar sus bodas,[n] nacimientos,[ñ] etc. Hay además varios canales de televisión en español en Canadá, como **TLN Latino** y **Latin Life TV.** Otro[o] evento importante en la comunidad hispana es el **Toronto International Latin Film Festival** que muestra[p] películas realizadas por[q] latinoamericanos o hispanos.

Los hispanos en Canadá también mantienen varios sitios en el Internet donde la gente puede encontrar[r] información sobre inmigración, festivales, noticias importantes, etc. Finalmente, muchos hispanos participan en organizaciones de caridad[s] que ayudan a los niños y personas de bajos recursos[t] en Latinoamérica. Como ves,[u] los hispanos en Canadá son un grupo muy interesante e importante para la sociedad canadiense.

[a]*According to* [b]*feel* [c]*At the same time . . .* [d]*through* [e]*dances* [f]*food* [g]*In addition* [h]*todos... every year* [i]*choose* [j]*Also* [k]*have* [l]*newspapers* [m]*donde... where they can read news about* [n]*weddings* [ñ]*births* [o]*Another* [p]*que... that shows* [q]*películas... movies made by* [r]*donde... where people can* [s]*charity* [t]*que... that help poor children and people* [u]*Como... As you can see*

*Source: *Statistics Canada*: http://www.statcan.gc.ca/pub/89-621-x/89-621-x2007008-eng.htm

You can find more information about Spanish-speakers in Canada at **www.mcgrawhill.ca/olc/knorre.**

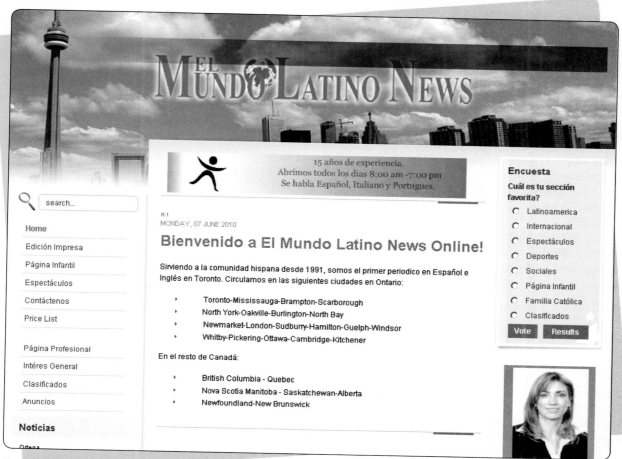

Portada del periódico **El Mundo Latino News**

*Source: Used with permission of El Mundo Latino News, www.elmundolatinonews.ca/

EN RESUMEN

Vocabulario

Although you have used and heard many words in this first chapter of *Puntos de partida*, **Canadian Edition**, the following words are the ones considered to be active vocabulary. Be sure that you know all of them, including the meaning of the group titles, before beginning **Capítulo 2**.

Saludos y expresiones de cortesía

Buenos días. Buenas tardes. Buenas noches.
  Muy buenas.
¡Hola! ¿Qué tal? ¿Cómo está(s)?
Regular. (Muy) Bien.
¿Y tú? ¿Y usted?
Chau. Adiós. Hasta mañana. Hasta luego. Nos vemos.
Nos vemos mañana.
Nos vemos el lunes (el martes, el miércoles, el jueves,
  el viernes, el sábado, el domingo).

¿Cómo te llamas? ¿Cómo se llama usted?
  Me llamo _____.
¿De dónde eres? ¿De dónde es usted?
  (Yo) Soy de _____.

señor (Sr.), señora (Sra.), señorita (Srta.)
(Muchas) Gracias.
De nada. No hay de qué.
Por favor. Perdón. Con permiso.
Mucho gusto. Igualmente. Encantado/a.

¿Cómo es usted? ¿Cómo eres tú?

soy, eres, es

Los números del 0 al 30

cero	diez	veinte
uno	once	treinta
dos	doce	
tres	trece	
cuatro	catorce	
cinco	quince	
seis	dieciséis	
siete	diecisiete	
ocho	dieciocho	
nueve	diecinueve	

Los gustos y las preferencias

¿Te gusta _____? ¿Le gusta _____?
(Sí,) Me gusta _____.
(No,) No me gusta _____.

¿Qué hora es?

es la... , son las...
y / menos cuarto (quince)
y media (treinta)
en punto de la mañana (tarde, noche)
¿a qué hora... ?, a la(s)...

Las expresiones de la clase

Abran el libro en la página...
Cierren los libros.
Repitan, por favor.
Escriban, por favor.
Lean, por favor.
¿Entienden? / ¿Comprenden?
No entiendo. / No comprendo.
Levanten la mano.
Contesta, por favor.
¿Tienen preguntas?
Tengo una pregunta...
De tarea...
Presente.
Otra vez, por favor.
Más despacio, por favor.
Más alto, por favor.
¿Qué página?
¿Cómo se dice "book" en español?
¿Cómo se escribe "señor"?
Lo siento, no sé.

Las palabras interrogativas

¿cómo?	how?; what?
¿dónde?	where?
¿qué?	what?

Palabras adicionales

sí / no	yes/no
hay	there is/are
no hay	there is not/there are not
hoy / mañana	today/tomorrow
y / o	and/or
a	to; at (*with time*)
de	of; from
en	in; on; at
pero	but
también	also
los gustos	likes
la palabra	word
el saludo	greeting
los días	days (of the week)

Vocabulario personal

Use this space to write down other words and phrases you learn in this chapter.

To access the Instructor Supplements, please go to the Online Learning Centre at **www.mcgrawhill.ca/olc/knorre.**

CAPÍTULO 2

En una clase en México

¡Vamos a México!

In this chapter, we will learn more about Mexico. What do you know about this country? Write down some ideas, and then watch the video in the "Panorama cultural" section online.

Now answer the following questions about the video.

- ¿Hay mucha gente en México?
- ¿Cómo se llama la capital de México? ¿Es grande (*big*)?
- ¿Son (*Are*) importantes las tradiciones en México?
- ¿Cómo (*what is . . . like*) es el arte de México?
- El nombre de una ciudad (*city*) prehispánica es...
- El nombre de una ciudad colonial es...
- ¿Hay playas (*beaches*) en México? ¿Dónde?

La Catedral y la Universidad de Guanajuato (*white building by the Cathedral*), México

Sierra Madre Occidental
Río Grande
• Monterrey
Sierra Madre Oriental

Golfo de México

MÉXICO

Bahía de Campeche

• Oaxaca

En este capítulo

A comunicarnos
In this chapter, we will learn how to . . .

- talk about things in our classrooms and university
- talk about our classes
- talk about some of our daily activities
- ask and answer questions about ourselves, our university and classes

Gramática
- Gender and articles, singular and plural
- Subject pronouns and -*ar* verbs
- Yes/No questions

Cultura
- México y su gente
- Las universidades en México y el mundo hispanohablante
- Los mexicanos en Canadá

VOCABULARIO — Preparación

In this chapter, we will focus on classes and universities. How many classes are you taking this semester? What are classrooms like at your university? How many buildings are there at your university? Is it a big institution?

UN ESTUDIANTE NUEVO EN LA UNIVERSIDAD DE GUANAJUATO

James Klein is a new student at the Universidad de Guanajuato. He is now talking to his new roommate, Pablo. Listen to their dialogue. What is James going to study in Guanajuato? You can use the vocabulary on pages 33 and 36 to help you.

PABLO: ¡Hola! Soy Pablo, tu compañero de cuarto… ¡Bienvenido a (*welcome to*) Guanajuato! ¿Cómo estás?

JAMES: ¡Hola, Pablo! Muy bien, gracias. Encantado. (*He shakes hands with Pablo.*)

PABLO: Igualmente…. Soy del DF (*Mexico City*). Y tú, ¿de dónde eres?

JAMES: Soy de Calgary. ¿Qué estudi**as** aquí?

PABLO: Estudi**o matemáticas, economía** y **computación.** ¿Y tú?

JAMES: Dese**o** (*I want to*) estudiar **español** avanzado, **filosofía** y **literatura** del siglo de oro de España.

PABLO: ¡Guau! (*Wow!*) Tú necesit**as** (*You need*) la **biblioteca.**

JAMES: También yo necesit**o** la **librería** para comprar (*to buy*) mis (*my*) **libros,** un **bolígrafo,** un **cuaderno** y un **diccionario.**

PABLO: ¡Vamos! (*Let's go!*) Te llevo (*I'll take you to*) a la **librería** y puedo mostrarte (*I can show you*) tu (*your*) **salón de clase.** ¿Quién (*Who*) es tu **profesor** de literatura?

JAMES: El Doctor Durán… ¿Dónde está (*is*) la **cafetería?** ¡Tengo hambre! (*I'm hungry!*)

¿Entendiste?

1. ¿Dónde estudian James y Pablo?
2. ¿De dónde es Pablo?
3. ¿Qué estudia James? ¿Y Pablo?
4. ¿Qué necesita James?

Lengua

1. Look at the verb forms in the dialogue. Pay attention to the verb **necesitar** (*to need*). Write down the different forms of the verb in the dialogue. Can you guess how we conjugate verbs that end in **-ar** in Spanish?
2. Look at the pronouns (**yo, tú**) that James and Pablo use to interact. Also pay attention to the questions they ask. Is this dialogue formal or informal?

En el salón / En el aula de clase

la pizarra
la profesora
el profesor
la ventana
la estudiante
la puerta
el estudiante
Rosa
el teléfono celular
Javier
el libro de texto
el diccionario
el libro
la mesa
la calculadora
Paco
el lápiz
Nina
el bolígrafo
la silla
el papel
el cuaderno
el reproductor de música
la mochila
el escritorio

¿Dónde?: Lugares en la universidad

la biblioteca	the library	**la oficina**	the office
la cafetería	the cafeteria	**la residencia**	the dormitory
el edificio	the building	**el salón de clase /**	the classroom
la librería	the bookstore	**el aula**	

¿Quién?: Personas

el bibliotecario	the (male) librarian	**el consejero**	the (male) advisor
la bibliotecaria	the (female) librarian	**la consejera**	the (female) advisor
el compañero (de clase)	the (male) classmate	**el hombre**	the man
la compañera (de clase)	the (female) classmate	**la mujer**	the woman
el compañero de cuarto	the (male) roommate	**el secretario**	the (male) secretary
la compañera de cuarto	the (female) roommate	**la secretaria**	the (female) secretary

¿Qué?: Objeto

la computadora	the computer	**la pantalla**	the screen
el proyector	the overhead projector		

Práctica

A. Los precios. Marcelo, an Argentinean student, is planning to study at the Universidad de Guanajuato. Before he travels to Mexico, he buys some things at a **librería.** How much does he spend? Write sentences for each item, and then add up the prices to see how much he needs to pay for his purchases.

MODELO: Un bolígrafo, $1,03 →
Un bolígrafo cuesta (*costs*) un peso tres centavos.

1. Un lápiz automático, $10,07
2. Una resma de papel para imprimir, $15,00
3. Un cuaderno, $6,00
4. Una calculadora, $28,05
5. Un diccionario inglés-español, $30,05

B. ¿Dónde están (*are they*)**?** Tell where these people are and identify the numbered people and things: 1 = **la consejera,** 2 = **la estudiante,** and so on. Refer to the drawing and vocabulary lists on page 33 as much as you need to.

MODELO: El dibujo 1: Están en el salón de clase.
1 = la profesora, 2 = la estudiante,…

1. Están en _____.

2. Están en _____.

3. Están en _____.

4. Están en _____.

Nota cultural I

Las universidades en el mundo hispanohablante

Hay muchas universidades históricas en España y Latinoamérica. La primera[a] universidad del mundo[b] hispano es la Universidad de Salamanca en España que fue[c] fundada en 1220. En América Latina, la primera universidad establecida en 1538 fue **la Universidad de Santo Domingo** en lo que es hoy[d] la República Dominicana. Otras universidades importantes son **la Real y Pontificia Universidad de América** (Ciudad de México, 1553) y **la Universidad de**

San Marcos (Lima, Perú, 1571). Los españoles establecieron estas[e] primeras universidades americanas en tres de las ciudades coloniales más importantes. En la actualidad,[f] los turistas visitan estas universidades y aprecian la belleza[g] del arte colonial y de los edificios[h] más modernos como[i] la Biblioteca de la Universidad Nacional Autónoma de México.

[a]*first* [b]*world* [c]*was* [d]*en... in what is now* [e]*these* [f]*en... nowadays* [g]*beauty* [h]*buildings* [i]*such as*

¿Entendiste?

1. ¿Dónde están las universidades históricas?
2. ¿En cuántas ciudades hay universidades históricas en Latinoamérica?
3. ¿Quién visita las universidades?
4. ¿Cómo es la Universidad Nacional Autónoma de México?

Esta estatua de Fray Luis de León está en la Universidad de Salamanca. La Universidad, que data del año 1220 (mil doscientos veinte), es una de las más antiguas (*oldest*) del mundo.

La Biblioteca de la Universidad Nacional Autónoma de México

Las materias

The names for most of these subject areas are cognates. See if you can recognize their meaning without looking at the English equivalent. You should learn in particular the names of subject areas that are of interest to you.

la administración de empresas	business administration
las comunicaciones	communications
la economía	economics
el español	Spanish
la filosofía	philosophy
la literatura	literature
las matemáticas	mathematics
la sociología	sociology
las ciencias	sciences
naturales	natural
políticas	political
sociales	social
las humanidades	humanities
las lenguas (extranjeras)	(foreign) languages

El español camaleón

la computadora = el ordenador (*Sp.*)
la administración de empresas = el comercio, los negocios (*U.S.*)
la computación = la informática (*Sp.*)
el español = el castellano (*Sp., L.A.*)
las lenguas extranjeras = los idiomas (*Arg.*)

Práctica

A. Asociaciones. ¿Qué materia(s) asocias tú con las siguientes (*following*) personas y cosas (*things*)?

1. el nitrógeno, el hidrógeno
2. el doctor Stephen Hawking, el doctor Sigmund Freud
3. CBC, Global
4. Sócrates, Platón
5. Margaret Atwood, Michel Tremblay, Thomas Wharton
6. Frida Kahlo, Pablo Picasso
7. Apple, Microsoft
8. la civilización azteca, una guerra (*war*) civil

B. ¿Qué estudias tú? Tell another classmate about your academic interests by creating sentences using one word or phrase from each column. You can tell what you *are* studying (1), *want* to study (2), *need* to study (3), and *like* to study (4). Using the word **no** makes the sentence negative. ¿Tienen (*do you guys have*) tú y tu compañero/a intereses similares?

1. (No) Estudio _____.
2. (No) Deseo estudiar _____.
3. (No) Necesito estudiar _____.
4. (No) Me gusta estudiar _____.

+

español, francés, inglés, arte, filosofía, literatura, música, ciencias políticas, historia, antropología, sicología, sociología, biología, física, química, matemáticas, computación
¿ ?

¿Recuerdas? *Do you remember . . . ?*

In **Capítulo 1,** you used a number of interrogative words and phrases to get information: **¿cómo?, ¿dónde?,** and **¿qué?** What do those words mean in the following sentences? Answer the questions and think of a situation in which you would use them.

1. ¿Cómo estás?
2. ¿Cómo es usted?
3. ¿De dónde eres?
4. ¿Qué hora es?

You will learn more about interrogatives in the following **Nota comunicativa.**

> **interrogative** = a word, phrase, or sentence used to ask a question

---

Nota comunicativa

Las palabras interrogativas (Part 1)

Use **¿qué?** to mean *what?* when you are asking for a definition or an explanation. Use **¿cuál?** to mean *what?* in all other circumstances.

¿Qué es un hospital?
¿Qué es esto (*this*)?
¿Cuál es la capital de México?

Guess the meaning of the following interrogatives from the context in which they appear.

1. —¿**Cuándo** es la clase? —Es el lunes, a las nueve.
2. —¿**Cuánto** cuesta (*costs*) el cuaderno? —Dos dólares.
3. —¿**Cuántos** estudiantes hay en la clase? —Hay quince.
4. —¿**Cuántas** naciones hay en América del Norte?
   —Hay tres: México, Canadá y los Estados Unidos.
5. —¿**Quién** es la profesora de sociología este año (*this year*)? —Es la Doctora Arana.

Note that in Spanish the voice falls at the end of questions that begin with interrogative words.

¿Qué es un tren?
¿Cómo estás?

Práctica

A. Estudiar en Canadá

Paso 1. Answer the following questions based on the ad (**el anuncio**).

1. ¿Cómo se llama la universidad?
2. ¿Dónde está la universidad?
3. ¿Cuántos estudiantes internacionales hay en la universidad cada (*every*) año?
4. ¿Qué clases hay para (*for*) los estudiantes internacionales en la universidad?
5. ¿Cómo son las clases?
6. ¿Cómo es la universidad? (¿flexible, exclusiva, interesante, urbana, rural?)

CAPILANO UNIVERSITY

Capilano College

▸ ACERCA DE LA ESCUELA   ▸ LISTA DE PROGRAMAS   ▸ CONTACTAR

PERFIL DE ESCUELA

PROGRAMAS

English as a Second Language

Arts & Sciences

Business Administration

Tourism Management for International Students Diploma

Contacto: IntEd@capilanou.ca
Website: http://www.capilanou.ca

Capilano College, ubicado en Columbia Britanica, Canadá, es una institución de enseñanza superior financiada por el gobierno. Cada año, Capilano College da la bienvenida a más de 500 estudiantes de todo el mundo. Hay muchas oportunidades para estudiantes internacionales en Capilano College, incluyendo programas transferibles a universidades, programas vocacionales especializados y programas de inglés como segundo idioma.

¿Por qué elegir Capilano College?
Capilano College ofrece una amplia variedad de programas académicos y vocacionales, incluyendo:
- Inglés como segundo idioma (ESL)
- ESL combinado con cursos transferibles a universidades o cursos en carreras específicas
- Cursos transferibles a universidades en letras y ciencias
- Carreras de cuatro años de estudio que culminan en títulos en Administración de Negocios, Turismo, Terapia Musical, y Estudios de Jazz

Capilano College tiene una reputación excelente por la calidad de su enseñanza y por su dedicación al éxito estudiantil:
El College provee:
- Personal altamente calificado
- Clases pequeñas
- Programas innovadores
- Laboratorios de computación, ciencias y lenguas
- Redes de computación conectadas a instituciones educacionales de todo el mundo
- Amplios servicios de apoyo para los estudiantes

Capilano College:
- Es un lugar agradable y seguro ubicado en una comunidad de ambiente familiar
- Está a sólo veinte minutos del centro de Vancouver
- Es fácilmente accesible en automóvil o en autobús

Source: Used with permission of Capilano College, http://www.studycanada.ca/spanish/school_profile. php?SchoolID=114&LngID=8&reView=&show=profile.

Paso 2. Now answer the questions in **Paso 1** but about your university, referring to it as **esta** (*this*) **universidad.** For item 6, also tell what kind of student you are. You can use the verb **ser** in the **yo** form and the phrase **un(a) estudiante + adjective** or **un(a) estudiante + de** _____ . Your instructor can help you.

B. Entrevista (*Interview*). Work with a classmate and use the following questions to interview each other. Find out as much as possible about each other's classes and schedules. Follow up your answers by returning the question or asking for more information.

MODELO: ESTUDIANTE 1: ¿Qué estudias este semestre / trimestre (*this term*)?
ESTUDIANTE 2: Estudio matemáticas, historia, literatura y español.
Y tú, ¿qué estudias?

1. ¿Qué estudias este semestre / trimestre?
2. ¿Cuántas horas estudias por semana (*per week*)?
3. ¿Qué días tienes (*have*) clases? (Tengo clases el…)
4. ¿Cuándo te gusta estudiar, por la mañana, por la tarde o por la noche?
5. ¿Dónde estudias?
6. ¿En qué día de la semana no estudias? (No…)
7. ¿Quién es tu profesor favorito (profesora favorita)? (Mi profesor…)
8. ¿Cuál es tu clase favorita? (Mi clase…)

A conversar...

Un/a estudiante internacional

Estudiante A: You are a Latin American student in Canada. This is your first year at your university. You go to a gathering for new international students. You meet a Canadian student. Introduce yourself and give this student information about your nationality, classes, routine, etc. Answer his/her questions and find out as much information as possible about the student. Use the vocabulary and structures from this chapter and **Capítulo 1,** and the questions/answers in **Actividad B** above as examples.

Estudiante B: You go to a gathering for new international students at your university. You meet a Latin American student. This is his/her first year at your university. Introduce yourself and give this student information about your city/town in Canada (say where you are from), classes, routine, the university, etc. Answer his/her questions and find out as much information as possible about the student. Use the vocabulary and structures from this chapter and **Capítulo 1,** and the questions/answers in **Actividad B** above as examples.

¿Recuerdas?

As you know, in English and in Spanish, a noun is the name of a person, place, thing, or idea. You have been using nouns since the beginning of *Puntos de partida,* **Canadian Edition.** Remember that **el** and **la** mean *the* before nouns. If you can change the Spanish words for *the* to *one* in the following phrases, you already know some of the material in **Gramática 1.**

1. el libro   2. la mesa   3. el profesor   4. la estudiante

GRAMÁTICA 1

IDENTIFYING PEOPLE, PLACES, THINGS, AND IDEAS (PART 1) • SINGULAR NOUNS: GENDER AND ARTICLES

GRAMÁTICA EN ACCIÓN: LA LISTA DE JAMES

James, the Canadian student studying at the Universidad de Guanajuato, is making a list of the things he needs for his classes. Pablo, his roommate, has convinced him to take a math class with him. What does James need?

Para Español 30/Profesor Durán
- un diccionario español-inglés
- la novela *Don Quijote*
- un cuaderno

Para Cálculo 2/Profesora Lifante
- los libros de texto (2)
- una calculadora
- la tarjeta de acceso para el cuaderno en línea
- un cuaderno

Y
- una agenda
- unos bolígrafos

Note the use of coloured text in the dialogues and other brief readings that appear in **Gramática en acción** sections. The colour will call your attention to examples of the grammar point of focus.

¿Entendiste?

Answer the following questions about James's list. Use the articles el and la to answer the questions.

1. ¿Quién enseña (*teaches*) la clase de español 30?
2. ¿Qué necesita (*needs*) James para la clase de español?
3. ¿Qué compra (*buys*) James para la clase de cálculo?

article = a determiner that sets off a noun

definite article = an article that indicates a specific noun.
E.g., Marcela wants to study at *the University of British Columbia*

indefinite article = an article that indicates an unspecified noun.
E.g., Marcela wants to study at *a university in Canada*

To name people, places, things, and ideas, you need to use nouns. In Spanish, all *nouns* (**los sustantivos**) have either masculine or feminine *gender* (**el género**). This is a purely grammatical feature; it does not mean that Spanish speakers perceive things or ideas as having male or female attributes.

Since the gender of all nouns must be memorized, it is best to learn the definite article along with the noun; that is, learn **el lápiz** rather than just **lápiz.** The definite article is given with nouns in vocabulary lists in this book.

	Masculine Nouns		Feminine Nouns	
Definite Articles	el **hombre**	the man	la **mujer**	the woman
	el **libro**	the book	la **mesa**	the table
Indefinite Articles	un **hombre**	a (one) man	una **mujer**	a (one) woman
	un **libro**	a (one) book	una **mesa**	a (one) table

Gender

1. Nouns that refer to male beings and most other nouns that end in **-o** are *masculine* (**masculino**) in gender.

2. Nouns that refer to female beings and most other nouns that end in **-a**, **-ión**, **-tad**, and **-dad** are *feminine* (**femenino**) in gender.

3. Nouns that have other endings and that do not refer to either male or female beings may be masculine or feminine. The gender of these words must be memorized.

4. Many nouns that refer to people indicate gender . . .
   a. by changing the last vowel

   OR

   b. by adding **-a** to the last consonant of the masculine form to make it feminine

5. Many other nouns that refer to people have a single form for both masculine and feminine genders. Gender is indicated by an article. However, a few nouns that end in **-e** also have a feminine form that ends in **-a.**

Sustantivos masculinos: hombre, libr**o**

Sustantivos femeninos: mujer, mes**a**, nac**ión**, liber**tad**, universi**dad**

el lápiz, **la** clase, **la** tarde, **la** noche

el compañer**o** → la compañer**a**
el bibliotecari**o** → la bibliotecari**a**

un profesor → una profesor**a**

Masculino	Femenino
el estudiante	**la estudiante**
el dentista	**la dentista**
el presidente	**la presidenta**
el cliente	**la clienta**
el dependiente (*clerk*)	**la dependienta**

 A common exception to the normal rules of gender is the word **el día,** which is masculine in gender. Many words ending in **-ma** are also masculine: **el problema, el programa, el sistema,** and so on. Watch for these exceptions as you continue your study of Spanish.

Articles

1. In English, there is only one *definite article* (**el artículo definido**): *the.* In Spanish, the definite article for masculine singular nouns is **el;** for feminine singular nouns it is **la.**

2. In English, the singular *indefinite article* (**el artículo indefinido**) is *a* or *an.* In Spanish, the indefinite article, like the definite article, must agree with the gender of the noun: **un** for masculine nouns, **una** for feminine nouns. **Un** and **una** can mean *one* or *a/an.*

3. Gender Summary:

definite article: *the*

m. sing. → **el**
f. sing. → **la**

indefinite article: *a, an*

m. sing. → **un**
f. sing. → **una**

Masculino	Femenino
el, un	la, una
-o	-a
-ma	-ión
	-dad, -tad

Práctica

A. Los artículos

Paso 1. Escribe (*Write*) el artículo definido apropiado (**el, la**). In some cases, both articles are possible.

1. escritorio
2. biblioteca
3. bolígrafo
4. mochila
5. estudiante
6. diccionario
7. universidad
8. teléfono celular
9. mujer
10. nación
11. secretaria
12. calculadora

Paso 2. Ahora (*Now*) escribe el artículo indefinido apropiado (**un, una**).

1. día
2. mañana
3. problema
4. lápiz

5. clase
6. papel
7. condición
8. programa

9. mesa
10. librería
11. ventana
12. edificio

B. Escenas de la universidad

Paso 1. Haz una oración (*Form a sentence*) con las palabras indicadas. Usa los artículos indefinidos (**un, una**) y definidos (**el, la**).

MODELO: estudiante **/** librería → Hay un estudiante en la librería.

1. consejero **/** oficina
2. proyector **/** salón de clase
3. lápiz **/** mesa
4. cuaderno **/** escritorio
5. libro **/** mochila

6. bolígrafo **/** silla
7. palabra **/** papel
8. oficina **/** residencia
9. compañero de clase **/** biblioteca

10. diccionario **/** librería
11. pantalla **/** aula
12. profesora **/** cafetería

Paso 2. Now create new sentences by changing one of the words in each item in **Paso 1.** Try to come up with as many variations as possible.

MODELOS: Hay un estudiante en *la residencia.*
Hay *una profesora* en la librería.

C. Definiciones. En parejas (*pairs*), definan las siguientes palabras en español, según (*according to*) el modelo.

MODELOS: biblioteca **/** ¿ ? → ESTUDIANTE 1: ¿La biblioteca?
ESTUDIANTE 2: Es un edificio.

Categorías: edificio, materia, objeto, persona

1. cliente **/** ¿ ?
2. bolígrafo **/** ¿ ?
3. residencia **/** ¿ ?

4. dependienta **/** ¿ ?
5. hotel (*m.*) **/** ¿ ?
6. reproductor de música **/** ¿ ?

7. computación **/** ¿ ?
8. inglés **/** ¿ ?
9. ¿ ?

D. Nuestra (*Our*) **universidad.** Imagine that the new Latin American student you met in the previous section wants to know more about your university. What information would you give him/her? With a classmate, take turns using the cues to form complete sentences with the information about your university you would give this student.

MODELOS: consejero/a → En nuestra universidad el profesor Márquez es consejero de los estudiantes en la Facultad de Arte.
cafetería → En nuestra universidad hay una cafetería. Se llama (*It's called*) Foster Hall.

Use the article **el** or **la** when referring to someone with a title: **el profesor Márquez.**

En nuestra universidad...

1. librería
2. profesor(a) de _____ (materia)
3. edificio de _____ (materia)

4. biblioteca principal
5. cafetería
6. edificio de clases

E. Dos universidades mexicanas.

Look at the following maps of two universities in Mexico and compare them in terms of what they offer to students (e.g., facultades, cafeterías, etc.). With a classmate, make sentences using the definite and indefinite articles and the verb **hay** (you learned it in **Capítulo 1**). Before you start the exercise, find the cities of Mérida and Puebla on your map of Mexico. ¿Dónde están estas ciudades? ¿Norte, sur o centro de México? Are the campuses for these two universities different from your university campus? How?

MODELO: En la Universidad Anáhuac Mayab hay una cancha de fútbol (*a soccer field*) y en la Universidad de las Américas...

1. Universidad Anáhuac Mayab en Mérida

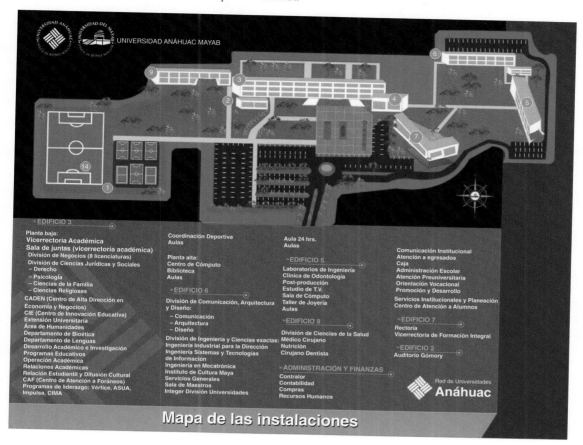

EDIFICIO 3

Planta baja:
Vicerrectoría Académica
Sala de juntas (vicerrectoría académica)
División de Negocios (8 licenciaturas)
División de Ciencias Jurídicas y Sociales
– Derecho
– Psicología
– Ciencias de la Familia
– Ciencias Religiosas
CADEN (Centro de Alta Dirección en Economía y Negocios)
CIE (Centro de Innovación Educativa)
Extensión Universitaria
Área de Humanidades
Departamento de Bioética
Departamento de Lenguas
Desarrollo Académico e Investigación
Programas Educativos
Operación Académica
Relaciones Académicas
Relación Estudiantil y Difusión Cultural
CAF (Centro de Atención a Foráneos)
Programas de liderazgo: Vértice, ASUA, Impulsa, CIMA

Coordinación Deportiva
Aulas

Planta alta:
Centro de Cómputo
Biblioteca
Aulas

EDIFICIO 6

División de Comunicación, Arquitectura y Diseño:
– Comunicación
– Arquitectura
– Diseño
División de Ingeniería y Ciencias exactas:
Ingeniería Industrial para la Dirección
Ingeniería Sistemas y Tecnologías de Información
Ingeniería en Mecatrónica
Instituto de Cultura Maya
Servicios Generales
Sala de Maestros
Integer División Universidades

Aula 24 hrs.
Aulas

EDIFICIO 5

Laboratorios de Ingeniería
Clínica de Odontología
Post-producción
Estudio de T.V.
Sala de Cómputo
Taller de Joyería
Aulas

EDIFICIO 9

División de Ciencias de la Salud
Médico Cirujano
Nutrición
Cirujano Dentista

ADMINISTRACIÓN Y FINANZAS

Contralor
Contabilidad
Compras
Recursos Humanos

Comunicación Institucional
Atención a egresados
Caja
Administración Escolar
Atención Preuniversitaria
Orientación Vocacional
Promoción y Desarrollo
Servicios Institucionales y Planeación
Centro de Atención a Alumnos

EDIFICIO 7

Rectoría
Vicerrectoría de Formación Integral

EDIFICIO 2

Auditorio Gómory

Red de Universidades
Anáhuac

Mapa de las instalaciones

2. Universidad de las Américas en Puebla

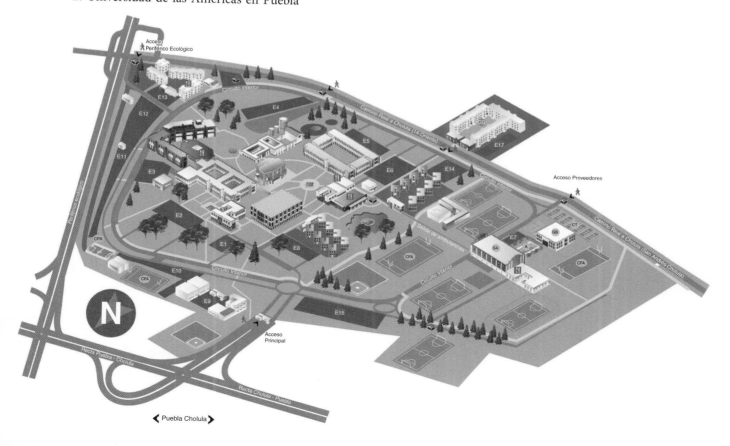

Nota cultural II

La educación universitaria en México

El sistema universitario en México es similar al sistema canadiense, pero hay diferencias entre los dos sistemas. En México, hay tres tipos de instituciones universitarias: universidades, instituciones para carreras[a] en tecnología e instituciones que preparan maestros[b] de escuelas primarias y secundarias. La mayoría[c] de las instituciones universitarias son[d] públicas y los estudiantes no pagan[e] por sus estudios. Cada estado tiene al menos[f] una universidad pública con varios «campus» en ciudades diferentes. También hay instituciones privadas.

Cada universidad consiste de diferentes facultades que ofrecen carreras de cuatro o seis años. En general, en las carreras de seis años, los estudiantes reciben un título profesional en, por ejemplo, medicina, ingeniería, arquitectura, etc. La preparación de los maestros dura[g] cuatro años. Algunas[h] universidades además[i] ofrecen carreras de postgrado como maestrías y doctorados. En contraste con Canadá, la mayoría de las clases universitarias son anuales y no semestrales.

Según[j] los datos del Instituto de Estadística de la UNESCO*, en el año 2006 un 26% de la población en edad universitaria[k] asistía[l] a la universidad en México. Algunas de las universidades importantes de México son la Universidad Nacional Autónoma de México (UNAM), el Tecnológico de Monterrey, la Universidad Autónoma de Guadalajara y la Universidad Iberoamericana. ¿Dónde están los campus de estas universidades? ¿Qué carreras ofrecen? Puedes encontrar[m] las respuestas a estas preguntas y más información en la página web **www.mcgrawhill.ca/olc/knorre.**

[a]*careers, degrees* [b]*teachers* [c]*most* [d]*are* [e]*pay* [f]*cada... each state has at least* [g]*lasts* [h]*some* [i]*in addition* [j]*According to . . .* [k]*edad... university age* [l]*attended* [m]*puedes... you can find*

La Universidad de Guadalajara

Página web de la Universidad Iberoamericana, © 2010. Universidad Iberoamericana, A.C. México.

¿Entendiste?

1. ¿Cuántos tipos de instituciones universitarias hay en México?
2. ¿Cómo son las universidades?
3. ¿Cuántos años estudian los mexicanos para ser ingenieros (*to be engineers*)?
4. ¿Cómo son las clases en México?
5. ¿Cuál es la universidad más importante (*the most important*) de México?

*Source: Used with permission of UNESCO, http://stats.uis.unesco.org/unesco/TableViewer/document.aspx?ReportId=121&IF_Language=eng&BR_Country=4840

GRAMÁTICA 2

IDENTIFYING PEOPLE, PLACES, THINGS, AND IDEAS (PART 2) • NOUNS AND ARTICLES: PLURAL FORMS

GRAMÁTICA EN ACCIÓN: UN ANUNCIO

- You can find many nouns in this ad. Can you guess the meaning of most of them?
- Some of the nouns in this ad are plural. Can you tell how to make nouns plural in Spanish, based on these nouns?
- Look for the Spanish equivalent of the following words.

  adult   preparation   program   courses

- **Idioma** is another word for *language,* and it is a false cognate. It never means *idiom.*
- Based on the words and graphics in the ad, guess what **en el extranjero** means.

	Singular	**Plural**	
Nouns Ending in a Vowel	el **libro**	los **libros**	the books
	la **mesa**	las **mesas**	the tables
	un **libro**	unos **libros**	some books
	una **mesa**	unas **mesas**	some tables
Nouns Ending in a Consonant	la **universidad**	las **universidades**	the universities
	un **salón**	unos **salones**	some classrooms

1. Spanish nouns that end in a vowel form plurals by adding **-s.** Nouns that end in a consonant add **-es.** Nouns that end in the consonant **-z** change the **-z** to **-c** before adding **-es:** **lápiz → lápices.**

2. The definite and indefinite articles also have plural forms: **el → los, la → las, un → unos, una → unas. Unos** and **unas** mean *some, several,* or *a few.*

3. In Spanish, the masculine plural form of a noun is used to refer to a group that includes both males and females.

4. Plural forms summary:

   el → los   un → unos
   la → las   una → unas

Plurals in Spanish:

vowel + **-s**
consonant + **-es**
-z → -ces

el → los   un → unos
la → las   una → unas

los amigos
the friends (both male and female)

unos extranjeros
some foreigners (both male and female)

Práctica

A. Singular y plural. Read the following excerpts from **Nota cultural II.** Provide the singular or plural forms of the words underlined.

1. «<u>instituciones</u> para <u>carreras</u> en tecnología e instituciones que preparan <u>maestros</u> de <u>escuelas</u>...»
2. «<u>una</u> <u>universidad</u> pública...»
3. «<u>los</u> <u>estudiantes</u> reciben <u>un</u> <u>título</u> profesional...»
4. «<u>las</u> <u>clases</u> universitarias son anuales...»
5. «Según <u>los</u> <u>datos</u>... el Instituto de Estadística..., en <u>el</u> <u>año</u>...»

B. Identificaciones. Nombra (*Name*) las personas, los objetos y los lugares.

MODELO: Hay _____ en _____. → Hay *unos estudiantes* en *el salón de clase.*

1.   2.

C. Los cuartos de Pablo y su hermana. Here are two pictures of Pablo's, James's roommate, and his sister's room at their home in Mexico City. Are they similar or different?

Paso 1. ¿Cuáles son las semejanzas (*similarities*) y las diferencias entre (*between*) los dos cuartos (*rooms*)? Hay por lo menos (*at least*) seis diferencias.

MODELO: En el dibujo A, hay _____.
En el dibujo B, hay sólo (*only*) _____.
En el escritorio del dibujo A, hay _____.
En el escritorio del dibujo B, hay _____.

Vocabulario útil	
la alfombra	rug
la almohada	pillow
la cama	bed
el cuadro	picture
la lámpara	lamp
el monitor	monitor

Ⓐ

Ⓑ

Paso 2. Ahora indica qué hay en tu propio (*own*) cuarto. Usa palabras del **Paso 1.** ¿Es tu cuarto similar o diferente?

MODELO: En mi cuarto hay _____. En mi escritorio hay _____.

EL ESPAÑOL *EN ACCIÓN*

EN LA CLASE DE LITERATURA ESPAÑOLA

Today is the first day of classes at the Universidad de Guanajuato. James is in his Spanish literature class. He sits next to a female student.

JAMES:	¡Hola! Soy James. ¿Cómo te llamas?
VERÓNICA:	¡Hola! Me llamo Verónica. **¿Eres tú americano?**
JAMES:	No, soy de Canadá. **¿Y eres tú de Guanajuato?**
VERÓNICA:	Sí, soy de aquí (*from here*). Tú **hablas** muy bien el español.
JAMES:	¡Gracias! **Estudio** español avanzado aquí. ¿Qué **estudias** tú?
VERÓNICA:	Literatura y filosofía. También yo **bailo** salsa y **canto** canciones (*songs*) mexicanas tradicionales.
JAMES:	¡Qué bien! Me gusta mucho **bailar** salsa. **¿Nosotros practicamos** salsa juntos (*together*)?
VERÓNICA:	Quizás… (*Maybe . . .*). El profesor Durán está en la clase…
JAMES:	Sí… **Nosotros escuchamos** su lección y **hablamos** después (*later*) . . .
VERÓNICA:	OK…
PROFESOR DURÁN:	Buenos días a todos…

¿Entendiste?

- ¿Quién es Verónica?
- ¿De dónde es?
- ¿De qué tema habl**an** Verónica y James?
- ¿Estudi**a** Verónica matemáticas?
- ¿James habl**a** español bien?
- ¿Bail**a** Verónica música "country"?
- ¿Qué tipo de canciones cant**a** Verónica?

Lengua

Listen to the dialogue again, paying attention to the pronouns and verb endings used by James and Verónica. What can you infer about the meaning of "nosotros"? What can you deduce about verb conjugations in Spanish from the verb endings in the dialogue? Try to write some simple rules for the verbs "bailar" and "estudiar".

Ahora te toca a ti...

En una clase de español en México

Estudiante A: Imagine you are studying Spanish at the Universidad Nacional Autónoma de México. This is your first class of the year. You sit next to another Canadian student. You want to practise your Spanish, so you start a conversation with him/her in this language. Greet this person and introduce yourself (name, place of origin in Canada, etc.). Talk about your studies in Mexico (what you're studying there). Also, tell this student about your university in Canada. Answer his/her questions. Use the vocabulary and structures in this chapter and in **Capítulo 1.**

Estudiante B: Imagine you are studying Spanish at the Universidad Nacional Autónoma de México. This is your first class of the year. You sit next to another Canadian student. He/She starts speaking Spanish to you. You want to practise your Spanish, so you answer in this language. Greet this person and introduce yourself (name, place of origin in Canada, etc.). Talk about your studies in Mexico (what you're studying there). Also, tell this student about your university in Canada. Answer his/her questions, and get as much information about this person as possible. Use the vocabulary and structures in this chapter and in **Capítulo 1.**

¿Recuerdas?

You already know (from **Capítulo 1**) that a verb describes an action or a state of being. The following sentences contain Spanish verbs that you have already used. Pick them out.

1. Soy estudiante en la Universidad de _____.
2. Este (*This*) semestre / trimestre, estudio español.
3. En el futuro, deseo estudiar francés.

If you selected **estudiar** in addition to three other words, you did very well! You will learn more about Spanish verbs and how they are used in **Gramática 3.**

GRAMÁTICA 3

EXPRESSING ACTIONS • SUBJECT PRONOUNS (PART 1); PRESENT TENSE OF *-ar* VERBS; NEGATION

GRAMÁTICA EN ACCIÓN: UNA ESCENA EN LA BIBLIOTECA

- Dos estudiantes trabajan hoy en esta sección de la biblioteca.
- Yo no trabajo en la biblioteca.
- Hoy Manuel y yo estudiamos para un examen de historia.
- Un profesor habla por teléfono con un amigo.
- ¿Hablas tú por teléfono en la biblioteca? No se permite, ¿verdad?

¿Entendiste?

En la escena…

1. ¿Cuántos estudiantes trabajan?
2. ¿Cuántos estudiantes estudian?
3. ¿Quién estudia?
4. ¿Quién habla por teléfono?

Subject Pronouns (Part 1)

subject = the person or thing that performs the action in a sentence

pronoun = a word that takes the place of a noun or represents a person

Subject Pronouns			
Singular		**Plural**	
yo	I	**nosotros / nosotras**	we
tú	you (*fam.*)	**vosotros / vosotras**	you (*fam. Sp.*)
Usted (Ud.)	you (*form.*)	**ustedes (Uds.)**	you (*fam./form.*)
él	he	**ellos**	they (*m., m. f.*)
ella	she	**ellas**	they (*f.*)

1. *Subject pronouns* (**Los pronombres personales**) can represent the person that performs the action in a sentence.

    In Spanish, several subject pronouns have masculine and feminine forms. The masculine plural form is used to refer to a group of males as well as to a group of males and females.

Mark → *he*	Marcos → **él**
Martha → *she*	Marta → **ella**
Mark and Paul → *they*	Marcos y Pablo → **ellos** (*all male*)
Mark and Martha → *they*	Marcos y Marta → **ellos** (*male and female*)
Martha and Emily → *they*	Marta y Emilia → **ellas** (*all female*)

2. Spanish has different words for *you*. In general, **tú** is used to refer to a close friend or a family member, while **usted** is used with people with whom the speaker has a more formal or distant relationship. The situations in which **tú** and **usted** are used also vary among different countries and regions.

> **tú** → close friend, family member
> **usted (Ud.)** → formal or distant relationship

3. In Latin America and in the Hispanic communities in Canada and the United States, the plural for both **usted** and **tú** is **ustedes**. In Spain, however, **vosotros / vosotras** is the plural of **tú,** while **ustedes** is used as the plural of **usted** exclusively.

> **Latin America, North America**
>
> | **tú** | |
> |---|---|
> | **usted (Ud.)** | } → **ustedes (Uds.)** |
>
> **Spain**
>
> | **tú** | → **vosotros / vosotras** |
> |---|---|
> | **usted (Ud.)** | → **ustedes (Uds.)** |

4. Subject pronouns are not used as frequently in Spanish as they are in English, and they may usually be omitted. You will learn more about the uses of Spanish subject pronouns in **Capítulo 3.**

Present Tense of *-ar* Verbs

1. As you know, the *infinitive* (**el infinitivo**) of a verb indicates the action or state of being, with no reference to who or what performs the action or when it is done (present, past, or future). In Spanish, all infinitives end in **-ar, -er,** or **-ir.** Infinitives in English are indicated by *to: to* speak, *to* eat, *to* live.

> | **-ar:** | **hablar** | to speak |
> |---|---|---|
> | **-er:** | **comer** | to eat |
> | **-ir:** | **vivir** | to live |

> **infinitive** = a verb form that indicates action or state of being without reference to person, tense, or number
>
> **tense** = the quality of a verb form that indicates time: past, present, or future

2. To *conjugate* (**conjugar**) a verb means to give the various forms of the verb with their corresponding subjects: *I speak, you speak, she speaks,* and so on. All regular Spanish verbs are conjugated by adding *personal endings* (**las terminaciones personales**) that reflect the subject doing the action. These are added to the *stem* (**la raíz** or **el radical**), which is the infinitive minus the infinitive ending.

> | Infinitive | | Stem |
> |---|---|---|
> | **hablar** | → | **habl-** |
> | **comer** | → | **com-** |
> | **vivir** | → | **viv-** |

3. The right-hand column shows the personal endings that are added to the stem of all regular **-ar** verbs to form the *present tense* (**el presente**).

Regular **-ar** verb endings in the present tense:
-o, -as, -a, -amos, -áis, -an

hablar (*to speak; to talk*)**: habl-**					
Singular			**Plural**		
(yo)	**hablo**	I speak	(nosotros) (nosotras) }	**hablamos**	we speak
(tú)	**hablas**	you speak	(vosotros) (vosotras) }	**habláis**	you speak
(Ud.) **(él)** **(ella)** }	**habla**	you speak he speaks she speaks	(Uds.) (ellos) (ellas) }	**hablan**	you speak they (*m., m.+f.*) speak they (*f.*) speak

4. Some important **-ar** verbs in this chapter include those in the list to the right.

bailar

cantar

escuchar

tocar

bailar	to dance
buscar	to look for
cantar	to sing
comprar	to buy
desear	to want
enseñar	to teach
escuchar	to listen (to)
estudiar	to study
hablar	to speak; to talk
necesitar	to need
pagar	to pay (for)
practicar	to practise
regresar	to return (*to a place*)
tocar	to play (*a musical instrument*)
tomar	to take; to drink
trabajar	to work

Note that in Spanish the meaning of the English word *for* is included in the verbs **buscar** (*to look for*) and **pagar** (*to pay for*); *to* is included in **escuchar** (*to listen to*).

5. As in English, when two Spanish verbs are used in sequence and there is no change of subject, the second verb is usually in the infinitive form.

6. In both English and Spanish, conjugated verb forms also indicate the *time* or *tense* (**el tiempo**) of the action: *I speak* (present), *I spoke* (past). Some English equivalents of the present tense forms of Spanish verbs are shown at the right.

Necesito **llamar** a mi familia.   *I need to call my family.*

Me gusta **bailar**.   *I like to dance.*

hablo	I speak	*Simple present tense*
	I am speaking	*Present progressive (indicates an action in progress)*
	I will speak	*Near future action*

Nota comunicativa

The Verb *estar*

Estar is another Spanish **-ar** verb. It means *to be*, and you have already used forms of it to ask how others are feeling or to tell where things are located. Here is the complete present tense conjugation of **estar.** Note that the **yo** form is irregular. The other forms take regular **-ar** endings, and some have a shift in the stress pattern (indicated by the accented **á**).

yo	**estoy**	nosotros/as	**estamos**
tú	**estás**	vosotros/as	**estáis**
Ud., él, ella	**está**	Uds., ellos, ellas	**están**

You will learn the uses of the verb **estar,** along with those of **ser** (the other Spanish verb that means *to be*) gradually, over the next several chapters. In the following questions, **estar** is used to inquire about location or feelings.

1. ¿Cómo estás tú en este momento (*right now*)?
2. ¿Cómo están tus (*your*) compañeros? (Mis compañeros...)
3. ¿Dónde estás tú en este momento?

Negation

In Spanish the word **no** is placed before the conjugated verb to make a negative sentence.

El estudiante **no habla** español.
The student doesn't speak Spanish.

No, **no necesito** dinero.
No, I don't need money.

Verónica **no está** en la biblioteca.
Verónica is not in the library.

Pablo y James **no están** en la biblioteca. **Están** en la cafeteria.
Pablo y James are not in the library. They're in the cafeteria.

Práctica

A. Asociaciones. Give at least one **-ar** infinitive whose meaning you associate with the following words and phrases.

1. español
2. mucho dinero
3. en la librería
4. en el salón de clase
5. un coche (*car*)

6. a la residencia
7. Coca-Cola o café
8. la música
9. en la biblioteca
10. en una fiesta kareoke

B. ¡Anticipemos! Mis compañeros y yo

Paso 1. Tell whether or not the following statements are true for you and your classmates. If any statement is not true for you or your class, make it negative or change it in another way to make it correct.

MODELO: Toco el piano → Sí, toco el piano.
(No, no toco el piano. Toco la guitarra.)

1. Necesito más (*more*) dinero.
2. Trabajo en la biblioteca.
3. Canto en un coro (*choir*) de la universidad.
4. Tomamos ocho clases cada (*every*) semestre / trimestre.
5. Bailamos salsa en el salón de clase.
6. Deseamos hablar español correctamente.
7. El profesor / La profesora enseña italiano.
8. El profesor / La profesora habla muy bien el alemán (*German*).
9. Mi compañero/a de clase está muy mal.
10. Estoy en la cafetería.

Paso 2. Now turn to a partner and restate each sentence as a question, using **tú** forms of the verbs in all cases. Your partner will indicate whether or not the sentences are true for him or her.

MODELO: ¿Tocas el piano? →
Sí, toco el piano. (No, no toco el piano.)

¡Anticipemos! (*Let's look ahead!*) activities show you new structures in context before you begin to use them. As you do these activities, think about the structure that you are studying (e.g., **-ar** verbs) and how it is used in the activity.

C. ¿Qué hacen (*are they doing*)**?** Tell where these people are and what they are doing. Remember to use the definite article with titles when you are talking about a person: **el señor, la señora, la señorita, el profesor, la profesora.**

MODELO: La Sra. Martínez _____. → La Sra. Martínez está en la oficina. Busca un documento, trabaja…

Vocabulario útil	
hablar por teléfono	
preparar la lección	
pronunciar las palabras	
tomar apuntes	to take notes
trabajar en la caja	at the register
usar una computadora	

1. Estas (*These*) personas _____.
   La profesora Gil _____.
   Casi (*Almost*) todos los estudiantes _____.
   Un estudiante _____.

2. Estas personas _____.
   El Sr. Miranda _____.
   La bibliotecaria _____.
   El estudiante _____.

3. Estas personas _____.
   El cliente _____.
   La dependienta _____.

D. En una fiesta en Guanajuato. The following paragraph describes a party. First scan the paragraph to get a general sense of its meaning. Then complete the paragraph with the correct form of the numbered infinitives.

Esta noche[a] hay una fiesta en el apartamento de Marcos y Julio en Guanajuato. Todos[b]

los estudiantes 1. (cantar) _____ y 2. (bailar) _____.

Una persona 3. (tocar) _____ la guitarra y otras personas 4. (escuchar)

_____ la música. James 5. (buscar) _____ una Coca-Cola.

Verónica 6. (hablar) _____ con un amigo. María José 7. (desear)

_____ enseñarles a todos[c] un baile[d] de Colombia. Todas las estudiantes

8. (desear) _____ bailar con Pablo—¡él 9. (bailar) _____

muy bien! La fiesta es estupenda, pero todos 10. (necesitar) _____ regresar

a casa[e] o a su[f] cuarto temprano.[g] ¡Hay clases mañana!

[a]Esta… *Tonight*   [b]*All*   [c]enseñarles… *to teach everyone*   [d]*dance*   [e]a… *home*   [f]*their*   [g]*early*

¿Entendiste?

¿Cierto o falso? Decide if the sentences below are true or false. If they are false, correct them.

1. Marcos es profesor de español.
2. Hay unos estudiantes en la fiesta.
3. Todos los estudiantes tocan la guitarra.
4. A James le gusta tomar café.
5. María José es de Colombia.
6. Pablo no baila muy bien.

E. Oraciones lógicas.
Form at least eight complete logical sentences by using one word or phrase from each column. The words and phrases may be used more than once, in many combinations. Be sure to use the correct form of the verbs. Make any of the sentences negative, if you wish.

MODELO: Yo no estudio francés.

yo tú (el estudiante) nosotros (los miembros de esta clase) los estudiantes de aquí el extranjero un secretario una profesora de español una dependienta	**+** (no) ⎰ comprar regresar buscar trabajar hablar tocar enseñar pagar tomar estudiar	**+** la guitarra, el piano, el violín el edificio de ciencias en la cafetería, en la universidad en una oficina, en una librería a casa por la noche a la biblioteca a las dos francés, alemán, italiano, inglés bien el español los libros de texto con un cheque libros y cuadernos en la librería

Remember that the verb form that follows **desear** or **necesitar** is the infinitive, just as in English.

+ (no) ⎰ desear
necesitar **+** tomar una clase de computación
hablar bien el español
estudiar más
comprar una calculadora, una mochila
pagar la matrícula en septiembre

Remember that **de la mañana (tarde, noche)** are used when a specific hour of the day is mentioned, like the English *A.M.* and *P.M.* Also, remember to use **a la una / a las dos (tres...)** to express a specific time of day.

Generalmente, estudio en casa **por** la mañana **los lunes y (los) viernes.**
Generally, I study at home in the morning on Mondays and Fridays.

Hoy, estudio con Javier en la biblioteca a las diez **de** la mañana.
Today, I will study with Javier at 10:00 in the morning.

Nota comunicativa

Expressing the Time of Day and Days of the Week

You can use the preposition **por** to mean *in* or *during* when expressing the time of day.

Estudio **por** la mañana y trabajo **por** la tarde. **Por** la noche, estoy en casa.
I study in the morning and I work in the afternoon. At night, I'm at home.

When you do something on a particular day each week, you need to refer to the day of the week in the plural.

Estudio español **los lunes, (los) martes, (los) miércoles y (los) jueves. Los viernes** no tengo clase de español.
I study Spanish on Mondays, Tuesdays, Wednesdays, and Thursdays. On Fridays, I don't have Spanish classes.

F. Entrevista. Use the following questions as a guide to interview a classmate and take notes on what he or she says. (Write down what your partner says using the **él / ella** form of the verbs.)

MODELO: ESTUDIANTE 1: Karen, ¿estudias filosofía?
ESTUDIANTE 2: No, no estudio filosofía. Estudio música.
ESTUDIANTE 1: (escribe [*writes*]): Karen no estudia filosofía. Estudia música.

1. ¿Estudias mucho o poco (*a little*)? ¿Dónde estudias, en casa, en la residencia o en la biblioteca? ¿Cuándo te gusta estudiar, por la mañana, por la tarde o por la noche? ¿Qué días estudias? ¿Qué días no te gusta estudiar?
2. ¿Cantas bien o mal (*poorly*)? ¿Tocas un instrumento musical? ¿Cuál es? (el piano, la guitarra, el violín…)
3. ¿Trabajas? ¿Dónde? ¿Cuántas horas a la semana (*per week*) trabajas? ¿Trabajas todos los días de la semana? ¿Trabajas hasta muy tarde (*late*)?
4. ¿Quiénes pagan los libros de texto, tú o los profesores? ¿Qué más necesitas pagar? ¿diccionarios? ¿el alquiler (*rent*)? ¿la matrícula? ¿ ?

A conversar...

En la fiesta

You and a classmate are going to imagine that you are James and Verónica. You met at your literature class, and now see each other at Marcos and Julio's party. Greet each other and get to know each other better. Ask and answer questions about your studies, hobbies (e.g., dancing, singing, playing an instrument, etc.), likes and dislikes (te gusta, me gusta), routines, etc. You can use the vocabulary and questions in previous exercises and in the **vocabulario** and **gramática** sections in this chapter and in **Capítulo 1.** Write down your conversation so that you can share it later with other classmates.

¿Recuerdas?

You have already seen some yes/no questions in Spanish. In **El español en acción,** James and Verónica ask some of these questions. Go back to their dialogue and the questions in the **¿Entendiste?** section. Look at the yes/no questions. Where is the verb? Where is the subject? What can you infer about these types of questions in Spanish?

You will learn more about Spanish yes/no questions in **Gramática 4.**

GRAMÁTICA 4

GETTING INFORMATION • ASKING YES/NO QUESTIONS

GRAMÁTICA EN ACCIÓN: LA OFICINA DE MATRÍCULAS

Do you remember Verónica, James's classmate? She is now at the Registrar's Office at the University of Guanajuato. She's trying to enroll in one more class. What class does she want to attend?

VERÓNICA:	… necesito una clase más por la mañana. ¿Hay sitio en la clase de Sicología 2?
CONSEJERO:	Imposible, señorita. No hay.
VERÓNICA:	¿Hay un curso de historia o de matemáticas?
CONSEJERO:	Sólo por la noche. ¿Desea Ud. tomar una clase por la noche?
VERÓNICA:	Es imposible. Trabajo por la noche.
CONSEJERO:	Pues… ¿qué tal el Francés 3? Hay una clase a las diez de la mañana los lunes, miércoles y viernes.
VERÓNICA:	¿El Francés 3? Perfecto. Pero, ¿no necesito tomar primero el Francés 1?

¿Entendiste?

1. ¿Necesita Verónica dos clases más?
2. ¿Hay sitio en Sicología 2?
3. ¿Hay cursos de historia o de matemáticas por la mañana?
4. ¿A qué hora y días es la clase de Francés 3?
5. ¿Cuál es el problema con la clase de Francés 3?

There are two kinds of questions: information questions and yes/no questions. Questions that ask for information or facts often begin with *interrogative words* (**las palabras interrogativas**) such as *who, what,* and so on. (You've already learned some interrogative words.) *Yes/no questions* permit a simple *yes* or *no* answer.

INFORMATION QUESTIONS:
¿**Qué** lengua habla Ud.? →
Hablo español.

YES/NO QUESTIONS:
¿Habla Ud. francés? →
No. (No, no hablo francés.)

Rising Intonation

A common way to form yes/no questions in Spanish is simply to make your voice rise at the end of the question.

 There is no Spanish equivalent of the English *do* or *does* in questions. Note also the use of an inverted question mark (¿) at the beginning of a question in Spanish.

STATEMENT:	Ud. trabaja aquí todos los días. *You work here every day.*
	James estudia en casa hoy. *James is studying at home today.*
QUESTION:	¿Ud. trabaja aquí todos los días? *Do you work here every day?*
	¿James estudia en casa hoy? *Is James studying at home today?*

Inversion

Another way to form yes/no questions is to invert the order of the subject and verb, in addition to making your voice rise at the end of the question.

STATEMENT: **Ud.** trabaja aquí todos los días.

QUESTION: ¿Trabaja **Ud.** aquí todos los días?

STATEMENT: **James** estudia en casa hoy.

QUESTION: ¿Estudia **James** en casa hoy?

Práctica

A. ¿Pregunta o declaración (*statement*)?
Listen as your instructor reads either a question or a statement from the list. Then tell if what you hear is a question or a statement.

MODELOS: ¿El consejero está en la oficina? → Es una pregunta.
La bibliotecaria habla con el estudiante. → Es una declaración.

1. ¿Alicia toca el violín?
2. Tomas una clase de comunicaciones.
3. Uds. compran cuadernos en la librería.
4. ¿El profesor sólo habla español en clase?
5. La profesora habla bien el francés.

Alicia toca el violín.
¿Tomas una clase de comunicaciones?
¿Uds. compran cuadernos en la librería?
El profesor sólo habla español en clase.
¿La profesora habla bien el francés?

B. Una conversación entre (*between*) Antoine y Lupe.
Antoine, a Canadian student, and Lupe recently met each other. They're both Pablo's classmates. While having coffee, Lupe asks Antoine some questions to find out more about him. Ask Lupe's questions that led to Antoine's answers.

MODELO: Sí, estudio antropología. → ¿Estudias antropología?

1. Sí, soy canadiense (*from Canada*).
2. Sí, estudio con frecuencia.
3. No, no toco el piano. Toco la guitarra clásica.
4. No, no deseo trabajar más horas.
5. No, no hablo italiano, pero hablo francés. Soy de Trois-Rivières en Québec.
6. No, no soy reservado ¡Soy muy extrovertido!

C. ¿Qué haces (*do you do*)?
Paso 1. Use the following cues as a guide to form questions to ask your classmates. You may ask other questions as well. Write the questions on a sheet of paper. ¡OJO! Use the **tú** form of the verbs.

MODELO: escuchar música por la mañana →
¿Escuchas música por la mañana?

1. estudiar en la biblioteca por la noche
2. practicar español con un amigo o una amiga
3. tomar un poco de (*a little bit of*) café por la mañana

4. bailar mucho en las fiestas los sábados
5. tocar un instrumento musical
6. regresar a casa muy tarde a veces los viernes
7. comprar los libros en la librería de la universidad
8. hablar mucho por teléfono
9. trabajar los fines de semana
10. usar (*to use*) un diccionario bilingüe

Paso 2. Now use the questions to get information from your classmates. Stand up, walk around the classroom, and interview as many classmates as you can (a different classmate per question). If a classmate answers no, write down his/her name, but ask another classmate the same question. You should get one affirmative answer per question. Jot down their answers for use in **Paso 3.**

MODELOS: ESTUDIANTE 1: ¿Escuchas música por la mañana?
ESTUDIANTE 2: Sí, (No, no) escucho música por la mañana.

Paso 3. With the information you gathered in **Paso 2,** report your answers to the class. (You will use the **él / ella** form of the verbs when reporting.)

MODELO: Jenny no escucha música por la mañana, pero (*but*)
Sarah sí escucha música por la mañana.

D. Repaso: Conversaciones en la cafetería

Paso 1. Form complete questions and answers based on the words given, in the order given. Conjugate the verbs and add other words if necessary. Do not use the subject pronouns in parentheses.

PREGUNTAS

MODELO: ¿comprar (tú) **/** lápices **/** aquí? → ¿Compras los lápices aquí?

1. ¿buscar (tú) **/** libro de español **/** ahora?
2. ¿no trabajar **/** Verónica **/** aquí **/** en **/** cafetería?
3. ¿qué más **/** necesitar **/** Uds. **/** en **/** clase de cálculo?
4. ¿dónde **/** estar **/** Pablo?
5. ¿no desear (tú) **/** estudiar **/** minutos **/** más?

RESPUESTAS

MODELO: no, sólo **/** (yo) comprar **/** bolígrafos **/** aquí →
No, sólo compro los bolígrafos aquí.

a. no, **/** (yo) necesitar **/** regresar **/** a casa
b. no, **/** (yo) buscar **/** mochila
c. (nosotros) necesitar **/** calculadora **/** y **/** cuaderno
d. no, **/** ella **/** trabajar **/** en **/** biblioteca
e. él **/** trabajar **/** en **/** residencia **/** por **/** tarde

Paso 2. Now match the answers with the questions to form short dialogues, or practise them with a partner, if you wish.

E. Repaso: Lengua y cultura: Dos universidades fabulosas... y

diferentes. Verónica is thinking of getting an MA degree in Latin American Studies in the United States. She's reading a brochure about two possible places where she can go. Complete the following descriptions.

Paso 1. Give the correct form of the verbs in parentheses, as suggested by context. When the subject pronoun is *in italics,* don't use it in the sentence.

Paso 2. When two possibilities are given in parentheses, select the correct word.

Lengua y cultura

¿Busca Ud. la universidad perfecta? **Hay / Es** dos **universidad / universidades** muy famosas en los Estados Unidos. La primera[a] es **el / la** Universidad de Texas, Austin. ¡Es **un / una** universidad muy grande![b] Hay veinticuatro grupos sociales para estudiantes hispanos y una **librería / biblioteca** con una colección latinoamericana fantástica, la Colección Latinoamericana Benson. **Los / Las** materias más populares en la UT son: administración de empresas, ingeniería, humanidades y comunicaciones. Muchos estudiantes (tomar) _____ cursos en **el / la** Instituto de Estudios Latinoamericanos y en **el / la** Centro para Estudios Mexicoamericanos.

Stanford, en **el / la** estado de California, es una universidad menos grande.[c] Tiene[d] una residencia para estudiantes de español, la Casa Zapata. Allí,[e] **los / las** estudiantes (practicar) _____ español y (participar) _____ en celebraciones hispanas. Las materias más populares en Stanford son:[f] biología, economía, inglés y ciencias políticas. **El / La** problema en Stanford es que los estudiantes (pagar) _____ mucho por[g] la matrícula.

[a]La… *The first one* [b]*big* [c]*menos… smaller* [d]*It has* [e]*There* [f]*are* [g]*for*

¿Entendiste?

¿Cierto o falso? Which of these statements is true, based on the **Lengua y cultura** passage? Change false statements to make them true.

1. En la Universidad de Texas hay dos grupos sociales para estudiantes hispanos.	C	F
2. En la Universidad de Texas hay muchos recursos (*resources*) para los estudiantes de Estudios Latinoamericanos.	C	F
3. En el Instituto de Estudios Latinoamericanos hay pocos (*few*) estudiantes.	C	F
4. La Casa Zapata es una biblioteca importante.	C	F
5. La Universidad de Stanford es barata (*cheap*).	C	F

F. Repaso: ¿Qué pasa (*What's happening*) en la fiesta?

Paso 1. With a classmate, describe what's going on in the following scene.

MODELO: Pilar y Ana bailan en la fiesta.

Vocabulario útil	
descansar	to rest
escuchar	
fumar	to smoke
hablar	
mirar	to watch
• una película	a movie
• la tele	TV
tocar	
• la batería	drum set
• la guitarra	
• el piano	
tomar	
• refrescos	soft drinks

Paso 2. Now compare the scene on page 58 with parties *you* go to. Use the **nosotros** form of verbs to describe what you and your friends do at these parties.

MODELO: Mis amigos y yo bailamos en las fiestas.

A conversar...

En la oficina de matrículas

Estudiante A: Imagine you are James, a Canadian student at the Universidad de Guanajuato. You meet with a consejero/a (*academic advisor*) to talk about your classes, routine at the university, etc. Introduce yourself, talk to this person, and answer his/her questions. Also ask questions about classes (what classes you can take, at what time they are, when they are, i.e., days of the week, etc.). Use the vocabulary and structures in this chapter and in **Capítulo 1.** Since your meeting is formal, remember to use the **usted** forms.

Estudiante B: Imagine you are a consejero/a (*academic advisor*) at the Universidad de Guanajuato. You meet with a new Canadian student. Introduce yourself, and get as much information about this person as possible (name, where he is from, classes he takes, routine, etc.). Answer his questions. Use the vocabulary and structures in this chapter and in **Capítulo 1.** Since your meeting is formal, remember to use the **usted** forms.

UN POCO DE TODO

VIDEOTECA

En contexto

In this chapter, a Peruvian student, Juan Carlos, starts his new academic year. Juan Carlos attends his first class. What do you do on your first day of classes? How do you greet your classmates? Do you introduce yourself? Watch the clip online and see if Juan Carlos's first day of class is similar to yours.

¿Entendiste?

A. Los compañeros de clase

Decide if the following statements about the dialogue you saw are true (C-cierto) or false (F-falso). Correct the false ones.

1. Juan Carlos está en la clase de economía.   C   F
2. El compañero de clase de Juan Carlos se llama Pedro Alarcón.   C   F
3. Juan Carlos y su compañero toman una clase de historia.   C   F
4. Juan Carlos escucha música hip hop.   C   F
5. El compañero de clase de Juan Carlos trabaja en la biblioteca.   C   F
6. La clase de economía es a la una y media.   C   F

Lengua

What kind of expressions does Juan Carlos use to talk to his classmate? Why? What do you think the expression "¡Qué bacán!" means?

B. Los saludos. In the clip you have just seen, Juan Carlos talks to his classmate about his schedule. Imagine that Juan Carlos asks you about your schedule. Read the questions he might ask and check the most logical answer.

1. Hola, me llamo Juan Carlos. Tengo cinco clases este semestre. ¿Cuántas clases tienes tú?

   ☐ Soy estudiante.
   ☐ Estudio español.
   ☐ Estudio sicología.
   ☐ Tengo cuatro clases.
   ☐ Tienes cinco clases.

2. ¿A qué hora es tu clase de español?

   ☐ Son las tres.
   ☐ Es la una.
   ☐ Tomo español a las nueve.
   ☐ En punto.
   ☐ Tengo muchas clases.

3. ¿Cuándo tienes clase de español?

   ☐ La profesora García.
   ☐ Es el domingo.
   ☐ Las cuatro en punto.
   ☐ Los lunes, martes y jueves.
   ☐ Estudio mucho.

4. ¿Qué otras clases tienes?

   ☐ También tomo cálculo y biología.
   ☐ Tengo diez.
   ☐ Estudio en la biblioteca.
   ☐ Estudio español.
   ☐ Tengo clases en la Facultad de Ciencias.

5. ¿Dónde estudias?

   ☐ Con frecuencia.
   ☐ De Saskatoon.
   ☐ El bibliotecario.
   ☐ Español.
   ☐ En la residencia.

LECTURA

ESTRATEGIA: More on Guessing Meaning from Context

As you learned in **La geografía del mundo hispano (Capítulo 1),** you can often guess the meaning of unfamiliar words from the context (the words that surround them) and by using your knowledge about the topic in general. Making "educated guesses" about words in this way will be an important part of your reading skills in Spanish.

What is the meaning of the underlined words in these sentences?

1. En una lista alfabetizada, la palabra **cálculo** aparece <u>antes de</u> **español.**
2. El edificio no es moderno; es <u>viejo</u>.
3. Me gusta estudiar español, pero detesto la literatura. En general, <u>odio</u> las humanidades como materia de estudio.

ANTES DE LEER

Like the passages in **Capítulo 1** and some others in subsequent chapters, this reading contains section subheadings. Scanning these subheadings in advance will help you make predictions about the reading's content, which will also help to facilitate your overall comprehension. Another useful way to manage longer passages is to read section by section. At this point, don't try to understand every word. Your main objective should be to understand the general content of the passage. Scan the text that follows. Can you guess what it is about? Write three ideas.

A LEER

Now read the whole text, and see if your ideas are correct. Pay attention to the words underlined. Can you guess their meaning from context?

Las universidades hispánicas

Introducción

En el mundo hispánico —y en Canadá y los Estados Unidos también— hay universidades grandes[a] y <u>pequeñas</u>; públicas, religiosas y privadas; modernas y antiguas. Pero el concepto de la «vida[b] universitaria» es diferente.

El *campus*

Por ejemplo, en los países[c] hispánicos la universidad no es un centro de actividad social. No hay muchas residencias estudiantiles. En general, los estudiantes <u>viven</u> en pensiones[d] o en casas particulares[e] y <u>llegan</u> a la universidad en coche o en autobús. En algunas[f] universidades hay un *campus* similar a los de[g] las universidades <u>canadienses</u> y <u>estadounidenses</u>. En estos casos se habla[h] de la «ciudad[i] universitaria». Otras universidades ocupan sólo un edificio grande, o posiblemente varios edificios, pero no hay zonas verdes.[j]

Estudiantes de medicina en Caracas, Venezuela

Los deportes

Otra diferencia es que en la mayoría de las universidades hispánicas los deportes no son muy importantes. Si los estudiantes desean practicar un deporte —tenis, fútbol o béisbol— hay clubes deportivos, pero estos[k] no forman parte de la universidad.

Las diversiones[l]

Como se puede ver,[m] la forma y organización de la universidad son diferentes en las dos culturas. Pero los estudiantes estudian y se divierten[n] en todas partes.[ñ] A los estudiantes hispanos, así como[o] a los canadienses y estadounidenses les gusta mucho toda clase de música: la música clásica, la música con raíces[p] tradicionales y la música moderna —la nacional y la importada. Otras diversiones preferidas por los estudiantes son las discotecas y los cafés. Hay cafés ideales para hablar con los amigos. También hay exposiciones de arte, obras de teatro y películas[q] interesantes.

Conclusión

Los días favoritos de muchos jóvenes[r] hispánicos son los fines de semana. Realmente, ¿son muy distintos los estudiantes hispanos de los norteamericanos?

[a]*large* [b]*life* [c]*naciones* [d]*boarding houses* [e]*private* [f]*some* [g]*los... those of* [h]*se... one speaks* [i]*city* [j]*green* [k]*they (lit. these)* [l]*Las... Entertainment* [m]*Como... As you can see* [n]*se... have a good time* [ñ]*en... everywhere* [o]*así... like* [p]*roots* [q]*movies* [r]*young people*

DESPUÉS DE LEER

A. Tus ideas. ¿Son tus ideas correctas sobre el tema (*topic*) del texto?

B. ¿Entendiste? ¿Cierto o falso? Indica si las siguientes declaraciones son ciertas (C) o falsas (F). Corrige (*correct*) las oraciones falsas.

1. En los países hispánicos, la mayoría de los estudiantes vive en residencias.	C	F
2. En las universidades hispánicas, los deportes ocupan un lugar esencial en el programa de estudios del estudiante.	C	F
3. En una universidad hispánica, hay poco tiempo para asistir a (*time for attending*) conciertos y exposiciones de arte.	C	F
4. No hay mucha diferencia entre (*between*) el *campus* de una universidad hispánica y el *campus* de una universidad norteamericana.	C	F
5. La música es una diversión para los estudiantes en todas partes.	C	F
6. Hay grandes jardines (*gardens*) y zonas verdes en las universidades hispánicas.	C	F

C. ¿De qué universidad? Indica si las siguientes declaraciones son de un estudiante de una universidad hispana o de un estudiante de una universidad canadiense. ¿O son de las dos?

	HISPANA	CANADIENSE	LAS DOS
1. «Me gusta jugar al Frisbee en el *campus*.»	☐	☐	☐
2. «La casa es muy cómoda (*comfortable*) y tengo derecho a usar la cocina (*I have kitchen privileges*).»	☐	☐	☐
3. «¿Qué tal si tomamos un café después de (*after*) mi clase?»	☐	☐	☐
4. «El sábado (*Saturday*) hay un partido de basquetbol. ¿Deseas ir (*to go*)?»	☐	☐	☐
5. «Me gusta hablar con mis amigos en los jardines de la universidad.»	☐	☐	☐

REDACCIÓN

LA VIDA UNIVERSITARIA

In this chapter you will write a description of your life as a student.

ANTES DE ESCRIBIR

Use the questions that follow to organize your thoughts. Your instructor can help you with words or constructions that are unfamiliar to you.

1. ¿Cómo se llama tu universidad?
2. ¿Dónde está?
3. ¿Cómo es tu universidad?
4. ¿Cuál es tu especialización (*major*)?
5. ¿Tienes un/a compañero/a de cuarto / casa (*housemate*)?
6. ¿Cómo se llama? ¿De dónde es?
7. ¿Qué clases tomas este semestre?
8. ¿A qué hora y qué días de la semana es cada (*each*) clase?
9. ¿Dónde te gusta estudiar?
10. ¿Qué hacen tú y tus amigos en su tiempo libre (*free time*)?

A ESCRIBIR

Now write your description and . . .

- Remember to use the vocabulary from this chapter and **Capítulo 1.**
- Pay attention to gender and number when you use articles and nouns (e.g., **la** profesor**a**), and to the correct verb conjugations (e.g., yo tom**o**, mis amigos y yo bail**amos**).
- Use connectors and conjunctions to connect your ideas. For example, you can use **y** (*and*), **también** (*also*), and **pero** (*but*). Your instructor can help you use these words correctly.

DESPUÉS DE ESCRIBIR

Now read your description, and focus on the following:

- <u>Content</u>: Have you included all the information required?
- <u>Grammar</u>:
  - Articles and nouns: Do they agree in gender and number?
  - Verbs: Have you conjugated your verbs correctly?
- <u>Connectors</u>: Have you connected your ideas with the suggested connectors and conjunctions? Correct your text, and write a new, improved version.

México

Antes de explorar...

What have you learned about Mexico so far? Explore this chapter for information about the country and its people, and, with a classmate, write down some ideas.

¡A explorar!

What else can we learn about Mexico? Read the following passages, and try to think about similarities and differences between Mexico and Canada.

[a]comes [b]were [c]tribe [d]established [e]antiguo... *former Lake* [f]was [g]ciudades... *largest cities in the world* [h]siglo... *16th century* [i]Hoy... *Today* [j]cubre... *covers the remains* [k]Se... *Are spoken* [l]still [m]areas

Datos esenciales

- Nombre oficial: Estados Unidos Mexicanos
- Capital: Ciudad de México, «México, Distrito Federal» o «México, D.F.»
- Población: más de 107 (ciento siete) millones de habitantes
- El nombre «México» viene[a] de los mexicas, el nombre original de los aztecas. Los mexicas eran[b] una tribu[c] nómade que estableció[d] su capital, Tenochtitlán, en el centro del antiguo Lago[e] Texcoco. Tenochtitlán era[f] una de las ciudades más grandes del mundo[g] en el siglo XVI.[h] Hoy día[i] la Ciudad de México cubre los restos[j] de Tenochtitlán.
- México tiene la población hispanohablante más grande del mundo.
- México tiene 31 estados y el Distrito Federal.
- Se hablan[k] aproximadamente sesenta idiomas indígenas en México todavía,[l] y hay zonas[m] rurales donde los indígenas no hablan español.

Un chac mool, en Chichén Itzá. El chac mool es la escultura de una figura reclinada con la cabeza levantada.[a] Es de origen tolteca, una de las culturas indígenas más antiguas[b] de México, pero fue adoptado por[c] otras culturas como los mayas. Chichén Itzá está en el estado mexicano de Yucatán.

[a]figura... *reclined figure with a raised head* [b]más... *oldest* [c]fue... *it was adopted by*

La Quebrada[a] en Acapulco. La geografía de México es variada con montañas, selvas,[b] desiertos y volcanes. Tiene playas blancas[c] en el este[d] y costas rocosas[e] en el oeste.[f] Este acantilado[g] en la costa de Acapulco se llama «La Quebrada». Es famoso por los clavadistas que hacen saltos[h] de treinta y cinco metros[i] al agua.

[a]Gorge [b]jungles [c]Tiene... *It has white beaches* [d]east [e]costas... *rocky coasts* [f]west [g]cliff [h]clavadistas... *divers that dive* [i]treinta... *35 meters (115 feet)*

En un cementerio durante[a] el Día de los Muertos.[b] Muchos mexicanos visitan los cementerios el primero de noviembre[c] para celebrar el Día de los Muertos. Preparan altares con las comidas[d] y posesiones favoritas de sus seres fallecidos.[e] En el cementerio, decoran las tumbas con velas y flores.[f] La flor tradicional de esta celebración es la maravilla.[g]

[a]during [b]Día... *Day of the Dead* [c]el... *on November 1* [d]foods [e]seres... *loved ones who have passed away* [f]velas... *candles and flowers* [g]marigold

La Basílica de Nuestra Señora de Guanajuato, en Guanajuato. Guanajuato es una ciudad colonial en el centro de México que se hizo famosa[a] por las ricas venas de plata y oro que se encontraron allí[b] en el siglo XVI. Hoy día Guanajuato es famoso por sus iglesias[c] y edificios coloniales, como la Basílica de Nuestra Señora del Rosario, que atraen[d] a turistas de todo el mundo.

[a]se... *became famous* [b]ricas... *rich veins of silver and gold that were found there* [c]churches [d]atraen... *attract*

Una cabeza[a] olmeca. La civilización olmeca es la más antigua[b] de las civilizaciones que han ocupado[c] una parte de lo que[d] hoy es México y Centroamérica. Los olmecas crearon[e] estatuas de cabezas gigantescas. Se han encontrado por lo menos[f] diecisiete de estas cabezas desde[g] México hasta[h] El Salvador, y algunas de ellas[i] pesan hasta[j] once toneladas.[k]

[a]head [b]la... the oldest [c]han... have occupied [d]lo... what [e]created [f]Se... They have found at least
[g]from [h]to [i]algunas... some of them [j]pesan... weigh up to [k]tons

La música, la literatura y la pintura de México

La música mexicana tiene gran diversidad de estilos y ritmos.[a] De los géneros[b] tradicionales, la música ranchera, interpretada por mariachis, es la más conocida.[c] También hay variación en cuanto a[d] los instrumentos musicales que se usan[e] de una región a otra. Por ejemplo, la música norteña,[f] influida por[g] la polka alemana, usa mucho el acordeón, y la música folclórica de la costa caribeña se caracteriza[h] por la marimba. El rock y pop mexicano son también importantes en América Latina. Una de las bandas más populares es Maná.

Además de la música, hay escritores[i] excelentes en México como Carlos Fuentes, Rosario Castellanos, Octavio Paz, Laura Esquivel, Sor Juana Inés de la Cruz, etc. Esta escritora vivió[j] en México en el siglo XVII y es muy importante en la literatura mexicana y latinoamericana. Muchos la consideran[k] como la precursora de la literatura propiamente mexicana.[l]

Otra mexicana importante en el mundo del arte es Frida Kahlo. Esta artista nació[m] en 1907 y revolucionó[n] el mundo de la pintura hispana. Sus pinturas[n] se caracterizan por los colores vibrantes, la mezcla[o] de estilos (por ejemplo, surrealismo y simbolismo) e influencia indígena y europea. También el arte de Frida Kahlo expresa sus emociones y conflictos personales. ¿Te gusta su pintura?

You can find out more information about the musicians and artists mentioned in the text at **www.mcgrawhill.ca/olc/knorre.**

[a]estilos... styles and rhythms [b]genres [c]la... the most well-known [d]en... in terms of [e]se... are used [f]northern [g]by [h]se... is characterized [i]writers
[j]Esta... this writer lived [k]muchos... many considered her as [l]literatura... the real Mexican literature [m]was born [n]revolutionized [n]sus... her paintings
are characterized by [o]mixture

Los mexicanos en Canadá

La mayoría de los canadienses de origen mexicano viven en el este de Canadá, en Ontario y Québec, pero también hay mexicanos en British Columbia y Alberta. La comunidad mexicana no es tan grande[a] como en los Estados Unidos, pero tiene muchas actividades culturales para los mexicanos que viven en Canadá[b] y para sus compatriotas canadienses.[c] También les provee ayuda[d] a aquellos que recién llegan al país.[e] Por ejemplo, la asociación *Profesionales Mexicanos* establece conexiones entre los profesionales (como doctores, arquitectos, etc.) mexicanos en Canadá organizando eventos y actividades. También hay unos blogs como *Óyeme* y el *Frente de Mexicanos en Canadá* que ofrecen asistencia[f] con problemas de inmigración o preguntas sobre la vida en Canadá a los nuevos inmigrantes.

Toda la gente en Canadá[g] puede disfrutar[h] de la cultura mexicana. Por ejemplo, hay restaurantes mexicanos y celebraciones del Cinco de Mayo en ciudades como Toronto y Montréal. También hay artistas importantes de arte moderno como Rafael Lozano-Hemmer y Dasil (David Silva).

Autoretrato con collar de espinas y picaflor, por (*by*) Frida Kahlo

[a]tan... so big as [b]que... that live in Canada [c]fellow Canadians [d]les... provides help to [e]aquellos... those
who have just arrived in the country [f]help [g]Toda... Everybody in Canada [h]can enjoy

Now visit **www.mcgrawhill.ca/olc/knorre** and answer the following questions about Rafael and David.

1. ¿De dónde son Rafael y David?
2. ¿Dónde estudian?
3. ¿Dónde trabajan?
4. ¿Cómo es su arte? (Your instructor can help you with vocabulary.)

EN RESUMEN

Gramática

To review the grammar points presented in this chapter, refer to the indicated grammar presentations.

Gramática 1. Identifying People, Places, Things, and Ideas (Part 1)—Singular Nouns: Gender and Articles

Gramática 2. Identifying People, Places, Things, and Ideas (Part 2)—Nouns and Articles: Plural Forms

Gramática 3. Expressing Actions—Subject Pronouns (Part 1); Present Tense of **-ar** Verbs; Negation

Gramática 4. Getting Information—Asking Yes/No Questions

Do you understand the gender of nouns and how to use the articles **el, la, un(o),** and **una**?

Do you know how to make nouns plural and use the articles **los, las, unos,** and **unas**?

You should be able to use subject pronouns, conjugate regular -ar verbs in the present tense, and form negative sentences.

Do you know how to form questions? You should know how to make intonation rise at the end of a question.

Vocabulario

Infinitives listed in coloured text in **Vocabulario** lists are conjugated in their entirety (all tenses and moods) in Appendix 4. **Repaso** (*Review*) indicates vocabulary words and phrases listed as active in this chapter that you have already learned in previous chapters. **Cognado(s)** lists vocabulary words whose meaning you should be able to recognize because they are close cognates of English. Be sure that you know the meaning of the group headings in addition to the meaning of the words in each group. (If the word or words in a group heading are not close cognates, their meaning will be given elsewhere in the **Vocabulario** section. If you are not sure of the meaning of a word, you can always look it up in the end-of-book Spanish-English Vocabulary.)

Los verbos

bailar	to dance
buscar	to look for
cantar	to sing
comprar	to buy
desear	to want
enseñar	to teach
escuchar	to listen (to)
estar (estoy, estás,...)	to be
estudiar	to study
hablar	to speak; to talk
hablar por teléfono	to talk on the phone
necesitar	to need
pagar	to pay (for)
practicar	to practise
regresar	to return (*to a place*)
regresar a casa	to go home
tocar	to play (*a musical instrument*)
tomar	to take; to drink
trabajar	to work

Los lugares

el apartamento	apartment
la biblioteca	library
la cafetería	cafeteria
el cuarto	room
el edificio	building
la fiesta	party

(continued)

la librería	bookstore
la oficina	office
la residencia	dormitory
el salón / el aula de clase	classroom
la universidad	university

Las personas

el / la amigo/a	friend
el / la bibliotecario/a	librarian
el / la cliente/a	client
el / la compañero/a (de clase)	classmate
el / la compañero/a de cuarto	roommate
el / la consejero/a	advisor
el / la dependiente/a	clerk
el / la estudiante	student
el / la extranjero/a	foreigner
el hombre	man
la mujer	woman
el / la profesor(a)	professor
el / la secretario/a	secretary

Los objetos

el bolígrafo	pen
la calculadora	calculator
la computadora	computer
el cuaderno	notebook
el diccionario	dictionary

el escritorio	desk
el lápiz (*pl.* lápices)	pencil
el libro (de texto)	(text)book
la mesa	table
la mochila	backpack
la pantalla	screen
el papel	paper
la pizarra	chalk board/white board
el proyector	overhead projector
la puerta	door
el reproductor de música	music (mp3, mp4) player
la silla	chair
el teléfono celular	cell phone
la ventana	window

Las materias

la administración de empresas	business administration
la ciencia	science
la computación	computer science
la física	physics
las lenguas (extranjeras)	(foreign) languages
la química	chemistry
la sicología	psychology

Cognados: el arte, las ciencias naturales / políticas / sociales, las comunicaciones, la economía, la filosofía, la historia, las humanidades, la literatura, las matemáticas, la sociología

Las lenguas (extranjeras)

el alemán	German
el español	Spanish
el francés	French
el inglés	English
el italiano	Italian

Otros sustantivos

el café	coffee
la clase	class (*of students*); class, course (*academic*)
el día	day
el lugar	place
la materia	subject area
la matrícula	tuition

Las palabras interrogativas

¿cuál?	what?; which?
¿cuándo?	when?
¿cuánto?	how much?
¿cuántos/as?	how many?
¿quién?	who?; whom?

Repaso: ¿cómo?, ¿dónde?, ¿qué?

¿Cuándo?

ahora	now
con frecuencia	frequently
el fin de semana	weekend
por la mañana / tarde	in the morning/afternoon
por la noche	at night, in the evening
tarde / temprano	late/early
todos los días	every day

Repaso: lunes, martes, miércoles, jueves, viernes, sábado, domingo

Los pronombres personales

yo, tú, usted (Ud.), él / ella, nosotros / nosotras, vosotros / vosotras, ustedes (Uds.), ellos / ellas

Palabras adicionales

aquí	here
con	with
en casa	at home
mal	poorly
más	more
mucho	much; a lot
muy	very
poco	little
un poco (de)	a little bit (of)
sólo	only

Vocabulario personal

Use this space to write down other words and phrases you learn in this chapter.

To access the Instructor Supplements, please go to the Online Learning Centre at **www.mcgrawhill.ca/olc/knorre.**

Una familia en Guatemala

¡Vamos a América Central!

In this chapter, we will learn more about four of the countries in Central América (Guatemala, Honduras, El Salvador, and Nicaragua). What do you know about these countries? Write down some ideas, and then watch the videos "Guatemala y Honduras" and "El Salvador y Nicaragua" in the "Panorama cultural" section online.

Now answer the following questions about the video.

1. ¿Hay ciudades (*cities*) mayas en América Central? ¿Dónde?
2. ¿Cómo se llaman las capitales de Honduras, El Salvador y Nicaragua? ¿Son grandes (*big*)?
3. ¿Qué atracciones ofrecen (*offer*) estos países (*these countries*)?
4. ¿Cómo (*what is . . . like*) es la arquitectura de Antigua (Guatemala) y Granada (Nicaragua)?
5. Los nombres de dos ciudades mayas son...
6. El país más pequeño (*smallest*) de América Central es...
7. El país más grande (*biggest*) de América Central es...

GUATEMALA

Ciudad de
Guatemala ✪

HONDURAS

✪ Tegucigalpa

NICARAGUA

EL
SALVADOR

COSTA RICA

En este capítulo

A comunicarnos
In this chapter, we will learn how to . . .

- talk about families
- talk about ourselves, friends, and families using adjectives and numbers 31-100
- stress Spanish words and to use accent marks

Gramática
- Adjectives
- Possessive adjectives
- The verb *ser*
- *-er / -ir* verbs and subject pronouns

Cultura
- Guatemala, Honduras, El Salvador, Nicaragua y su gente
- Aspectos importantes de la familia hispana
- Los centroamericanos en Canadá

VOCABULARIO   Preparación

In this chapter, we will focus on families. What is the typical Canadian family like? What kind of activities do families in Canada participate in? Do you think that Hispanic families are similar to Canadian families?

UNAS VACACIONES EN GUATEMALA

Alex is a student at the University of Ottawa. During her reading week, she travelled to Guatemala as part of a charity that builds stoves for low-income Guatemalan families. She stayed with a host family in Antigua. She's writing in her Spanish diary about this family. What is it like? You can use the vocabulary on pages 71–72 to help you.

"**Mi** familia en Guatemala es más grande que mi familia canadiense. Mi amiga (*friend*) Patricia González Ruíz* **vive** con **su mamá**, Gloria, **su papá**, Felipe, **su hermano mayor**, José y **su hermana menor**, Rita. Los **abuelos** de Patricia, Pedro y Eliana, son muy **amables** y **simpáticos**. Todos los domingos, la familia de Patricia **come** en la casa (*home*) de sus abuelos a las dos de la tarde. **Sus tíos**, Luis e Isabel, y **sus primos**, Carlos y Ana, también (*also*) **asisten** a la reunión familiar. La **abuela** Eliana cocina (*cooks*) tamales para el almuerzo (*lunch*) y todos hablan mucho. Después de (*after*) comer, los **hijos** de Pedro y Eliana toman café y los **nietos** escuchan música o **miran** la televisión. En la tarde, toda la familia camina (*walks*) al mercado donde los maya-quiché **venden sus** bellas artesanías (*beautiful crafts*). Me gustan mucho los domingos de familia en Guatemala."

¿Entendiste?

1. ¿De dónde es la familia de Patricia?
2. ¿Cuántos hermanos tiene (*has*) Patricia?
3. ¿Cómo se llaman los padres de Patricia?
4. ¿Dónde **come** tamales la familia de Patricia? ¿Cuándo?
5. ¿Quién es Carlos?
6. ¿Qué hacen Patricia y sus hermanos y primos después de (*after*) comer?
7. ¿Adónde camina la familia en la tarde?
8. ¿Quién **vende** bellas artesanías?

---

*See **Nota cultural I** on page 73.

La familia y los parientes (*relatives*)

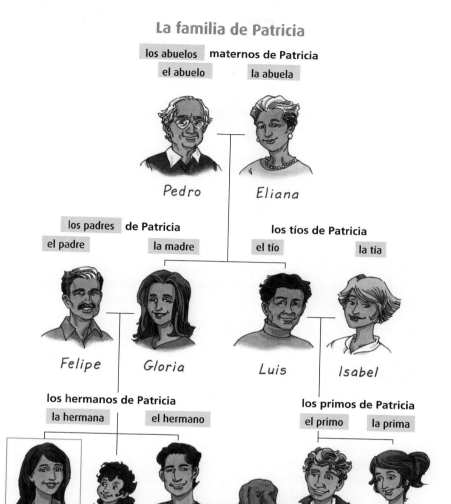

La familia de Patricia

los abuelos maternos de Patricia

el abuelo — la abuela

Pedro — **Eliana**

los padres de Patricia

el padre — la madre

los tíos de Patricia

el tío — la tía

Felipe — **Gloria** — **Luis** — **Isabel**

los hermanos de Patricia

la hermana — el hermano

los primos de Patricia

el primo — la prima

Patricia — **Rita** — **José** — **Pícaro** — **Carlos** — **Ana**

la madre (mamá)	mother (mom)
el padre (papá)	father (dad)
la hija	daughter
el hijo	son
los hijos	children
la esposa / la mujer	wife
el esposo / el marido	husband

la nieta	granddaughter
el nieto	grandson
la sobrina	niece
el sobrino	nephew

Las mascotas (*Pets*)

el gato	cat
el pájaro	bird
el perro	dog

Más vocabulario útil

el padrastro / la madrastra	stepfather/stepmother
el hijastro / la hijastra	stepson/stepdaughter
el hermanastro / la hermanastra	stepbrother/stepsister
el medio hermano / la media hermana	half-brother/half-sister
el suegro / la suegra	father-in-law/mother-in-law
el yerno / la nuera	son-in-law/daughter-in-law
el cuñado / la cuñada	brother-in-law/sister-in-law
...(ya) murió	. . . has (already) died
casado/a	married
soltero/a	single
viudo/a	widower/widow
divorciado/a	divorced

- The terms **mami** and **papi** are used to speak *to* one's parents.
- To speak to your grandparents, use the terms **abuelito** or **tata** and **abuelita** or **nana.**
- The term **hermanos** can be used to talk about one's brothers or brothers and sisters, meaning *siblings.*
- Note that the adjectives that describe marital status have gender. For a man, you need to use the **-o** ending, and for a woman, you need the **-a** ending. You will learn more about adjective endings in this chapter.

Práctica

A. ¿Cierto o falso? Look at the family tree on page 71. Decide whether each of the following statements is true (**cierto**) or false (**falso**) according to the drawing. Correct the false statements.

	C	F
1. José es el hermano de Ana.	C	F
2. Eliana es la abuela de Patricia.	C	F
3. Ana es la sobrina de Felipe y Gloria.	C	F
4. Patricia y José son primos.	C	F
5. Gloria es la tía de José.	C	F
6. Carlos es el sobrino de Isabel.	C	F
7. Pedro es el padre de Luis y Gloria.	C	F
8. Isabel y Gloria son las esposas de Luis y Felipe, respectivamente.	C	F

B. ¿Quién es?

Paso 1. Completa las siguientes (*following*) oraciones lógicamente.

1. La madre de mi (*my*) padre es mi _____.

2. El hijo de mi tío es mi _____.

3. La hermana de mi padre es mi _____.

4. El esposo de mi abuela es mi _____.

Paso 2. Ahora define la relación de estas (*these*) personas, según (*according to*) el modelo de las oraciones del **Paso 1.**

MODELOS: El _____ de mi _____ es mi _____.

La _____ de mi _____ es mi _____.

1. prima   **3.** tío

2. sobrino   **4.** hermano

C. Tu familia.

Find out as much as you can about the family of a classmate, using the following dialogue as a guide. ¿Es la familia de tu compañero/a similar o diferente a tu familia?

MODELO: E1:* ¿Cuántos hermanos tienes?

E2: Bueno (*Well*), tengo seis hermanos y una hermana.

E1: ¿Cómo se llama tu hermano/a? / ¿Cómo se llaman tus hermanos/as?

E2: Se llama Charlie / Lisa. / Se llaman Charlie y Lisa.

E1: ¿Y cuántos primos tienes?

E2: ¡Uf! Tengo un montón (*bunch*). Más de (*than*) veinte.

E1: ¿Tienes una mascota (*a pet*)?

E2: Sí, tengo un perro. Se llama Simba.

Vocabulario útil	
tengo	I have
tienes	you (*fam.*) have
¿tienes...?	do you (*fam.*) have . . . ?
¿cuántos...?	(*with male relatives*)
¿cuántas...?	(*with female relatives*)

Nota cultural I

Los apellidos[a] hispánicos

En la mayoría de los países hispánicos, la gente tiene dos apellidos. Esta costumbre[b] se puede observar[c] en esta invitación de boda.[d] Los nombres de los padres de la novia[e] están en el extremo superior izquierdo:[f] Ramón Ochoa Benítez y Ana Márquez Blanco de Ochoa. El nombre de su hija, antes[g] de la boda, es Ana Luisa Ochoa Márquez. Su apellido número uno, Ochoa, es el apellido número uno de su padre y su apellido número dos, es el apellido uno de su madre, Márquez. Los padres del novio están en el extremo superior derecho.[h] ¿Cómo se llama el novio?

¡Sí, muy bien! El novio se llama Antonio Lázaro Pérez. Algunas[i] mujeres hispanas toman el apellido número uno de su esposo como su apellido número dos. Por ejemplo, el nombre de Ana Luisa puede cambiar[j] de Ana Luisa Ochoa Márquez a Ana Luisa Ochoa de Lázaro.

> Ramón Ochoa Benítez   Antonio Lázaro Aguirre
> Ana Márquez Blanco de Ochoa   Susana Pérez de Lázaro
>
> *tienen el gusto de anunciar la boda de sus hijos*
>
> ## Ana Luisa y Antonio
>
> *La ceremonia tendrá lugar*
> *el 2 de julio, a las 12 del mediodía*
> *en la Iglesia de la Candelaria*
>
> Almuerzo en Restaurante Don Paco   Lista de bodas: El Corte Inglés
> Avda. de la Constitución, 7

[a]*last names* [b]*custom* [c]*se... can be seen* [d]*wedding* [e]*novia / novio... bride/groom* [f]*extremo... top left corner* [g]*before* [h]*extremo... top right corner* [i]*some* [j]*puede... can change*

¿Entendiste?

1. ¿Cómo son los nombres en Canadá? ¿Son similares o diferentes a los nombres hispánicos?
2. ¿Cómo es el nombre de una mujer casada en Canadá?
3. ¿Cuándo es la boda de Ana Luisa y Antonio? ¿A qué hora?
4. ¿Dónde es la boda?
5. ¿Hay una recepción después de la boda? ¿Dónde?
6. El Corte Inglés es una tienda (*store*) como The Bay o Sears. ¿Qué significa "lista de bodas"?
7. ¿Hay listas de bodas en Canadá?
8. ¿Son las invitaciones de boda similares o diferentes en Canadá?

---

*From this point on in the text, **ESTUDIANTE 1** and **ESTUDIANTE 2** will be abbreviated as **E1** and **E2**, respectively.

Los números del 31 al 100

Continúa las secuencias:

treinta y uno, treinta y dos…
ochenta y cuatro, ochenta y cinco…

31	treinta y uno	**39**	treinta y nueve
32	treinta y dos	**40**	cuarenta
33	treinta y tres	**50**	cincuenta
34	treinta y cuatro	**60**	sesenta
35	treinta y cinco	**70**	setenta
36	treinta y seis	**80**	ochenta
37	treinta y siete	**90**	noventa
38	treinta y ocho	**100**	cien

Patricia is telling Alex how old each member of her family is. Look at the pictures on this page and on page 71, and say how old Patricia's family members are. Use the example and the numbers listed above. Check the **Nota comunicativa** below to get more information about expressing age in Spanish.

setenta y ocho
cincuenta y cinco
treinta y nueve
cuarenta y cinco
cuarenta y siete
ochenta y cinco
El abuelito Pedro tiene 85 años.
La abuelita Eliana tiene 78 años.

MODELO: El abuelito Pedro tiene 85 años.
La abuelita Eliana tiene 78 años.

Now answer the following questions about yourself and your family:

1. ¿Cuántos años tienes tú? Tengo...
2. ¿Cuántos años tiene tu papá? ¿Y tu mamá? Mi papá... y mi mamá...
3. ¿Cuántos años tienen tus abuelos? Mi abuelo... y mi abuela...
4. ¿Cuántos años tiene tu perro / gato / mascota? Mi...

More on numbers 31-100 . . .

1. Beginning with 31, Spanish numbers are *not* written in a combined form; **treinta y uno, cuarenta y dos, sesenta y tres,** and so on, must be three separate words.
2. **Cien** is used before nouns and in counting.

cien casas	*a (one) hundred houses*
noventa y ocho, noventa y nueve, **cien**	*ninety-eight, ninety-nine, one hundred*

3. Remember that when **uno** is part of a compound number (**treinta y uno,** and so on), it becomes **un** before a masculine noun and **una** before a feminine noun: **setenta y un libros; cincuenta y una mesas.**

Nota comunicativa

Expressing Age

In Spanish, age is expressed with the phrase **tener**... **años** (literally, *to have . . . years*). You have now seen all the singular forms of **tener** (*to have*): **tengo, tienes, tiene.**

NORA: ¿Cuántos años tienes, abuela?
ABUELA: Setenta y tres, Nora.
NORA: ¿Y cuántos años tiene el abuelo?
ABUELA: Setenta y cinco, mi amor (*love*). Y ahora, dime (*tell me*), ¿cuántos años tienes tú?
NORA: Yo tengo cuatro.

Práctica

A. Más problemas de matemáticas. Recuerda (*Remember*): **+ y, − menos, = son.**

1. 30 + 50 = 80
2. 45 + 45 = 90
3. 32 + 58 = 90
4. 77 + 23 = 100
5. 100 − 40 = 60

B. Los números de teléfono

Paso 1. Here is part of a page from a Hispanic telephone book. What can you tell about the names? (See the **Nota cultural I** on page 73.)

Paso 2. With a classmate, practise giving telephone numbers at random from the list. Your partner will listen and identify the person.

LAZARO AGUIRRE, A. −Schez Pacheco, 17	415 0046
LAZCANO DEL MORAL, A. −E. Larreta, 14	215 8194
LAZCANO DEL MORAL, A. −Ibiza, 8	274 6868
LEAL ANTON, J. −Pozo, 8	222 3894
LIEBANA RODRIGUEZ, A.	
Guadarrama, 10	463 2593
LOPEZ BARTOLOME, J. −Palma, 69	232 2027
LOPEZ CABRA, J. −E. Solana, 118	407 5086
LOPEZ CABRA, J. −L. Van, 5	776 4602
LOPEZ GONZALEZ, J. A. −Ibiza, 27	409 2552
LOPEZ GUTIERREZ, G. −S. Cameros, 7	478 8494
LOPEZ LOPEZ, J. −Alamedilla, 21	227 3570
LOPEZ MARIN, V. −Illescas, 53	218 6630
LOPEZ MARIN, V. −N. Rey, 7	463 6873
LOPEZ MARIN, V. −Valmojado, 289	717 2823
LOPEZ NUÑEZ, J. −Pl. Pinazo, s/n	796 0035
LOPEZ NUÑEZ, J. −Rocafort, Bl. 321	796 5387
LOPEZ RODRIGUEZ, C. −Pl. Jesús, 7	429 3278
LOPEZ RODRIGUEZ, J. −Pl. Angel, 15	239 4323
LOPEZ RODRIGUEZ, M. E.	
B. Murillo, 104	233 4239
LOPEZ TRAPERO, A. −Cam. Ingenieros, 1	462 5392
LOPEZ VAZQUEZ, J. −A. Torrejón, 17	433 4646
LOPEZ VEGA, J. −M. Santa Ana, 5	231 2131
LORENTE VILLARREAL, G. −Gandia, 7	252 2758
LORENZO MARTINEZ, A. −Moscareta, 5	479 6282
LORENZO MARTINEZ, A. −P. Laborde, 21	778 2800
LORENZO MARTINEZ, A.	
Av. S. Diego, 116	477 1040
LOSADA MIRON, M. −Padilla, 31	276 9373
LOSADA MIRON, M. −Padilla, 31	
LOZANO GUILLEN, E.	431 7461
Juan H. Mendoza, 5	250 3884
LOZANO PIERA, F. J. −Pinguino, 8	466 3205
LUDEÑA FLORES, G. −Lope Rueda, 56	273 3735
LUENGO CHAMORRO, J.	
Gral Ricardos, 99	471 4906
LUQUE CASTILLO, J. −Pto Arlaban, 121	478 5253
LUQUE CASTILLO, L. −Cardeñosa, 15	477 6644

¡OJO! In many Hispanic countries phone numbers are said differently than in this country. Follow the model.

MODELO: 4–15–00–46 →
    E1: Es el *cuatro-quince-cero cero-cuarenta y seis*.
    E2: Es el número de *A. Lázaro Aguirre*.

Paso 3. Now give your classmate your phone number and get his or hers.

MODELO: Mi número es el…

C. ¡Lógico! Complete las siguientes oraciones lógicamente.

1. Una persona de _____ años es muy vieja (*old*).
2. Un niño (*small child*) que tiene sólo _____ año es muy joven (*young*).
3. La persona mayor (*oldest*) de mi familia es mi _____. Tiene _____ años.
4. La persona más joven (*youngest*) de mi familia es mi _____.

   Tiene _____ años. Es el hijo / la hija de _____.
5. En mi opinión, es ideal tener _____ años.
6. Si (*If*) una persona tiene _____ años, ya (*already*) es adulta.
7. Para (*In order to*) tomar alcohol en esta provincia, es necesario tener _____ años.
8. Para mí (*For me*), ¡la idea de tener _____ años es inconcebible (*inconceivable*)!

D. Nicaragua y Honduras en números.* Here is some information about the population of Nicaragua and Honduras. With a classmate, compare and contrast these two countries. Follow the model, and answer the questions provided. ¿Son estos países similares o diferentes? ¿Y con respecto a Canadá?

MODELO: E1: En Nicaragua, un treinta y tres coma ocho por ciento** (*33,8%*) de la población tiene entre cero y catorce años…
    E2: En Honduras, un treinta y ocho coma uno por ciento (*38,1%*) de la población tiene entre cero y catorce años…

---

*Source of information: The CIA World Factbook: https://www.cia.gov/library/publications/the-world-factbook/geos/nu.html and https://www.cia.gov/library/publications/the-world-factbook/geos/ho.html.

**In Spanish, when you refer to percentages, you need to replace the point with a comma.

	Nicaragua	**Honduras**
1. Población		
0-14 años	33,8%	38,1%
15-64 años	62,9%	58,3%
Más de 65 años	3,3%	3,6%
2. ¿Cuál es la edad promedio (*average age*) **de los hombres y de las mujeres?**		
Hombres	21,7 años	20 años
Mujeres	22,5 años	20,7 años
3. ¿Cuántos hijos tiene una familia?		
Hijos por familia	2	3
4. ¿Qué lenguas habla la gente?		
Lenguas	español, miskito, inglés	español, lenguas indígenas

¿Recuerdas?

Adjectives (**Los adjetivos**) are words used to talk about nouns or pronouns. Adjectives may describe or tell how many there are. You have been using adjectives to describe people since **Capítulo 1.** The following sentences contain adjectives that you have already used. Underline them.

1. Mi mamá es inteligente y optimista.
2. Mi papá es responsable.
3. Mi amiga Jacqueline es elegante y paciente.

In this section, you will learn more about describing the people and things around you.

GRAMÁTICA 1

DESCRIBING • ADJECTIVES: GENDER, NUMBER, AND POSITION

GRAMÁTICA EN ACCIÓN: LA FAMILIA DE PATRICIA

Imagine that you are Alex. You have to describe Patricia's family (from page 71) in your Spanish diary. Complete the following sentences using some of the adjectives presented in the textbox below to describe the members of Patricia's family. Use your imagination. How are you going to make the distinction between male and female adjectives? Do you need to add anything to the adjective if the subject is plural (e.g., **los padres**)? You can use the information in this section to complete this task.

1. La abuela Eliana es..., pero (*but*) Rita es...
2. El tío Luis es..., pero la tía Isabel es...
3. José, el hermano de Patricia, es...
4. Ana, la prima de Patricia, es...
5. Los padres de Patricia son...

Los adjetivos

joven	young	**rubio/a**	blonde	**trabajador**	hardworking
nuevo/a	new	**moreno/a**	brunet(te)	**perezoso**	lazy
viejo/a	old	**simpático/a**	nice, likeable	**rico**	rich
		antipático/a	unpleasant	**pobre**	poor
alto/a	tall	**corto/a**	short (in length)	**delgado**	thin, slender
bajo/a	short	**largo/a**	long	**gordo**	fat
guapo/a	handsome; good-looking	**bueno/a**	good	**fiel**	loyal; faithful
		malo/a	bad	**listo/a**	smart; clever
feo/a	ugly			**tonto/a**	silly; foolish

Adjectives with *ser*

In Spanish, forms of **ser** are used with adjectives that describe basic, inherent qualities or characteristics of the nouns or pronouns they modify. **Ser** establishes the "norm," that is, what is considered basic reality: *snow is cold, water is wet.*

Tú **eres amable.**
You're nice. (You're a nice person.)

El diccionario **es barato.**
The dictionary is inexpensive.

Mi hermana **es trabajadora.**
My sister is hardworking.

Forms of Adjectives

Spanish adjectives agree in gender and number with the noun or pronoun they modify. Each adjective has more than one form.

1. Adjectives that end in **-o** (**alto**) have four forms, showing gender and number.

	Masculine	**Feminine**
Singular	amigo alt**o**	amiga alt**a**
Plural	amigos alt**os**	amigas alt**as**

2. Adjectives that end in **-e** (**amable**) or in most consonants (**fiel**) have only two forms, a singular and a plural form. The plural of adjectives is formed in the same way as that of nouns, by adding **-s** or **-es**.

 Adjectives that end in **-dor, -ón, -án,** and **-ín** also have four forms: **trabaja**dor**, trabaja**dora**, trabaja**dores**, trabaja**doras**.

	Masculine	**Feminine**
Singular	amigo amabl**e**	amiga amabl**e**
	amigo fie**l**	amiga fie**l**
Plural	amigos amabl**es**	amigas amabl**es**
	amigos fie**les**	amigas fie**les**

3. Most adjectives of nationality have four forms.

	Masculine	**Feminine**
Singular	el doctor mexican**o**	la doctor**a** mexican**a**
	español	español**a**
	inglés	ingles**a**
Plural	los doctores mexican**os**	las doctor**as** mexican**as**
	español**es**	español**as**
	ingles**es**	ingles**as**

 Nationality adjectives ending in **-e** generally have only two forms: **canadiense(s)** and **estadounidense(s)** (from the U.S.).

4. The names of many languages—which are masculine in gender—are the same as the masculine singular form of the corresponding adjective of nationality.

 Note that in Spanish the names of languages and adjectives of nationality are not capitalized, but the names of countries are: **el español, española,** but **España.**

Language	Adjective
el italiano	**italiano/a/os/as**
el alemán	**alemán, alemana/es/as**

Position of Adjectives

As you have probably noticed, adjectives do not always precede the noun in Spanish as they do in English. Note the following rules for adjective placement.

1. Adjectives of quantity, like numbers, *precede* the noun, as do the interrogatives **¿cuánto/a?** and **¿cuántos/as?**

    Otro/a by itself means *another* or *other.* The indefinite article is *never* used with **otro/a.**

2. Adjectives that describe the qualities of a noun and distinguish it from others generally *follow* the noun. Adjectives of nationality are included in this category.

3. The adjectives **bueno** and **malo** may *precede or follow* the noun they modify. When they precede a masculine singular noun, they shorten to **buen** and **mal,** respectively.

4. The adjective **grande** may also *precede or follow* the noun. When it precedes a singular noun—masculine or feminine—it shortens to **gran** and means *great* or *impressive.* When it follows the noun, it means *large* or *big.*

Hay **muchas** sillas y **dos** escritorios.
There are many chairs and two desks.

¿Cuánto dinero necesitas?
How much money do you need?

Busco **otro** salón.
I'm looking for another classroom.

un perro **listo**
un dependiente **trabajador**
una mujer **delgada** y **morena**
un profesor **guatemalteco**

un **buen** perro / un perro **bueno**
una **buena** perra / una perra **buena**
un **mal** día / un día **malo**
una **mala** noche / una noche **mala**

Toronto es una ciudad **grande.**
Toronto is a large city.

Toronto es una **gran** ciudad.
Toronto is a great (impressive) city.

Forms of *this/these*

1. The demonstrative adjective *this/these* has four forms in Spanish. Learn to recognize them when you see them.

2. You have already seen the neuter demonstrative **esto.** It refers to something that is as yet unidentified.

Este libro es bueno.
This book is good.

Esta aula es grande.
This classroom is big.

Estos estudiantes son simpáticos.
These students are nice.

Estas computadoras son baratas.
These computers are inexpensive.

¿Qué es **esto**?
What is this?

Adjective Agreement Summary

SINGULAR ENDINGS	PLURAL ENDINGS
-o, -a	-os, -as
-e	-es
-[consonant]	-[consonant] + **-es**

Práctica

A. ¡Ana es igual!

Paso 1. Alex is describing José, Patricia's brother. His cousin Ana is very similar to him. Cambia (*Exchange*) **José** por **Ana** in the following paragraph.

José es un buen estudiante. Tiene 20 años y es listo y trabajador. Estudia mucho y en el futuro desea ser profesor de antropología. Es guatemalteco de origen maya-quiché, y por eso[a] habla español y quiché. A José le gustan los deportes y es muy atlético. También tiene buenos amigos en la universidad porque[b] es un joven simpático y fiel. Tiene parientes guatemaltecos y hondureños.

[a]*por... for that reason* [b]*because*

Paso 2. Using the model above, write a paragraph about yourself. Don't mention your name, but try to use as many adjectives that describe you physically as possible. When you are done, give your paragraph to your instructor. Your classmates will have to guess who you are. You can use the words in Vocabulario útil in your description. **Remember to use first person forms for your verbs and pronouns.**

Vocabulario útil	
soy...	
tengo... años	
tengo...	
pelo corto / largo	short/long hair
pelo castaño claro / oscuro	light/dark brown hair
pelo rubio	blonde hair
ojos verdes / azules / color café	green/blue/brown eyes
soy pelirrojo	I'm a red-head

B. Asociaciones.

With several classmates, talk about people or things you associate with the following phrases. Use the model as a guide. To express agreement or disagreement, use **(No) Estoy de acuerdo.**

MODELO: un gran hombre →
    E1: Creo que (*I believe that*) el / la primer ministro/a es un/a gran hombre / mujer.
    E2: No estoy de acuerdo.

1. un restaurante malo
2. un buen programa de televisión
3. una gran mujer, un gran hombre
4. un buen libro (¿una novela?), un libro horrible
5. una buena computadora
6. un buen coche

C. Nuestras familias.

En parejas, describan a su (*your*) familia, haciendo (*forming*) oraciones completas con estas palabras, con cualquier (*any*) otro adjetivo que conozcan (*that you may know*).

 Cuidado (*Be careful*) con la forma de los adjetivos.
¿Son sus familias similares o diferentes?

MODELO: Mi familia no es grande. Es pequeña. Mi padre tiene 50 años.
    Es pakistaní de nacimiento (*by birth*).

Mi familia
Mi padre / madre
Mi ¿ ? (otro pariente)
Mi perro / gato
	+ (no) es	**+**	agresivo
			amable
			animado
			   (*lively*)
			bueno
			cariñoso
			   (*affectionate*)
			comprensivo
			   (*understanding*)
			difícil
			   (*difficult*)
			famoso
			grande
			(im)paciente

	+ tiene... años		importante
			intelectual
			interesante
			malo
			nuevo
			pequeño
			sensible
			   (*sensitive*)
			sentimental
			tolerante
			travieso
			   (*mischievous*)
			viejo

Nota comunicativa

Más nacionalidades

América del Norte /
Centroamérica / El Caribe

canadiense	estadounidense
mexicano/a	costarricense
guatemalteco/a	hondureño/a
nicaragüense	panameño/a
salvadoreño/a	cubano/a
dominicano/a	puertorriqueño/a

Sudamérica

argentino/a	boliviano/a
brasileño/a	chileno/a
colombiano/a	ecuatoriano/a
paraguayo/a	peruano/a
uruguayo/a	venezolano/a

Asia

chino/a	pakistaní (*pl.* pakistaníes)
coreano/a	tailandés / tailandesa
japonés / japonesa	indio/a / hindú
vietnamita	

Europa / Oceanía

español/a	francés / francesa	italiano/a	griego/a	inglés / inglesa	escocés / escocesa
irlandés / irlandesa	ruso/a	polaco/a	alemán / alemana	suizo/a	sueco/a
ucraniano/a	dinamarqués	holandés	belga	australiano/a	nuevozelandés
	dinamarquesa	holandesa			nuevozelandesa

D. ¿Cuál es su (*their*) nacionalidad?

Paso 1. Habla de la nacionalidad de las siguientes (*following*) personas.

1. Monique es de Francia; es _____.

2. Piero y Andri son del Uruguay; son _____.

3. Indira y su (*her*) hermana son de la India; son _____.

4. Ronaldo y Ronaldinho son del Brasil; son _____.

5. Saji es un hombre del Japón; es _____.

6. La familia Musharraf es de Pakistán; son (*they are*) _____.

7. Paul es de Liverpool; es _____.

8. Samuel y su (*his*) hermana son de Guatemala; son _____.

9. Georgie es de Nueva Zelandia. Es _____.

10. Harald y su esposa Tineke son de Amsterdam. Son _____.

Paso 2. How much do you know about Latin América? En parejas (*pairs*), hagan (*form*) oraciones con las nacionalidades hispánicas de los amigos de Alex en Guatemala, según el modelo. Pueden buscar (*You can look for*) los nombres de las capitales hispánicas en los mapas al comienzo (*at the beginning of*) del libro.

MODELO: E1: Carlos es de Caracas.
　　　　　E2: ¿Caracas?… Es venezolano.

1. Justino y Miguel son de Asunción.
2. Natalia es de Santiago.
3. Hernaldo y Ernesto son de Managua.
4. Elena es de Tegucigalpa.
5. Antonio es de San José.
6. Andrea y Nestor son de Buenos Aires.
7. El profesor de español de Alex es de La Paz.
8. Gloria y Celia son de La Habana.
9. Jacqueline y Leonel son de Santo Domingo.
10. Mario es de Lima.

PRONUNCIACIÓN

STRESS AND WRITTEN ACCENT MARKS

Some Spanish words have written accent marks over one of the vowels. That mark is called **el acento (ortográfico).** It means that the syllable containing the accented vowel is stressed when the word is pronounced, as in the word **bolígrafo (bo-LÍ-gra-fo),** for example. Although all Spanish words of more than one syllable have a stressed vowel, most words do not have a written accent mark. Most words have the spoken stress exactly where native speakers of Spanish would predict it. These two simple rules tell you which syllable is accented when a word does not have a written accent.

1. Words that end in **a vowel,** or **-n,** or **-s** are stressed on the next-to-last syllable (**la penúltima sílaba**).

   pri-ma　　e-**xa**-men　　i-ta-**lia**-no　　**gra**-cias　　**e**-res　　**len**-guas

2. Words that end in **any other consonant** are stressed on the last syllable (**la última sílaba**).

   us-**ted**　　es-pa-**ñol**　　doc-**tor**　　u-ni-ver-si-**dad**　　pro-fe-**sor**　　es-**tar**

Práctica

A. Sílabas. The following words have been separated into syllables for you. Read them aloud, paying careful attention to where the stress falls.

1. Stress on the next-to-last syllable

chi-no	me-sa	li-bro	cien-cias
ar-te	si-lla	con-se-je-ra	o-ri-gen
cla-se	Car-men	li-te-ra-tu-ra	com-pu-ta-do-ra

2. Stress on the last syllable

se-ñor	co-lor	sen-ti-men-tal
mu-jer	po-pu-lar	lu-gar
fa-vor	li-ber-tad	pa-pel
ac-tor	ge-ne-ral	con-trol

B. Vocales. Indicate the stressed vowel in the following words.

1. mo-chi-la
2. me-nos
3. re-gu-lar
4. i-gual-men-te
5. E-cua-dor
6. e-le-gan-te
7. li-be-ral
8. hu-ma-ni-dad

¿Recuerdas?

Before beginning **Gramática 2,** review the forms and uses of **ser** that you already know by answering these questions.

1. ¿Eres estudiante o profesor(a)?
2. ¿Cómo eres tú? ¿Eres una persona sentimental? ¿inteligente? ¿paciente? ¿elegante?
3. ¿Qué hora es? ¿A qué hora es la clase de español?
4. ¿Qué es un hospital? ¿Es una persona? ¿un objeto? ¿un edificio?

GRAMÁTICA 2

EXPRESSING *TO BE* • PRESENT TENSE OF *SER,* SUMMARY OF USES (PART 2)

GRAMÁTICA EN ACCIÓN: PRESENTACIONES

El papá de Patricia tiene un amigo nicaragüense. ¿Cómo es? ¿Cuántos años tiene? ¿Cómo es su esposa? ¿Cuántos años tiene? Escucha sus presentaciones.

—¡Hola! Me llamo Francisco Durán, pero todos me llaman Pancho.

- Soy profesor de la Universidad Centroamericana.
- Soy alto y moreno.
- Soy de Managua, Nicaragua.

—¿Y Lola Benítez, mi esposa?

- Es _____ (profesión).
- Es _____ y _____ (descripción).
- Es de _____ (origen).

Granada, Nicaragua
trabajadora
doctora
muy simpática

ser (*to be*)			
(yo)	soy	(nosotros/as)	somos
(tú)	eres	(vosotros/as)	sois
(Ud.) (él) (ella)	es	(Uds.) (ellos) (ellas)	son

As you know, there are two Spanish verbs that mean *to be:* **ser** and **estar.** They are not interchangeable; the meaning that the speaker wishes to convey determines their use. In this chapter, you will review the uses of **ser** that you already know and learn some new ones. Remember to use **estar** to express location and to ask how someone is feeling. You will learn more about the uses of **estar** in **Capítulo 6.**

Some basic functions of **ser** are presented on the following pages. You have used or seen all of them already in this and previous chapters.

1. To *identify* people and things	Yo **soy estudiante.** Alicia y yo **somos hermanas.** La doctora Ramos **es profesora.** Esto **es un libro.** Los tíos de Patricia **son Isabel y Luis.**
2. To *describe* people and things	**Soy alta y rubia.** El libro **es muy viejo.**
3. With **de,** to express *origin*	**Somos de Canadá** pero nuestros padres **son de la Argentina. ¿De dónde es** Ud.?
4. To express *generalizations* (only **es**)	**Es necesario** estudiar, pero no **es posible** estudiar todos los días. *It's necessary to study, but it's not possible to study every day.*

Here are two basic functions of **ser** that you have not yet practised.

1. With **de,** to express *possession*	Pícaro **es** el perro **de Carlos.** *Picaro is Carlos's dog.* Patricia y José **son** los hermanos **de Rita.**
Note that there is no **'s** in Spanish.	
The masculine singular article **el** contracts with the preposition **de** to form **del.** No other article contracts with **de.**	**de + el → del** **Es** la casa **del** abuelito. *It's grandpa's house.* **Es** la casa **de la** abuelita. *It's grandma's house.*

2. With **para,** to tell for whom or what something *is intended*	¿*El Popol Vuh*? **Es para** la clase de español.
	The Popol Vuh? It's for Spanish class.
	
	—¿**Para** quién **son** los regalos?
	—(**Son**) **Para** mi nieto.
	  Who are the presents for?
	  (They're) For my grandson.

Práctica

A. La familia de Gloria.
Look back at Patricia's family tree on page 71. Then tell whether the following statements are true (**cierto**) or false (**falso**) from Gloria's standpoint. Correct the false statements.

	C	F
1. Felipe y yo somos hermanos.	C	F
2. Pedro es mi esposo.	C	F
3. Pedro y Eliana son mis (*my*) padres.	C	F
4. Carlos es mi sobrino.	C	F
5. Mi hermano es el tío de Isabel.	C	F
6. El padre de Felipe no es abuelo todavía (*yet*).	C	F
7. Mi familia no es muy grande.	C	F
8. Ana es mi hija.	C	F

B. ¡Somos como una familia!

Una amiga de Alex, Antonia, habla de su "familia" de amigos. Completa el párrafo con las formas correctas de **ser**.

Me llamo Antonia y 1._____ de Winnipeg. (Yo) 2._____ estudiante de ingeniería en la Universidad de Ottawa, y tengo amigos en Toronto. Mis amigos 3._____ de todas partes[a] y muchos de ellos 4._____ hispanos. Mi familia 5._____ de origen nicaragüense y aunque nunca he vivido[b] en Nicaragua, hablo bastante bien[c] el español. Me gusta hablar español con mi amigo Javier. Javier 6._____ de El Salvador y estudia ingeniería también. Javier y yo 7._____ los asistentes del profesor Thomas; por eso pasamos mucho tiempo juntos.[d] Javier 8._____ muy guapo y simpático, pero nosotros sólo 9._____ buenos amigos. Javier 10._____ el novio[e] de mi mejor[f] amiga.

[a]*places* [b]*aunque... although I have never lived* [c]*bastante... rather well* [d]*pasamos... we spend a lot of time together* [e]*boyfriend* [f]*best*

C. El regalo ideal

Paso 1. Before returning to Canada, Alex wants to buy presents for her Guatemalan family. Look at her list of gifts and what Patricia's family members like. With a partner, decide who receives each gift and why. The first one is done for you.

MODELO: **1.** el libro de poemas de Rubén Darío →
E1: ¿Para quién es el libro de poemas de Rubén Darío?
E2: Es para Patricia.
E1: ¿Por qué? (*Why?*)
E2: Porque (*Because*) le gustan los poemas de Rubén Darío.

LOS REGALOS DE ALEX

2. la calculadora
3. los libros de literatura clásica
4. los discos compactos de Bach
5. los binoculares
6. el perro
7. el DVD para bailar salsa

LOS MIEMBROS DE LA FAMILIA DE PATRICIA

a. Felipe, el padre: Le gusta mirar los pájaros (*birds*).
b. los abuelos Eliana y Pedro: Les gusta mucho la música clásica.
c. Gloria, la madre: Le gusta la salsa.
d. José, el hermano: Le gustan mucho las historias viejas.
e. Rita, la hermana: Le gustan los animales.
f. Carlos, el primo: Le gustan las matemáticas.
g. Patricia: Le gustan los poemas.

Paso 2. With a partner, exchange ideas about good gifts for members of your family and also about good gifts for you. Use the vocabulary in **Capítulos 1 y 2.**

MODELO: Para mi mamá, deseo comprar ropa, porque ella necesita ropa nueva. Yo necesito ropa nueva también.

D. ¿Qué opinas tú?

Expresa opiniones originales, afirmativas o negativas, con estas palabras. Explica el por qué de tu opinión de acuerdo a los modelos. Ask your instructor for help with new vocabulary.

MODELOS: En mi opinión, es importante hablar español en la clase de español porque necesitamos practicar mucho.
En mi opinión, es absurdo tomar mucho café y fumar cigarrillos porque son malos para la salud (*health*).

(No) Es importante
(No) Es muy práctico
(No) Es necesario
(No) Es absurdo
(No) Es fascinante
(No) Es una lata (*pain, drag*)
(No) Es posible

+

mirar la televisión todos los días
hablar español en la clase
tener muchas mascotas
llegar a clase puntualmente
tomar café en el salón de clase
hablar con los animales / las plantas
tomar mucho café y fumar cigarrillos
trabajar dieciocho horas al día
tener muchos hermanos
ser amable con todos los miembros de la familia
estar mucho tiempo (*a lot of time*) con la familia

Nota comunicativa

Explaining Your Reasons

In conversation, it is often necessary to explain a decision, tell why someone did something, and so on. Here are some simple words and phrases that speakers use to offer explanations.

porque because

— ¿Por qué necesitamos una televisión nueva?
— Pues... **para** mirar el partido de fútbol... ¡Es el campeonato!

— ¿Por qué trabajas tanto?
— **¡Porque** mi familia necesita dinero!

para in order to

Why do we need a new TV set?

Well . . . (in order) to watch the soccer game . . . It's the championship!

Why do you work so much?
Because my family needs money!

Note the differences between **porque** (one word, no accent) and the interrogative **¿por qué?** (two words, accent on **qué**), which means *why?*

A conversar...

Un informe (*report*) para la clase de español

Imagine that you and a classmate are studying Spanish in Guatemala. You are asked to write a report about your families in Canada for your Spanish class. Talk about the members of each family (ask and answer Spanish questions—do not use English!). Describe their personality, physical appearance, and age. Say where they are from; where they live (use the verb **vivir:** él / ella **vive;** ellos **viven**); what they do for a living (use the verbs **trabajar, estudiar,** and/or **ser**) and why (use **porque / para**). Also mention their likes and dislikes (**Le gusta... / No le gusta...**). Use the vocabulary and structures from this chapter and **Capítulos 1 y 2.**

Nota cultural II

Los mayas en el siglo XXI*

En la actualidad,[a] los descendientes de los mayas viven en el sur de México, Guatemala, Honduras y Belice y hablan el idioma maya y sus lenguas derivadas como el quiché, el cakchiquel y el tztzal.

La población que tiene el número más importante de tradiciones culturales y resiste la influencia del mundo occidental vive en la selva Lacandona en Chiapas y Guatemala. Los hombres trabajan en los campos[b] de su familia, mantienen las redes comerciales de larga distancia,[c] y las mujeres elaboran sus trajes típicos,[d] como **el huipil** (una blusa con elaborados diseños de brocado[e]) y producen artículos de barro[f] para el uso doméstico y la venta[g] turística.

Los campesinos[h] mayas todavía rinden culto a las divinidades de sus antepasados,[i] aunque muchos ritos ya no se realizan[j] o han cambiado. Su religión incorpora formas mestizas[k] y elementos del cristianismo. Los mayas tienen respeto por la naturaleza y la preservación del medio ambiente[l] y la biodiversidad. La vida de familia y el trabajo en comunidad son los valores centrales de los mayas actuales, más importantes que la individualidad.

Los mayas actuales son muy activos en la defensa de la tierra[m] y su derecho[n] a la autonomía. Es así[ñ] que un número importante de los campesinos de la selva Lacandona se unieron a la guerrilla zapatista a mediados de la década de 1990. Su célebre líder, el subcomandante Marcos, menciona la religión y los textos sagrados del Popol Vuh,[o] y la filosofía maya en sus discursos.[p] Otra persona importante en la lucha[q] por los derechos de los mayas, especialmente los derechos de la mujer, es Rigoberta Menchú. ¿Quién es Rigoberta? Puedes encontrar la respuesta y más información sobre los mayas, el Popol Vuh y los zapatistas en la página web **www.mcgrawhill.ca/olc/knorre**.

[a]*Nowadays* [b]*fields (agriculture)* [c]*redes... long-distance trading networks* [d]*trajes... traditional clothing* [e]*blusa... an embroidered blouse with distinctive patterns* [f]*clay* [g]*sale* [h]*farmers* [i]*rinden... still worship their ancestors' gods* [j]*aunque... even though some ceremonies are no longer performed* [k]*white and indigenous* [l]*environment* [m]*land* [n]*their right to* [ñ]*this is why* [o]*the sacred book of the Maya* [p]*speeches* [q]*fight*

¿Entendiste?

1. ¿De dónde son los mayas?
2. ¿Qué lenguas hablan?
3. ¿Dónde trabajan los hombres?
4. ¿Qué hacen (*do*) las mujeres?
5. ¿Cómo es la vida de los mayas?
6. ¿Qué valores son importantes para los mayas?
7. ¿Cómo se llama el libro más importante de los mayas?
8. ¿Quién trabaja para tener derechos para los mayas?

Un grupo maya en Santa Catarina, Guatemala.

*Text adapted from original on http://www.tudiscovery.com/guia_mayas/siglo_xxi/index.shtml

GRAMÁTICA 3

EXPRESSING POSSESSION • (UNSTRESSED) POSSESSIVE ADJECTIVES

GRAMÁTICA EN ACCIÓN: INVITACIÓN Y POSESIÓN

Comprensión

1. En el dibujo A, ¿de quién es la casa?
2. ¿Quiénes visitan la casa?
3. En el dibujo B, ¿de quién son los juguetes?
4. ¿Quién desea jugar (*to play*) con los juguetes?

Possessive adjectives (**Los adjetivos posesivos**) are words that tell to whom or to what something belongs: *my* (book), *his* (sweater). You have already seen and used several possessive adjectives in Spanish. Here is the complete set.

A. «¡Pasen, por favor! Nuestra casa es su casa».

B. «¡No son tus juguetes! ¡Son mis juguetes!»

Possessive Adjectives

my	mi **hijo / hija** mis **hijos / hijas**	our	nuestro **hijo** nuestros **hijos**	nuestra **hija** nuestras **hijas**
your (*fam.*)	tu **hijo / hija** tus **hijos / hijas**	your (*fam.*)	vuestro **hijo** vuestros **hijos**	vuestra **hija** vuestras **hijas**
your, his, her, its	su **hijo / hija** sus **hijos / hijas**	your, their	su **hijo / hija** sus **hijos / hijas**	

1. In Spanish, the ending of a possessive adjective agrees in form with the person or thing possessed, not with the owner or possessor. Note that these possessive adjectives are placed before the noun.

2. The possessive adjectives **mi(s), tu(s),** and **su(s)** show agreement in number only. **Nuestro/a/os/as** and **vuestro/a/os/as,** like all adjectives that end in **-o,** show agreement in both number and gender.

3. The forms **vuestro/a/os/as** are used extensively in Spain, but are not common in Latin America.

 Su(s) can have several different equivalents in English: *your* (*sing.*), *his, her, its, your* (*pl.*), and *their.* Usually its meaning will be clear in context. When the meaning of **su(s)** is not clear, **de** and a pronoun are used instead to indicate the possessor.

Son $\left\{ \begin{array}{l} \textbf{mis} \\ \textbf{tus} \\ \textbf{sus} \end{array} \right\}$ hermanos.

Es $\left\{ \begin{array}{l} \textbf{nuestra} \\ \textbf{vuestra} \\ \textbf{su} \end{array} \right\}$ familia.

$\left. \begin{array}{l} \text{el padre} \\ \text{la madre} \\ \text{los abuelos} \\ \text{las tías} \end{array} \right\}$ de él (de ella, de Ud., de ellos, de ellas, de Uds.)

¿Son jóvenes los hijos **de él**?
Are his children young?

¿Dónde vive el abuelo **de ellas**?
Where does their grandfather live?

Práctica

A. La familia de Maribel

Paso 1. Change the following sentences, spoken by Maribel, to reflect a plural noun. The noun is indicated in blue. Note that the possessive adjective itself does not change; only its form changes.

MODELO: "Mi hermano es alto." → "Mis hermanos son altos."

1. "Mi hermana es lista."
2. "Mi primo está en Montréal."
3. "Mi tío habla español."
4. "Mi abuela mira mucho la tele (televisión)."

Paso 2. Now restate the sentences in **Paso 1 (both in the singular and plural forms)** to quote what Maribel said. The possessive adjective itself will change.

MODELO: "Mi hermano es alto." → Su hermano es alto.

Paso 3. Now restate the sentences in **Paso 1 (both in the singular and plural forms)** to make them express what Maribel and her brother Julio would say about their family. The possessive adjective itself will change.

MODELO: "Mi hermano es alto." → Nuestro hermano es alto.

B. ¿Cómo es la familia de David?

Paso 1. Presta atención a (*Pay attention to*) la familia de David en el dibujo. Completa las oraciones según el modelo.

David

MODELO: familia / pequeño →
Su familia es pequeña.

1. hijo pequeño / guapo
2. perro / cariñoso
3. hija / rubio
4. padre / viejito
5. hijos / inteligente / simpático
6. esposa / bonito

Paso 2. Imagina que tú eres David y modifica (*change*) las respuestas (*answers*).

MODELO: familia / pequeño →
Mi familia es pequeña.

Paso 3. Imagina que eres la esposa de David. Habla por (*Speak for*) ti y por tu esposo. Modifica sólo las respuestas del 1 al 5.

MODELO: familia / pequeño →
Nuestra familia es pequeña.

C. En nuestro salón de clase. Can you use the following phrases to describe aspects of your classroom at this moment? Explain why or why not. Work with a classmate.

MODELOS: mi computadora → Sí, mi computadora está en mi mochila porque (yo) necesito mi computadora para mi clase de cálculo.
No, mi computadora está en casa porque (yo) no necesito mi computadora hoy.
nuestras computadoras → Sí, hay unos estudiantes con computadoras hoy porque desean tomar notas en sus computadoras. No, no hay computadoras en el salón de clase porque nosotros no necesitamos computadoras para la clase de español.

1. nuestro profesor / nuestra profesora de español
2. su cuaderno (el cuaderno del profesor / de la profesora)
3. nuestros libros de texto
4. nuestras calculadoras
5. mi silla
6. mis lápices
7. su mochila (la mochila de otro/a estudiante de la clase)
8. mi dinero (la cartera = *wallet*)

EL ESPAÑOL *EN ACCIÓN*

PATRICIA Y ALEX: DOS AMIGAS INTERNACIONALES

Alex y Patricia hablan de sus vidas en Canadá y Guatemala. ¿Son sus actividades diferentes o similares?

PATRICIA: Y dime (*tell me*), Patricia. ¿Dónde **vives** en Canadá?

ALEX: **Vivo** en un apartamento en Ottawa y mis padres **viven** en Winnipeg.

PATRICIA: ¿Y qué hacen tú y tus amigos los sábados (*on Saturday*)?

ALEX: No me gustan las fiestas. Entonces (*So*) mis amigos y yo generalmente **comemos** en un restaurante o **bebemos** unas cervezas (*beer*) en un bar cerca de (*close to*) mi apartamento. ¿Y ustedes?

PATRICIA: **Creo** que las fiestas son divertidas. Entonces siempre (*always*) **asisto** a una fiesta con mis amigos. Nosotros bailamos mucho y yo **bebo** refrescos (*soft drinks*) y mis amigos, unas cervezas. No me gusta la cerveza.

ALEX: Los domingos (*on Sunday*) yo **leo** novelas para mis clases de literatura, estudio y **escribo** correos electrónicos a mis amigos en Winnipeg.

PATRICIA: Yo **leo** más poemas que novelas. También **aprendo** quiché con mi hermano.

ALEX: Pero (*But*) tú **comprendes** el quiché…

PATRICIA: Sí… pero no hablo muy bien… Necesito practicar mucho.

ALEX: Y yo necesito practicar mi español…

¿Entendiste?

1. ¿**Vive** Alex con su familia?
2. ¿Qué hace Alex los sábados?
3. ¿Qué hacen los amigos de Patricia los sábados?
4. ¿Por qué no **bebe** Patricia cerveza?
5. ¿Qué **leen** Patricia y Alex los domingos?
6. ¿Con quién **aprende** Patricia quiché?
7. ¿Qué **aprende** Alex en Guatemala?

Lengua

Listen to the dialogue again, paying attention to the verb endings used by Patricia and Alex. What can you deduce about verb conjugations in Spanish from the verb endings in the dialogue? Try to write some simple rules for the verbs "beber" and "leer".

Ahora te toca a ti...

En Antigua...

Estudiante A: Imagine you are studying Spanish in Antigua, Guatemala. You meet your roommate for the first time. You want to practise your Spanish, so you start a conversation with him/her in this language. Greet this person and introduce yourself (name, place of origin in Canada, etc.). Talk about your studies in Guatemala (what you're studying there). Also, talk to this person about your life in Canada: your family, where you live, and your activities at your university (what classes you take, where you work, etc.) and during the weekend. Answer his/her questions. Use the vocabulary and structures in this chapter and in **Capítulos 1 y 2.**

Estudiante B: Imagine you are studying Spanish in Antigua, Guatemala. You meet your roommate for the first time. He/She starts speaking Spanish to you. You want to practise your Spanish, so you answer him/her in this language. Greet this person and introduce yourself (name, place of origin in Canada, etc.). Talk about your studies in Guatemala (what you're studying there). Also, talk to this person about your life in Canada: your family, where you live, and your activities at your university (what classes you take, where you work, etc.) and during the weekend. Answer his/her questions, and get as much information about this person as possible. Use the vocabulary and structures in this chapter and in **Capítulos 1 y 2.**

¿Recuerdas?

The personal endings used with **-ar** verbs share some characteristics with **-er** and **-ir** verbs which you will learn in **Gramática 4.** Review the present tense endings of **-ar** verbs by telling which subject pronoun(s) you associate with each of these endings.

1. **-amos**   2. **-as**   3. **-áis**   4. **-an**   5. **-o**   6. **-a**

GRAMÁTICA 4

EXPRESSING ACTIONS • PRESENT TENSE OF *-er* AND *-ir* VERBS; SUBJECT PRONOUNS (PART 2)

GRAMÁTICA EN ACCIÓN: UN ESTUDIANTE TÍPICO

- Se llama Samuel Flores Toledo.
- Estudia en la Universidad de El Salvador.
- Vive con su familia en la ciudad de San Salvador.
- Come pizza y pupusas con frecuencia.
- Bebe cerveza en las fiestas.
- Recibe muchos correos electrónicos y cartas de sus primos de Canadá.
- Lee y escribe mucho para su especialización.
- Aprende inglés porque desea visitar a su familia en Nova Scotia.

¿Y tú? Ahora contesta estas preguntas de Samuel.

1. ¿Dónde vives tú?
2. ¿Comes mucha pizza?
3. ¿Recibes muchos correos electrónicos?
4. ¿Lees y escribes mucho para tu especialización? ¿O no tienes especialización todavía (*yet*)?

Verbs that End in *-er* and *-ir*

1. The present tense of **-er** and **-ir** verbs is formed by adding personal endings to the stem of the verb (the infinitive minus its **-er/-ir** ending). The personal endings for **-er** and **-ir** verbs are the same except for the first and second person plural.

comer (*to eat*)		vivir (*to live*)	
como	comemos	vivo	vivimos
comes	coméis	vives	vivís
come	comen	vive	viven

2. These are the frequently used **-er** and **-ir** verbs that appear in this chapter.

-er verbs		*-ir* verbs	
aprender	to learn	**abrir**	to open
beber	to drink	**asistir (a)**	to attend,
comer	to eat		to go to
comprender	to understand		(*a class,*
creer (en)	to think; to		*a function*)
	believe (in)	**escribir**	to write
deber + *inf.*	should, must,	**recibir**	to receive
	ought to (*do*	**vivir**	to live
	something)		
leer	to read		
vender	to sell		

 Remember that the Spanish present tense has a number of present tense equivalents in English. It can also be used to express future meaning.

Como pupusas. = *I eat, I am eating, I will eat pupusas.*

 Deber, like **desear** and **necesitar,** is followed by an infinitive.

Debes leer tus correos electrónicos todos los días. *You should read your e-mails on a daily basis.*

 Aprender + a + *infinitive* means *to learn how to* (*do something*).

Muchos estudiantes, como Alex, **aprenden a hablar** español en Latino América. *Many students, like Alex, learn to speak Spanish in Latin America.*

Subject Pronouns (Part 2): Use and Omission

In English, a verb must have an expressed subject (a noun or pronoun): ***the train*** *arrives,* ***she*** *says.* In Spanish, however, as you have probably noticed, an expressed subject is not required. Verbs are accompanied by a subject pronoun only for clarification, emphasis, or contrast.

1. *Clarification:* When the context does not make the subject clear, the subject pronoun is expressed. This happens most frequently with third person singular and plural verb forms.

2. *Emphasis:* Subject pronouns are used in Spanish to emphasize the subject when in English you would stress it with your voice.

3. *Contrast:* Contrast is a special case of emphasis. Subject pronouns are used to contrast the actions of two individuals or groups.

Ud. / él / ella vende
Uds. / ellos / ellas venden

—¿Quién debe pagar?　　*Who should pay?*
—¡**Tú** debes pagar!　　*You should pay!*

Ellos leen mucho; **nosotros** leemos poco.
They read a lot; we read little.

Práctica

A. Samuel habla de su padre. Completa el siguiente párrafo con la forma correcta de los verbos entre paréntesis.

Mi padre 1. (vender) _____ coches y trabaja mucho. Mis hermanos y yo 2. (aprender) _____ mucho de papá. Según mi padre, los jóvenes 3. (deber) _____ 4. (asistir) _____ a clase todos los días, porque es su obligación. Papá también 5. (creer) _____ que no es necesario mirar la televisión por la noche. Es más interesante 6. (leer) _____ el periódico,[a] una revista o un buen libro. Por eso nosotros 7. (leer) _____ o 8. (escribir) _____ por la noche y no miramos la televisión. Yo admiro a mi papá y 9. (creer) _____ que él 10. (comprender) _____ la importancia de la educación.

[a]*newspaper*

Tamalada (Making Tamales), por (*by*) Carmen Lomas Garza (estadounidense)

B. Este domingo (Sunday), tamalada. Form complete sentences based on the words given, in the order given. Conjugate the verbs and add other words if necessary. Don't use the subject pronouns in parentheses.

Una tamalada consiste en hacer (*making*) y comer tamales, una comida (*food*) típica de Centroamérica. Hay ocasiones en que hacer tamales es una fiesta familiar. Este domingo es un día especial para la familia de la pintura. Habla Luis.

1. hay / tamalada / hoy / por / tarde
2. todo / familia / asistir / tamalada / en / nuestro / casa
3. mi / padres / celebrar / su / aniversario de boda (*wedding*)

4. la / mujeres / de / familia / y / un / hombres / preparar / comida
5. mi / tíos / beber / café / y / mirar / tele
6. mi / primas / pequeño / leer / revistas / para niños
7. mi / hermano / deber / estudiar / pero / leer / noticias (*news*) de fútbol / en el Internet
8. (él) / comprender / todo / porque / le / gustar / mucho / el fútbol
9. yo / preparar / comida / con / mi mamá / y / abuela
10. (nosotros) comer / comida (*meal*) / grande / a / tres
11. (yo) creer / que / mi / mamá / y / tías / ser / cocineras (*cooks*) / excelente
12. (yo) desear / ser / uno / bueno / cocinero / también

Nota comunicativa

Telling How Frequently You Do Things

Use the following words and phrases to tell how often you perform an activity. Some of them will already be familiar to you.

todos los días, siempre	every day, always	**una vez a la semana**	once a week
con frecuencia	frequently	**casi nunca**	almost never
a veces	at times	**nunca**	never
generalmente	generally, usually		

Hablo con mis amigos **todos los días.** Hablo con mis padres **una vez a la semana.** **Casi nunca** hablo con mis abuelos. Y **nunca** hablo con mis tíos que viven en Italia.

Patricia: **Siempre** asisto a una fiesta con mis amigos.

For now, use the expressions **casi nunca** and **nunca** only at the beginning of a sentence.

C. Entrevista. Use the following cues to interview a classmate. Include expressions of frequency when appropriate.

MODELO: leer + novelas de horror →
E1: Chris, ¿lees novelas de horror?
E2: No, nunca leo novelas de horror, pero leo novelas de detectives.

(estudiante), tú
tus padres / hijos
tus abuelos
tu mejor (*best*) amigo/a

+

abrir
leer
escribir
beber
vender
comprender
recibir
vivir
¿ ?

deber

+

mucho / poco

la situación / los problemas de los estudiantes
Coca-Cola / café antes de (*before*) la clase
mi ropa (*clothing*), un estéreo viejo
la puerta a (*for*) las mujeres / los hombres

novelas de ciencia ficción / de horror
el periódico / una revista todos los días
muchas / pocas cartas, novelas, revistas
muchos / pocos ejercicios, libros, regalos

en una casa / un apartamento / una residencia
en otra ciudad / en otra / o provincia / país
en un cuaderno / con un bolígrafo / con un lápiz

mirar mucho la televisión
llegar a casa temprano
estudiar para... clases

D. Repaso: Lengua y cultura: Las familias. Complete the following paragraphs about families. Give the correct form of the words in parentheses, as suggested by context.

¿Existe la familia hispánica típica? Muchas personas 1. (creer) _____ que 2. (todo) _____ las familias 3. (hispánico) _____ son 4. (grande) _____. Pero el concepto de la familia 5. (ser) _____ diferente ahora, sobre todo[a] en las ciudades 6. (grande) _____.

      7. (Ser) _____ cierto que la familia rural 8. (típico) _____ es grande, pero es así[b] en casi[c] 9. (todo) _____ las sociedades rurales del mundo.[d] Muchos hijos 10. (trabajar) _____ la tierra[e] con sus padres. Por eso es bueno y 11. (necesario) _____ tener muchos niños.

      Pero en los grandes centros 12. (urbano) _____ las familias con sólo dos o tres hijos 13. (ser) _____ más comunes. Es difícil[f] tener 14. (mucho) _____ hijos en una sociedad 15. (industrializado) _____. Y cuando los padres 16. (trabajar) _____ fuera de[g] casa, ellos 17. (pagar) _____ a quien cuide a[h] los niños. Esto pasa especialmente en las familias de la clase media.[i]

      Pero no es fácil[j] 18. (hablar) _____ de una familia 19. (hispánico) _____ típica. ¿Hay una familia 20. (canadiense) _____ típica?

[a]sobre... *especially*   [b]es... *that's*   [c]*almost*   [d]*world*   [e]*land*   [f]*difficult*   [g]fuera... *outside of the*   [h]a quien... *someone to care for*   [i]*middle*   [j]*easy*

¿Entendiste?

¿Cierto o falso? Corrige (*Correct*) las oraciones falsas.

1. Todas las familias hispánicas son iguales.	C	F
2. Las familias rurales son grandes en casi todo el mundo.	C	F
3. Las familias rurales necesitan tener muchos niños.	C	F
4. Por lo general (*Generally*), las familias urbanas son más pequeñas.	C	F
5. Las madres urbanas típicamente cuidan a los hijos durante el día.	C	F

E. Repaso: Una fiesta. There is a Spanish saying, "**Una fiesta se hace** (*is made*) **con tres personas: una canta, otra baila y la otra toca.**" Working in groups of four, use this saying as a model to tell what the following things are "made of". Use as many **-ar, -er,** and **-ir** verbs as you can, as well as the irregular verbs **ser** and **estar,** the forms of **tener** that you know (**tengo, tienes, tiene**), and the verb form **hay.**

MODELO: una clase → Una clase se hace con un profesor o una profesora. Esta persona enseña la clase. También hay unos estudiantes. Desean aprender la materia y estudian mucho. Leen su libro de texto y escriben informes (*papers*). También hay un salón de clase, una pizarra...

      ¿Cómo se hace... ?

      1. una clase de español
      2. una fiesta en esta universidad
      3. una universidad
      4. una familia

UN POCO DE TODO

VIDEOTECA

Entre amigos

En el **Capítulo 1,** conociste (*you met*) a cuatro estudiantes universitarios en México: Miguel, Tané, Rubén y Carina. ¿Cómo son? ¿Te acuerdas (*do you remember*)? Escribe unas ideas. En este capítulo, estos estudiantes hablan de sus familias. Piensa (*Think about*) en tu familia. Mira el videoclip en la red y compara a tu familia con la familia de uno de estos estudiantes. Escribe tres diferencias y tres similitudes (por ejemplo, escribe sobre la cantidad de personas en la familia y la apariencia física y la personalidad de los miembros de la familia).

¿Entendiste?

A. Las familias. Presenta a un/a compañero/a la comparación de tu familia con la familia de uno de los estudiantes en el clip. Comparen sus ideas. ¿Son similares o diferentes las familias?

B. ¿Cierto o falso?

Decide if the following statements about the clip you saw are true (**C**) or false (**F**). Correct the false ones.

1. Miguel, Tané, Rubén y Carina están en la biblioteca.	C	F
2. Miguel y el hermano de Carina son similares.	C	F
3. Carina tiene (*has*) dos hermanas pequeñas.	C	F
4. Rubén extraña (*misses*) a sus hermanos.	C	F
5. Los hermanos de Tané son divertidos y guapos.	C	F
6. Tané no extraña a su familia porque todos viven en México con ella.	C	F
7. A Miguel le gusta la comida cubana.	C	F
8. Tané no habla mucho con sus padres.	C	F
9. Carina vive sola en un apartamento en Caracas.	C	F
10. Miguel, Tané y Rubén estudian en el apartamento de Carina.	C	F

C. Las descripciones. In the clip you have just seen, Tané and the other students describe their families. Imagine that Tané asks questions about people in your life.

Paso 1. Read the questions she might ask and check the most logical answer.

1. Mi familia es grande. ¿Cómo es tu familia?

 ☐ Vive en Winnipeg.
 ☐ Mis padres son amables.
 ☐ Mi prima está en clase.
 ☐ Es pequeña.
 ☐ Mi familia está en casa.

2. ¿Cuántos hermanos tienes?

 ☐ Tienes una hermana.
 ☐ Mi hermana se llama _____.
 ☐ Mi hermano es menor.
 ☐ Soy el hermano.
 ☐ Tengo dos hermanos.

3. Mi mejor amigo es Miguel. Miguel es simpático y moreno. ¿Cómo es tu mejor amigo/a?

 ☐ Está bien.
 ☐ Es estudiante.
 ☐ Es amable y fiel.
 ☐ Trabaja en la biblioteca.
 ☐ Estudia ingeniería.

4. ¿Cómo es tu profesor(a) de español?

 ☐ Habla bien.
 ☐ Es inteligente y trabajador(a).
 ☐ Es bibliotecario/a.
 ☐ Es de Honduras.
 ☐ Está en la oficina.

Paso 2. Ask questions that would require the possible answers listed below each question on page 95.

MODELO: Answer: Vive en Winnipeg.
          You ask: ¿Dónde vive tu abuela?

LECTURA

SOBRE LA LECTURA... This reading is adapted from an article that appeared on the website *Mujeres Hoy*. This site usually publishes articles and information related to issues that affect women in the Spanish-speaking world. The website is part of the non-profit organization *Isis internacional*. This organization was created in 1974 to promote the establishment of communication networks among women in Latin America. Their website address is http://www.isis.cl.

> **ESTRATEGIA: Connecting Words-A Reminder about Cognates**
>
> Some words or phrases indicate what kind of information they introduce. For example, as you know, **por eso** (*for that reason, that's why*) introduces a resulting circumstance based on a preceding situation.
>
> Necesito dinero. **Por eso** trabajo en la librería.

What kinds of clues do these words give you about the information that follows?

1. Por otra parte,... (*On the other hand, . . .*)
2. según... (*according to . . .*)
3. entonces... (*so . . . / then . . .*)
4. ...porque...
5. Por ejemplo,...
6. Por lo general,...
7. Sin embargo, (*However . . .*)

ANTES DE LEER

Scan the following reading to see if you can find any of the preceding connectors. You may wish to circle them in the reading so that you pay particular attention when you get to them.

   Note: The following reading contains a number of cognates whose meanings you should be able to guess from the context, including some verb forms with endings different from those you have learned about. You will recognize the meaning of most of those verbs easily, however.

   Can you guess what this text is about? Write three ideas.

A LEER

Now read the whole text, and see if your ideas are correct.

La familia afectada por la migración en Centroamérica*

Más de 400.000 (cuatrocientos mil) centroamericanos/as abandonan cada año sus países de origen para trabajar en los Estados Unidos y ganar[a] dinero para su familia. Por lo general, estas personas emigran solas, sin sus familias.[b] Por eso, en muchos casos, la separación de la familia resulta en la "pérdida[c] definitiva" de las personas que emigraron y la ruptura familiar. Estas afirmaciones las hizo[d] la Fundación Intervida, que, con motivo[e] del Día Internacional de las Familias celebrado el pasado 15 de mayo, señaló[f] que los largos periodos de separación resultan en la desintegración de miles de familias.

Sin embargo, hay pocas opciones alternativas a la migración en Centroamérica, porque la gente no tiene oportunidades de trabajo y hay mucha pobreza[g] e inestabilidad económica. Uno de los casos más importantes es el de Guatemala, país con once millones de habitantes y donde, según Intervida, hay "unos cuatro millones de parientes directos de emigrantes, lo que equivale al[h] 36 por ciento de la población". Del total de guatemaltecos/as que viven en el exterior, el 88 por ciento son económicamente activos y su dinero beneficia "a 600.000 familias en su país de origen".

Con la ayuda[i] económica que los emigrantes envían[j] a sus países de origen, sus familias afrontan[k] sus necesidades básicas. Sin embargo, en muchos casos, la distancia afecta a la familia hasta el punto[l] de la desintegración. Por eso, explica Intervida, hay muchas familias formadas por madres, abuelos/as o hermanos/as que cambian sus roles y son entonces el o la cabeza[m] de familia para cuidar[n] a los miembros más pequeños de su familia.

Para evitar[ñ] esta situación, hay organizaciones como por ejemplo, Intervida, con programas para apoyar[o] a las familias en la generación de ingresos.[p] En Huehuetenango, departamento guatemalteco en la frontera con México, la Fundación Intervida tiene unos proyectos productivos que resultan en la creación de trabajos y en el descenso[q] de la emigración.

[a]*earn*   [b]*solas… alone, without their families*   [c]*loss*   [d]*Estas… This was said by . . .*   [e]*con… because of the International . . .*   [f]*said*   [g]*poverty*   [h]*lo… what accounts for*   [i]*help*   [j]*send*   [k]*afford*   [l]*hasta… to the point of*   [m]*head (of the family)*   [n]*take care of*   [ñ]*avoid*   [o]*support*   [p]*income*   [q]*decrease*

DESPUÉS DE LEER

A. El texto. ¿Cuál es la idea más importante del texto? ¿Qué palabras te ayudan (*help*) a entender el texto? Escribe algunas palabras.

B. ¿Entendiste? Ahora contesta estas preguntas sobre el texto.

1. ¿Dónde trabajan muchos centroamericanos? ¿Con quién viven estas personas?
2. ¿Cuándo es el Día Internacional de las Familias?
3. ¿Por qué emigran los centroamericanos a los Estados Unidos?
4. ¿Cómo beneficia el dinero de sus parientes en los Estados Unidos a las familias en Centroamérica?
5. ¿Por qué es la emigración un problema? ¿Cómo afecta a la familia centroamericana?
6. ¿Qué proyectos tiene la Fundación Intervida en Guatemala?

---

*Text adapted from original article on http://www.mujereshoy.com.

REDACCIÓN

UN AVISO PERSONAL

En este capítulo, escribes un aviso (*ad*) personal en un blog en español para encontrar (*find*) amigos internacionales.

ANTES DE ESCRIBIR

Use the questions that follow to organize your thoughts. Your instructor can help you with words or constructions that are unfamiliar to you.

1. ¿Cómo te llamas?
2. ¿De dónde eres?
3. ¿Cuántos años tienes?
4. ¿Cómo eres? Describe tu apariencia física y personalidad.
5. Describe a tu familia (cómo es, quién es parte de tu familia)
6. ¿Dónde vives? ¿Con quién vives?
7. ¿Cuál es tu profesión? ¿A qué universidad asistes?
8. ¿Qué clases tomas? ¿Cómo son tus clases / profesores?
9. Describe tus actividades diarias (*daily activities*).
10. Describe a tu mejor amigo/a (nombre, edad, apariencia física y personalidad).
11. Describe tus actividades con tu mejor amigo/a durante el fin de semana (**los sábados... los domingos...**).
12. Escribe sobre tus gustos (**Me gusta...**).

A ESCRIBIR

Now write your personal ad and . . .

- Remember to use the vocabulary from this chapter (adjectives, verbs such as **comer, escribir,** etc.) and from **Capítulo 2** (e.g., **materias,** verbs such as **bailar, estudiar,** etc.)
- Pay attention to gender and number when you use articles/possessive adjectives, nouns, and adjectives (e.g., **mi** famili**a** es pequeña, mi**s** clase**s** son interesante**s**), and to the correct verb conjugations (e.g., yo cre**o** que mi familia **es...**).
- Use connectors and conjunctions to connect your ideas. For example, you can use the connectors in the **Lectura** section and **y, pero** (*but*), **además** (*besides*), etc. Your instructor can help you to use these words correctly.
- You should start your composition like this:
  "Busco amigos internacionales. Me llamo..."

DESPUÉS DE ESCRIBIR

Now read your ad, and focus on the following:

- <u>Content</u>: Have you included all the information required?
- <u>Grammar</u>:
  - Articles/possessive adjectives, nouns, and adjectives: Do they agree in gender and number?
  - Verbs: Have you conjugated your verbs correctly?
- <u>Connectors:</u> Have you connected your ideas with the suggested connectors and conjunctions? Correct your text, and write a new, improved version.

Guatemala, Honduras, El Salvador y Nicaragua

Antes de explorar...

What have you learned about these four countries so far? Explore this chapter for information about these countries and their people, and, with a classmate, write down some ideas.

¡A explorar!

What else can we learn about them? Read the following passages, and try to think about similarities and differences between these four countries and Canada.

Guatemala

- Nombre oficial: República de Guatemala
- Capital: Ciudad de Guatemala
- Población: más de (*more than*) 12 millones de habitantes
- Guatemala es el país centroamericano más grande y el corazón[1] de la civilización maya.
- Está civilización antigua tenía[2] un sistema de escritura jeroglífica que usaba[3] para documentar su historia, sus costumbres religiosas y su mitología.
- El calendario maya era[4] el calendario más exacto de su época.
- Hoy día, los maya-quichés componen[5] más del 40 por ciento de la población del país y son famosos por sus tejidos[6] y otras artesanías.[7]

Honduras

- Nombre oficial: República de Honduras
- Capital: Tegucigalpa
- Población: más de 7 millones de habitantes
- El nombre indígena de la capital, Tegucigalpa, significa "cerros de plata".[8] Honduras recibió[9] este nombre en español por la profundidad[10] de sus aguas del Caribe.
- La zona arqueológica de Copán es hoy un parque nacional que tiene ruinas mayas impresionantes.
- La riqueza[11] de la ecología y los recursos[12] naturales de Honduras contrastan con la suma pobreza[13] de dos tercios[14] de su población.

El Salvador

- Nombre oficial: República de El Salvador
- Capital: San Salvador
- Población: más de 6 millones de habitantes
- El Salvador se conoce como[15] "el Pulgarcito[16] de América". Es decir,[17] es el país más pequeño del continente americano, pero tiene la población más densa de Centroamérica.
- Los salvadoreños viven entre[18] veinte volcanes, cuatro de los cuales[19] son activos.
- El volcán de Izalco se conoce como "el faro[20] del Pacífico" porque se mantuvo[21] activo entre 1770 y 1966 y servía de guía[22] a los navegantes.[23]

---

[1]*heart* [2]*had* [3]*que... that it used* [4]*was* [5]*make up* [6]*woven goods* [7]*crafts* [8]*cerros... hills of silver* [9]*received* [10]*depth* [11]*richness* [12]*resources* [13]*suma... extreme poverty* [14]*dos... two thirds* [15]*se... is known as* [16]*Little Thumb* [17]*Es... That is to say* [18]*among* [19]*de... of which* [20]*lighthouse* [21]*se... it stayed* [22]*servía... served as a guide* [23]*sailors*

Nicaragua

- Nombre oficial: República de Nicaragua
- Capital: Managua
- Población: más de 5 millones de habitantes
- Se dice que[24] Nicaragua es tierra de lagos[25] y volcanes por[26] sus diecisiete volcanes y dos grandes lagos: el Lago de Nicaragua y el Lago de Managua.
- Como sus vecinos[27] centroamericanos, Nicaragua tiene una rica biodiversidad, y su bosque lluvioso[28] es el segundo más grande[29] del hemisferio occidental.[30]

[24]Se... *It's said that* [25]tierra... *land of lakes* [26]*because of* [27]*neighbours* [28]bosque... *rain forest* [29]segundo... *second largest* [30]*western*

El Templo del Gran Jaguar en las ruinas de Tikal, Guatemala. Tikal, en Guatemala, es la ciudad maya más grande. Tiene quince kilómetros cuadrados[a] y más de 3.000 estructuras que incluyen[b] una acrópolis,[c] plazas, templos y palacios. Tikal tiene la estructura indígena más alta del continente americano. El Templo del Gran Sacerdote[d] mide aproximadamente 69,8 metros.[e]

[a]quince... *5.8 square miles* [b]que... *that include* [c]*elevated terrazas* [d]Gran... *High Priest* [e]mide... *measures about 229 feet tall*

El mercado del Castillo[a] de San Felipe, Guatemala. En los coloridos[b] mercados de Guatemala se venden una variedad[c] de tejidos de lana, artículos de cuero y otras artesanías.

[a]*Castle* [b]*colourful* [c]*variety*

Volcanes al oeste[a] de Guatemala. En el oeste de Guatemala hay más de treinta volcanes, algunos de los cuales[b] son activos. La mayoría de[c] los maya-quichés vive en esta zona montañosa.[d]

[a]*west* [b]algunos... *some of which* [c]La... *Most of* [d]*mountainous*

Una estela[a] de Copán, Honduras. Las ruinas de Copán son más pequeñas que otras ruinas mayas, pero tienen gran importancia por su cantidad[b] de jeroglíficos. En la Gran Plaza de Copán hay dieciséis estelas. Estos monumentos representan a líderes[c] mayas y están cubiertos[d] de muchos jeroglíficos.

[a]*carved stone column* [b]*quantity* [c]*leaders* [d]*covered*

Una celebración garífuna en Honduras. Los garífunas son miembros de una población con raíces[a] africanas e indígenas que vive en la Bahía[b] de Honduras, desde Belice hasta Nicaragua. Su música y su baile se llaman "la punta" y son una fusión de elementos: danzas en círculo, ritmos africanos, canciones sin música, etcétera.

[a]*roots* [b]*Bay*

El Lago de Coatepeque y el volcán de Santa Ana, El Salvador. El Salvador tiene dos filas[a] de volcanes que forman un arco[b] en el oeste[c] del país. La depresión[d] que forma el Lago de Coatepeque es el cráter volcánico más grande del país: 6,4 kilómetros de ancho[e] por 122 metros de profundidad.[f]

[a]*rows* [b]*arc* [c]*west* [d]*hollow* [e]*6,4... four miles wide* [f]*122... 400 feet deep*

La pirámide principal de las ruinas de Tazumal, El Salvador. La civilización maya se extendía hasta[a] el territorio de El Salvador. Las ruinas de Tazumal, con una pirámide principal y un campo de juego de pelota,[b] son pequeñas en comparación con las ruinas de otras regiones, pero la variedad[c] de construcción y la evidencia de comercio[d] entre[e] las comunidades son importantes para entender la civilización maya.

[a]*se extendía... extended into* [b]*campo... ball court* [c]*variety* [d]*trade* [e]*among*

El cráter Santiago del volcán Masaya, Nicaragua. El volcán Masaya está cerca de[a] Managua y es uno de los dos volcanes activos del mundo que tienen un camino pavimentado[b] que lleva[c] a la cumbre.[d] De hecho,[e] hace cientos de años,[f] los indígenas de la zona también mantenían[g] un camino que llevaba[h] al cráter Santiago. Este gran volcán ha dado origen[i] a varias leyendas.[j]

[a]*cerca... close to* [b]*camino... paved road* [c]*leads* [d]*summit* [e]*De... In fact* [f]*hace... hundreds of years ago* [g]*maintained* [h]*led* [i]*ha... has given rise* [j]*legends*

El Lago de Nicaragua, la isla Ometepe y el volcán Maderas (al fondo^a).
El Lago de Nicaragua, el segundo más grande de Latinoamérica, tiene
muchas islas. La isla Ometepe, formada por^b los volcanes Maderas y
Concepción, es la isla volcánica de agua dulce^c más grande del mundo.
El Lago de Nicaragua, o "el Mar Dulce^d" como algunos lo llaman,^e tiene
muchas características oceánicas, como olas^f grandes, tiburones^g y otros
animales y plantas que normalmente se encuentran^h en un mar de
agua salada.ⁱ

^aal... *in the background*   ^bformada... *formed by*   ^cde... *fresh water*   ^dMar... *Fresh Water Sea*
^ecomo... *as some call it*   ^f*waves*   ^g*sharks*   ^hse... *are found*   ⁱ*salt*

Un danzante^a güegüense de Nicaragua. El teatro y la danza güegüenses son
una fusión de tradiciones indígenas y españolas. También llamado "Macho
Ratón^b", es un baile teatral con máscara^c que proviene de^d la tradición picaresca^e
de España. Se representa^f en Diriamba, Nicaragua, en enero, durante el Festival
de San Sebastián.

^a*dancer*   ^bllamado... *called "Brave Mouse"*   ^c*mask*   ^dproviene... *comes from*   ^e*rogue, picaresque*
^fSe... *It's performed*

La música, la literatura y la pintura de Guatemala, Honduras, El Salvador y Nicaragua

La música de Guatemala, Honduras, El Salvador y Nicaragua es una mezcla^a
de tradiciones indígenas, africanas y europeas. Los instrumentos típicos de la
música folclórica son la marimba,
la caracola,^b los tambores,^c las
flautas^d y la chirimía.^e La
marimba es el instrumento más
típico de Guatemala y Nicaragua.

La música tradicional se conserva en algunos grupos indígenas de Honduras, como los
lencas con su baile "guancasco" y los garífunas con su música y su baile "la punta".
   Hay escritores y artistas importantes en estos cuatro países centroamericanos.
^fQuizás el escritor más conocido^g es Rubén Darío. Este escritor inició^h el periodo
literario del Modernismo en América Latina en el siglo XIX e hizo conocer la literatura
latinoamericana al mundo.ⁱ Otros escritores importantes de nuestro siglo son Gioconda
Belli (Nicaragua), Ana María Rodas (Guatemala), Rafael Heliodoro Valle (Honduras) y
Claribel Alegría (El Salvador). Estos poetas y novelistas escriben sobre la realidad
centroamericana: el rol de la mujer, los conflictos políticos, los derechos de los
indígenas, etc. Es así que^j sus obras tienen un valor literario y social.
   Hay diferentes tipos de arte en Guatemala, Honduras, El Salvador y Nicaragua.
Las artesanías y arte maya conviven^k con el arte moderno que tiene influencias
indígenas y europeas. Uno de los artistas más interesantes es Hector Perlera Guillén
de El Salvador. Este pintor muestra^l escenas de la vida rural salvadoreña usando
colores vibrantes y rescatando los aspectos positivos de la vida rural. ¿Te gusta
su obra? ¿Cómo es? ¿Qué hacen los hombres en la pintura? ¿Y en qué trabajan
las mujeres?

^a*mixture*   ^b*conche shell*   ^c*drums*   ^d*flutes*   ^e*clarinet-type wind instrument*   ^f*Perhaps*   ^gel escritor... *the most
well-known writer*   ^h*started*   ⁱhizo... *made Latin American literature known to the rest of the world*
^jEs... *That's why . . .*   ^k*lives together with*   ^l*shows*

"The Village" por Hector Perlera Guillén

Los centroamericanos en Canadá

Como[a] otros hispanos en Canadá, los guatemaltecos, hondureños, salvadoreños y nicaragüenses que viven en este país organizan eventos para promover[b] su cultura y ayudar[c] a los nuevos inmigrantes. Por ejemplo, hay varios sitios en la red donde la gente puede encontrar[d] información sobre Canadá, trabajos disponibles,[e] festivales, etc.

También las comunidades centroamericanas en Canadá son parte de unas organizaciones importantes de caridad[f] junto con otros canadienses.[g] Algunos[h] de los grupos más activos de Canadá son **canadahelps.org,** con sus proyectos *Nicaraguan Children's Fund* y *Access Education: Guatemalan Children's Fund* y la fundación **Universal Outreach Foundation.** Mira la página web **www.mcgrawhill.ca/olc/knorre** y aprende más sobre estas organizaciones. ¿A quién benefician sus proyectos? ¿Dónde trabajan estas organizaciones?

[a]*Like* [b]*promote* [c]*help* [d]*donde... where people can find . . .* [e]*available* [f]*charity* [g]*junto con... together with other Canadians* [h]*Some*

Centroamericanos famosos

Es importante además[a] mencionar a los centroamericanos en Canadá cuyo[b] trabajo expresa su realidad canadiense y centroamericana. Uno de ellos es Cárol Zardetto. Lee el siguiente artículo aparecido en la revista en la red **revista***debate***.ca** y contesta esta preguntas.

[a]*besides* [b]*whose*

1. ¿En qué trabaja Cárol?
2. ¿De dónde es?
3. ¿Cómo se llaman sus obras?
4. ¿Cuáles son los temas de su obra?
5. ¿A quién dedica su obra?
6. ¿Qué hace Cárol actualmente?

Cárol Zardetto: Mi obra es un tributo a Guatemala*

Jueves 23 de abril de 2009

"Mi obra es un tributo[c] a Guatemala". De esta forma Cárol Zardetto habló del[d] contenido de su novela "Con pasión absoluta", presentada el pasado lunes en Casa Maíz, en un acto organizado por la Asociación Guatemalteca Canadiense (ASOGUATE), como parte de su programa de actividades culturales.

"Con pasión absoluta" es la primera novela de Zardetto, quien además de escribir ensayos,[e] cuentos,[f] guiones y críticas de teatro,[g] tiene una columna en El Periódico, una de las publicaciones más importantes de su Guatemala natal.[h] La novela tiene aspectos interesantes que relacionan a Guatemala y Canadá, pues la misma fue escrita[i] cuando Zardetto volvió a Guatemala[j] después de vivir varios años en Vancouver como representante diplomática.

La novela de Zardetto explora temas como las relaciones familiares (por ejemplo, la relación con su abuela) y representa conflictos sociales y políticos en Guatemala. Zardetto presentó también su obra más reciente,[k] que se llama "El discurso del loco" y tiene 20 cuentos que combinan la ficción y la imaginación con situaciones reales que ocurren actualmente en Guatemala como la falta de justicia[l] y los linchamientos.[m]

Además de leer fragmentos de "Con pasión absoluta", Cárol Zardetto deleitó[n] a los asistentes con la lectura de uno de los cuentos de su obra más reciente. Actualmente, Zardetto escribe su siguiente[ñ] trabajo literario denominado "Nueva York benevolente".

[c]*tribute* [d]habló... *talked about* [e]*essays* [f]*short stories* [g]guiones... *theatre scripts and reviews* [h]*native* [i]pues... *as [the novel] was written* [j]volvió... *returned to Guatemala* [k]su... *her most recent work* [l]falta... *lack of justice* [m]*lynching* [n]*delighted* [ñ]*next*

Proyecto cultural en grupo

Learn more about the charities mentioned above, and try to find more organizations that do charity work in Central America. With your classmates, create a report about these organizations. Describe where they work (use a map) and what they do (projects, who they benefit, what they have achieved so far, etc.). Also provide information about what people can do to join them. Finally, think about your own charity project. First, based on your report, describe the main problems affecting Central American countries. Then decide where you would like to work and what you would like to do there.

*Text adapted from original on http://revistadebate.ca/portal/content/view/1477/27/

EN RESUMEN

Gramática

To review the grammar points presented in this chapter, refer to the indicated grammar presentations.

Gramática 1. Describing—Adjectives: Gender, Number, and Position

Gramática 2. Expressing *to be*—Present Tense of **ser,** Summary of Uses (Part 2)

Gramática 3. Expressing Possession—(Unstressed) Possessive Adjectives

Gramática 4. Expressing Actions—Present Tense of *-er* and *-ir* Verbs; Subject Pronouns (Part 2)

You should know how to place adjectives as well as how to make adjectives like **alto, inteligente, español,** and **inglés** agree with the nouns they describe.

Can you conjugate and use the irregular verb **ser** in the present tense?

You should be able to recognize and use the possessive adjectives **mi, tu, su, nuestro,** and **vuestro.**

Can you conjugate verbs like **comer** and **escribir** in the present tense? Do you know how to use subject pronouns and when to omit them?

Vocabulario

Los verbos

abrir	to open
aprender	to learn
aprender a + *inf.*	to learn how to (*do something*)
asistir (a)	to attend, to go to (a class, a function)
beber	to drink
comer	to eat
comprender	to understand
creer (en)	to think; to believe (in)
deber + *inf.*	should, must, ought to (*do something*)
escribir	to write
leer	to read
llegar	to arrive
mirar	to look at, to watch
mirar la tele(visión)	to watch television
recibir	to receive
ser (soy, eres,...)	to be
vender	to sell
vivir	to live

La familia y los parientes

el / la abuelo/a	grandfather/grandmother
los abuelos	grandparents
la esposa / la mujer	wife
el esposo / el marido	husband
el / la hermano/a	brother/sister
el / la hijo/a	son/daughter
los hijos	children
la madre (mamá)	mother (mom)
el / la nieto/a	grandson/granddaughter
el / la niño/a	small child; boy/girl

el padre (papá)	father (dad)
los padres	parents
el pariente	relative
el / la primo/a	cousin
el / la sobrino/a	nephew/niece
el / la tío/a	uncle/aunt

Las mascotas

el gato	cat
la mascota	pet
el pájaro	bird
el perro	dog

Otros sustantivos

la carta	letter
la casa	house, home
la ciudad	city
el coche	car
el estado	state
el / la médico/a	(medical) doctor
el país	country
el periódico	newspaper
el regalo	present, gift
la revista	magazine

Los adjetivos

alto/a	tall
amable	kind, nice
antipático/a	unpleasant
bajo/a	short (*in height*)
bonito/a	pretty

buen, bueno/a	good
casado/a	married
corto/a	short (*in length*)
delgado/a	thin, slender
este/a	this
estos/as	these
feo/a	ugly
fiel	faithful, loyal
gordo/a	fat
gran, grande	great; large, big
guapo/a	handsome, good-looking
inteligente	intelligent
joven	young
largo/a	long
listo/a	smart; clever
mal, malo/a	bad
moreno/a	brunet(te)
mucho/a	a lot (of)
muchos/as	many
necesario/a	necessary
nuevo/a	new
otro/a	other, another
pequeño/a	small
perezoso/a	lazy
pobre	poor
posible	possible
rico/a	rich
rubio/a	blond(e)
simpático/a	nice, likeable
soltero/a	single (*not married*)
todo/a	all; every
tonto/a	silly, foolish
trabajador(a)	hardworking
viejo/a	old

Los adjetivos de nacionalidad
(also study the adjectives on page 80)

alemán / alemana	German
español(a)	Spanish
canadiense	Canadian
inglés / inglesa	English
mexicano/a	Mexican
guatemalteco/a	Guatemalan
hondureño/a	Honduran
nicaragüense	Nicaraguan
salvadoreño/a	Salvadoran

Los adjetivos posesivos

mi(s)	my
tu(s)	your (*fam. sing.*)
nuestro/a(s)	our
vuestro/a(s)	your (*pl. Sp.*)
su(s)	his, hers, its, your (*form. sing.*); their, your (*form. pl.*)

Los números del 31 al 100

treinta, cuarenta, cincuenta, sesenta, setenta, ochenta, noventa, cien (ciento)

¿Con qué frecuencia... ?

a veces	sometimes, at times
casi nunca	almost never
nunca	never
siempre	always
una vez a la semana	once a week
generalmente	frequently, usually

Repaso: con frecuencia, todos los días

Palabras adicionales

bueno...	well . . .
¿de quién?	whose?
del	of the, from the
esto	this
(no) estoy de acuerdo	I (don't) agree
para (intended)	for; in order to
por eso	for that reason
¿por qué?	why?
porque	because
que	that, which; who
según	according to
si	if
tener... años (tengo, tienes, tiene)	to be . . . years old

Repaso: ¿De dónde es Ud.?

Vocabulario personal

Use this space to write down other words and phrases you learn in this chapter.

To access the Instructor Supplements, please go to the Online Learning Centre at **www.mcgrawhill.ca/olc/knorre.**

CAPÍTULO 4

De compras en Colombia

¡Vamos a Colombia!

In this chapter, we will learn more about Colombia. What do you know about this country? Write down some ideas, and then watch the video in the "Panorama cultural" section online.

Now answer the following questions about the video.

1. ¿En qué continente está Colombia?
2. ¿Cómo se llama la capital de Colombia?
3. ¿Cómo son los colombianos?
4. ¿Qué es importante en Colombia?

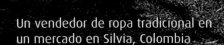

Un vendedor de ropa tradicional en un mercado en Silvia, Colombia

⭐ Bogotá

COLOMBIA

En este capítulo

A comunicarnos

In this chapter, we will learn how to . . .

- buy clothes taking into account colours, sizes, and price
- use number 100 and above to talk about quantities and prices
- talk about clothes and presents for friends and family

Gramática

- The present tense of stem-changing verbs (e > ie; i, o > ue)
- The verb *ir*
- The verbs *dar* and *decir*
- Indirect object pronouns

Cultura

- Colombia y su gente
- La ropa en Colombia
- Los colombianos en Canadá

VOCABULARIO Preparación

In this chapter, we will focus on clothes. Are clothes important to you? What are the most popular clothing stores in your city or town? Why are they popular?

LA ROPA EN MEDELLÍN

Kate, a student at the University of Toronto, has enrolled in a Spanish study abroad program in Medellín. She is getting ready for her trip, and she has asked her Colombian friend Claudia for advice on what kinds of clothes she should take to Colombia. Read Claudia's email. You can use the vocabulary on pages 111 and 112 to help you.

From: claudia@profileweb.ca
To: kata@linktoweb.ca
Subject: La ropa en Colombia

Hola, Kate. ¿Cómo estás? La ropa en Colombia...Hmmm, en Medellín no necesitas ropa de invierno (*winter*) como unos **guantes,** un **abrigo** y una **bufanda** porque el clima es templado. Pero tú **puedes** traer (*can bring*) un **suéter, pantalones** y un **impermeable** para la temporada de lluvias (*rainy season*). **Vas a visitar** (*you'll visit*) las playas (*beaches*) del Caribe. Entonces **tienes** que (*you have to*) comprar ropa de verano (*summer*) como un **traje de baño,** unas **chanclas** y un **sombrero** para el sol (*for the sun*). Para salir de noche (*to go out at night*), tú necesitas ropa formal como **un vestido,** unas **sandalias,** y una **falda.** La ropa **cuesta** poco (*costs little*) en Colombia y **puedes** comprar (*you can buy*) más (*more*) ropa en Medellín...

¿Entendiste?

1. ¿Por qué no necesita Kate ropa de invierno en Medellín?
2. ¿Qué playas visita Kate en Colombia?
3. ¿Qué ropa necesita Kate para la noche?

Lengua

Look at the verb forms in the email. Is the email formal or informal? How do you know? What verb forms is Claudia using?

De compras: La ropa y los accesorios

las chanclas verdes

la sudadera azul

la chaqueta color café

los pantalones grises

las botas marrones

la camisa celeste

el traje de baño rojo

los calcetines blancos

el abrigo

el vestido a lunares

los zapatos de tenis

la bolsa negra

la falda azul

el suéter

el reloj

el cinturón

Otra ropa y accesorios importantes

Accesorios

el anillo	ring
los aretes	earrings
la cartera	wallet
el collar	necklace
la ropa interior	underwear

Ropa de invierno (winter)

las botas de nieve	winter boots
la bufanda	scarf
el gorro	winter hat
los guantes	gloves

Ropa de lluvia (rain)

el impermeable	raincoat
las botas de lluvia	rain boots
el paraguas	umbrella

Ropa de verano (summer)

el sombrero	hat
los pantalones cortos	shorts
las sandalias	sandals
las gafas de sol	sunglasses
los shorts de baño	bathing suit (for men)

Ropa informal

los bluyíns / los vaqueros	blue jeans
la gorra	baseball cap
la camiseta	T-shirt

Ropa formal

las medias	stockings
las pantimedias	pantyhose
la blusa	blouse
la corbata	tie
el traje	suit
el chaleco	vest
los zapatos de tacón	high-heeled shoes

Los colores

rosado / rosa	pink
amarillo	yellow
negro	black
anaranjado / naranja	orange
gris	grey
morado / violeta	purple
azul	blue
(de) color café / marrón	brown
verde	green
blanco	white
rojo	red
celeste	light blue

Los materiales y patrones (patterns)

de cuadros	plaid
a lunares, a rayas	polka-dot, striped

con rombos	argyle
es de (algodón, cuero, lana, oro, plata, seda)	it is made of (cotton, leather, wool, gold, silver, silk)

Los verbos

comprar	to buy
llevar	to wear; to carry; to take
regatear	to bargain
usar	to wear; to use
vender	to sell
venden de todo	they sell (have) everything

Los lugares

el almacén	department store
el centro	downtown
el centro comercial	shopping mall
el mercado	market (place)
la plaza	square, park
la tienda	shop, store

¿Cuánto cuesta(n)?

es una ganga	it's a bargain
el precio	price
el precio fijo	fixed (set) price
las rebajas, las ofertas	sales, reductions
barato/a	inexpensive
caro/a	expensive

El español camaleón

la bolsa = el bolso (*Sp.*), la cartera (*Arg.*)
la cartera = la billetera, el monedero (*change purse*) (*Arg., Sp.*)
la chaqueta = la americana (*Sp.*), la campera (*Arg.*)
la falda = la pollera (*Arg., Uru.*)
el impermeable = la capa para la lluvia (*rain*), la gabardina, el piloto
el suéter = el jersey (*Sp.*), el pullover (*Arg.*)
el abrigo = el tapado (*Arg.*)
las chanclas = las ojotas (*Arg.*)
el traje de baño, los shorts the baño = el bañador (*Sp.*)
los zapatos de tenis = las zapatillas (*Arg.*)
el centro commercial = el shopping (*Arg.*)

To talk about sales, you can say **hay rebajas / hay ofertas (*Arg.*)** or that something **está de / en rebaja / en oferta (*Arg.*)** or **en liquidación**.

De moda is often expressed as **en onda** (*Mex.*) or **en voga**.

Práctica

A. Asociaciones. ¿Qué ropa usamos cuando… ? Completa los siguientes espacios en blanco con palabras de **De compras: La ropa y los accesorios** en las páginas 111–112.

1. Trabajamos en una oficina: _____, _____ y

   _____.

2. Esquiamos en Banff: _____, _____ y

   _____.

3. Vamos (*we go*) a nuestras clases: _____, _____ y

   _____.

4. Vamos a una fiesta con los amigos: _____, _____ y

   _____.

5. Visitamos (*we visit*) Vancouver: _____, _____ y

   _____.

6. Estamos en la playa (*beach*): _____, _____ y

   _____.

B. La ropa.

Paso 1. ¿Qué ropa llevan estas personas? ¿De qué color es su ropa? ¿De qué material?

1. El Sr. Rivera lleva _____.

2. La Srta. Alonso lleva _____. El perrito (*puppy*) lleva _____.

3. Sara lleva _____.

4. Alfredo lleva _____. Necesita comprar _____.

Paso 2. De estas personas, ¿quién trabaja hoy? ¿Quién va a (*is going to*) una fiesta? ¿Quién no trabaja en este momento?

C. ¿Escaparates (*Window displays*) **idénticos?** These window displays are almost alike . . . but not quite! Can you find at least eight differences between them? Describe each item of clothing using colours, patterns, and materials.

MODELO: En el dibujo A hay _____, pero en el dibujo B hay _____.

Dibujo A   Dibujo B

D. La ropa de los compañeros. Entrevista a un/a compañero/a sobre sus gustos (*likes*) en ropa. También responde (*answer*) a sus preguntas.

MODELO: E1: ¿Qué colores y patrones no llevas nunca?
E2: Nunca llevo ropa rosa y a cuadros.

1. ¿Cuál es tu ropa preferida?
2. ¿Cuáles son tus colores preferidos?
3. ¿Qué ropa llevas a tus clases?
4. ¿Dónde compras tu ropa?
5. ¿Qué ropa no llevas nunca?
6. ¿Qué colores y patrones no llevas nunca?

E. Un desfile de modas. You and your classmates are going to organize a fashion show for the rest of the class.

Paso 1. In small groups, prepare the script for the show. Describe what each of you is wearing as if you were presenting it in a fashion show.

MODELO: James lleva un conjunto (*an outfit*) de última moda. Lleva unos bluyíns rotos (*ripped*) con una camiseta blanca de algodón estilo James Dean…

Paso 2. Present your show to the rest of the class. ¿Qué grupo está más a la moda?

EL ESPAÑOL *EN ACCIÓN*

EN UNA TIENDA DE ROPA

Kate, the University of Toronto student we met on page 110, is now living in Medellín, and she wants to buy a present for her new Colombian boyfriend, Carlos. She's at a clothing store. Listen to her conversation with the salesperson.

VENDEDORA:	Buenas tardes. ¿Qué necesita?
KATE:	Buenas tardes. **Le quiero dar** (*I want to give*) un regalo a mi novio. El martes es su cumpleaños.
VENDEDORA:	Muy bien. **Tenemos** ropa muy bonita y barata.
KATE:	**¿Tiene** suéteres de lana?
VENDEDORA:	Sí, claro. También **tenemos** suéteres de algodón. ¿Qué talla necesita?
KATE:	Talla mediana.
VENDEDORA:	**Tengo** este suéter azul de lana en una talla mediana.
KATE:	Me gusta. ¿Cuánto **cuesta**?
VENDEDORA:	$53 pesos
KATE:	Muy bien. Lo llevo (*I'll take it*). **¿Puedo** pagar con tarjeta de crédito o de débito?
VENDEDORA:	No, lo siento. Sólo aceptamos dinero en efectivo. (*We only take cash.*)
KATE:	¡Qué lastima! (*What a pity!*)

¿Entendiste?

1. ¿Qué **quiere** (*want*) Kate?
2. ¿Por qué necesita un regalo para su novio?
3. ¿Qué tipo de suéteres vende la tienda?
4. ¿De qué color y material es el suéter para el novio de Kate?
5. ¿Cuál es el precio?
6. ¿Compra Kate el suéter?

Lengua

Listen to the dialogue again, paying attention to the language used by Kate and the salesperson. Is it formal or informal? Why? Write down the expressions or words that you used to answer the question.

Ahora te toca a ti...

La tienda de ropa

Estudiante A: You are visiting your friend Kate in Medellín, and you want to buy her a present for her vacation in Santa Marta, a Caribbean town. You go to a store and tell the salesperson what you want. Ask about colours, prices, etc.

Estudiante B: You work at a clothing store in Medellín. Help a customer buy what he/she needs. Give him/her information about clothing items, colours, material, etc.

Sugerencias...

- Use the dialogue between Kate and the vendedora as a model.
- To describe sizes, you can use **talla extra grande** (*extra big*), **talla grande** (*big*), **talla mediana** (*medium*) or **talla pequeña / chica** (*small*). You can also use the word **el talle** (*masc.*) instead of **la talla.**
- To express your like or dislike for prices, you can use the following expressions:

  ¡Qué caro! (*How expensive!*)

  ¡Qué barato! (*How cheap!*)

Nota cultural I

La ropa en Colombia: Primera parte

En Colombia y otros países hispanos, la gente generalmente lleva ropa más formal que en Canadá. La mayoría[a] de los hispanos cree que la apariencia y la prolijidad[b] son muy importantes.

La industria de la moda es muy importante en Colombia. Por ejemplo, hay muchos diseñadores[c] famosos como Isabel Henao y Silvia Tcherassi y cada año, la ciudad de Cali organiza el festival de la moda, *Textilmoda: La feria internacional de la industria textil, insumos y moda*. Este evento presenta el trabajo de diseñadores y tiendas de ropa (por ejemplo, materiales y colores nuevos). Mucha gente de Colombia y otros países de Latino América asiste al festival.

¿Y qué ropa lleva la gente en Colombia? En el mundo de los negocios,[d] las mujeres usualmente llevan pantalones de vestir[e] o vestidos formales, y muchas de ellas usan zapatos de tacones altos. Los hombres generalmente usan trajes, camisas y corbatas. Los bluyíns, las camisetas y los zapatos de tenis se consideran[f] inapropiados para el mundo tradicional de los negocios. Lo mismo ocurre[g] con los pantalones cortos

y las sudaderas, que se llevan exclusivamente en la casa, en la playa o cuando se hace deporte.

Como en otros países hispanos, en Colombia los jóvenes llevan ropa informal y se visten[h] de acuerdo a la moda, que es generalmente la misma[i] que en Europa y América del Norte.

[a]*most* [b]*neatness* [c]*designers* [d]En... *In the business world* [e]*dressy* [f]*se... are considered* [g]*lo... the same can be said about* [h]*they dress* [i]*the same*

¿Entendiste?

1. ¿Qué lugar (*place*) **tiene** la ropa en Colombia?
2. ¿Dónde es *Textilmoda*?
3. ¿Qué **puedes** ver (*can see*) en *Textilmoda*?
4. ¿Lleva la gente en Canadá el mismo tipo de ropa que en Colombia?

You can find more information about *Textilmoda* at **www.mcgrawhill.ca/olc/knorre.**

Más allá del número 100

Kate tiene un presupuesto (*budget*) para su viaje a Medellín. ¿Cuánto dinero (*money*) necesita? Calcula su presupuesto en español. Usa los números a continuación.

Boleto de avión (*plane ticket*)	$950
Matrícula (*tuition fees*) del programa de español	$2.432
Dinero para libros	$325
Dinero para ropa	$687
Dinero para comida (*food*)	$1.690
Dinero para viajes (*trips*) y actividades	$4.000
Presupuesto total	$_____

¿Es barato el viaje de Kate a Medellín?

Ahora vamos a aprender (*learn*) más sobre los números…
Continúa las secuencias:

noventa y nueve, cien, ciento uno…
mil, dos mil…
un millón, dos millones…

100	cien, ciento	**700**	setecientos/as
101	ciento uno / una	**800**	ochocientos/as
200	doscientos/as	**900**	novecientos/as
300	trescientos/as	**1.000**	mil
400	cuatrocientos/as	**2.000**	dos mil
500	quinientos/as	**1.000.000**	un millón
600	seiscientos/as	**2.000.000**	dos millones

1. **Ciento** is used in combination with numbers from 1 to 99 to express the numbers 101 through 199: **ciento uno, ciento dos, ciento setenta y nueve,** and so on. **Cien** is used in counting and before numbers greater than 100: **cien mil, cien millones.**

2. When the numbers 200 through 900 modify a noun, they must agree in gender: **cuatrocientas camisas, doscientos dos pantalones.**

3. **Mil** means *one thousand* or *a thousand*. It does not have a plural form in counting, but **millón** does. When followed directly by a noun, **millón** (**dos millones,** and so on) must be followed by **de.**

mil gracias	un millón **de** gracias
3.000 habitantes	tres mil habitantes
14.000.000 de habitantes	catorce millones **de** habitantes

 In many parts of the Spanish-speaking world, a period in numerals is used where English uses a comma, and a comma is used to indicate the decimal where English uses a period: **$1.500; $1.000.000; $10,45; 65,9%.**

4. Note how years are expressed in Spanish.

1899	mil ochocientos noventa y nueve
2011	dos mil once

Práctica

A. Los precios en Canadá. Imagine that a Colombian doctor is interested in immigrating to Canada. You want to give him/her an idea of prices of things here. Tell him/her how much the following things cost. Expresa los siguientes precios en dólares en español.

1. unos bluyíns de moda: $100
2. unos zapatos de tenis tipo NBA: $150
3. un anillo de diamantes: $1.200
4. unos aretes de oro: $225
5. la matrícula de una escuela privada: $800 por mes
6. un cinturón de cuero de un diseñador famoso: $330
7. un coche europeo: $75.000
8. un coche pequeño tipo Honda Fit: $13.500
9. una casa grande en una zona residencial muy exclusiva: $873.400
10. una computadora muy buena: $2.389

B. Canadá y Colombia. ¿Qué fechas históricas son importantes en Canadá y Colombia? ¿Cómo son Canadá y Colombia? Expresa las siguientes fechas y números en español. ¿Qué país es más joven? ¿Qué país es más grande?

1. 1508: Los primeros españoles llegan a Colombia.
2. 1535: Jacques Cartier llega a Canadá.
3. El 20 de julio de 1810: Independencia de Colombia
4. El 1 de julio de 1867: Canadá es oficialmente un país.
5. Canadá tiene 33.212.696 de habitantes y Colombia tiene 44.760.630 de habitantes.
6. El territorio de Canadá tiene 9.971.000 km^2 (**kilómetros cuadrados**) y el territorio de Colombia tiene 1.141.748 km^2.

C. Colombia Moda. Otro evento de ropa importante en Colombia es el festival *Colombia Moda*, en Medellín. ¿Cómo es el evento? With a classmate, look at the information below and exchange information about the event using **¿Cuánto/a/os... ?** Follow the model.

MODELO: las personas: 2.859.000 →
E1: ¿Cuántas personas hay?
E2: Hay dos millones ochocientos cincuenta y nueve mil personas.

1. los habitantes de Medellín: 3.312.165
2. los modelos: 146
3. los diseñadores de moda: 37
4. los vestidos: 382

5. los pares de zapatos: 1295
6. los desfiles (*fashion shows*): 102
7. los restaurantes: 18
8. los expositores (*exhibitors*): 200

¿Hay un evento similar en Canadá? ¿Dónde es? ¿Cómo es?

¿Recuerdas?

You began using the singular forms of the verb **tener** in previous chapters. Review them by completing the following verb forms.

1. tú t___nes   2. yo te___o   3. Julio t___ne

What can you say about yourself and your family using these forms? Make three sentences and share them with your classmates.
You will learn about similar patterns in **Gramática 1.**

GRAMÁTICA 1

EXPRESSING ACTIONS AND STATES: *TENER, VENIR, PREFERIR, QUERER,* AND *PODER;* SOME IDIOMS WITH *TENER*

GRAMÁTICA EN ACCIÓN: UN MENSAJE TELEFÓNICO EN EDMONTON, ALBERTA

Hola, Jorge, soy yo, Jaqui.

Como tú sabes, yo siempre prefiero comprar la ropa en West Edmonton Mall. Pero hoy no tengo tiempo de ir allí (*there*). Le quiero comprar una camisa a Juan Miguel para su cumpleaños mañana. Puedo encontrar algo aquí en una tienda en Whyte Avenue. ¿Puedes ayudarme (*help me*)? ¡¡Llámame!! (*Call me!*) O mejor todavía... ¿por qué no vienes a mi casa? Un millón de gracias, Jorge. Hasta pronto.

¿Entendiste?

Ahora vuelve a contar (*retell*) la conversación de Jaqui. Todos los infinitivos terminan en **-er** o **-ir.**

1. Jaqui prefier___ comprar la ropa en West Edmonton Mall.

2. Pero hoy no tien___ tiempo de ir allí.

3. Quier___ comprar algo para un amigo.

4. Jackie pued___ encontrar una camisa en una tienda en Whyte Avenue.

5. Su amigo Jorge, ¿vien___ a ayudarla (*help her*) a hacer la compra? ¿Qué crees tú?

Tener, venir, preferir, querer, and poder

tener *(to have)*		**venir** *(to come)*		**preferir** *(to prefer)*		**querer** *(to want)*		**poder** *(to be able, can)*	
tengo	tenemos	vengo	venimos	prefiero	preferimos	quiero	queremos	puedo	podemos
tienes	tenéis	vienes	venís	prefieres	preferís	quieres	queréis	puedes	podéis
tiene	tienen	viene	vienen	prefiere	prefieren	quiere	quieren	puede	pueden

1. The **yo** forms of **tener** and **venir** are irregular.

2. In other forms of **tener** and **venir,** and in **preferir** and **querer,** when the stem vowel **e** is stressed, it becomes **ie.**

3. Similarly, the stem vowel **o** in **poder** becomes **ue** when stressed.

4. In vocabulary lists these changes are shown in parentheses after the infinitive: **p**o**der (p**ue**do).** Verbs of this type are called *stem-changing verbs.* You will learn more verbs of this type in **Capítulo 5, Gramática 2.**

5. The verbs **poder, preferir,** and **querer** can be followed by an infinitive, like **comprar, hacer** (*to do*), and **necesitar.**

tener: yo **tengo,** tú **tienes** (e → ie)…
venir: yo **vengo,** tú **vienes** (e → ie)…

preferir, querer: (e → ie)

poder: (o → ue)

 The **nosotros** and **vosotros** forms of these verbs do not have changes in the stem vowel because it is not stressed.

¿**Puedes** comprar un regalo para mi hermana?
Can you buy a present for my sister?
¿Qué **quieres / prefieres / necesitas hacer** hoy?
What do you want / prefer / need to do today?

Quiero / Prefiero / Necesito ir de compras al centro comercial en la calle Bolívar.

Some Idioms with *tener*

1. Many ideas expressed in English with the verb *to be* are expressed in Spanish with *idioms* (**los modismos**) using **tener.** You already know one: **tener… años.** Below and on page 120 are some more. They describe a condition or state.

Idiom = an expression whose meaning cannot be inferred from the meaning of the words that make it up

Idiomatic expressions are often different from one language to another. For example, in English, *to pull Mary's leg* usually means *to tease her,* not *to grab her leg and pull it.* In Spanish, *to pull Mary's leg* is *tomarle el pelo a Mary* (lit. *to pull Mary's hair*).

María *tiene sueño.*

Andrea *tiene prisa.*

Mónica *tiene razón.*

Esteban *no tiene razón.*

Ignacio *tiene miedo.*

Miguel y Diego *tienen sed.*

Manuelito *tiene hambre.*

Mis abuelos *tienen calor.*

Julieta y Laura *tienen frío.*

2. Other **tener** idioms include **tener ganas de** (*to feel like*) and **tener que** (*to have to*). The infinitive is always used after these two idiomatic expressions.

Tengo ganas de comprarle una nueva chaqueta a mi mamá.
I feel like buying a new jacket for my mom.

¿Tiene Ud. que llevar traje en su trabajo?
Do you (formal) have to wear a suit at work?

Práctica

A. ¡Kate tiene mucha tarea (*homework*)! ¿Recuerdas a Kate en Medellín? ¿Cómo es un día de estudio para ella?

Paso 1. Escribe oraciones completas con las palabras indicadas. Añade (*Add*) palabras si es necesario.

MODELO: Kate / tener / que / estudiar / mucho / hoy →
Kate tiene que estudiar mucho hoy.

1. Kate / tener / muchos exámenes
2. (ella) venir / a / universidad de Medellín / todos los días
3. hoy / trabajar / hasta / nueve / de / noche
4. preferir / estudiar / en / biblioteca
5. querer / leer / más / pero / no poder
6. por eso / regresar / a / casa
7. tener / ganas de / leer / más
8. pero / unos amigos / venir a mirar / televisión
9. Kate / decidir / mirar / televisión / con ellos

Paso 2. Now repeat the same sequence of events, first as if they had happened to you, using **yo** as the subject of all but item 8, and then as if they had happened to you and your roommate, using **nosotros/as.**

B. Situaciones. Escribe una oración con **tener** para cada una de estas situaciones.

MODELO: Mike, el hermanito de Kate, es muy joven. →
Mike tiene 6 años.

SITUACIONES

1. Simon, el gato de Kate, es muy viejo.
2. En la casa de los papás de Kate, hay un perro grande y furioso. A la abuela de Kate no le gusta el perro.
3. Son las tres de la mañana y Kate estudia para sus clases. Está cansada.
4. Mike dice (*says*): "Dos y dos son… seis".
5. Ahora Mike dice: "Bogotá es la capital de Colombia".
6. La mamá de Kate dice: "Tenemos que estar en la tienda *Roots* a las tres y ya son (*it's already*) las tres menos cuarto".
7. Kate dice: "Los exámenes de las clases de español en Toronto son muy fáciles (*easy*). Mis compañeros no…."
8. Hace 32°C en Medellín y Kate no tiene aire acondicionado.
9. Hace −32°C en Toronto y el papá de Kate está en la calle.
10. Son casi (*almost*) las 12:00 P.M. y los estudiantes de la Universidad de Toronto quieren comer y beber (*drink*) pronto.

C. Los estereotipos. Draw some conclusions about Isabel, Kate's Colombian friend, based on this scene. Think about things that she has, needs to or has to do or buy, likes, and so on. When you have finished, compare your predictions with those of a classmate. Did you reach the same conclusions?

MODELO: Isabel tiene cuatro gatos. Tiene que…

Vocabulario útil	
el juguete	toy
los muebles	furniture
el sofá	
hablar por teléfono	
tener alergia a	to be allergic to

Nota comunicativa

Using *mucho* and *poco*

In the first chapters of *Puntos de partida,* Canadian Edition, you have used the words **mucho** and **poco** as both adjectives and adverbs. *Adverbs* (**Los adverbios**) are words that modify verbs, adjectives, or other adverbs: ***quickly, very** smart, **very** quickly.* In Spanish and in English, adverbs are invariable in form. However, in Spanish, adjectives agree in number and gender with the word they modify.

adverbs

Kate estudia **mucho** hoy.	*Kate is studying a lot today.*
Isabel compra **poco.**	*Isabel doesn't buy much.*

adjectives

Kate tiene **mucha** ropa. Sobre todo tiene **muchos** zapatos.	*Kate has a lot of clothes. She especially has a lot of shoes.*
Isabel tiene **poca** ropa. Compra **pocos** zapatos.	*Isabel doesn't have much clothing. She buys few shoes.*

A conversar...

El / La compañero/a de casa

Estudiante A: You're trying to save some money, so you decide to share your apartment with a roommate. You have placed an ad in your school's newspaper, and now you're interviewing a possible candidate. Get to know this person. Ask him/her questions about his/her preferences (e.g., if he/she prefers to study at home or at the library and to listen to loud music; if he/she has many pets, clothes; if he/she can speak other languages). Use the verbs from *Gramática 1* and the vocabulary presented so far (e.g., **ropa, mucho / poco**).

Estudiante B: You're looking for a roommate. You have seen an ad in the school's newspaper, and now you have an interview with someone who's looking for a roommate. Answer his/her questions, and get to know this person, too. Ask him/her questions about his/her preferences (e.g., if he/she prefers to study at home or at the library and to watch TV late at night (*tarde*); if he/she has many pets, clothes; if he/she plays many sports, *jugar deportes*). Use the verbs from *Gramática 1* and the vocabulary presented so far (e.g., **ropa, mucho / poco**).

Nota cultural II

La ropa en Colombia: Segunda parte

En Colombia, como en muchos países hispanos, existe otro tipo de industria de la ropa: los mercados callejeros.[a] En estos mercados podemos comprar ropa tradicional como sombreros, ponchos, mantas,[b] faldas, blusas, etc. En general, esta ropa está hecha[c] a mano[d] con materiales tradicionales como lana de vicuña, algodón y arpillera.[e] Uno de los mercados más tradicionales de Colombia está en Silvia, un pequeño pueblo[f] en los Andes, cerca de Cali. Podemos visitar este mercado callejero todos los martes. Muchas cosas se venden[g] en estos tipos de mercados además de[h] ropa. Por ejemplo, podemos comprar comida tradicional, frutas y verduras[i] y hasta[j] jabón.[k] Una característica importante de estos mercados es el "regateo".[l] El comprador puede "negociar" el precio de un producto con la persona que lo vende.[m]

En general, los mercados callejeros latinoamericanos les dan a los grupos indígenas tradicionales la oportunidad de vender sus productos. En Silvia, podemos encontrar a los representantes del grupo tradicional *Guambiano*. Este grupo indígena ha vivido[n] en el territorio de los Andes colombianos desde antes de la llegada[ñ] de los españoles. En la actualidad[o] hay aproximadamente 17.000 personas en este grupo. Si quieres aprender más sobre los guambianos, puedes visitar el sitio web **www.mcgrawhill.ca/olc/knorre.**

Ahora mira esta foto de los guambianos en el mercado de Silvia y describe cómo es su ropa tradicional.

[a]mercados... *street markets* [b]*blankets* [c]está... *is made* [d]a... *handcrafted* [e]*burlap* [f]*town* [g]se... *are sold* [h]además... *besides* [i]*vegetables* [j]*even* [k]*soap* [l]*haggling or bartering* [m]que... *who sells it* [n]ha... *has lived* [ñ]desde... *since before the arrival* [o]*Nowadays*

¿Entendiste?

1. ¿Qué tipo de ropa podemos comprar en un mercado callejero?
2. ¿De qué material es la ropa?
3. ¿Hay un precio fijo (*set price*) para los productos?
4. ¿Quiénes son los guambianos?

GRAMÁTICA 2

EXPRESSING DESTINATION AND FUTURE ACTIONS:
Ir; Ir + a + INFINITIVE; THE CONTRACTION *al*

GRAMÁTICA EN ACCIÓN: ¿ADÓNDE VAS?

Kate y Angélica son compañeras de cuarto.

ANGÉLICA: ¿Adónde vas?
KATE: Voy al centro (*downtown*).
ANGÉLICA: ¿Qué vas a hacer en el centro?
KATE: Voy a comprar un vestido para la fiesta de Javier. ¿No vas a ir a su fiesta este fin de semana?
ANGÉLICA: ¡Claro que voy!

¿Entendiste?

¿Cierto o falso? Corrige las oraciones falsas.

1. Kate va a estudiar.   C   F
2. Kate va a comprar un regalo para Javier.   C   F
3. Angélica va a asistir a la fiesta.   C   F

Ir is the irregular Spanish verb used to express *to go*.

ir *(to go)*	
voy	vamos
vas	vais
va	van

The first person plural of **ir, vamos** (*we go, are going, do go*), is also used to express *let's go*.

Vamos a clase ahora mismo.
Let's go to class right now.

Ir + a + Infinitive

Ir + a + infinitive is used to describe actions or events in the near future.

 This structure is like **aprender + a + infinitive**, which you learned in **Capítulo 3**.

Van a venir a la fiesta esta noche.
They're going to come to the party tonight.

The Contraction *al*

In **Capítulo 3**, you learned about the contraction **del (de + el → del)**. The only other contraction in Spanish is **al (a + el → al)**.

 Both **del** and **al** are obligatory contractions.

a + el → al

Voy **al** centro comercial.
I'm going to the mall.

Práctica

A. ¿Adónde van? Forma oraciones completas, usando (*using*) **ir**.
Recuerda: **a + el → al.**

MODELO: Javier / el centro → Javier *va al* centro.

1. Nosotros / el mercado de Silvia
2. Kate / la clase de historia de Colombia
3. Isabel y Angélica / el centro comercial
4. Tú / la clase de español
5. Ud. / una tienda pequeña
6. Yo / ¿ ?

B. Mañana

Paso 1. Usa las siguientes frases para expresar lo que (*what*) vas a hacer o no hacer mañana.

MODELO: ir de compras → Mañana, no *voy a ir* de compras.

1. ir a un centro comercial
2. comer en la cafetería de la universidad
3. estudiar en la biblioteca
4. escribir correos electrónicos
5. venir a la clase de español
6. poder hacer toda mi tarea
7. mirar televisión
8. practicar un deporte (*sport*)
9. ir a una fiesta o ir a bailar
10. estudiar para un examen

Paso 2. Ahora usa las frases del **Paso 1** para entrevistar a un/a compañero/a sobre sus planes para el fin de semana. Traten de obtener (*Try to get*) mucha información.

¡OJO! ¿adónde? = *where to?*

MODELO: ir de compras →
　　　　¿Vas a ir de compras este fin de semana? ¿Adónde vas a ir?
　　　　¿Por qué vas a ese centro comercial? ¿Qué vas a comprar?

C. Repaso: ¿Qué prefieren? Forma oraciones completas, usando una palabra o frase de cada (*each*) columna. Puedes formar oraciones negativas también.

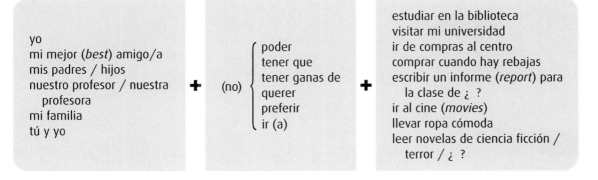

yo
mi mejor (*best*) amigo/a
mis padres / hijos
nuestro profesor / nuestra
　profesora
mi familia
tú y yo

+ (no) poder
tener que
tener ganas de
querer
preferir
ir (a)

+ estudiar en la biblioteca
visitar mi universidad
ir de compras al centro
comprar cuando hay rebajas
escribir un informe (*report*) para
　la clase de ¿ ?
ir al cine (*movies*)
llevar ropa cómoda
leer novelas de ciencia ficción /
　terror / ¿ ?

D. Repaso: Las amigas de Kate. Kate le escribe un correo electrónico a su amiga Claudia en la Universidad de Alberta. Kate habla de sus dos amigas colombianas, Isabel y Angélica. Completa los espacios en blanco con la forma correcta de los verbos entre paréntesis.

● ○ ○

From: kata@linktoweb.ca
　To: claudia@profileweb.ca
Subject: Mis amigas colombianas

Hola, Claudia. ¿Cómo 1. _____ (estar)? Yo 2. _____ (estar) muy contenta en Medellín. 3. _____ (Tener) dos amigas colombianas, Isabel y Angélica. Angélica 4. _____ (ser) mi compañera de casa y nos llevamos muy bien (*we get along well*). Las dos (*we both*) 5. _____ (tener) 20 años y 6. _____ (preferir) ir a las fiestas y a bailar todos los fines de semana. Este viernes 7. _____ (tener) ganas de bailar y 8. _____ (ir) a ir a una discoteca de vallenato (*type of traditional Colombian music*). Isabel 9. _____ (ser) un poco diferente. Ella siempre 10. _____ (querer) ir al cine o a un restaurante. Yo nunca 11. _____ (poder) convencerla (*convince her*) para ir a bailar. ¡Pobre Isabel! Ella siempre (*always*) 12. _____ (tener) sueño porque 13. _____ (trabajar) mucho. Además ella y su compañera de casa 14. _____ (tener) cuatro gatos. Uno de los gatos siempre 15. _____ (tener) hambre y entonces (*so*) Isabel le 16. _____ (tener) que dar comida a las 3:00 de la mañana. Tú 17. _____ (tener) un gato, ¿no? Mañana Isabel, Angélica y yo le 18. _____ (tener) que comprar un regalo a un amigo. 19. ¿_____ (tú: poder) decirme (*tell me*) qué tienda 20. _____ (tú: preferir) en Medellín?

Sugerencias...

To contradict your friend you can start your sentence with **pero** (*but*).

To express agreement you can say: **¡Buena idea!** or **De acuerdo** (*I agree*) or **¡Muy bien!**

To express disagreement you can say: **No estoy de acuerdo** (*I disagree*) or **No me gusta mucho esa idea** (*I don't like that idea very much*).

A conversar...

Los planes del fin de semana

Estudiante A: You want to go out with your best friend this weekend. Plan some activities. Then ask him/her where he/she plans to go, and invite him/her to join you (*¿Quieres... ?*). Tell him/her why you want to do the planned activities. Convince him/her to agree with you (e.g., you can describe the activities in very positive terms). Use the verbs in **Gramática 1** and **2** (e.g., **preferir, querer, tener, poder,** and **ir + a +** infinitive).

Estudiante B: Your best friend wants to go out with you this weekend. Answer his/her questions, and then try to convince him/her to join you in whatever plans you have for the weekend (*¿Quieres... ?*). Tell him/her why you want to do your planned activities. Convince him/her to agree with you (e.g., you can describe the activities in very positive terms). Use the verbs in **Gramática 1** and **2** (e.g., **preferir, querer, tener, poder,** and **ir + a +** infinitive).

GRAMÁTICA 3

EXPRESSING *TO WHO(M)* OR *FOR WHO(M)*:
INDIRECT OBJECT PRONOUNS; *DAR* AND *DECIR*

GRAMÁTICA EN ACCIÓN: EN LA TIENDA

KATE: Buenas tardes. Le quiero dar un regalo a mi novio. El martes es su cumpleaños.
VENDEDORA: Muy bien. Tenemos ropa muy bonita y barata.
KATE: ¿Me puede decir cuánto cuesta este suéter?
VENDEDORA: Sí, claro. Aquí está el suéter. Cuesta $30. Si Ud. paga en efectivo (*pay cash*) le doy un descuento.

¿Entendiste?

Responde a las siguientes preguntas sobre el diálogo entre Kate y la vendedora.

1. ¿Qué le compra Kate a su novio?
2. ¿Qué le muestra (*show*) la vendedora a Kate?
3. ¿Qué le pregunta Kate a la vendedora?
4. ¿Qué le da la vendedora a Kate si compra el suéter en efectivo?

Indirect Object Pronouns

me	to/for me	**nos**	to/for us
te	to/for you (*fam. sing.*)	**os**	to/for you (Spain)
le	to/for you (form. sing.), to/for her, him, it	**les**	to/for you to/for them

1. Indirect object nouns and pronouns are the second recipient of the action of the verb. They usually answer the questions *to whom?* or *for whom?* in relation to the verb. The word *to* is frequently omitted in English.

> **Indirect object** = a noun or pronoun that indicates *to who(m)* or *for who(m)* an action is performed.

2. Indirect object pronouns (**los pronombres de complemento indirecto**) are placed immediately before the conjugated verb. They may also be attached to an infinitive.

3. Since **le** and **les** have several different equivalents, their meaning is often clarified or emphasized with the preposition **a** followed by a pronoun.

4. With third person forms, it is common for a Spanish sentence to contain both the indirect object noun and the indirect object pronoun.

Indicate the indirect objects in the following sentences:

1. Kate is giving him the present tomorrow.
2. Could you please tell me the answer?
3. Mi mamá nos compra dos sombreros para la playa.
4. ¿Me das (tú) mi libro por favor?

No, no **te presto** mi falda nueva.
No, I won't lend you my new skirt.

Voy a **comprarte** un abrigo esta tarde.
Te voy a comprar un abrigo esta tarde.
I'll buy you a coat this afternoon.

Te tengo que lavar el pantalón.
Tengo que lavarte el pantalón.
I have to wash your pants for you.

Voy a comprar**le** un par de zapatos **a Ud. (a él, a ella)**
I'm going to buy you (him, her) a pair of shoes.

Les doy un regalo **a Uds. (a ellos, a ellas)**
I'm giving / I give you (them) a present.

Kate **le** va a comprar un suéter **a Carlos** para su cumpleaños.
Kate will buy Carlos a sweater for his birthday.

Les tengo que comprar ropa nueva **a mis hijos.**
I have to buy new clothes for my children/kids.

Dar and *decir*

Dar (*to give*)		decir (*to say*)	
doy	damos	digo	decimos
das	dais	dices	decís
da	dan	dice	dicen

1. **Dar** and **decir** are almost always used with indirect object pronouns in Spanish.

    In Spanish there are two verbs for *to give*: **dar** (*to give in general*) and **regalar** (*to give as a gift*). Also, do not confuse **decir** (*to say* or *to tell*) with **hablar** (*to speak*) or **contar** (*to tell, to narrate*).

2. As you may have noticed, **dar** and **decir** have irregular forms for the first person singular (**yo**).

Mamá, ¿cuándo **me das** (tú) el dinero para comprar ropa?
Mom, when will you give me the money to buy clothes?

¿**Le** puede **decir** (Ud.) cuánto cuesta este collar?
Can you tell him/her how much this necklace costs?

(Yo) le **doy** a mi hermana un anillo de plata para su cumpleaños.
(Yo) le **digo** el precio de esta blusa a mi mamá.

Práctica

A. Los regalos. You're trying to save some money to buy presents for your family and friends for the holidays. What are you planning to buy for them? What do you think they will buy for you and your siblings? Escribe oraciones usando el vocabulario a continuación y los pronombres de complemento indirecto (**me, te, le, nos, os, les**).

MODELO: mis padres / dar / trajes de baño para nuestras vacaciones / a nosotros (*for us*) →
Mis padres nos dan trajes de baño para nuestras vacaciones a nosotros.

1. yo / regalar / una bolsa de cuero / a mi mejor amiga
2. yo / comprar / un regalo bonito / a ti (*for you*)
3. mi novio/a / dar / un reloj / a mí (*for me*)
4. yo / dar / un vestido a lunares / a mi abuela
5. yo / comprar / unos aretes modernos / a mis hermanas
6. mis padres / dar / unas chaquetas / a mí y a mis hermanos
7. mi compañero/a de cuarto / regalar / una bufanda / a mí
8. Tú / comprar / unos zapatos de tenis / a tu tío
9. Vuestro abuelo / regalar / unas camisas / a vosotros

B. Las tiendas en Colombia. Kate escribe en su diario (*diary*) en español qué pasa (*what happens*) en una tienda colombiana.

Paso 1. Llena los espacios en blanco con la forma correcta de los verbos **dar** y **decir.**

Paso 2. Elige el pronombre de objeto indirecto correcto de acuerdo al contexto. Circle the correct option.

Las tiendas colombianas son similares y diferentes a las tiendas canadienses. Primero, la vendedora **me / te** (1) _____ (decir) (a ti) "Buenas tardes" en vez de (*instead of*) "How can I help you?" Luego yo miro la ropa y (yo) **te / le** (2) _____ (decir) a la vendedora lo que quiero (*what I want*). Ella **le / me** muestra (*shows me*) la ropa (a mí). También hablamos sobre el material y los colores. Yo **les / le** pregunto a ella cuánto cuesta la ropa. Ella **me / nos** (3) _____ (dar) el precio (a mí). En Canadá, generalmente las vendedoras no **les / nos** (4) _____ (decir) el precio (a nosotros) porque la ropa tiene el precio marcado. Tampoco las vendedoras **les / nos** muestran la ropa (a nosotros). Nosotros podemos ver la ropa sin ayuda (*without help*). En Colombia, yo siempre **le / les** pregunto a las vendedoras si puedo pagar con tarjeta de crédito porque algunas (*some*) tiendas sólo aceptan dinero en efectivo. En Canadá, todas las tiendas aceptan tarjetas de crédito…

¿Estás de acuerdo con la descripción de Kate sobre las tiendas canadienses?

C. Soluciones. Lee las siguientes situaciones con un/a compañero/a y forma oraciones con soluciones para los problemas. Usa la información a continuación, los verbos **dar, decir** y **regalar** y los pronombres de complemento indirecto.

MODELO: Dieguito tiene sed. Su mamá… a Dieguito. →
*Su mamá **le da un vaso de agua** a Dieguito.*

1. Nuestros amigos tienen frío y no tienen ropa de invierno. Nosotros… a ellos
2. A: Hoy es mi cumpleaños.
   B: Estamos seguros que tu novio / novia… a ti.
3. Nosotros tenemos siempre mucha prisa. Ellos… a nosotros.
4. Martita tiene mucho calor. Sus abuelos… a ella.
5. Mi mejor amigo/a va de vacaciones al Caribe colombiano. Yo… a él / ella.
6. Vosotros tenéis una fiesta formal este sábado. Vuestros padres… a vosotros.
7. Isabel siempre tiene que hacer muchas cosas. Kate… a ella.
8. El martes es el cumpleaños de Carlos. Kate… a él.

UN POCO DE TODO

VIDEOTECA

En contexto

1. Un mercado callejero en Costa Rica

In **Capítulo 2,** you met Juan Carlos, a university student in Perú. In this chapter, you will meet his Costa Rican cousin, Mariela. Watch the clip for this chapter online. ¿Qué vende el mercado en Costa Rica? ¿Es similar o diferente al mercado de Silvia en Colombia (**Nota cultural II**)? Escribe una lista de las similitudes y diferencias entre los dos mercados. ¿De dónde es la vendedora?

2. ¿Entendiste?

A. Las chaquetas. ¿Qué pasa en la conversación entre Mariela y la vendedora? Ahora completa los espacios en blanco con las siguientes palabras. Tienes que escribir la forma correcta (género y número) según el contexto.

blanco	5.000	amarillo	negro	algodón	nos
500	hermana	madre	caro	lana	le
barato	chaquetas	colores	4.500	me	te

Mariela quiere comprar una chaqueta para su (1) _____. La vendedora

tiene chaquetas de (2) _____ muy bonitas. Las chaquetas cuestan

(3) _____ colones (*the currency in Costa Rica*). Mariela dice que el precio

es muy (4) _____. Luego la vendedora (5) _____ da a

Mariela un precio más (6) _____ de (7) _____ colones.

Mariela acepta y explica que los (8) _____ favoritos de su hermana son

el (9) _____ y el (10) _____.

B. Las expresiones en el mercado. En este segmento, la vendedora dice algunas expresiones típicas de una tienda. Now imagine that you are trying to buy a sweater from the same woman. What would she say? What could you answer?

Paso 1. Read the questions she might ask and check the most logical answer.

1. Buenos días. ¿Qué tipo de suéter quiere ver Ud.?

   ☐ Busco uno para mi hermana.
   ☐ Me gustan los suéteres.
   ☐ Es para mi madre.
   ☐ Uno de algodón.
   ☐ Es alto.

2. Tenemos muchos colores y estilos diferentes. ¿Qué color prefiere Ud.?

   ☐ Prefiero uno grande / pequeño.
   ☐ Verde.
   ☐ De seda.
   ☐ Una cartera.
   ☐ A cuadros.

3. Este suéter es perfecto y sólo cuesta 3.000 colones. ¿Quiere comprar este suéter?

   ☐ No tengo prisa.
   ☐ Es caro. Puedo pagar 2.500 colones.
   ☐ Es barato. Puedo pagar 3.500.
   ☐ Es de color café.
   ☐ Tengo razón.

4. Es muy poco. ¿No puede pagar un poco más?

   ☐ Es cómodo.
   ☐ Está de moda.
   ☐ De plata.
   ☐ ¿Puedo pagar 2.800?
   ☐ Es de lana.

Paso 2. Ask questions that would require the answers listed in each question.

MODELO: Answer: Busco uno para mi hermana.   You ask: ¿Para quién buscas un suéter?

LECTURA

SOBRE LA LECTURA... This reading is adapted from an article that appeared in the online edition of the Argentinean newspaper *Clarín*. Besides informing readers about current news on issues that affect Argentina and the world, the site usually publishes articles related to topics of general interest, such as the one featured in this section.

> **ESTRATEGIA: Using Cognates (Words that are Similar in Spanish and English) to Understand Content**

ANTES DE LEER

In this chapter, we will review the reading strategy we learned in **Capítulo 1:** Using cognates to understand a passage. Read the title and first paragraph of the passage below. Underline the words that are similar to English words. Can you guess what this text is about? Write three ideas.

A LEER

Now read the whole text, and see if your ideas are correct. Pay attention to other cognates and underline them.

Ropa inteligente en Europa

Septiembre significa en Europa el comienzo del frío otoñal.[a] Por eso[b] no es una coincidencia que se haya elegido[c] este mes para presentar unas nuevas y bien abrigadas camperas.[d] Pero[e] la presentación no estuvo[f] muy relacionada a la industria de la moda. Fue la tecnología la reina del desfile:[g] hablamos de la primera[h] línea de ropa tecnológica que sale de los laboratorios y llega directo a las vidrieras.[i]

Hay sólo cuatro modelos de camperas y su diseño corresponde a la llamada ICD+ (Industrial Clothing Division Plus). Las futuristas camperas, fabricadas[j] por Philips y la compañía de ropa Levi Strauss, además de los botones, el forro,[k] y de todos sus "componentes tradicionales", incluyen un teléfono celular, un reproductor de música en MP3, un par de auriculares[l] y micrófono. Todo prolijamente "cosido"[m] a las camperas y con un control remoto central que avisa,[n] por ejemplo, cuándo una persona tiene una llamada telefónica.

Cada campera cuesta alrededor de[ñ] 900 dólares y por ahora la gente sólo puede comprar esta ropa en Europa, en unas 40 tiendas de Francia, Gran Bretaña, Italia, Suecia, Alemania y Grecia.

© Clarín Contenidos

[a]comienzo... *the beginning of the cold fall weather* [b]Por... *That's why* [c]se... *it was chosen* [d]*very warm jackets* [e]*but* [f]no... *wasn't* [g]reina... *queen of the fashion show* [h]*first* [i]*display windows* [j]*made* [k]*lining* [l]*headphones* [m]prolijamente... *neatly sewn* [n]*lets a person know* [ñ]*around*

DESPUÉS DE LEER

A. Cognados. ¿Tienes ideas correctas sobre el tema (*topic*) del texto? ¿Qué palabras te ayudan (*help*) a entender el texto? Menciona algunas palabras.

B. ¿Entendiste? Ahora contesta estas preguntas sobre el texto.

1. ¿De dónde son las camperas o chaquetas "inteligentes"?
2. ¿Quién va a usar esta ropa?
3. ¿Quién hace las camperas?
4. ¿Cómo son? ¿Por qué son "inteligentes"?
5. ¿Puedes escuchar música si llevas estas camperas? ¿Qué más puedes hacer?

6. ¿Son baratas las camperas?
7. ¿Dónde podemos comprar estas camperas?
8. ¿Quieres una campera inteligente? ¿Por qué? ¿Por qué no?

C. Tu ropa inteligente. Working with a classmate, now you need to create your own "ropa inteligente".

Paso 1. Elijan (*choose*) tres prendas. Describan el color y el material.

Paso 2. Describan qué puede hacer cada prenda. Usen el vocabulario de este capítulo (poder, tener que, preferir, dar, decir, etc.). Ustedes también le pueden pedir (*ask for*) ayuda a su instructor/a.

Paso 3. Ustedes tienen que preparar una presentación para sus compañeros.

REDACCIÓN

MI TIENDA FAVORITA

En este capítulo, vas a escribir una descripción de tu tienda de ropa favorita.

ANTES DE ESCRIBIR

Use the questions that follow to organize your thoughts. Your instructor can help you with words or constructions that are unfamiliar to you.

1. ¿Cómo se llama tu tienda favorita?
2. ¿Dónde está?
3. ¿Para quién es esta tienda? (¿Quién compra ropa en esta tienda?) ¿Por qué? ¿Cómo es la tienda? (colores, decoración, música)
4. ¿Es una tienda barata o cara?
5. ¿Qué ropa puede la gente comprar en esta tienda? (ropa, materiales, colores)
6. ¿Qué ropa compras tú en esta tienda?
7. ¿Por qué te gusta esta tienda? ¿Cómo te sientes (*do you feel*) cuando llevas ropa de esta tienda? (Me siento... tranquilo/a, enérgico/a, etcétera.)

A ESCRIBIR

Now write the description of your favourite clothing store and . . .

- Remember to use the vocabulary from this chapter (clothes, colours, materials, etc.).
- Pay attention to gender and number when you use articles, nouns, and adjectives (e.g., **la** cam**isa** ro**ja**), and to the correct verb conjugations (e.g., yo pued**o** comprar…).
- Use connectors and conjunctions to connect your ideas. For example, you can use **y, también, pero, además, sin embargo,** and **porque.** Your instructor can help you to use these words correctly. You can also review the information on connectors in **Capítulo 3.**

DESPUÉS DE ESCRIBIR

Now read your description, and focus on the following:

- Content: Have you included all the information required?
- Grammar:
  - Articles, nouns, and adjectives: Do they agree in gender and number?
  - Verbs: Have you conjugated your verbs correctly?
- Connectors: Have you connected your ideas with the suggested connectors and conjunctions?

Correct your text, and write a new, improved version.

Colombia

Antes de explorar...

What have you learned about Colombia so far? Explore this chapter for information about the country and its people, and, with a classmate, write down some ideas.

¡A explorar!

What else can we learn about Colombia? Read the following passages, and try to think about similarities and differences between Colombia and Canada.

Datos esenciales

- Nombre oficial: República de Colombia
- Capital: Santafé de Bogotá (o Bogotá)
- Población: más de 43 millones de habitantes
- Colombia es el único[a] país sudamericano con costas al mar Caribe y al océano Pacífico.
- Este país tiene una gran riqueza[b] de recursos naturales[c] como petróleo, oro, platino[d] y esmeraldas. De hecho,[e] tiene los yacimientos[f] de platino más grandes del mundo.
- La economía colombiana depende de la exportación de petróleo, además de otros recursos mineros[g] y productos agrícolas como el café y las flores.

[a]*only* [b]*wealth* [c]*natural resources* [d]*platinum* [e]*In fact*
[f]*deposits* [g]*mining*

Islas del Rosario, Cartagena de Indias

Las cafetas. El café es una de las exportaciones principales de Colombia (sólo Brasil exporta más). Las plantaciones de café se llaman "cafetas". Después de sufrir problemas económicos con la caída[a] de los precios mundiales del café, los agricultores colombianos empezaron a diversificar sus productos. Ahora la exportación de productos como flores y frutas es cada vez más[b] importante, aunque el petróleo es la exportación principal del país.

[a]*fall* [b]*cada... more and more*

Bogotá. Bogotá es la capital de Colombia. Es además un importantísimo centro urbano y la sede del gobierno[a] y está en los altiplanos.[b] Antes de la llegada[c] de los españoles, la civilización indígena de los chibchas estableció allí una ciudad llamada[d] "Bacatá". Con el tiempo, el nombre "Bacatá" se convirtió[e] en "Bogotá". Esta ciudad tiene 6.776.009 de habitantes y los turistas pueden visitar muchos lugares interesantes, ya que Bogotá tiene 45 teatros, 58 museos y 28 iglesias antiguas.[f] Si quieres aprender más sobre esta ciudad, puedes visitar la página web **www.mcgrawhill.ca/olc/knorre.**

[a]sede... *government seat* [b]*highlands* [c]*arrival* [d]*called* [e]*became* [f]*old churches*

Un silletero durante el Desfile[a] de los Silleteros, en Medellín. Los silleteros son las personas que cultivan[b] flores en las montañas alrededor[c] de Medellín y que bajan a la ciudad para vender sus arreglos[d] florales conocidos[e] como "silletas". Anualmente la gente celebra el Desfile de los Silleteros durante la Feria de las Flores, en agosto. Es este desfile puedes ver enormes silletas que llegan a pesar hasta[f] 60 kilogramos.

[a]*parade* [b]*grow* [c]*around* [d]*arrangements* [e]*known* [f]llegan... *can weigh up to*

La música, la literatura y la pintura de Colombia

La música y el baile nacionales de Colombia son la cumbia y el vallenato, tradiciones folclóricas que combinan elementos africanos, indígenas y europeos. Los tambores[a] son importantes en ambos estilos. Además, en el vallenato, también se usa el acordeón alemán. Uno de los músicos modernos más importantes de vallenato y cumbia es Carlos Vives. También en Colombia hay músicos de rock importantes como Shakira y Juanes, que son conocidos[b] en todo el mundo.

Otros[c] aspectos importantes de las artes colombianas son la literatura y la pintura. El escritor más famoso de Colombia es Gabriel García Márquez. Este escritor ganó el premio Nóbel[d] en 1982 por la novela *Cien años de soledad*. Otras novelas importantes son *El amor en tiempo de cólera* y *Crónica de una muerte anunciada*.[e] Las historias[f] de García Márquez se desarrollan[g] en Colombia y muestran diferentes aspectos de la cultura del país, combinando[h] la realidad y la fantasía. Este estilo literario se llama "realismo mágico".

La pintura de Colombia también tiene otro representante famoso: el pintor y escultor Fernando Botero. Botero nació[i] en Medellín, donde hay un museo en el que la gente puede ver muchas de sus obras. Las pinturas y

La familia, por (*by*) Fernando Botero

esculturas de Botero muestran escenas de todos los días, pero también expresan temas[j] de actualidad, como la tortura de los prisioneros en Abu Ghraib en Irak. ¿Qué otras características tienen las pinturas de Botero?

[a]*drums* [b]*known* [c]*other* [d]ganó... *won the Nobel Prize* [e]*Chronicle of a Death Foretold* [f]*stories* [g]*take place* [h]*combining* [i]*was born* [j]*topics*

Los colombianos en Canadá

Existen comunidades de colombianos muy activas en las ciudades más grandes de Canadá, como Toronto, Ottawa, Montréal, Calgary y Edmonton con sus propios sitios en la red, actividades sociales y servicios para los colombianos que recién llegan al país. ¿Qué tipo de información puedes encontrar en estos sitios? Ahora visita la página web **www.mcgrawhill.ca/olc/knorre** y escribe una lista de servicios que los colombianos les dan a sus compatriotas[a] y a los canadienses en general.

Otro aspecto importante de la comunidad colombiana en Canadá es su trabajo de caridad.[b] Por ejemplo, un grupo de mujeres colombianas ha establecido[c] una asociación, *The Canadian Colombian Children's Organization,* que ayuda a los niños de familias de bajos recursos[d] en Colombia. Originariamente, esta organización fue creada[e] para asistir a los niños huérfanos en el Orfanato de Nazareth en la región colombiana de Agua de Dios. Ahora visita la página web **www.mcgrawhill.ca/olc/knorre** y escribe una lista de los servicios que esta organización les da a los niños.

[a]*fellow countrymen* [b]*charity work* [c]*has established* [d]*from low-income families* [e]*was created*

The Canadian Colombian Children's Organization

Logo y foto de la organización *The Canadian Colombian Children's Organization*

La ropa de Colombia en Canadá

Como en Colombia, la moda es una parte importante de la comunidad colombiana. Maritza Reyes es una diseñadora de modas colombiana que vive en Toronto. La ropa de Maritza es muy popular en esa ciudad. Aquí te presentamos una entrevista a Maritza, publicada en el sitio de la comunidad colombiana de Toronto. ¿Cómo es Maritza? ¿Qué tipo de ropa diseña? ¿Quién es su influencia más importante?

Maritza Reyes, triunfando en Toronto

El nombre de Maritza Reyes no es desconocido[a] en Toronto. Maritza tiene sólo 27 años y es una diseñadora colombiana que ha revolucionado[b] el mundo de la moda en Canadá. Su pasión por el diseño la lleva en su sangre,[c] inculcada[d] por Gladys, su madre, quien también es diseñadora, y que tiene un rol muy importante en la vida de Maritza.

Pero, ¿quién es Maritza Reyes?

Maritza: Soy una persona creativa y con una gran pasión por el diseño de modas. Soy capaz[e] y emprendedora[f] en mi profesión.

Y ¿cómo es su ropa?

Maritza: En Colombia empecé[g] diseñando ropa para niños con la colección "Honey Bear". Luego, en la universidad participé[h] en varios desfiles. Para mi graduación creé[i] la colección de ropa de fiesta "Fiebre musical" inspirada en la película "Brillantina". Actualmente yo diseño los vestidos largos de coronación[j] para las candidatas al concurso "Miss Latina Canadá".

[a]*unknown* [b]*has revolutionized* [c]*is in her blood* [d]*influenced by* [e]*capable* [f]*enterprising* [g]*started* [h]*was part of* [i]*created* [j]*crowning*

Ahora visita la página web **www.mcgrawhill.ca/olc/knorre** y aprende más sobre Maritza. ¿Para qué tipo de personas es su ropa? ¿Qué prendas puedes comprar en sus tiendas? ¿Te gusta su ropa?

Proyecto cultural en grupo

Imagine that you are designing a web page to showcase Colombia to Canadians. What information would you include? How would you organize your web page? What aspects of Colombian culture would you emphasize? You can get more information from the websites listed online.

EN RESUMEN

Gramática

To review the grammar points presented in this chapter, refer to the indicated grammar presentations.

Gramática 1. Expressing Actions and States—**Tener, venir, preferir, querer,** and **poder;** Some Idioms with **tener**

You should be able to conjugate the verbs **tener, venir, preferir, querer,** and **poder.** Do you know how to use expressions like **tengo ganas de, tenemos miedo,** and **tienes frío?**

Gramática 2. Expressing Destination and Future Actions—**Ir; Ir + a +** Infinitive; The Contraction **al**

You should know the forms of **ir** and how to express *going to* (*do something*). You should also know when to use the contraction **al.**

Gramática 3. Expressing *to who(m)* or *for who(m)*—Indirect Object Pronouns; **Dar** and **decir**

Do you know how to use indirect object pronouns to express *to who(m)* or *for who(m)?*

Vocabulario

Los verbos

dar	to give
decir	to say
ir (voy, vas,...)	to go
ir a + *inf.*	to be going to (*do something*)
ir de compras	to go shopping
llevar	to wear; to carry; to take
poder (puedo)	to be able, can
preferir (prefiero)	to prefer
querer (quiero)	to want
regalar	to give a present
regatear	to haggle, to bargain
tener (tengo, tienes,...)	to have
usar	to wear; to use
venir (vengo, vienes,...)	to come

Repaso: comprar, vender

La ropa y los accesorios

el abrigo	coat
el anillo	ring
los aretes	earrings
la blusa	blouse
la bolsa	purse
las botas	boots
las botas de lluvia	rain boots
las botas de nieve	snow boots
la bufanda	scarf
los calcetines	socks
la camisa	shirt
la camiseta	T-shirt
la cartera	wallet; handbag

el chaleco	vest
las chanclas	flip-flops
la chaqueta	jacket
el cinturón	belt
el collar	necklace
la corbata	tie
la falda	skirt
las gafas de sol	sunglasses
el gorro	winter hat
la gorra	baseball cap
el impermeable	raincoat
los bluyíns	blue jeans
los vaqueros	blue jeans
las medias	stockings
los pantalones	pants
los pantalones cortos	shorts
las pantimedias	pantyhose
el paraguas	umbrella
el reloj	watch
la ropa	clothing
la ropa interior	underwear
las sandalias	sandals
los shorts de baño	bathing suit (for men)
el sombrero	hat
la sudadera	sweatshirt
el suéter	sweater
el traje	suit
el traje de baño	swimsuit
el vestido	dress
los zapatos de tenis	tennis shoes
los zapatos de tacón	high-heel shoes

De compras

es una ganga	it's a bargain
el precio	price
el precio (fijo)	(fixed, set) price
las rebajas, las ofertas	sales, reductions
¿cuánto cuesta(n)?	how much does it (do they) cost?
de todo	everything
Es de última moda. / Está de moda.	It's trendy (hot).

Los materiales

de/a cuadros	plaid
a lunares	polka-dot
a rayas	striped
con rombos	argyle
es de...	it is made of . . .
algodón (*m.*)	cotton
cuero	leather
lana	wool
oro	gold
plata	silver
seda	silk

Los colores

amarillo/a	yellow
anaranjado/a, naranja	orange
azul	blue
blanco/a	white
(de) color café, marrón	brown
celeste	light blue
gris	gray
morado/a, violeta	purple
negro/a	black
rojo/a	red
rosado/a, rosa	pink
verde	green

Los adjetivos

barato/a	inexpensive
caro/a	expensive
cómodo/a	comfortable
poco/a	little, few

Repaso: **mucho/a**

Más allá del número 100

doscientos/as, trescientos/as, cuatrocientos/as, quinientos/as, seiscientos/as, setecientos/as, ochocientos/as, novecientos/as, mil, un millón (de)

Repaso: **cien(to)**

Los pronombres de complemento indirecto

me	to/for me
te	to/for you (fam. sing.)
le	to/for you (form. sing.), to/for her, him, it
nos	to/for us
os	to/for you (Spain)
les	to/for you to/for them

Palabras adicionales

¿adónde?	where (to)?
al	to the
tener...	
calor	to be hot
frío	to be cold
ganas de + *inf.*	to feel like (*doing something*)
hambre	to be hungry
miedo (de)	to be afraid (of)
prisa	to be in a hurry
que + *inf.*	to have to (*do something*)
razón	to be right
sed	to be thirsty
sueño	to be sleepy
no **tener** razón	to be wrong

Repaso: **mucho** (*adv.*), **poco** (*adv.*), **tener... años**

Vocabulario personal

Use this space to write down other words and phrases you learn in this chapter.

To access the Instructor Supplements, please go to the Online Learning Centre at **www.mcgrawhill.ca/olc/knorre.**

Una casa en España

¡Vamos a España!

En este capítulo, vamos a aprender sobre España. ¿Qué sabes (*know*) sobre este país? Escribe algunas ideas y luego mira el video sobre España en la sección "Panorama cultural" en la red.

Ahora contesta las siguientes preguntas sobre el video.

1. ¿En qué continente está España?
2. ¿Cómo se llama la capital de España?
3. ¿Qué tipos de arquitectura hay en España?
4. ¿Dónde están el Escorial y la Alhambra?
5. ¿Cómo es la ciudad de Toledo?

Una casa en la Costa del Sol, sur de España

En este capítulo

A comunicarnos

In this chapter, we will learn how to . . .

- talk about parts of a house and furniture
- talk about chores such as cleaning, vacuuming, etc.
- talk about the days of the week (review)

Gramática

- The present tense of stem-changing verbs *e > ie,*
  e > i, o > ue
- The verbs *hacer, oír, poner, salir, traer,* and *ver*
- The present progressive

Cultura

- España y su gente
- Las casas en el mundo hispano
- Los españoles en Canadá

VOCABULARIO | Preparación

El tema principal de este capítulo es las casas y apartamentos. ¿Dónde vives con tu familia, en un apartamento o casa? ¿Es grande? ¿Hay muchos apartamentos en tu ciudad? ¿Cómo son? ¿Es barato o caro alquilar (*rent*) un apartamento?

UN PISO* EN GRANADA

Ryan es un estudiante en la Universidad de Alberta, en Edmonton. Estudia español en la Universidad de Granada. Tiene una semana de vacaciones y quiere visitar la ciudad y playas de Málaga. Decide alquilar un apartamento con tres amigos canadienses. Ryan llama a la agencia inmobiliaria (*real estate agency*) para preguntar por el apartamento en el aviso (*ad*). Puedes usar el vocabulario en las páginas 141 y 142 para leer el diálogo.

Ryan habla por teléfono en una calle de Granada.

Piso en alquiler

Zona: La Cala de Mijas
2ª planta; amueblado; a 500 m de la playa; con vista al campo de golf, el mar y las montañas.

Características: 2 dormitorios; 2 baños; cocina amueblada con electrodomésticos; aclimatizador de aire; 3 armarios; piscina; jardines.

Para más información, llamar al (+34) 914 021 789 de lunes a viernes.

AGENTE: Diga.

RYAN: Buenos días. Necesito información sobre un **piso** en Málaga.

AGENTE: ¿Dónde está el piso?

RYAN: Está en la Cala de Mijas. Es un piso en la **2ª (segunda) planta.** ¿Cuánto es el **alquiler** por una semana?

AGENTE: El **alquiler** es de 800€ (euros). El piso tiene **muebles.** Hay dos **camas** en cada **dormitorio** y un **sofá,** un **sillón** y un **televisor** en la **sala.**

RYAN: ¿Tiene **electrodomésticos** la cocina?

AGENTE: Sí, claro. Hay una **cocina,** un **lavaplatos** y un **horno de microondas,** pero el piso no tiene **lavadora.** Usted tiene que llevar su ropa a la lavandería.

RYAN: ¿Quién limpia el piso?

AGENTE: El inquilino (*the person who rents the apartment*). Usted va a tener que **pasar la aspiradora, limpiar el baño** y **sacudir los muebles.**

RYAN: Muy bien. Gracias por la información. Voy a hablar con mis amigos para ver si quieren alquilar este piso…

---

*Instead of **apartamento,** people in Spain use **piso** to refer to an apartment.

¿Entendiste?

1. ¿A qué número de teléfono llama Ryan para pedir información?
2. ¿Qué palabra usa Ryan para hablar del apartamento? ¿Por qué?
3. ¿Por qué quiere alquilar este apartamento?
4. ¿Es buena la ubicación (*location*) del apartamento?
5. ¿Cuánto cuesta alquilar el apartamento por día?
6. ¿Cuántas personas pueden dormir (*sleep*) en el apartamento?
7. ¿Tiene muebles el apartamento? ¿Cuáles?
8. ¿Qué tienen que hacer Ryan y sus amigos si alquilan el apartamento?

Una casa: los cuartos y los muebles

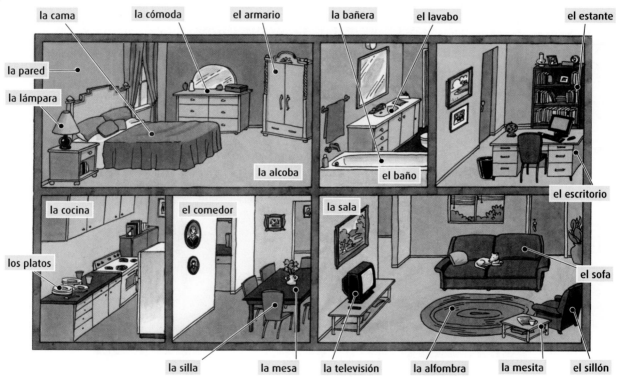

la cama — la cómoda — el armario — la bañera — el lavabo — el estante
la pared — la lámpara — la alcoba — el baño — el escritorio
la cocina — el comedor — la sala — el sofa
los platos — el escritorio
la silla — la mesa — la televisión — la alfombra — la mesita — el sillón

Otros lugares de la casa:

el garaje	garage	**el sótano**	basement
el jardín	garden	**el lavadero**	laundry room
el patio	patio; yard	**1ª (primera) planta**	first floor
la piscina	swimming pool	**2ª (segunda) planta**	second floor

El español camaleón

apartamento = departamento (*Arg., Mex.*), piso (*Sp.*)
el armario = el ropero
la piscina = la alberca (*Méx.*), la pileta (*Arg.*)
la bañera = la tina

la sala = el living (*Arg.*)
el lavabo = la pileta (*L.A.*)
primera planta = primer piso
segunda planta = segundo piso
la televisión = el televisor

There is great variation in the ways in which Spanish-speakers refer to the bedroom. It is called la **habitación** (also a synonym for any room of a house) by many native speakers, el **dormitorio** by many Latin Americans (e.g., Argentineans) and Spaniards, and la **recámara** by Mexicans.

Los quehaceres domésticos

planchar la ropa — Flor
pasar la aspiradora — Ignacio
lavar las ventanas — Pablo
hacer la cama — Nora
sacudir los muebles — Olga
barrer (el piso) — Sofía
sacar (qu) la basura — Mario
lavar los platos — Ana María
pintar (las paredes) — Sergio

Algunos aparatos domésticos

la aspiradora	vacuum cleaner
la cafetera	coffeemaker
el congelador	freezer
la estufa	stove
el horno de microondas	microwave oven
la lavadora	washing machine
el lavaplatos	dishwasher
el refrigerador	refrigerator
la secadora	clothes dryer
la tostadora	toaster

Más quehaceres domésticos

dejar (en)	to leave behind (in [*a place*])
lavar...	to wash . . .
los platos	the dishes
la ropa	the clothes
limpiar (la casa entera)	to clean (the whole house)
poner la mesa	to set the table
quitar la mesa	to clear the table

El español camaleón

la estufa = la cocina
hacer la cama = tender la cama
lavar los platos = fregar los platos
el refrigerador = el frigorífico, la heladera, la refrigeradora, la nevera
sacudir los muebles = quitar el polvo

Práctica

A. ¿Qué hay en la casa de Montserrat? Montserrat es

la novia española de Ryan. En parejas, digan (*say*) los nombres de
las partes de su casa y lo que (*what*) hay en cada cuarto.

MODELO: 7 →
    E1: El número 7 es el patio.
    E2: ¿Qué hay en el patio? ¿Hay una piscina?
    E1: No, sólo hay plantas.

B. Asociaciones

Paso 1. ¿Qué muebles o partes de la casa usas tú para hacer las siguientes
actividades?

1. estudiar para un examen
2. dormir la siesta (*taking a nap*) por la tarde
3. pasar (*to spend*) una noche en casa con la familia
4. celebrar con una comida (*meal*) especial
5. tomar el sol (*sunbathing*)
6. hablar de temas (*topics*) serios con los amigos (padres, hijos)

Paso 2. Ahora compara tus respuestas con las (*those*) de otros estudiantes. ¿Tienen todos las
mismas costumbres (*same customs*)?

C. Los quehaceres domésticos. ¿En qué cuarto o parte de la casa hacen Uds. las
siguientes actividades? Hay más de una respuesta en muchos casos.

1. Hacemos la cama en _____.

2. Sacamos la basura de _____ y la dejamos en _____.

3. Sacudimos los muebles de _____.

4. Nos duchamos (*We take a shower*) en _____. Pero es mejor bañar (*to bathe*) al perro

   en _____.

5. Barremos el piso de _____.

6. Pasamos la aspiradora en _____.

7. Lavamos y secamos la ropa en _____. Planchamos nuestra ropa en _____.

8. Usamos la cafetera en _____.

D. Diseño (*Design*) y decoración

Paso 1. En parejas, dibujen (*draw*) el plano de una casa con al menos (*at least*) dos dormitorios y un baño. Luego (*Then*) amueblen (*furnish*) la casa con los muebles necesarios.

Paso 2. Ahora describan su casa a otra pareja de compañeros. Ellos deben dibujar el plano de la casa que Uds. describen sin (*without*) mirar el dibujo de Uds.

Vocabulario útil	
a la derecha (de)	to the right (of)
a la izquierda (de)	to the left (of)

A conversar...

Un piso en Barcelona

Estudiante A: You have enrolled in a study abroad program in Barcelona. You decide to rent an apartment. You see the following ad in the newspaper **La Vanguardia,** and you decide to call the real estate agency for more information. Ask about the location of the apartment, rent per month, furniture and appliances in the apartment, etc. Use the dialogue on page 140 as a model, and the vocabulary and structures presented so far in this chapter, and those in **Capítulos 1** to **4.**

Estudiante B: You work for a real estate agency in Barcelona. Your agency has advertised an apartment for rent in the newspaper **La Vanguardia.** A person calls for information about it. Answer this person's questions using the information below. Use the dialogue on page 140 as a model, and the vocabulary and structures presented so far in this chapter, and those in **Capítulos 1** to **4.**

Información
Piso de 1 habitación en alquiler
Barrio (*neighbourhood*): Sant Andreu
Zona: Navas
Precio: 800 € por mes

1ª Planta; En Área Urbana. La ubicación del piso es inmejorable (*couldn't be better*), frente a una bonita zona peatonal (*pedestrian*) y un parque.

Características:
1 dormitorio con una cama matrimonial (*queen-size bed*);
1 baño;
1 cocina amueblada: un horno de microondas, una cocina, un lavaplatos, una lavadora y una secadora;
1 aire acondicionado;
1 armario;
1 ascensor (*elevator*)

Piso de 1 habitación en alquiler

1ª Planta; En Área Urbana. La ubicación del piso es inmejorable (*couldn't be better*), frente a una bonita zona peatonal (*pedestrian*) y un parque.

Características: 1 dormitorio; 1 baño; cocina amueblada; aire acondicionado; 1 armario; ascensor (*elevator*)

Para más información, llamar al (+34) 938 115 104 de martes a sábado.

¿Qué día es hoy? • Repaso: Las actividades de Javier durante la semana

Javier es el hermano de Montserrat, la novia de Ryan en Granada. ¿Cómo son sus actividades semanales? ¿Qué hace Javier? ¿Son sus actividades similares o diferentes a tus actividades?

lunes

Javier asiste a clase
el lunes a las ocho.

martes

Javier mira la televisión
el martes.

miércoles

Javier va al gimnasio
el miércoles.

jueves

Javier trabaja cuatro
horas el jueves.

viernes

El viernes va al mercado
con unos amigos.

el fin de semana (sábado y domingo)

El fin de semana, juega al
básquetbol con sus amigos.

Los días de la semana (repaso)

Hoy es viernes (domingo…).	Today is Friday (Sunday . . .).
Mañana es sábado (lunes…).	Tomorrow is Saturday (Monday . . .).
Ayer fue martes (miércoles…).	Yesterday was Tuesday (Wednesday . . .).
el fin de semana	the weekend
pasado mañana	the day after tomorrow
el próximo jueves (viernes,…)	next Thursday (Friday, . . .)
la semana (el lunes…) que viene	next week (Monday . . .)

- In Spanish-speaking countries, the week usually starts with **lunes.**
- Remember that the days of the week are not capitalized in Spanish.
- Remember that, except for **el sábado / los sábados** and **el domingo / los domingos,** all the days of the week use the same form for the plural as they do for the singular: **el lunes / los lunes.**

Práctica

A. Las actividades de la semana. ¿Qué van a hacer Ryan y sus amigos esta semana? ¿Y tú? En parejas, describan el horario de Ryan y sus amigos en Málaga. Exchange information and add as many words needed to make sentences like the ones in the example.

MODELO: E1: ¿Qué hace Ryan el jueves por la mañana?
E2: Lava su ropa en la lavandería. ¿Qué hacen Ryan y sus amigos el lunes por la mañana?

Estudiante 1

	lunes	martes	miércoles	jueves	viernes	sábado	domingo
por la mañana	Ryan y sus amigos—llegar a Málaga	Ryan—hacer camas	¿Mike?	Ryan—lavar ropa en la lavandería	Mike y Chris—lavar platos	¿Ryan y sus amigos?	Sean y Ryan—barrer piso
por la tarde	¿Ryan y sus amigos?	¿Sean y Mike?	Sean y Chris—ir a la playa	¿Sean?	¿Sean y Ryan?	Ryan y sus amigos—ir a la playa	¿Mike y Chris?
por la noche	¿Ryan y Sean?	Mike y Chris—ver televisión	¿Ryan y sus amigos?	¿Tú?	Ryan y sus amigos—salir con chicas	¿Tú?	Ryan y sus amigos—viajar a Granada

Estudiante 2

	lunes	**martes**	**miércoles**	**jueves**	**viernes**	**sábado**	**domingo**
por la mañana	¿Ryan y sus amigos?	¿Ryan?	Mike—pasar la aspiradora en la sala	¿Ryan?	¿Mike y Chris?	Ryan y sus amigos— limpiar dormitorios y baño	¿Sean y Ryan?
por la tarde	Ryan y sus amigos—ir a la playa	Sean y Mike—ir al museo	¿Sean y Chris?	Sean— lavar ventanas	Sean y Ryan— escribir composición para su clase de español	¿Ryan y sus amigos?	Mike y Chris— sacudir muebles
por la noche	Ryan y Sean— comer al restaurante	¿Mike y Chris?	Ryan y sus amigos—bailar a la discoteca	¿Tú?	¿Ryan y sus amigos?	¿Tú?	¿Ryan y sus amigos?

B. Mi semana. Expresa una actividad para cada (*each*) día de la semana, según el modelo.

 Usa uno de los siguientes verbos o expresiones + un infinitivo en tu respuesta: **deber, desear, ir a, necesitar, poder, preferir, querer, tener ganas de, tener que.**

MODELO: El lunes tengo que ir al gimnasio.

> ### Vocabulario útil
>
> descansar (**to rest**) hasta muy tarde
> estar en la cama (**bed**)
> ir al bar (al parque, al museo, a...)
> ir al cine (**movies**)
> jugar (**to play**) (juego) al tenis (al golf, al voleibol, al...)

C. ¿En qué consiste un fin de semana? Lo que significa "el fin de semana" es diferente para cada individuo, según la vida (*life*) que lleva, su horario personal y también el lugar dónde vive.

Paso 1. Lee las siguientes preguntas y piensa en sus respuestas.

1. ¿Cuándo comienza "oficialmente" tu fin de semana (día y hora)?
2. ¿Qué haces para celebrar la llegada del fin de semana?
3. ¿Cuándo termina tu fin de semana (día y hora)?
4. ¿Qué haces, generalmente, los días de tu fin de semana?

Paso 2. Ahora, en parejas, túrnense para entrevistarse sobre el fin de semana. Debes obtener detalles interesantes y personales de tu compañero/a.

Nota cultural I

Las casas en el mundo hispánico

No existe una casa típicamente hispana. Generalmente, el estilo de una casa en América Latina o España depende de su localización geográfica. Por ejemplo, en la regiones de mucho calor[a] como el sur de España, las casas tradicionales tienen un patio central interior con muchas plantas y, algunas veces, hasta una fuente.[b] A pesar de que[c] no podemos decir que hay una casa "típica" hispana, muchas casas fueron construidas[d] en la época colonial española y tienen características de ese estilo. Por ejemplo, las casas tienen ventanas[e] altas con rejas de hierro,[f] todas las habitaciones salen[g] a un patio central con plantas, sus colores típicos son el rosado y el ocre y los pisos y paredes[h] tienen azulejos[i] de colores. Puedes ver este estilo de casas en ciudades españolas como Madrid y Aranjuez y en Latino América en Cartagena (Colombia), Buenos Aires (Argentina) y Lima (Perú). ¿Cuál es el estilo arquitectónico más típico de Canadá?

La mayoría de la población de los países hispanos vive en áreas urbanas con mucha densidad. Es así que mucha gente vive en apartamentos, como los canadienses que habitan ciudades grandes como Toronto y Montréal.

Mientras que[j] la palabra **hogar** significa *home,* en Latino América y España la gente usa la palabra **casa** con el mismo significado que *home.*

Voy a casa. *I'm going home.*
Estoy en casa. *I'm at home.*

[a]*heat* [b]*fountain* [c]*A... Even though* [d]*fueron... were built* [e]*windows* [f]*rejas... iron bars* [g]*open up to* [h]*walls* [i]*tiles* [j]*while*

El patio interior de una casa de estilo colonial en Sevilla, España

¿Entendiste?

1. ¿Qué determina el estilo de una casa en España y Latino América? ¿Es esta situación similar en Canadá?
2. ¿Cómo son las casas en el sur de España?
3. ¿Qué es una casa colonial?
4. ¿Qué materiales hay en las casas coloniales? ¿Y qué colores?
5. ¿Qué lugares tienes que visitar para ver este tipo de casas?
6. ¿Dónde viven la mayoría de los españoles y latinoamericanos? ¿Por qué?
7. ¿Y dónde viven los canadienses? ¿Es la situación similar o diferente a los países hispanos?
8. ¿Te gustan las casas coloniales?
9. ¿Qué otras características tienen las construcciones coloniales? Mira las fotos a la derecha.
10. ¿Cuál es tu estilo de casa favorito?

Construcciones coloniales en Salta, Argentina

¿Cuándo? • Las preposiciones

Rosa es una amiga de Montserrat, la novia de Ryan. ¿Qué tipo de fiesta va a organizar el sábado? ¿Qué va a hacer? ¿Es su fiesta similar o diferente a las fiestas en Canadá? ¿Qué hacen los canadienses **antes, durante** y **después** de una fiesta?

Antes de la fiesta, Rosa prepara la ensalada.

Durante la fiesta, Rosa baila.

Después de la fiesta, Rosa limpia la sala.

A preposition is a word or phrase that specifies the relationship, usually in space or time, of one word to another.

The prepositions (as well as the words that they link) are indicated in the first two sentences. Pick out the prepositions in the last two.

1. The book is *on* the table.
2. The homework is *for* tomorrow.
3. We're going to the store for milk.
4. Voy a estar con la familia de mi esposo este fin de semana.

Some common Spanish prepositions you have already used include **a, con, de, en, para,** and **por** (*in, during,* as in **por la mañana**). Some prepositions that express time relationships include **antes de** (*before*), **después de** (*after*), **durante** (*during*), and **hasta** (*until*).

 As you know, the infinitive is the only verb form that can follow a preposition.

¿Adónde vas después de estudiar?   *Where are you going after studying (after you study)?*

Práctica

A. ¿Cuándo? Completa las siguientes oraciones lógicamente. Puedes usar sustantivos, infinitivos, días de la semana, etcétera.

1. Por lo general, prefiero estudiar antes de / después de mirar la tele.

2. Siempre tengo mucho sueño durante la clase de _____.

3. Voy a la clase de español antes de / después de la clase de _____.

4. El / Los _____ (día o días), estoy en la universidad hasta _____ (hora).

5. No puedo ir a fiestas durante la semana. Voy el / los _____ (día o días).

6. Tengo que estudiar en esta universidad hasta el año (*year*) _____, para poder graduarme.

B. Las actividades y los horarios. En parejas, túrnense para entrevistarse. Hagan sus preguntas, usando una palabra o frases de cada columna. Usen los verbos en presente y tener que, necesitar y deber + infinitivo.

MODELOS: E1: ¿Prefieres estudiar / Estudias antes de tu programa de televisión favorito?
          E2: No, estudio después de mi programa favorito.

estudiar
hablar por teléfono
leer
trabajar
¿ ?
	+	antes de
		después de
		durante
		hasta
			+	tu programa favorito de
				  televisión
				las clases
				las conferencias (*lectures*)
				  de _____
				los viernes por la noche, los
				  domingos por la mañana...
				estudiar, mirar la tele,...
				las tres de la mañana,
				  medianoche (*midnight*),
				  muy tarde,...
				¿ ?

EL ESPAÑOL *EN ACCIÓN*

LA FIESTA DE RYAN

Montserrat planea una fiesta de cumpleaños para su novio, Ryan, con sus compañeras de casa Rosa, Elena y Natalia. Puedes consultar la página 156 para entender más el diálogo.

MONTSERRAT: Quiero organizar una fiesta de cumpleaños para Ryan el sábado a las 8:00 de la noche. ¿Qué **pensáis** vosotras?

ROSA: ¡Qué bien! Yo **hago** el pastel (*cake*).

ELENA: Natalia y yo pasamos la aspiradora por la sala antes de la fiesta.

NATALIA: Vale (*OK*). Yo puedo sacudir los muebles y limpiar el baño.

MONTSERRAT: ¡Muchas gracias! Quiero una fiesta sorpresa. Entonces **salgo** de la casa antes de las 8:00 y **traigo** a Ryan a la fiesta.

ROSA: Vale. Y cuando los **veo** a ti y a Ryan, les puedo avisar (*let them know*) a los invitados (*guests*) . . . Podemos escondernos (*hide*) . . .

MONTSERRAT: Perfecto. También puedo comprar globos (*balloons*). ¿Qué **piensas** Natalia?

NATALIA: Hmm... **Pienso** que no es una buena idea. A los hombres no les gustan los globos...

MONTSERRAT: Tienes razón. Compramos cerveza (*beer*) en vez (*instead of*) de globos.

ELENA: Esa sí es una buena idea. Y todas nosotras **traemos** buena música española a la fiesta.

MONTSERRAT: Vale. Y no os preocupéis... No tenéis que hacer nada más...Yo limpio la casa después de la fiesta.

¿Entendiste?

1. ¿Qué tipo de fiesta preparan Montserrat y sus amigas?
2. ¿Dónde es la fiesta?
3. ¿Quién **hace** el pastel?
4. ¿A qué hora **sale** Montserrat?
5. ¿Qué va a hacer Rosa si **ve** a Montserrat y a Ryan?
6. ¿Qué compra Montserrat?
7. ¿Qué **traen** las chicas a la fiesta?
8. ¿Quién **limpia** la casa después de la fiesta?

Lengua

Listen to the dialogue again, paying attention to the verb forms used by Montserrat and her housemates. What can you infer about the forms of the verbs **hacer, salir,** and **traer?** Are their conjugations regular or irregular?

Ahora te toca a ti...

Una fiesta

Imagine that you (**Estudiante A**) are studying Spanish at the same program as Ryan in Granada, Spain. You and your Spanish housemate (**Estudiante B**) decide to organize a party for your friends in your apartment. Talk about what you are going to do before, at, and during the party. How are you going to prepare for it? Talk about house chores (who's going to clean what), and things you are going to do (**hacer**), bring (**traer**), and make (**hacer**). Use the vocabulary and structures in this section and other parts of this chapter. You can ask your instructor for help with new words.

¿Recuerdas?

Most of the verbs presented in **Gramática 1** share a first person singular irregularity with two verbs that you learned in **Capítulo 4.** Review what you know about those two verbs by completing their first person forms.

(yo) ven____o   (yo) ten____o

GRAMÁTICA 1

HACER, OÍR, PONER, SALIR, TRAER, AND VER

GRAMÁTICA EN ACCIÓN: ASPECTOS DE LA VIDA DE JULIO

Julio es el primo de Montserrat. Su novia es Elena, la compañera de casa de Montserrat, Rosa y Natalia. ¿Cómo son las actividades de Julio?

1. Traigo muchos libros al salón de clase.

2. No oigo bien. Por eso hago muchas preguntas en clase.

3. Los viernes pongo la tele y veo mi programa favorito.

4. Salgo con Elena los fines de semana.

¿Entendiste?

1. ¿Qué **trae** Julio al aula? ¿Qué tiene en la mochila?
2. ¿Por qué hace muchas preguntas en clase? ¿**Ve** bien? ¿**Oye** bien?
3. ¿A qué hora **pone** la tele los viernes? ¿Por qué prefiere mirar la tele a esa hora?
4. ¿Con quién **sale**? ¿Es una relación nueva o vieja?

hacer (to do; to make)		oír (to hear)		poner (to put; to place)		salir (to leave; to go out)		traer (to bring)		ver (to see)	
hago	hacemos	oigo	oímos	pongo	ponemos	salgo	salimos	traigo	traemos	veo	vemos
haces	hacéis	oyes	oís	pones	ponéis	sales	salís	traes	traéis	ves	veis
hace	hacen	oye	oyen	pone	ponen	sale	salen	trae	traen	ve	ven

1. hacer

Some common idioms with **hacer:**

hacer un viaje (*to take a trip*)
hacer una pregunta (*to ask a question*)

Hacer is used to express *to do* physical and academic exercises. To express *to do exercises* for a Spanish or math class, for example, the plural **ejercicios** is used. To express *to exercise* in a gym, the singular is used, except for aerobics.

¿Por qué no **haces** la tarea?
Why aren't you doing the homework?

Quieren **hacer un viaje** a Toledo.
They want to take a trip to Toledo.

Los niños siempre **hacen muchas preguntas.**
Children always ask a lot of questions.

Natalia **hace los ejercicios** en el cuaderno.
Natalia does the exercises in the notebook.

Montserrat **hace ejercicio** en el gimnasio, pero **hace ejercicios aeróbicos** en casa.
Montserrat exercises in the gym but does aerobics at home.

2. oír

The command forms of **oír** are used to attract someone's attention in the same way that English uses *Listen!* or *Hey!*

oye (tú)   **oiga** (Ud.)   **oigan** (Uds.)

Oír means *to hear*. In **Capítulo 2,** you learned the verb **escuchar,** which means *to listen (to)*. Some speakers use **oír** for *to listen to* when referring to things like music or the news. **Escuchar** never means *to hear*.

Oye, Ryan, ¿vas a la fiesta?
Hey, Ryan, are you going to the party?

¡Oigan! ¡Silencio, por favor!
Listen! Silence, please!

No **oigo** bien a la profesora.
I can't hear the professor/instructor well.

Oímos / Escuchamos música en clase.
We listen to music in class.

3. poner

Many Spanish speakers use **poner** with appliances to express *to turn on*.

Voy a **poner la televisión.**
I'm going to turn on the TV.

4. salir

Note that **salir** is always followed by **de** to express leaving a place.

Salir con can mean *to go out with, to date*. Use **salir para** to indicate destination.

Another useful expression with **salir** is **salir bien / mal,** which means *to turn/to come out well/poorly, to do well/poorly*.

Elena **sale con** el primo de Montserrat.
Elena goes out with Montserrat's cousin.

Salimos para la sierra pasado mañana.
We're leaving for the mountains the day after tomorrow.

Todo va a **salir bien.**
Everything is going to turn out OK (well).

No quiero **salir mal** en esta clase.
I don't want to do poorly in this class.

5. traer

¿Por qué no **traes** esos discos compactos a la fiesta?
Why don't you bring those CDs to the party?

6. ver

Ver means *to see* or *to watch*. In **Capítulo 3,** you learned that **mirar** means *to look (at)* or *to watch* something. Some speakers use **ver** interchangeably with **mirar** for *to watch* (**veo / miro la televisión**), but **mirar** can never mean *to see*. **Buscar** (from **Capítulo 2**) expresses *to look for* something, but it never means *to look at* or *to watch*.

No **veo** bien sin mis lentes (gafas).
I don't see well without my glasses.

Los niños **ven / miran una película.**
The kids are watching a movie.

Busco la aspiradora nueva.
I'm looking for the new vacuum cleaner.

Práctica

A. Del periódico: Publicidad. Lee (*Read*) el siguiente anuncio (*ad*) de un periódico hispano y contesta las preguntas.

1. ¿Cómo se expresan en inglés las primeras dos líneas del anuncio en la página 154?
2. Los sujetos pronominales **yo, tú** y **nosotros** no se usan siempre en español, ya que (*since*) la terminación del verbo (**-o, -s, -mos**) expresa la persona. ¿Por qué crees que sí se usan los pronombres en el título?
3. ¿Qué palabras inglesas hay en el anuncio?
4. ¿Cuál es la dirección (*address*) del sitio web de esta compañía? (**.com** = "punto com")
5. ¿Cuál es la dirección de correo electrónico (*e-mail*) de la oficina en Puerto Ordaz? (@ = "arroba")
6. ¿Cómo es la chica del anuncio? ¿Cómo está?
7. ¿Qué ropa lleva?

B. Consecuencias lógicas. En parejas, indiquen una acción lógica para cada situación.

MODELO: No tengo tarea. Por eso… → pongo la televisión.

Vocabulario útil

hacer (**hago**) un viaje / una pregunta
oír (**oigo**) al profesor / a la profesora
poner (**pongo**) la tele / el radio
salir (**salgo**) con / de / para…
traer (**traigo**) el libro a clase
ver (**veo**) mi programa favorito

---

1. Me gusta esquiar en las montañas. Por eso…
2. Todos los días usamos este libro en la clase de español. Por eso…
3. Mis compañeros de cuarto hacen mucho ruido en la sala. Por eso…
4. La televisión no funciona. Por eso…
5. Hay mucho ruido en la clase. Por eso…
6. Estoy en la biblioteca y ¡no puedo estudiar más! Por eso…
7. Queremos bailar y necesitamos música. Por eso…
8. No comprendo la lección. Por eso…

C. Nuestra rutina

Paso 1. En parejas, hagan y contesten las siguientes preguntas. ¿Son sus rutinas diarias similares o diferentes?

EN CASA

1. ¿Pones la televisión con frecuencia cuando estás en casa? ¿Qué programa(s) ves todos los días? ¿Qué programa muy popular no ves nunca? (Nunca veo…) ¿Cuál es el canal de televisión que más miras? ¿Por qué te gusta tanto (*so much*)?
2. ¿Te gusta la música? ¿Qué tipo de música oyes? ¿Dónde compras tu música? ¿Compras CDs o mp3s / mp4s? ¿Dónde oyes tu música?

MIS ACTIVIDADES

3. ¿Qué haces los (día) por la noche? ¿Cuándo sales con los amigos? ¿Adónde van cuando salen juntos (*together*)?
4. ¿Te gusta hacer ejercicio? ¿Haces ejercicios aeróbicos? ¿Dónde haces ejercicio? ¿En casa? ¿En el gimnasio? ¿En la piscina? ¿Qué música oyes cuando haces ejercicio?

PARA LAS CLASES

5. Generalmente, ¿qué traes a clase todos los días? ¿Crees que traes más cosas (*things*) que tus compañeros o menos? ¿Sales a veces para la clase sin tu libro de texto? ¿Sin dinero? ¿Qué trae tu profesor(a) de español a clase?
6. ¿A qué hora sales para tus clases los lunes? ¿A qué hora sales de clase los viernes?
7. ¿Cuándo haces la tarea? ¿Por la mañana? ¿Por la tarde? ¿Por la noche? ¿Dónde haces la tarea? ¿En casa? ¿En la biblioteca? ¿Haces la tarea mientras (*while*) ves la televisión? ¿Mientras oyes música?
8. ¿Siempre sales bien en los exámenes? ¿En qué clase no sales bien? ¿Qué haces si sales mal en un examen? ¿Hablas con tu profesor(a)?

Paso 2. Ahora digan a la clase dos o tres cosas que Uds. tienen en común.

MODELO: Jim y yo siempre escuchamos hip hop. Hacemos ejercicio todos los días: Jim hace ejercicios aeróbicos y yo voy al gimnasio. Los dos vemos el programa *24* los lunes por la noche; es nuestro programa favorito.

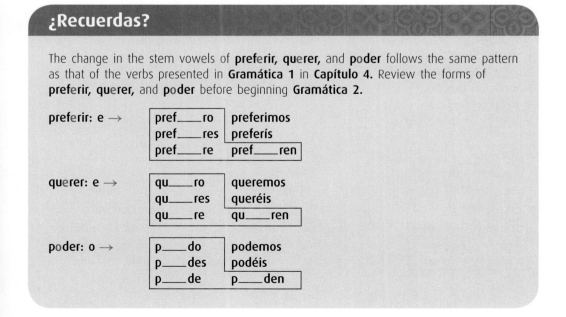

¿Recuerdas?

The change in the stem vowels of **preferir, querer,** and **poder** follows the same pattern as that of the verbs presented in **Gramática 1** in **Capítulo 4.** Review the forms of **preferir, querer,** and **poder** before beginning **Gramática 2.**

preferir: e →	pref___ro	preferimos
	pref___res	preferís
	pref___re	pref___ren

querer: e →	qu___ro	queremos
	qu___res	queréis
	qu___re	qu___ren

poder: o →	p___do	podemos
	p___des	podéis
	p___de	p___den

GRAMÁTICA 2

EXPRESSING ACTIONS, EMOTIONS, AND OPINIONS • PRESENT TENSE OF STEM-CHANGING VERBS (PART 2)

GRAMÁTICA EN ACCIÓN: ¿UNA FIESTA EXITOSA?

Es sábado y los amigos de Ryan están en su fiesta de cumpleaños. Pero, ¿qué hacen los invitados?

- Aurora duerme en el sofá.
- Samuel juega a las cartas... a solas.
- Ernesto sirve las bebidas. Kevin pide una cerveza.
- Natalia sale y vuelve con más amigas.
- ¿Es una fiesta exitosa? ¿Qué piensas tú? ¿Por qué?

¿Y tú? ¿Qué haces en las fiestas?

Yo (no)...

1. dormir en el sofá
2. jugar a las cartas
3. servir las bebidas
4. pedir cerveza
5. volver con más amigos

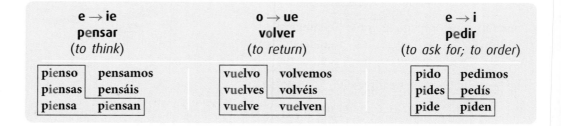

e → ie **pensar** *(to think)*		o → ue **volver** *(to return)*		e → i **pedir** *(to ask for; to order)*	
pienso	pensamos	vuelvo	volvemos	pido	pedimos
piensas	pensáis	vuelves	volvéis	pides	pedís
piensa	piensan	vuelve	vuelven	pide	piden

1. You have already learned five *stem-changing verbs* (**los verbos que cambian el radical**).

   querer   preferir   tener   venir   poder

   In these verbs the stem vowels **e** and **o** become **ie** and **ue**, respectively, in stressed syllables. There is also another group of stem-changing verbs in which the stem vowel **e** becomes **i** in stressed syllables. The stem-change pattern of all three groups is shown below. The stem vowels are stressed in all present tense forms except **nosotros** and **vosotros.** All three classes of stem-changing verbs follow this regular "boot" pattern in the present tense.

   In vocabulary lists, the stem change for the **yo** form will always be shown in parentheses after the infinitive: **pensar (pienso), volver (vuelvo), pedir (pido).**

2. Some stem-changing verbs practised in this chapter include the following.

Stem vowel changes:

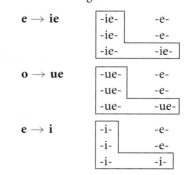

e → ie	-ie-	-e-
	-ie-	-e-
	-ie-	-ie-

o → ue	-ue-	-e-
	-ue-	-e-
	-ue-	-ue-

e → i	-i-	-e-
	-i-	-e-
	-i-	-i-

 Nosotros and **vosotros** forms do not have a stem vowel change.

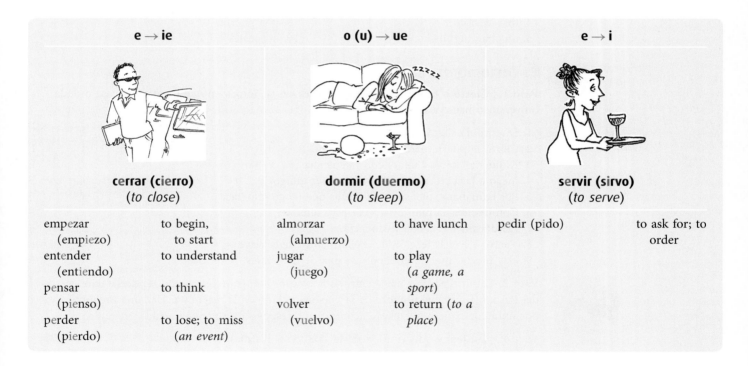

e → ie		**o (u) → ue**		**e → i**	
cerrar (cierro) *(to close)*		**dormir (duermo)** *(to sleep)*		**servir (sirvo)** *(to serve)*	
empezar (empiezo)	to begin, to start	almorzar (almuerzo)	to have lunch	pedir (pido)	to ask for; to order
entender (entiendo)	to understand	jugar (juego)	to play *(a game, a sport)*		
pensar (pienso)	to think				
perder (pierdo)	to lose; to miss *(an event)*	volver (vuelvo)	to return *(to a place)*		

3. Remember that the Spanish present tense has a number of present tense equivalents in English. It can also be used to express future meaning.

cierro = *I close, I am closing, I will close*

4. Like **aprender** and **ir,** the stem-changing verbs **empezar** and **volver** are followed by **a** before an infinitive. The meaning of **empezar** does not change in this structure, but **volver a** + *infinitive* expresses *to do (something) again.*

Uds. **empiezan a hablar** muy bien el español.
You're starting to speak Spanish very well.

¿Cuándo **vuelves a jugar** al tenis?
When are you going to play tennis again?

5. Like other verbs you already know (**desear, necesitar, deber**), **pensar** can be followed directly by an infinitive. In that case, it expresses *to intend, to plan.*

6. The phrase **pensar en** can be used to express *to think about.*

¿Cuándo **piensas almorzar**?
When do you plan to eat lunch?

—¿En qué **piensas**?
What are you thinking about?

—**Pienso en** las cosas que tengo que hacer el domingo.
I'm thinking about the things I have to do on Sunday.

Stem-Change Summary

empezar	(empiezo)
volver	(vuelvo)
jugar	(juego)
pedir	(pido)

Práctica

A. Asociaciones. Give at least two infinitives whose meanings you associate with the following words and phrases. Make at least one sentence related to your life with each word and verb.

1. una bebida
2. las llaves (*keys*)
3. una opinión
4. una lección
5. una hamburguesa
6. una siesta
7. a casa
8. las cartas
9. una puerta
10. un pastel

B. Costumbres.

Paso 1. ¿Cierto o falso? Si la declaración es cierta, indica en qué lugar de la casa o de la universidad haces las siguientes cosas.

1. Duermo la siesta casi todos los días.	C	F
2. Cierro la puerta para dormir la siesta.	C	F
3. Almuerzo solo/a (*alone*) con frecuencia.	C	F
4. Juego a las cartas con mis padres (mis amigos).	C	F
5. Por la mañana, pienso en las cosas que tengo que hacer.	C	F
6. Con frecuencia pido una pizza para almorzar.	C	F
7. Pierdo mis llaves con frecuencia.	C	F
8. Vuelvo a leer la lección de español antes de la clase.	C	F
9. Hay mucho que no entiendo en una de mis clases. ¿Qué clase?	C	F

Paso 2. Camina por la clase y entrevista a varios compañeros usando las declaraciones del **Paso 1.** Escribe el nombre de la persona al lado de la respuesta. Haz una pregunta por un/a compañero/a. Debes encontrar una respuesta positiva para cada pregunta.

MODELO: Tú: Jenny, ¿duermes la siesta casi todos los días?
Jenny: No, no duermo la siesta.
Tú: Jim, ¿duermes la siesta casi todos los días?
Jim: Sí, duermo la siesta casi todos los días
(Tú escribes en tu cuaderno: Jim duerme la siesta casi todos los días.)

Paso 3. Ahora di a la clase el resultado de tu encuesta y tu opinión sobre cada oración.

MODELO: Jim duerme la siesta casi todos los días, pero Jenny y yo no dormimos la siesta.

C. Una tarde típica en casa.
Piensa en tu vida y la vida diaria de tu familia. ¿Cuáles son las actividades de todos? Haz oraciones completas, usando una palabra o frase de cada columna. Luego compara tus oraciones con las oraciones de un/a compañero/a. ¿Son similares o diferentes sus vidas / sus familias?

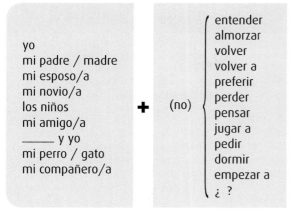

| yo
mi padre / madre
mi esposo/a
mi novio/a
los niños
mi amigo/a
_____ y yo
mi perro / gato
mi compañero/a | **+** | (no) | entender
almorzar
volver
volver a
preferir
perder
pensar
jugar a
pedir
dormir
empezar a
¿ ? | **+** | descansar, dormir
en un sillón / en la cocina
toda la tarde / la siesta
su pelota (*ball*), sus llaves, su mochila
tarde / temprano a casa
en el patio / en la piscina / afuera (*outside*)
el golf (tenis, voleibol...), las cartas
las películas viejas / recientes
la lección, la oración
hablar bien el español
ver una película con frecuencia
¿ ? |

D. Una semana ideal... ¡y posible! ¿Qué vas a hacer la semana que viene? ¿Qué prefieres hacer? Organiza la semana que viene en la siguiente agenda. Incluye actividades que tú tienes que hacer pero también algunas (*some*) que te gustaría (*you would like*) hacer Inventa actividades muy buenas y especiales particularmente (*particularly*) para el viernes, sábado y domingo. Usa el Vocabulario útil, pero inventa por lo menos tres actividades que no están en la lista.

 e → ie, o → ue, e → i.

	por la mañana	por la tarde	por la noche
lunes			
martes			
miércoles			
jueves			
viernes			
sábado			
domingo			

Vocabulario útil

almorzar (almuerzo) en un restaurante con _____

dormir (duermo) una siesta

empezar (empiezo) un proyecto para _____

hacer ejercicio

hacer la tarea de _____

jugar (juego) al tenis / golf / basquetbol con _____

servir (sirvo) una comida (meal) en casa

ver la televisión

volver (vuelvo) a ver a _____

A conversar...

El fin de semana

Estudiante A: You have an exciting plan for the weekend. You have organized activities for Friday, Saturday, and Sunday (use the schedule in **Actividad D**). Find out what your friend plans to do during the weekend. Describe your activities and try to convince him/her to join you in your planned activities. Use the vocabulary and structures in this section, other parts of this chapter, and in previous chapters.

Estudiante B: You have an exciting plan for the weekend. You have organized activities for Friday, Saturday, and Sunday (use the schedule in **Actividad D**). You meet with a friend. Answer his/her questions, and describe your activities to him/her. Try to convince him/her to join you in your planned activities. Use the vocabulary and structures in this section, other parts of this chapter, and in previous chapters.

Nota cultural II

La arquitectura histórica musulmana

Uno de los eventos más importantes de la historia de España es la presencia árabe o musulmana en la península ibérica desde el año 711 hasta el siglo XV. En sus 700 años en España, la cultura musulmana dejó[a] su influencia en las artes, en la arquitectura y en el español.

Por ejemplo, en español hay muchas palabras de origen árabe y muchas están relacionadas con la casa como **almohada** (*pillow*), **alberca, alcoba, alfombra, diván** (*sofa*), etc. También la arquitectura musulmana le da a España características especiales. La mayoría de los palacios,[b] mezquitas y edificios históricos representativos de este estilo arquitectónico están en el sur de España, en Andalucía, pero puedes ver otros en toda España.

Dos de los edificios más importantes en Andalucía son **la Mezquita de Córdoba** en Córdoba y **el Palacio de la Alhambra** en Granada. Aunque[c] estos dos monumentos históricos representan dos etapas diferentes de la arquitectura musulmana (califal y nazarí, respectivamente), los dos tienen aspectos típicos de esta arquitectura: arcos, cúpulas,[d] diseños en madera,[e] decoraciones de muchos colores con patrones[f] geométricos, falta[g] de imágenes humanas o de animales, fuentes y jardines.

La Mezquita de Córdoba fue construida[h] en el siglo X, cuando la ciudad de Córdoba era[i] una de las ciudades más importantes de Europa. Hoy la Mezquita tiene una iglesia católica[j] en su interior y puedes visitar esta construcción pagando €6 de entrada. Uno de los lugares más impresionantes de la Mezquita es el **Patio de los Naranjos,** donde puedes ver las fuentes originales y los árboles de naranjas[k] como los que existían[l] en el siglo X. También son únicos los 850 arcos de tonos rojos y ocres de mármol y granito[m] que tiene la Mézquita.

El elemento que distingue al **Palacio de la Alhambra** en Granada es su rica decoración con patrones geométricos como los rombos[n] y la decoración vegetal (estilo ataurique). Además, la Alhambra, construida antes del siglo IX, tiene un tipo de columna que no existe en otras construcciones musulmanas. En el siglo XIII, la Alhambra se convirtió en una residencia real[n] y así empezó[o] su época de esplendor.[p] Hoy puedes visitar la Alhambra de día o de noche pagando €12 de entrada.

En Canadá, también hay una "Alhambra". En la provincia de Alberta, hay una ciudad pequeña que se llama "Alhambra" (en honor al edificio en España) cerca de la ciudad de Red Deer. ¿Puedes encontrar la ciudad "Alhambra" en el mapa de Canadá?

Ahora visita el sitio web **www.mcgrawhill.ca/olc/knorre** y busca fotos de la Mezquita de Córdoba. ¿Qué otra característica importante tiene este lugar? ¿Qué puedes aprender sobre la ciudad de Córdoba? Escribe un pequeño informe[q] con un/a compañero/a.

[a]*left* [b]*palaces* [c]*Aunque... Even though* [d]*domes* [e]*madera* [f]*patterns* [g]*lack of* [h]*was built* [i]*was* [j]*Catholic church* [k]*árboles... orange trees* [l]*como... like the ones that existed* [m]*mármol... marble and granite* [n]*diamond-shaped* [ñ]*se... became a royal residence* [o]*así... thus began* [p]*su... its most important time* [q]*report*

¿Entendiste?

1. ¿En qué áreas de España podemos ver la influencia musulmana?
2. ¿Dónde encontramos construcciones musulmanas?
3. ¿Hay sólo un estilo arquitectónico musulmán?
4. ¿Qué materiales hay en las construcciones musulmanas? ¿Y qué colores predominan?
5. Compara el estilo colonial (**Nota cultural I**) y el estilo musulmán. ¿Qué diferencias y similitudes existen entre los dos? (Puedes usar las fotos en esta sección y en **Nota cultural I.**)
6. ¿Qué tipo de construcción es la Mezquita? ¿Es una biblioteca?
7. ¿Qué características del estilo musulmán tiene?
8. ¿Qué es la Alhambra?
9. ¿Qué características del estilo musulmán tiene?
10. ¿Cuánto cuesta visitar la Mezquita y la Alhambra?
11. ¿Hay edificios con el estilo arquitectónico musulmán en Canadá? ¿Dónde? ¿Cómo son?
12. ¿Quieres visitar Andalucía? ¿Por qué? ¿Por qué no?

Uno de los jardines de la Alhambra

GRAMÁTICA 3

¿QUÉ ESTÁN HACIENDO? • PRESENT PROGRESSIVE:
ESTAR + -NDO

GRAMÁTICA EN ACCIÓN: ¿QUÉ ESTÁ HACIENDO ELISA?

Elisa es la mamá de Montserrat. ¿Qué está haciendo en este momento? Lee el siguiente texto y piensa, además, cómo se forma el presente progresivo. ¿Cuándo usamos este tiempo?

Elisa es periodista. Por eso escribe y habla mucho por teléfono en su trabajo. Pero ahora no está trabajando. Está descansando en casa. Está oyendo música, leyendo una novela y tomando un café. Su hija Montserrat y su sobrino Julio están estudiando en la biblioteca. Su esposo Román está limpiando su coche.

¿Y ustedes? En el salón de clase, ¿quién está haciendo las siguientes cosas en este momento?

 Nadie = *nobody.*

1. descansando
2. leyendo un periódico
3. tomando un café
4. trabajando
5. escuchando al profesor / a la profesora con mucha atención

Uses of the Progressive

The *progressive* is a verb form that expresses a continuing or developing action. In Spanish, you can use special verb forms to describe an action in progress—that is, something actually happening at the time that it is being described. These Spanish forms, called **el progresivo,** correspond in form to the English *progressive* (*I am walking, we are driving, she is studying*), but their use is not identical. Compare the Spanish and English verb forms in the sentences on the right.

English uses the present progressive (*I am -ing*) to tell what is happening right now (sentence 1), what is going to happen (sentence 2), and what someone is doing over a period of time (sentence 3). However, in Spanish the present progressive is used **only** to express an action that is currently in progress (sentence 1). The simple Spanish present tense is used to express sentences 2 and 3. Sentence 2 can also be expressed with **ir + a +** *infinitive.*

1. *Ramón is eating right* now.
   Ramón **está comiendo** ahora mismo.

2. *We're buying the house tomorrow.*
   Compramos (Vamos a comprar) la casa mañana.

3. *Adelaida is studying chemistry this semester.*
   Adelaida **estudia** química este semestre.

Formation of the Present Progressive

1. The Spanish present progressive is formed with **estar** plus the *present participle or gerund* (**el gerundio**).

2. The present participle is formed by adding **-ando** to the stem of **-ar** verbs and **-iendo** to the stem of **-er** and **-ir** verbs.

3. The present participle never varies; it always ends in **-o**.

4. The stem vowel in the present participle of **-ir** stem-changing verbs also changes. From this point on in *Puntos de partida,* Canadian Edition, that stem change will be shown in parentheses.

estar + *present participle*

tomar	→ **tom**ando	taking; drinking
comprender	→ **comprend**iendo	understanding
abrir	→ **abr**iendo	opening

 Unaccented **i** represents the sound [y] in the participle ending **-iendo: comiendo, viviendo.** Unaccented i between two vowels becomes the letter **y:**

    leer: le + iendo → le**y**endo
    oír:　o + iendo → o**y**endo

preferir (prefiero) (i) → pref**i**riendo
pedir (pido) (i) → p**i**diendo
dormir (duermo) (u) → d**u**rmiendo

The Present Participle with Other Verbs

As in English, the Spanish gerund (el **gerundio**) can be used with verbs other than **estar.** The following verbs are commonly used with the gerund.

1. **pasar tiempo** + *gerund*
   to spend time (*doing something*)

2. **seguir (sigo) (i) / continuar (continúo)** + *gerund*
   to continue (*doing something*)

¿Pasas mucho tiempo **viendo** la televisión?
Do you spend a lot of time watching television?

Sigue lloviendo en Vancouver.
It continues to rain in Vancouver.

Práctica

A. Un sábado típico

Paso 1. Imagina que es un sábado típico para ti. Indica lo que estás haciendo a las horas indicadas. En algunos (*some*) casos hay más de una respuesta posible.

Son las ocho de la mañana y…	**sí**	**NO**
1. estoy durmiendo.	☐	☐
2. estoy haciendo ejercicio.	☐	☐
3. estoy trabajando.	☐	☐
4. estoy escribiendo un correo electrónico.	☐	☐
5. estoy _____.	☐	☐

Es mediodía (*noon*) y…	**sí**	**NO**
1. estoy almorzando.	☐	☐
2. estoy estudiando.	☐	☐
3. estoy tomando un café.	☐	☐
4. estoy viendo una película.	☐	☐
5. estoy _____.	☐	☐

Son las diez de la noche y…

	SÍ	NO
1. estoy bailando en una fiesta.	☐	☐
2. estoy trabajando.	☐	☐
3. estoy hablando por teléfono.	☐	☐
4. estoy leyendo.	☐	☐
5. estoy _____.	☐	☐

Paso 2. Ahora, en parejas, túrnense para determinar si hacen las mismas (*same*) cosas a la misma hora.

MODELO: E1: A las ocho de la mañana los sábados, ¿estás durmiendo?
E2: No, a esa hora estoy trabajando.

B. La familia de Natalia. Hoy no es un día como todos los días para la familia de Natalia, porque su tío de Costa Rica está de visita. Completa las siguientes oraciones para expresar lo que está pasando (*happening*).

MODELO: Casi siempre, Natalia almuerza sólo (*only*) con su mamá. Hoy Natalia y su mamá…
(**almorzar** con su tío en un restaurante) →
Hoy Natalia y su mamá *están almorzando* con su tío en un restaurante.

1. Generalmente, Natalia pasa la mañana en la universidad. Hoy Natalia… (**pasar** el día con su mamá y su tío Ricardo)
2. Casi siempre, Natalia va a casa después de sus clases. Hoy Natalia, su mamá y su tío… (**tomar** un café en casa)
3. De lunes a viernes, Marta, la hermana de Natalia, va a la escuela (*school*) por la tarde. Pero esta tarde ella… (**jugar** con Ricardo)
4. Generalmente, la familia cena (*has dinner*) a las nueve. Esta noche todos… (**cenar** a las diez)
5. ¿Y qué estás haciendo tú en este momento?

C. En casa con la familia Duarte. Escribe una oración para cada uno de los siguientes dibujos con las acciones de cada miembro de la famila Duarte. Di quién está haciendo la acción — el padre, la madre, la hija, los gemelos (*twins*) — y a qué hora.

MODELO: El padre está saliendo de la ducha (*shower*) a las seis de la mañana.

Por la mañana: A las seis de la mañana

a. pensar en sus clases

b. salir de la ducha

c. leer el periódico

d. dormir

Más tarde: A las ocho de la mañana

e. poner la ropa en el armario

f. trabajar

g. comer cereal y
tomar leche

h. salir para la universidad

Por la tarde: A las seis y media de la tarde

i. oír música en su dormitorio

j. estudiar

k. jugar con su perro

l. cocinar

D. Repaso: Los favores.

Montserrat y sus compañeras de casa son muy buenas personas. Siempre hacen cosas por otras personas. ¿Qué están haciendo en este momento? Julio, el primo de Montserrat, habla de sus acciones. Describe qué están haciendo las chicas usando el **presente progresivo** y los pronombres de objeto indirecto (**me, te, le, nos, les**).

MODELO: Montserrat y sus amigas / preparar / una fiesta / a Ryan
Montserrat y sus amigas *le están preparando* una fiesta a Ryan.

1. Natalia / escribir / un correo electrónico / a su prima.
2. Monserrat / limpiar / el dormitorio / a Rosa.
3. La mamá de Natalia y Rosa / cocinar / una paella* / a las chicas.
4. Elena / ayudar / con la tarea / a mí.
5. Rosa / lavar / los platos / a la mamá de Natalia.

Te toca a ti…

6. Nuestro/a instructor/a / ayudar / con este ejercicio / a nosotros.
7. Tu compañero/a de clase / leer / esta oración / a ti.

---

*Un plato típico español con arroz (*rice*), vegetales y mariscos (*seafood*).

E. Repaso: Un día normal. Ángela es dependienta en la tienda española "El Corte Inglés" en Alicante, España. ¿Cómo es un día normal de trabajo para ella? Completa la narración con los siguientes verbos según los dibujos.

 Algunos verbos se usan más de una vez (*more than once*).

volver   cerrar   salir   empezar   pedir   preferir   dormir   almorzar   pensar

1.

2.

3.

4.

5.

6.

1. Llego a la tienda a las diez menos diez de la mañana con mis compañeras de trabajo. Primero (yo) a. _____ a ordenar (*put in order*) la ropa. Yo b. _____ que la ropa de la tienda es muy bonita.

2. A las diez abren la tienda. Los clientes llegan. Algunos clientes _____ mirar la ropa sin nuestra ayuda (*without our help*).

3. Otros clientes nos _____ la ropa y nosotras les mostramos (*show*) la ropa. Luego los clientes nos pagan.

4. A las doce y media (yo) a. _____ de la tienda para almorzar. Mi amiga Susie y yo generalmente (nosotras) b. _____ en la pizzería San Marcos y casi siempre c. _____ pizza.

5. Luego, (yo) a. _____ a la tienda y b. _____ a trabajar. Nunca c. _____ la siesta.

6. Por fin, la supervisora a. _____ la tienda a las nueve en punto. Luego yo b. _____ a casa.

F. Repaso: El nuevo apartamento. Anne, one of Ryan's Canadian friends, has married an Argentinean, and she has moved to his country. She is now buying some furniture and appliances for their new apartment. She has a budget of only $700 Argentinean pesos. Their apartment has wooden floors, and a really small kitchen. Look at the following ad and give her some advice about what to buy or not and why or why not.

Paso 1. Elige los electrodomésticos y muebles. Escribe la información sobre el precio y di por qué Anne debe o no debe comprar cada cosa.

MODELO: Pienso que Anne debe comprar el lavarropas Drean. Este lavarropas cuesta $165 por mes. Anne tiene que comprar este lavarropas porque necesita lavar su ropa y es barato.

Paso 2. Compara tus respuestas con un/a compañero/a. ¿Tienen las mismas ideas? ¿Son los electrodomésticos en Argentina similares o diferentes a los de Canadá? ¿Y son más baratos o más caros?

A conversar...

Una llamada de España

Estudiante A: You're on vacation in Málaga, and a friend is taking care of your apartment while you're away. Call him/her to see how things are going. Ask him/her what he/she is doing and tell him/her what you're doing in Málaga (e.g., use the expression **pasar tiempo + gerund,** and use the information about Málaga in other parts of this chapter). Try to get as much information as possible about his/her activities at the apartment and what is happening there right now (you think he/she and his/her friends are cleaning the apartment).

Estudiante B: You're taking care of a friend's apartment while he/she is on vacation in Málaga. Yesterday you had a party at the apartment, and you and some friends are cleaning it when your friend calls. Describe what is happening at the apartment and answer his/her questions. Also ask him/her what he's/she's doing in Spain.

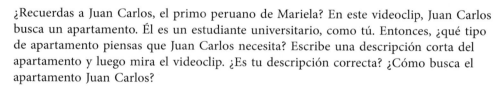

UN POCO DE TODO

VIDEOTECA

En contexto

¿Recuerdas a Juan Carlos, el primo peruano de Mariela? En este videoclip, Juan Carlos busca un apartamento. Él es un estudiante universitario, como tú. Entonces, ¿qué tipo de apartamento piensas que Juan Carlos necesita? Escribe una descripción corta del apartamento y luego mira el videoclip. ¿Es tu descripción correcta? ¿Cómo busca el apartamento Juan Carlos?

¿Entendiste?

A. El apartamento de Juan Carlos

Contesta las siguientes preguntas sobre el videoclip.

1. ¿Quién es la Sra. Amanda Villanueva?
2. ¿Dónde ve Juan Carlos a la Sra. Villanueva? ¿Qué tipo de estilo arquitectónico tiene la casa?
3. ¿En qué parte de la ciudad de Lima quiere vivir Juan Carlos?
4. ¿Qué tipo de apartamento prefiere? Describe el apartamento.
5. ¿Cuánto dinero puede pagar Juan Carlos de alquiler? (La moneda de Perú es el sol: 1 sol, 2 soles, etc.)
6. ¿Cómo van la Sra. Villanueva y Juan Carlos al apartamento?
7. ¿Piensas que Juan Carlos va a alquilar el apartamento?

LENGUA

¿Qué tipo de construcciones, formales o informales, usa Juan Carlos para hablar con la Sra. Villanueva? ¿Por qué?

B. La agente inmobiliaria. En este videoclip, Juan Carlos le pide ayuda a una agente inmobiliaria, la Sra. Villanueva, para buscar un apartamento. Imagina que la Sra. Villanueva te ayuda a ti.

Paso 1. Lee las preguntas de la Sra. Villanueva. Elige la respuesta más apropiada.

1. Así que usted busca apartamento. ¿Cuántos dormitorios prefiere?

☐ Dormitorios grandes / pequeños.
☐ Una casa grande.
☐ No quiero alfombras.
☐ Necesito dos dormitorios.
☐ Un jardín con piscina.

2. ¿Cuántos baños prefiere tener en el apartamento?

☐ Necesito lavabo.
☐ Uno o dos.
☐ Tres armarios.
☐ Sólo necesito bañera.
☐ Tres estantes.

3. ¿Qué muebles quiere en el apartamento?

☐ Una piscina.
☐ El garaje.
☐ Cuatro platos.
☐ Una cama y una cómoda.
☐ Un comedor.

4. ¿Cúanto quiere pagar Ud. de alquiler?

☐ No necesito piscina.
☐ Tengo televisor.
☐ Más o menos ochocientos cincuenta euros.
☐ Pasado mañana.
☐ Los lunes.

Paso 2. Escribe preguntas para cada una de las respuestas en el **Paso 1.**

MODELO: Answer: Dormitorios grandes / pequeños.
You ask: ¿Qué tipos de dormitorios tiene la casa?

LECTURA

SOBRE LA LECTURA... En el **Capítulo 3,** hablamos de El Salvador. ¿Qué recuerdas sobre este país? Escribe algunas ideas sobre su geografía y gente.

En esta lectura vas a leer unos avisos clasificados adaptados de avisos reales en diarios salvadoreños.

ESTRATEGIA: More on Cognates

Another way in which you can make use of cognates when you read texts in Spanish is by paying attention to word endings. The endings of many Spanish words correspond to English word endings according to fixed patterns. Learning to recognize these patterns will increase the number of close and not-so-close cognates that you can recognize. Here are a few of the most common.

-dad / -tad → *-ty*   -mente → *-ly*
-ción → *-tion*   -sión → *-sion*
-ico → *-ic, -ical*   -oso → *-ous*

What are the English equivalents of these words?

1. unidad
2. reducción
3. explosión
4. idéntico
5. estudioso
6. frecuentemente
7. pomposo
8. libertad
9. fantástico
10. obviamente
11. desilusión
12. imperiosamente

25

ANTES DE LEER

Try to spot additional cognates in the following reading, and remember that you should be able to guess the meaning of underlined words from context.

A LEER

Ahora lee los avisos clasificados. ¿Qué vivienda (casa o apartamento) prefieres?

A

Residencial[a] Cuzcachapa

141.30 metros cuadrados. <u>Cochera</u> para 2 vehículos.

Planta baja[b]

- Baño social
- Sala—Comedor
- Cocina con <u>gabinetes</u> y pantry
- Conexiones para secadora[c] y lavadora
- Balcón y zona verde

Segunda planta[d]

- Sala familiar
- Dormitorio principal espacioso con baño incorporado y closet
- Dos dormitorios con closet y baño a compartir

A U.S. $65,000

D

San Salvador

Primer piso:[g] Sala, cocina, comedor, dos baños.

Segundo[h] piso: Dos dormitorios.
Detalles:

- Agua potable 24 hrs. al día
- Ventanas protegidas[i] con defensas de hierro.[j] Patio protegido con <u>malla</u> "razor" electrificada
- <u>Plazoleta</u> de estacionamiento propio[k]
- Todas las obras de urbanización[l] en perfecto estado

B

Residencial Villa Miramonte Townhouse

Townhouse de 2 niveles;[e] sala, comedor, cocina, 3 habitaciones, 1 baño social, 2 baños familiares, área de servicio completa, cochera.

E

LA LIBERTAD

Bonita casa pequeña de 1 nivel ubicada con seguridad, accesible[m] a zonas comerciales de Santa Tecla. Instituciones <u>cercanas</u>: centros comerciales, bancos, supermercados.

C

SAN SALVADOR

Bonita casa ubicada[f] en residencial privado con seguridad las 24 horas del día. Casa de reciente construcción. Una habitación con baño. Instituciones cercanas: farmacias, mini supermercados, hospital.

F

Colonia[n] Escalón

Casa recientemente remodelada de dos pisos.

Detalles:

- Jardín amplio con piscina.
- Cochera para 2 vehículos.
- 4 habitaciones, 3 baños.
- Cocina con pantry, area de servicio, piso de cerámica, ventanas francesas.
- Sala familiar grande.

A U.S. $125,000

---

[a]*(Residential) Neighbourhood* [b]*Planta… Ground (First) floor* [c]*dryer* [d]*Segunda… Second floor* [e]*levels* [f]*located*
[g]*Primer… First floor* [h]*Second* [i]*protected* [j]*iron* [k]*estacionamiento… private parking* [l]*obras… public facilities*
[m]*with access* [n]*Neighbourhood*

DESPUÉS DE LEER

A. Cognados. Los siguientes cognados aparecen en los anuncios. ¿Qué significan?

1. conexiones
2. seguridad
3. recientemente
4. electrificada
5. espacioso

B. La casa perfecta. Vuelve a leer los anuncios y determina qué casa sería (*would be*) ideal para los siguientes clientes. Indica la letra de la casa correspondiente y explica tu selección.

1. Los Sifuentes, un matrimonio (*married couple*) joven con dos hijos de 8 y 10 años, respectivamente. También vive con ellos una abuela. Es una familia activa y les gusta pasar tiempo al aire libre.
2. Pedro Villalba, un viudo sin familia. Tiene problemas de salud (*health*) y toma varias medicinas.
3. Los Pino, un matrimonio mayor (*older*) que no tiene coche. Les gusta ir de compras.
4. Elena Aguilar, una madre soltera y su hijo, Alex. No son de la capital. Elena desea vivir en un lugar muy seguro (*safe*).

REDACCIÓN

MI CASA IDEAL

En este capítulo, vas a escribir una descripción de tu casa ideal y las actividades que puedes hacer allí.

ANTES DE ESCRIBIR

Usa las siguientes preguntas para pensar en tu descripción. Tu instructor/a te puede ayudar con palabras y construcciones nuevas.

1. ¿Dónde está tu casa ideal? (Menciona el país, la region y / o la ciudad.)
2. ¿Por qué te gusta este lugar?
3. ¿Qué estilo arquitectónico tiene tu casa?
4. ¿Cuántos pisos hay en tu casa?
5. ¿Hay un garage? ¿Hay un jardín? ¿Hay una piscina? ¿Cómo son estos lugares?
6. Menciona los lugares en el interior de tu casa (sala, cocina, etc.).
7. Describe cada uno de los lugares (colores, muebles, etc.). (Por ejemplo: La sala es grande, de color blanco y tiene un sofá…)
8. ¿Qué piensas hacer / quieres hacer en cada lugar de la casa? (Por ejemplo: En la sala pienso / quiero mirar televisión con mis amigos…)

A ESCRIBIR

Ahora escribe tu descripción y recuerda...

- usar el vocabulario y verbos de este capítulo y de los capítulos anteriores.
- prestar atención al género y número cuando usas artículos, adjetivos y sustantivos (por ejemplo, **la** sala es pequeña).
- prestar atención a las conjugaciones correctas de los verbos (por ejemplo, En la sala **mi novio/a** mira la televisión).
- unir tus ideas con conectores como **y, pero, además, sin embargo, porque, por eso,** etc.

Empieza tu composición de la siguiente forma:
"Mi casa ideal está en..."

DESPUÉS DE ESCRIBIR

Now read your description, and focus on the following:

- Content: Have you included all the information required?
- Grammar:
  - Adjectives, possessive adjectives, nouns, and adjectives: Do they agree in gender and number?
  - Verbs: Have you conjugated your verbs correctly?
- Connectors: Have you connected your ideas with the suggested connectors and conjunctions?

Correct your text, and write a new, improved version.

España

Antes de explorar...

What have you learned about Spain so far? Explore this chapter for information about the country and its people and, with a classmate, write down some ideas.

¡A explorar!

¿Qué más podemos aprender sobre España? Lee los textos a continuación y piensa en las similitudes y diferencias entre España y Canadá.

Datos esenciales

- Nombre oficial: Reino de España
- Capital: Madrid
- Población: más de 44 millones de habitantes
- En España hay cuatro idiomas oficiales: el español o castellano, el catalán (hablado en las ciudades y pueblos de Cataluña, como Barcelona), el gallego (hablado en Galicia) y el vasco (hablado en el País Vasco). Todos, menos[a] el vasco, vienen del latín.
- España no fue[b] siempre un solo país. De hecho,[c] España se unificó[d] en el siglo XV cuando los Reyes Católicos, Isabel y Fernando, monarcas de dos reinos[e] independientes, se casaron.[f] Su campaña[g] de unificación terminó[h] en 1492 con la conquista de los árabes en Granada.
- Los árabes, como vimos en **Nota cultural II,** tuvieron[i] una influencia importante en casi todas las áreas de la vida: el arte, la agricultura, el comercio, la arquitectura, la lengua, etcétera.
- España es famosa for sus ferias[j] y vida social animada,[k] y es uno de los destinos turísticos más populares de Europa.

[a]except [b]was [c]De... In fact [d]unified, became one [e]kingdoms [f]got married [g]campaign [h]ended [i]had [j]festivals [k]exciting

El acueducto de Segovia. "*Hispania Romana*" fue el nombre en latín del territorio de la Península Ibérica ocupado[a] por los romanos entre 200 a.C.[b] y 419 d.C.[c] Durante esos seis siglos, los romanos construyeron templos, anfiteatros, puentes,[d] acueductos y otras estructuras, algunas de las cuales[e] puedes ver en la España de hoy. El acueducto de Segovia fue construido en el siglo I d.C., y después de dos mil años, es el mejor conservado[f] de los acueductos romanos de toda Europa.

[a]occupied [b]antes de Cristo (*B.C.*) [c]después de Cristo (*A.D.*)
[d]bridges [e]algunas... *some of which* [f]mejor... *the best preserved*

El Templo de la Sagrada[a] Familia, en Barcelona. El Templo de la Sagrada Familia se considera la obra maestra[b] del arquitecto Antonio Gaudí (1852–1926), y muestra un estilo y originalidad impresionantes que reflejan el lema[c] del arquitecto: "Más es más." La Sagrada Familia se construyó sobre una iglesia neogótica, pero desafortunadamente[d] Gaudí murió[e] antes de poder completar este proyecto. Hoy en día con la ayuda de donaciones, se continúa[f] construyendo, siguiendo[g] los planos originales de Gaudí.

[a]Holy [b]se... *is considered the masterpiece* [c]motto [d]unfortunately [e]died
[f]se... *is being built* [g]according to*

La Feria de Abril, de Sevilla. En España la gente celebra más festivales que en cualquier otro país europeo. Todos los pueblos y ciudades celebran por lo menos una feria local durante el año. Muchas ferias son en homenaje al santo patrón[a] del lugar o en celebración de otro evento religioso. Otras tienen su origen en ferias comerciales, como es el caso de la espectacular Feria de Abril de Sevilla, que se originó[b] en una feria de ganado.[c]

[a]en... *in honour of the patron saint* [b]*originated* [c]*livestock*

Toledo, con el Alcázar[a] al fondo.[b] Toledo, una hora al sur de Madrid, es una ciudad medieval amurallada[c] de gran importancia histórica. Durante la época medieval, fue el hogar de cristianos, árabes y judíos,[d] y fue una vibrante comunidad intelectual y artística. En el siglo XVI, fue capital del nuevo reino unificado de España. Además,[e] fue la ciudad donde vivió[f] el pintor El Greco.

[a]*Castle* [b]al... *in the background* [c]*walled* [d]*Jews* [e]*In addition* [f]*lived*

La música, la literatura y la pintura de España

Cada región de España tiene su estilo de música folclórica, bailes e instrumentos típicos: las gaitas[a] de la música céltica (noroeste), el acordeón y la pandereta[b] de la música vasca (norte), el tamboril caramillo[c] de la música de Extremadura (oeste) y el flabiol[d] y tamboril[e] de la música de la Sardana (noreste). Pero el flamenco, la música de Andalucía, en el sur, es el estilo más conocido de España. El cante jondo,[f] el baile y la guitarra del flamenco, son una fusión de tradiciones gitanas[g] y árabes. Además de la música tradicional, España tiene excelentes cantantes de música contemporánea y rock como Joan Manuel Serrat, Alejandro Sanz, Rosario, Ana Belén, La 5ª Estación, Presuntos Implicados y La Oreja de Van Gogh. Algunos de estos cantantes y bandas han ganado[h] premios Grammy Latinos.

La literatura española es muy rica y le ha dado[i] al mundo excelentes escritores y premios nóbeles[j] que van desde Cervantes (1547–1616) hasta Juan Ramón Jiménez (premio Nóbel 1956) y Camilo José Cela (premio Nóbel 1989). Otros poetas y dramaturgos importantes de la literatura española son Lope de Vega (1562–1635), Jacinto Benavente (1866–1954), Antonio Machado (1875–1939) y Alejandro Casona (1903–1965). La "Generación del 98" fue uno de los movimientos literarios más importantes del siglo XX. Este grupo de escritores, entre los que se encontraban[k] Jacinto Benavente y Antonio Machado, tuvo[l] una gran influencia en la literatura de la época y expresó[m] su desilución por los conflictos políticos y sociales de la España y Europa de principios del siglo XX.

El arte de España también es muy rico. A través de la historia española ha habido[n] pintores y escultores excelentes como Diego Velázquez (1599–1660), Francisco Goya (1746–1828), Pablo Picasso (1881–1973) y Salvador Dalí (1904–1989). El arte de estos cuatro artistas representa

[a]*bagpipes* [b]*tambourine* [c]tamboril... *tabor-pipe* [d]*type of tabor-pipe* [e]*small drum* [f]cante... *style of singing typical of flamenco music* [g]*Gypsy* [h]*have won* [i]ha... *has given* [j]premio... *Nobel prize winners* [k]entre... *among whom we can find* [l]*had* [m]*expressed* [n]ha... *there have been*

Guernica, por Pablo Picasso (español, 1881–1973)

diferentes etapas del arte español y temas sociales e históricos de la historia del país. Por ejemplo, mientras que[n] las pinturas de Velázquez muestran la vida del rey Felipe IV y su familia y son representativas del estilo barroco, algunas obras de Picasso se refieren a eventos históricos como la guerra civil española (por ejemplo, **Guernica**) y tienen características del cubismo y arte surrealista. Puedes apreciar obras de estos artistas visitando el Museo del Nacional Prado en Madrid, el Museu Picasso en Barcelona y el Teatro-Museo Dalí en Figueres. Visita el sitio web **www.mcgrawhill.ca/olc/knorre** y compara las obras de estos cuatro artistas. ¿Qué colores usan? ¿Cómo son las figuras? ¿Qué temas expresan sus obras? ¿Qué tienen en común?

Otro aspecto importante del arte español es el cine. En las tres últimas décadas, el trabajo del director Pedro Almodóvar ha revolucionado[o] el cine español y mundial. Sus películas hablan de temas sociales controvertidos y su estilo irreverente que mezcla[p] el drama con la comedia le da a su cine un aspecto único. Algunas de sus películas más famosas son "Mujeres al borde de un ataque de nervios" (1987), "Todo sobre mi madre" (1999), "Volver" (2006) y "Los abrazos rotos" (2009). Busca más datos sobre Pedro Almodóvar (de dónde es en España, quienes son sus actrices y actores favoritos, etc.), visitando el sitio web **www.mcgrawhill.ca/olc/knorre.** ¿Hay un director de cine tan importante como Almodóvar en Canadá? ¿Cómo se llama? ¿Cómo son sus películas?

[n]mientras... *while*   [o]ha... *has revolutionized*   [p]que... *that mixes*

Los españoles en Canadá

La comunidad española en Canadá no es tan grande como[a] otras comunidades hispanas y la mayoría de los españoles viven en las provincias de Québec y Ontario (38% y 43% respectivamente según el Censo de 1991).* Sin embargo,[b] hay inmigrantes españoles en todo Canadá (aún[c] en la Isla Príncipe Eduardo con 10 habitantes de origen español). Como otras comunidades hispanas, los españoles en Canadá tienen restaurantes que ofrecen platos de distintas regiones de España en las grandes ciudades canadienses como Toronto y Montréal. Uno de los tipos de restaurantes más polulares son los bares de tapas. Las tapas son similares a los *appetizers* canadienses y generalmente la gente come varias combinaciones de tapas que comparte[d] con otras personas. Los platos más populares de tapas incluyen diferentes tipos de quesos,[e] aceitunas,[f] platos de mariscos[g] como calamares fritos con salsa de tomate.[h]

Pero quizás la mayor demostración de la cultura española en Canadá en la actualidad es la popularidad del flamenco. Lee el siguiente artículo sobre el flamenco en Canadá y responde estas preguntas:

1. ¿Es el flamenco importante en Canadá?
2. ¿En qué ciudades hay presentaciones de flamenco?
3. ¿Hay grupos de canadienses que bailan flamenco?
4. ¿Qué artistas famosos españoles visitan Canadá?

*Source of information: *Multicultural Canada* at http://multiculturalcanada.ca/Encyclopedia/A-Z/s12/3.

[a]tan... *as big as*   [b]Sin... *However*   [c]*even*   [d]que... *that they share with*   [e]*cheese*   [f]*olives*   [g]*seafood*
[h]*fried squid in a tomato sauce*

Paco de Lucía, Eva Yerbabuena, Paco Peña y Concha Vargas, a la conquista de Canadá*
por Carmen Jiménez

Canadá es hoy uno de los países donde la presencia del flamenco es muy importante. Muestra de ello[i] es el programa de actuaciones de los guitarristas Paco de Lucía y Paco Peña, de las bailaoras[j] Eva Yerbabuena y Concha Vargas y de otros artistas en diferentes provincias canadienses. Además, hay espectáculos preparados por algunas de las compañías locales con mucho potencial, que buscan convertir[k] a Canadá en un gran referente del arte jondo.[l]

No es Japón ni los Estados Unidos. El mejor flamenco ya no es sólo para los habitantes de estos países, tan diferentes en cultura y lengua, pero tan apasionados por el flamenco como cualquier español. A la lista se ha apuntado[m] también el público canadiense. Sólo hay que echar un vistazo[n] a los ricos programas de presentaciones que se planean en los próximos meses en ciudades como Vancouver, Victoria o White Rock, las tres situadas en la provincia de British Columbia, en la costa oeste; o en otra parte del país, como Québec o Toronto.

Carmen Romero, otra artista de flamenco muy importante de Canadá

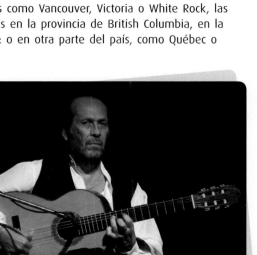

Paco de Lucía, guitarrista andaluz

Paco de Lucía es el gran protagonista de esta programación. Dentro de su gira[ñ] de conciertos por toda América, el guitarrista andaluz actuó[o] en Edmonton (8 de febrero), Vancouver (10 de febrero), Toronto (12 de febrero) y Montréal (13 de febrero) en 2004.

Pero este guitarrista no es el único artista flamenco esperado con ansias[p] en tierras canadienses. La bailaora Eva Yerbabuena dio[q] una presentación el 7 de marzo (de 2004) en Vancouver. En esta ciudad canadiense la artista granadina demostró[r] que es una de las mejores bailaoras del momento.

Estas presentaciones no son la única presencia del flamenco en las ciudades canadienses. El interés de los artistas locales ha generado[s] un flamenco con mucho futuro, representado por varias compañías. Entre ellas está la de Oscar Nieto y Kassandra, El Mozaico, que organiza un espectáculo de estudiantes llamado El Jaleo en Vancouver. Otra compañía importante es la de la bailaora mexicana Rosario Ancer, Compañía Flamenco, que organiza el *Flamenco Festival* también en Vancouver, y que es una muestra del trabajo de los artistas locales del flamenco canadiense más reconocidos.

*Text adapted from the original at http://www.flamenco-world.com/noticias/ecanad17032004.htm

[i]muestra... *an example of this* [j]*name given to flamenco dancers* [k]*que... are trying to convert* [l]*arte... another name for flamenco* [m]*se... has been added to the list* [n]*echar... have a look at* [ñ]*tour* [o]*performed* [p]*esperado... highly awaited* [q]*gave* [r]*showed* [s]*ha... has created*

Otro aspecto importante de la influencia de España en Canadá está relacionada a la enseñanza del español en las escuelas y universidades canadienses. A través de sus Centros de Recursos (los dos más importantes están en Montréal y en Toronto), el Ministerio de Educación de España provee fondos y materiales pedagógicos como la revista *Materiales* y libros para la enseñanza del español en Canadá. También, hay programas para estudiantes y profesores de español canadienses para el desarrollo[t] de su español en España. Otra herramienta de aprendizaje[u] importante que ofrece España es el Centro Virtual Cervantes (CVC). Consulta el sitio web **www.mcgrawhill.ca/olc/knorre** y busca información sobre las actividades del CVC. ¿Cómo puedes usar el material del centro para mejorar tu español? ¿Qué material tienen para los estudiantes? ¿Cómo se llama el examen de español que ofrecen?

[t]*development*   [u]*otra... another learning tool*

Sitio web del Ministerio de Educación español en Canadá

Proyecto cultural en grupo: Comprando muebles en España

Imagina que tú y tus compañeros van a estudiar en España a través de una de las becas del Ministerio de Educación español. Deciden alquilar un piso en Madrid y tienen que comprar muebles y electrodomésticos. Tienen un presupuesto de $3.000.

Paso 1. Conviertan los dólares canadienses a euros (pueden encontrar una página de conversión en el sitio web **www.mcgrawhill.ca/olc/knorre**).

Paso 2. Visiten el sitio Web de la tienda IKEA en España (http://www.ikea.com/es/es/). Deben comprar los siguientes muebles:

1. tres camas
2. un sofá
3. una mesa con 4 sillas
4. una cocina
5. un refrigerador
6. otros muebles / electrodomésticos

Paso 3. Decidan qué muebles comprar de acuerdo a su presupuesto. Presenten sus compras a la clase.

¿Son los muebles y electrodomésticos similares o diferentes a los canadienses? ¿Son más baratos o más caros?

EN RESUMEN

Gramática

To review the grammar points presented in this chapter, refer to the indicated grammar presentations.

Gramática 1. Hacer, oír, poner, salir, traer, and **ver**

Gramática 2. Expressing Actions, Emotions, and Opinions—Present Tense of Stem-Changing Verbs (Part 2)

Gramática 3. ¿Qué están haciendo?—Present Progressive: **Estar + -ndo**

Do you know the forms of **hacer, oír, poner, salir, traer,** and **ver** and how to use them?

Do you know the forms of verbs like **pensar, volver,** and **pedir?**

Do you know how to form and when to use the present progressive in Spanish?

Vocabulario

Los verbos

almorzar (almuerzo)	to have lunch
cerrar (cierro)	to close
descansar	to rest
dormir (duermo)	to sleep
dormir la siesta	to take a nap
empezar (empiezo)	to begin, to start
empezar a + inf.	to begin to (do something)
entender (entiendo)	to understand
hacer	to do; to make
hacer ejercicio	to exercise
hacer un viaje	to take a trip
hacer una pregunta	to ask a question
jugar (juego) (a, al)	to play (a game, a sport)
oír (oigo, oyes,...)	to hear; to listen to (music, the radio)
pedir (pido)	to ask for; to order
pensar (pienso) (en)	to think (about)
pensar + inf.	to intend, to plan to (do something)
perder (pierdo)	to lose; to miss (an event)
poner (pongo)	to put; to place; to turn on (an appliance)
salir (salgo) (de / con / para)	to leave (a place); to go out (with); to leave (for) (a place)
salir bien / mal	to turn/to come out well/badly; to do well/poorly
servir (sirvo)	to serve
traer (traigo)	to bring
ver (veo)	to see
volver (vuelvo)	to return (to a place)
volver a + inf.	to (do something) again

Los cuartos y otras partes de una casa

la alcoba / el dormitorio	bedroom
el baño	bathroom
la cocina	kitchen
el comedor	dining room
el jardín	garden
la pared	wall
el patio	patio; yard
la piscina	swimming pool
la sala	living room

Cognado: el garaje

Repaso: el cuarto

Los muebles y otras cosas de una casa

la alfombra	rug
el armario	armoire, free standing closet
la bañera	bathtub
la cama	bed
la cómoda	bureau; dresser
el estante	bookshelf
la lámpara	lamp
el lavabo	(bathroom) sink
la mesita	end table
los muebles	furniture
los platos	dishes; plates
el sillón	armchair

Cognado: el sofá

Repaso: el escritorio, la mesa, la silla, la televisión

Algunos aparatos domésticos

la aspiradora	vacuum cleaner
la cafetera	coffeemaker
el congelador	freezer
la estufa / la cocina	stove
el horno de microondas	microwave oven
la lavadora	washing machine
el lavaplatos	dishwasher
el refrigerador	refrigerator
la secadora	clothes dryer
la tostadora	toaster

Los quehaceres domésticos

barrer (el piso)	to sweep (the floor)
hacer la cama	to make the bed
lavar...	to wash . . .
los platos	the dishes
la ropa	the clothes
las ventanas	the windows
limpiar (la casa entera)	to clean (the whole) house
pasar la aspiradora	to vacuum
pintar (las paredes)	to paint (the walls)
planchar la ropa	to iron clothing
poner la mesa	to set the table
quitar la mesa	to clear the table
sacar la basura	to take out the trash
sacudir los muebles	to dust the furniture

Otros sustantivos

la bebida	drink
el cine	movies; movie theater
la cosa	thing
el ejercicio	exercise
la llave	key
la película	movie
el ruido	noise
la rutina diaria	daily routine
la tarea	homework

Los adjetivos

cada *inv.**	each, every
diario/a	daily
siguiente	following
solo/a	alone

*invariable

Las preposiciones

antes de	before
después de	after
durante	during
hasta	until
sin	without

Repaso: a, con, de, en, para, por (*in, during*)

¿Qué día es hoy? Repaso

los días de la semana
  lunes
  martes
  miércoles
  jueves
  viernes
  sábado
  domingo

ayer fue (miércoles...)	yesterday was (Wednesday . . .)
el lunes (martes...)	on Monday (Tuesday . . .)
los lunes (los martes...)	on Mondays (Tuesdays . . .)
pasado mañana	the day after tomorrow
el próximo (martes...)	next (Tuesday . . .)
la semana (el lunes...) que viene	next week (Monday . . .)

Repaso: el día, el fin de semana, hoy, mañana

Vocabulario personal

Use this space to write down other words and phrases you learn in this chapter.

To access the Instructor Supplements, please go to the Online Learning Centre at
www.mcgrawhill.ca/olc/knorre.

CAPÍTULO 6

El tiempo en Costa Rica

¡Vamos a Costa Rica y Panamá!

En este capítulo, vamos a visitar Costa Rica, el país de nuestra amiga Mariela y su país limítrofe, Panamá. ¿Tienes algunas ideas sobre estos países? Escribe tus ideas y luego mira los videos sobre Costa Rica y Panamá en la sección "Panorama cultural" en la red.

Ahora, contesta las siguientes preguntas sobre los videos. Puedes usar el mapa a continuación como ayuda.

1. ¿En qué continente están Costa Rica y Panamá? ¿Con qué países limitan?
2. ¿Cómo se llaman sus capitales?
3. ¿Cuál es el nombre informal de la gente de Costa Rica? ¿Cómo son los costarricenses?
4. ¿Y cómo son los panameños?
5. ¿Por qué es importante el sistema de parques nacionales de Costa Rica?
6. ¿Qué tipo de lugares podemos visitar en Costa Rica?
7. ¿Cuál es la atracción más importante de Panamá? ¿Por qué?
8. ¿Qué tipo de geografía podemos ver en Panamá?

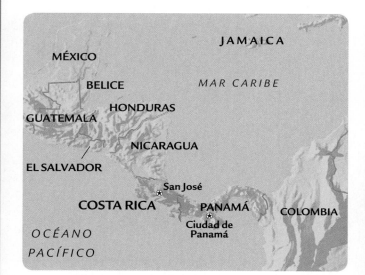

Un día de sol en la playa Manuel Antonio, Costa Rica

JAM

MÉXICO

BELICE

MAR CA

HONDURAS

GUATEMALA

NICARAGUA

EL SALVADOR

San José ⊛

COSTA RICA

PANAMÁ
⊛
Ciudad de
Panamá

En este capítulo

A comunicarnos
In this chapter, we will learn how to . . .

- talk about the weather
- talk about months and seasons
- talk about past activities
- compare and contrast people and things

Gramática
- Prepositions of location
- *Ser* versus *estar*
- Preterite of regular verbs and of *dar, hacer, ir,* and *ser*
- Comparisons

Cultura
- Costa Rica y su gente
- Panamá y su gente
- El tiempo y las estaciones en Costa Rica y Panamá
- Los costarricenses y panameños en Canadá

VOCABULARIO Preparación

En este capítulo vamos a hablar del tiempo en Costa Rica. Muchos canadienses visitan Costa Rica cada año. ¿Por qué piensas que los canadienses van a Costa Rica? ¿Qué prefieren de ese país?

UN BLOG INTERESANTE: COSTA RICA PARA CANADÁ

Eduardo, un costarricence que vive en Canadá, tiene un blog de información sobre Costa Rica para los canadienses que viajan al país. Muchos canadienses escriben sobre sus experiencias. Nora describe sus vacaciones en Guanacaste el mes pasado. Lee su descripción. ¿Dónde está Guanacaste? ¿Cómo es el tiempo allí? ¿Qué actividades tuvo (*had*) Nora? Puedes usar el vocabulario en la página 183 para leer el blog. Los verbos de Nora están en el pasado. Consulta la sección de **Gramática 2** como ayuda.

MIS VACACIONES EN GUANACASTE

El mes pasado **fui** a la provincia de Guanacaste en Costa Rica. ¡Qué bella región! Está en el **noroeste** de Costa Rica, en la costa del Océano Pacífico, y el tiempo es **mejor que** en otros lugares del país. Mi esposo Hugo y yo **salimos** de Edmonton con un tiempo horrible: **nieve** y mucho **frío** (−20° C). Pero **llegamos** a Puerto Soley con mucho **sol** y **calor** (32° C). ☺ Hugo y yo **pasamos** 10 días en Guanacaste. El tiempo **fue** muy bueno, excepto por dos días: un día **nublado** y otro día con **tormentas** y **viento**. Nosotros **hicimos** muchas cosas: **nadamos** en el océano, **tomamos** el sol, **fuimos** al Parque Nacional Santa Rosa que está **cerca de** Puerto Soley y **vimos** el volcán Orosí. **Fue** un viaje maravilloso. El año próximo vamos a visitar la ciudad de San José. Vamos a ir en el mes de **diciembre,** cuando no hay **lluvias.** Queremos ir a Costa Rica cuando **hace sol** y **calor.**

¿Entendiste?

1. ¿De dónde es Nora?
2. ¿Cuándo **fue** Nora a Costa Rica?
3. ¿Cómo **fue** (*was*) el tiempo en Edmonton? ¿Y en Costa Rica?
4. ¿Con quién **fue** Nora a Guanacaste?
5. ¿Qué **hicieron** Nora y su esposo?
6. ¿Adónde van a ir Nora y su esposo el año próximo?
7. ¿Por qué quieren ir en **diciembre**?

Lengua

Presta atención a los verbos en la descripción de Nora.

1. Vas a ver las formas del tiempo pasado de los verbos **salir (salimos), llegar (llegamos), nadar (nadamos), tomar (tomamos)** y **ver (vimos).** ¿Puedes pensar en una regla para la conjugación de estos verbos en el pasado?
2. Ahora presta atención a las formas del pasado del verbo **ir (fui).** ¿Tiene este verbo una conjugación regular o irregular?

¿Qué tiempo hace hoy en América del Sur?

Mientras que en Costa Rica el clima tiene poca variación de temperatura, en América del Sur hay diferencias en el tiempo de los distintos países. Mira el mapa y compara el tiempo en los países del norte como Venezuela y en los países del sur como Argentina.

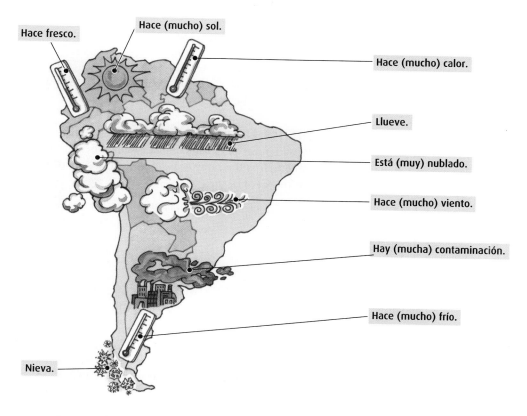

Hace fresco.

Hace (mucho) sol.

Hace (mucho) calor.

Llueve.

Está (muy) nublado.

Hace (mucho) viento.

Hay (mucha) contaminación.

Hace (mucho) frío.

Nieva.

In Spanish, many weather conditions are expressed with **hace,** and there is no literal English equivalent for it. The adjective **mucho** is used with the nouns **frío, calor, viento,** and **sol** to express *very.*

Hace (muy) buen / mal tiempo.   It's (very) good/bad weather. The weather is (very) good/bad.

Pronunciation hint: Remember that, in most parts of the Spanish-speaking world, **ll** is pronounced exactly like **y: llueve.** Also remember that the letter **h** is silent in Spanish.

Otras expresiones útiles

Cae granizo.	It's hailing.	**Truena (tronar).**	There's thunder.
Hay tormenta.	There's a storm.	**Llovizna.**	It's drizzling.

El español camaleón

Está nublado. = Está nubloso. Está nuboso. (*Arg.*)
Nieva. = Está nevoso.
Llueve. = Está lluvioso.
Hace sol. = Está soleado. Hay sol.
Hace fresco. = Está fresco.

Práctica

A. El tiempo y la ropa en América Latina y España.
Vamos a repasar los países que visitamos: México, Guatemala, Nicaragua, El Salvador, Colombia, Argentina y España. Di qué tiempo hace, según la ropa de cada persona. Luego piensa en una ciudad en uno de estos países y di dónde están estas personas.

MODELO: Todos llevan traje de baño y chanclas. →
Hace calor. (Hace buen tiempo.) Están en Málaga, España.

1. María lleva pantalones cortos y una camiseta.
2. Juan lleva suéter, pero no lleva chaqueta.
3. Roberto lleva sudadera y chaqueta.
4. Ramón lleva impermeable y botas y también tiene paraguas (*umbrella*).
5. Todos llevan abrigo, botas, guantes y gorros de lana.

B. El clima en América Latina.
¿Qué clima asocias con las siguientes ciudades en julio? Usa una expresión diferente para cada ciudad. Remember that some of these cities are in the Southern hemisphere. It is the rainy season in Central América, and it's hurricane/tropical storm season in the Caribbean.

1. Usuahia, Argentina
2. Quito, Ecuador
3. Caracas, Venezuela
4. San Juan, Puerto Rico
5. Santiago de Chile, Chile
6. San José, Costa Rica
7. La Habana, Cuba

C. El tiempo y las actividades.
Imagina que tú y un/a compañero/a están en la ciudad de Panamá. Están visitando a unos amigos panameños. Hagan oraciones completas, indicando una actividad apropiada para cada día de acuerdo al pronóstico del tiempo (Panamá metro).

MODELO: Hoy hace calor. →
Vamos a la playa. / Queremos ir a la playa. / Preferimos ir a la playa.

Vocabulario útil

jugar a / al + (deporte)
almorzar en
salir a / de
estudiar
hacer la tarea
visitar
ir a
dormir

PRONOSTICOS EXTENDIDOS

SIMBOLOGIA-SYMBOLS				
Soleado	Parcialments nublado	Nubiado	Lluvia	Tormenta con Lluvia
Sunny	Partially Cloudy	Cloudy	Rain	Storm and Rain

REGION	MIERCOLES	JUEVES 25	VIERNES 26	SABADO 27	DOMINGO 28
PANAMA METRO					
	T.max. 30.0 T.min. 24.0	T.max. 32.0 T.min. 24.0	T.max. 31.0 T.min. 24.0	T.max. 30.0 T.min. 24.0	T.max. 30.0 T.min. 24.0

D. ¿Tienen frío o calor?
¿Están bien? With a partner, describe the following weather conditions, and tell how the people depicted are feeling. Use the verb "**tener** + expression" (**Capítulo 4**) and the verb "**estar** + adjective".

1.
2.
3.
4.
5.
6.
7.

Los meses y las estaciones del año

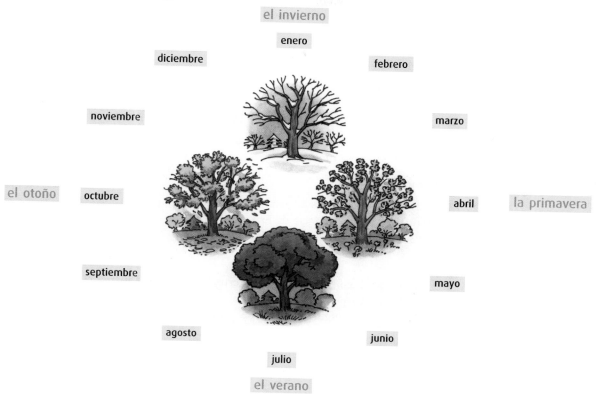

el invierno

diciembre · enero · febrero

noviembre · marzo

el otoño · octubre · abril · la primavera

septiembre · mayo

agosto · junio

julio

el verano

¿Cuál es la fecha de hoy?	What's today's date?
¿Qué fecha es hoy?	
(Hoy) Es el primero de abril.	(Today is) It's the first of April.
(Hoy) Es el cinco de febrero.	(Today is) It's the fifth of February.

1. Other ways to ask what day it is include:

   ¿En qué fecha estamos?

   ¿A cuántos estamos?

In the preceding example, to what do you think **cuántos** refers?

2. The ordinal number **primero (1°)** is used to express the first day of the month. Cardinal numbers (**dos, tres,** and so on) are used for other days.

3. The definite article **el** is used before the date. However, when the day of the week is expressed, **el** is omitted: **Hoy es jueves 3 de octubre.**

4. As you know, **mil** is used to express the year (**el año**) after 999.

   1950   mil novecientos cincuenta   2011   dos mil once

Práctica

A. Un poema. Completa el siguiente poema sobre los meses del año. ¿Cuál es el equivalente del poema en inglés?

1. _____ (número) días tiene noviembre,

con abril, junio y 2. _____.

De veintiocho sólo hay uno,

Y los demás (*the rest*), treinta y 3. _____.

B. Las fechas importantes de Costa Rica, Panamá y Canadá.

Paso 1. Expresa en español estas fechas importantes de Costa Rica y Panamá. ¿En qué estación caen (*do they fall*)?

Costa Rica

1. 18/09/1502, Colón llega a Costa Rica
2. 13/10/1821, Independencia de España
3. 08/03/1948, Empieza la guerra civil

Panamá

4. 25/09/1513, Vasco Núñez de Balboa cruza el Istmo de Panamá por primera vez
5. 28/11/1821, Independencia de España
6. 15/08/1914, Se inaugura el Canal de Panamá

Paso 2. ¿Cuándo celebramos este año? ¿En qué día de la semana (día y fecha) y mes son las siguientes celebraciones este año en Canadá?

1. el Día del Año Nuevo
2. el Día de los Enamorados (de San Valentín)
3. el Día de los Inocentes (*Fools*), en Canadá
4. el Día de Canadá
5. tu cumpleaños
6. el cumpleaños de tu novio/a, esposo/a, mejor (*best*) amigo/a,…

C. Nuestras fechas importantes.

Paso 1. En parejas, túrnense para entrevistarse sobre los siguientes temas. Deben obtener detalles interesantes y personales de su compañero/a.

MODELO: la fecha de tu cumpleaños →
¿Cuál es la fecha de tu cumpleaños? ¿Qué tiempo hace, generalmente, ese día? ¿Cómo celebras tu cumpleaños?

1. la fecha de tu cumpleaños
2. tu signo del horóscopo
3. tu estación favorita
4. una estación que no te gusta

Paso 2. Digan a la clase lo que Uds. tienen en común.

MODELO: Jenny y yo tenemos el cumpleaños en abril. La fecha de Jenny es el 16 y mi fecha es el 18. Nuestro signo es Aries. Las dos (*Both of us*) preferimos la primavera. ¿Por qué? Porque nuestro cumpleaños es en primavera y es una estación muy bonita.

Los signos del horóscopo	
Aries	Libra
Tauro	Escorpión / Escorpio
Géminis	Sagitario
Cáncer	Capricornio
Leo	Acuario
Virgo	Piscis

Nota cultural I

El efecto de los huracanes en Costa Rica*

Los huracanes son los fenómenos atmosféricos que causan más daño[a] a Costa Rica porque producen inundaciones[b] severas o deslizamientos.[c] En los últimos años Costa Rica fue muy afectada por los huracanes Joan en 1988, César en 1996 y Mitch en 1998.

Por lo general, cuando hay una tormenta tropical o un huracán en el Mar Caribe, esta situación afecta la costa del Pacífico de Costa Rica. Por ejemplo, el huracán Mitch produjo[d] mucha lluvia en la costa pacífica, contrariamente a la costa caribeña, donde hubo[e] poca lluvia.

El huracán Mitch fue una terrible experiencia para Honduras, Nicaragua, El Salvador y Costa Rica. Este huracán pasó[f] por América Central entre el 22 de octubre y el 5 de noviembre de 1998 y causó tormentas, vientos muy fuertes y mucha lluvia especialmente en el noroeste de Costa Rica. La población total afectada directa e indirectamente fue de alrededor[g] de 16.500 personas, incluyendo aquellas personas que debieron[h] dormir en albergues[i] o ser evacuadas a casas de vecinos o familiares, o en lugares seguros. 40 de los 81 cantones[j] en el país tuvieron[k] comunidades afectadas por inundaciones, avalanchas y deslizamientos.

En el sector de la agricultura hubo pérdidas[l] en el arroz,[m] caña de azúcar,[n] plátano, café, maíz, vegetales, producción de leche[ñ] y quesos. También la industria principal del país, el turismo, sintió[o] los efectos del huracán.

¿Hay huracanes en Canadá? ¿Qué fenómenos meterológicos afectan a los canadienses?

[a]*damage* [b]*flooding* [c]*mudslides* [d]*produced* [e]*there was* [f]*passed* [g]*about* [h]*had to* [i]*evacuation centres* [j]*similar to counties* [k]*had* [l]*losses* [m]*rice* [n]*sugar cane* [ñ]*milk* [o]*felt*

*Source: Text adapted from the original on http://www.imn.ac.cr/educacion/huracanes/huracan06.html

¿Entendiste?

Decide si las siguientes oraciones son ciertas (C) o falsas (F). Corrige las oraciones falsas.

1. Los huracanes son malos para Costa Rica porque causan mucho viento.   C   F

2. El huracán Mitch sólo afectó (*affected*) a Costa Rica.   C   F

3. El efecto más importante del huracán en Costa Rica fue la lluvia.   C   F

4. Muchas personas tuvieron (*had*) que salir de sus casas durante el huracán.   C   F

5. Los agricultores no tuvieron problemas con el huracán.   C   F

6. El turismo es muy importante en Costa Rica.   C   F

Los efectos del Huracán Mitch en Honduras. Inundaciones como esta también afectaron a Costa Rica.

¿Dónde está? Las preposiciones

> Nueva York está **al norte de** Miami. México está **al sur de** los Estados Unidos.

Pablito está **a la derecha de** Teresa.

Teresa está **entre** Carmen y Pablito.

El libro está **encima de** la mesa.

La mochila está **debajo de** la mesa.

cerca de	close to	**delante de**	in front of
lejos de	far from	**detrás de**	behind
debajo de	below	**a la derecha de**	to the right of
encima de	on top of	**a la izquierda de**	to the left of
al lado de	alongside of	**al norte / sur /**	to the north / south /
entre	between, among	**este / oeste de**	east / west of

Nota comunicativa

Los pronombres preposicionales

In Spanish, the pronouns that serve as objects of prepositions are identical in form to the subject pronouns, except for **mí** and **ti**.

Julio está delante de mí.	*Julio is in front of me.*
María está detrás de ti.	*Maria is behind you.*
Me siento a la izquierda de **ella.**	*I sit on her left.*

Mí and **ti** combine with the preposition **con** to form **conmigo** (*with me*) and **contigo** (*with you*), respectively.

¿Vienes conmigo?	*Are you coming with me?*
Sí, voy contigo.	*Yes, I'll go with you.*

Note that **mí** has a written accent, but **ti** does not. This is to distinguish the object of a preposition (**mí**) from the possessive adjective (**mi**).

Práctica

A. ¿Quién o qué? Escoge (*Choose*) a una persona o un objeto en el salón de clase. Luego, sin nombrarlo/la (*without naming him/her/it*), usa las preposiciones de lugar para explicar dónde está. La clase va a adivinar (*guess*) qué persona, objeto o mueble es.

MODELO: E1: Está a la derecha de Paul ahora, pero generalmente se sienta detrás de mí. Siempre llega a clase con Paul.
Clase: Es Karen.

B. Entrevista: ¿De dónde eres? Find out as much information as you can about the location of each other's hometown or province, or about the country you are from. You should also tell what the weather is like in each season, and ask if the other person would like to go there with you (you can use the verb **querer + infinitive**). Also think of the most typical activity in your hometown and ask your partner to join you.

MODELO: E1: ¿De dónde eres?
E2: Soy de Red Deer.
E1: ¿Dónde está Red Deer?
E2: Está en la provincia de Alberta, en el oeste de… cerca de…

C. ¿De qué país se habla? Introducción a América del Sur.

Paso 1. En el próximo capítulo vamos a visitar más países de América del Sur. Vamos a ver cuánto sabes sobre este continente. Escucha (*Listen to*) la descripción de un país de Sudamérica que da tu profesor(a). ¿Puedes decir cuál es ese país?

Paso 2. Ahora describe un país de Sudamérica. Tus compañeros de clase van a decir cuál es. Sigue (*Follow*) el modelo, usando todas las frases que sean (*are*) apropiadas.

MODELO: Este país está al norte / sur / este / oeste de _____. También está cerca de _____. Pero está lejos de _____. Está entre _____ y _____. ¿Cómo se llama?

Paso 3. A la derecha hay una lista de los nombres de las capitales de varios países de Sudamérica. Sin mirar el mapa, empareja (*match*) los nombres con el país correspondiente.

MODELO: _____ es la capital de _____.

¿Recuerdas?

You have been using forms of **ser** and **estar** since **Capítulo 1.** The following section will help you consolidate everything you know so far about these two verbs, both of which express *to be* in Spanish. You will learn a bit more about them as well.

Before you begin, think in particular about the following questions: **¿Cómo está usted?** vs. **¿Cómo es usted?** and **¿De dónde es usted?** vs. **¿Dónde está usted?** What do these questions tell you about the difference between **ser** and **estar?**

Las capitales

Asunción	La Paz
Bogotá	Lima
Brasilia	Montevideo
Buenos Aires	Quito
Santiago	Caracas

GRAMÁTICA 1

SER O *ESTAR* • SUMMARY OF THE USES OF *SER* AND *ESTAR*

GRAMÁTICA EN ACCIÓN: UNA CONVERSACIÓN DE LARGA DISTANCIA

Aquí hay un lado de la conversación entre una esposa que está en un viaje de negocios y su esposo, que está en casa, en Panamá. Habla el esposo. Primero, lee / escucha lo que él dice.

Aló. [...¹] ¿Cómo estás, mi amor? [...²] ¿Dónde estás ahora? [...³] ¿Qué hora es allí? [...⁴] ¡Huy!, es muy tarde. Y el hotel, ¿cómo es? [...⁵] Oye, ¿qué estás haciendo ahora? [...⁶] Ay, pobrecita, lo siento. Estás muy ocupada. ¿Con quién estás citada mañana? [...⁷] ¿Quién es el dueño de la compañía? [...⁸] Ah, él es de Costa Rica, ¿verdad? [...⁹] Bueno, ¿qué tiempo hace allí? [...¹⁰] Muy bien, mi vida. Hasta luego, ¿eh? [...¹¹] Adiós.

¿Entendiste?

Aquí está el otro lado de la conversación: las respuestas de la esposa que está de viaje. Pero no están en orden. Léelas y luego emparéjalas (*match them*) con los comentarios y preguntas del esposo.

a. _____ Es muy moderno. Me gusta mucho.
b. _____ Sí, pero vive en Toronto ahora.
c. _____ Son las once y media.
d. _____ Hola, querido (*dear*). ¿Qué tal?
e. _____ Es el Sr. Cortina.
f. _____ Pues, todavía (*still*) tengo que trabajar.
g. _____ Sí, hasta pronto.
h. _____ Estoy en Toronto.
i. _____ Un poco cansada (*tired*), pero estoy bien.
j. _____ Pues, hace buen tiempo, pero está un poco nublado.
k. _____ Con un señor de Computec, una nueva compañía de computadoras.

Summary of the Uses of ser	
1. To *identify* people and things	Ella **es doctora.** La Amistad **es un parque nacional de Panamá.**
2. To express *nationality;* with **de** to express *origin*	**Son panameños.** **Son de Tortuguero, Costa Rica.**
3. With **de** to tell of what *material* something is made	Este bolígrafo **es de plástico.**
4. With **de** to express *possession*	**Es de** Carlota.
5. With **para** to tell *for whom* something is intended	El regalo **es para** Sara.
6. To tell *time*	**Son las once.** **Es la una y media.**
7. With *adjectives* that describe basic, inherent characteristics	Ramona **es inteligente.** Daniel **es alto y delgado.**
8. To form many *generalizations*	**Es necesario** llegar temprano a clase. **Es importante** estudiar.

Summary of the Uses of estar

1. To tell *location*

El libro **está en la mesa.**
Mariela y Pablo **están en el aula 403.**
Costa Rica **está al norte de Panamá.**

2. To describe *health*

Estoy muy **bien**, gracias.

3. With *adjectives* that describe *conditions*

Mi hermana **está** muy **ocupada.**

4. In a number of *fixed expressions*

(No) Estoy de acuerdo.
Está bien. Tienes razón.

5. With *present participles* to form the *present progressive tense* (**el presente progresivo—Capítulo 5**).

Estamos aprendiendo las diferencias entre ser y estar.
Estoy estudiando ahora mismo.

Ser and *estar* with Adjectives

1. **Ser** is used with adjectives that describe the inherent characteristics and/or qualities of a person, place, or thing.

Esa mesa **es** muy **baja.**
That table is very low.

Sus calcetines **son morados.**
His socks are purple.

Este sillón **es cómodo.**
This armchair is comfortable.

Sus padres **son cariñosos.**
Their parents are affectionate.

2. **Estar** is used with adjectives to express conditions or observations that are true at a given moment but that do not describe inherent qualities of the noun. The following adjectives are generally used with estar.

abierto/a	open	**congelado/a**	frozen; very cold
limpio/a	clean	**ordenado/a**	neat
aburrido/a	bored	**contento/a**	content, happy
loco/a	crazy	**preocupado/a**	worried
alegre	happy	**desordenado/a**	messy
molesto/a	annoyed	**seguro/a**	sure, certain
cansado/a	tired	**enfermo/a**	sick
nervioso/a	nervous	**sucio/a**	dirty
cerrado/a	closed	**furioso/a**	furious, angry
ocupado/a	busy	**triste**	sad

3. Many adjectives can be used with either **ser** or **estar,** depending on what the speaker intends to communicate. In general, when *to be* implies *looks, feels,* or *appears,* **estar** is used. Compare the pairs of sentences to the right.

a. Daniel **es** guapo.
Daniel is handsome. (He is a handsome person.)
Daniel **está** muy guapo esta noche.
Daniel looks very nice (handsome) tonight.

b. —¿Cómo **es** Amalia?
What is Amalia like (as a person)?
—**Es** simpática.
She's nice.
—¿Cómo **está** Amalia?
How is Amalia (feeling)?
—**Está** enferma todavía.
She's still sick.

c. La pera **es** verde.
Pears are green.
Esta pera **está** verde.
This pear is green (=not ripe).

d. Mi perro **es** muy listo.
My dog is very smart.
Mi perro **está** listo para su baño.
My dog is ready for his bath.

Práctica

A. Un regalo. Completa las siguientes oraciones con **es** o **está**.

La computadora…

1. _____ en la mesa del comedor.
2. _____ un regalo de cumpleaños.
3. _____ para mi compañero de cuarto.
4. _____ de la tienda Computec.
5. _____ en una caja (*box*) verde.
6. _____ de los padres de mi compañero.
7. _____ un regalo muy caro, pero estupendo.
8. _____ de metal y plástico gris.
9. _____ una Mac, el último (*latest*) modelo.
10. _____ muy fácil (*easy*) de usar.

B. Descripciones

Paso 1. Haz oraciones con **soy** o **estoy** de acuerdo a la información dada.

Yo…

1. _____ (nacionalidad).
2. _____ de (lugar donde vives).
3. _____ (profesión).
4. _____ muy cansado/a hoy.
5. _____ (estado emocional hoy).
6. _____ de acuerdo con las ideas del primer ministro.
7. _____ (¿Qué está haciendo en este momento?)
8. _____ (dos características físicas).
9. _____ (dos características de personalidad).

Paso 2. Ahora entrevista a un/a compañero/a sobre los temas del **Paso 1.**

MODELO: 1. nacionalidad. →
            E1: ¿Eres estadounidense?
            E2: No, soy canadiense. ¿Y tú?
            E1: Yo también soy canadiense.

PARA ESTAR AL DÍA, PARA ESTAR EN TODO

Disfruta de los múltiples servicios que el-nacional.com tiene para ti
Herramientas[a] que necesitas para estar informado en cualquier lugar

Edición Digital (suscripción)
Foros
Notic
Revis
Docu

iados

6266 (MANO)

www.el-nacional.com

EL NACIONAL
en línea con los acontecimientos

Este anuncio es del periódico **El Nacional** de Venezuela. ¿Qué piensas que significan las siguientes frases: **estar al día, estar en todo, estar informado**? ¿Por qué piensas que estas frases necesitan el verbo **estar** y no el verbo **ser**?

C. Costa Rica: Un paraíso tropical. Complete the text of the following ad with the correct form of **ser** or **estar,** as suggested by context.

Costa Rica... belleza[a] natural

¿1. (*Tú*) _____ de una gran ciudad? ¿2. (*Tú*) _____ una persona aventurera? ¿3. _____ la naturaleza una gran atracción en tu vida[b]? ¿4. (*Tú*) _____ preocupado/a por los cambios[c] en el clima global? Entonces,[d] Costa Rica 5. _____ el país para ti. Imagina: 6. (*tú*) _____ en un lugar cerca del océano en donde hay increíbles especies de animales y plantas: caimanes, iguanas, tortugas, orquídeas, heliconias…

7. (*Nosotros*) _____ los expertos en turismo natural en Costa Rica. Todos nuestros guías[e] 8. _____ costarricenses de nacimiento,[f] pero 9. (*ellos*) _____ contentos de conocer[g] a personas de todo el mundo y hacer nuevos amigos. Con sus conocimientos,[h] con su gran paciencia, con su español, 10. (*ellos*) _____ como profesores… ¡pero sus clases 11. _____ mucho más interesantes que las clases académicas!

No 12. _____ necesario viajar[i] a Costa Rica en una estación específica. 13. _____ bueno viajar a Costa Rica en cualquier[j] mes del año.

¡Ven![k] ¡Costa Rica te 14. _____ esperando![l]

Una heliconia

[a]*beauty* [b]*life* [c]*changes* [d]*Then* [e]*guides* [f]*de… by birth* [g]*de… to meet* [h]*knowledge* [i]*to travel* [j]*any* [k]*Come (to visit)!* [l]*waiting for you*

¿Entendiste? Decide si las siguientes oraciones son ciertas (C) o falsas (F). Corrige las oraciones falsas.

1. Costa Rica es ideal para una persona a quien le gustan las aventuras.   **C**   **F**
2. El turismo tiene poca importancia en la economía de Costa Rica.   **C**   **F**
3. La flora y la fauna de Costa Rica son muy variadas.   **C**   **F**
4. Muchos guías turísticos en Costa Rica son extranjeros.   **C**   **F**
5. Los costarricenses son poco hospitalarios (*welcoming*).   **C**   **F**
6. El clima de Costa Rica es muy extremo en ciertas estaciones del año.   **C**   **F**

D. Una tarde terrible

Paso 1. Describe lo que pasa hoy por la tarde en esta casa, cambiando (*exchanging*) por antónimos las palabras rojas.

1. No hace buen tiempo; hace _____.

2. El bebé no está bien; está _____.

3. El gato no está limpio; está _____.

4. El esposo no está tranquilo; está _____ por el bebé.

5. El garaje no está cerrado; está _____.

6. Los niños no están ocupados; están _____.

7. La esposa no está contenta; está _____ por el tiempo.

8. El baño no está ordenado; está _____.

Vocabulario útil

cenar	to have dinner
conducir (conduzco)	to drive
ladrar	to bark
llorar	to cry
tomar un baño	to have a bath/to take a bath

Paso 2. Ahora imagina que son las seis y media de la tarde. Expresa lo que están haciendo los miembros de la familia en este momento. Usa tu imaginación y di también lo que generalmente hacen estas personas a esa hora.

MODELO: Ahora son las seis y media. La madre está conduciendo su coche. Quiere llegar a casa para preparar la comida. Generalmente llega a esa hora.

E. Ana y Estela. Ana y Estela son dos estudiantes panameñas. Contesta las preguntas para describir el siguiente dibujo de su cuarto.

 Inventa otros detalles necesarios. Por ejemplo, describe su ropa, su apariencia física, etc.

1. ¿Quiénes son Ana y Estela? ¿Cuál es su relación?
2. ¿De dónde son? ¿Cómo son?
3. ¿Dónde están en este momento?
4. ¿Qué hay en el cuarto?
5. ¿Cómo está el cuarto?
6. ¿Son ordenadas las dos o desordenadas?
7. ¿Cómo eres tú? ¿Como Ana o como Estela?
8. ¿Cómo es tu cuarto?
9. ¿Está ordenado o desordenado en este momento? ¿Por qué?

Ana   Estela

Vocabulario útil	
el cajón	drawer
el cartel	poster
la foto	

A conversar...

En la agencia de viajes

Estudiante A: Imagine that you are a travel agent in Guatemala. One of your clients wants you to prepare a tour for him/her. You need to find out as much information as possible about this person to decide where he/she should go. Ask questions about personality, how the person feels when he/she is in a stressful situation (**situación estresante**), what weather and season he/she likes, what he/she does during a vacation, etc. Make some recommendations. Use the verbs **ser** and **estar** and **tener que, necesitar,** and **deber + infinitive** for your recommendation. **Remember to use the forms of usted.**

Estudiante B: Imagine that you are studying Spanish in Guatemala, and you decide to visit Costa Rica and Panamá. You ask a travel agent for help. Tell him/her where you want to go. Answer his/her questions, and ask questions about prices, the weather in Costa Rica and Panamá, etc. Palabras útiles: **enérgico/a, agobiado/a** (*overwhelmed*). Accept (e.g., **Me parece una buena idea**) or reject (e.g., **Lo siento, pero creo que necesito... ¿Tiene otras sugerencias?**) the agent's recommendation. **Remember to use the forms of usted.**

EL ESPAÑOL *EN ACCIÓN*

EL VIAJE DE ARACELI

Araceli está hablando con su compañera de trabajo, Nora, sobre su viaje a Costa Rica y Panamá la semana pasada. ¿Fueron las vacaciones de Araceli similares o diferentes a las de Nora y Hugo?

NORA: Y dime (*tell me*), Araceli. ¿Adónde **fuiste** durante tus vacaciones?

ARACELI: **Fui** a Costa Rica y Panamá por veinte días. **Fue** un viaje fantástico y el tiempo **fue** excelente: sol y calor todos los días.

NORA: Hugo y yo también **fuimos** a Costa Rica para nuestras vacaciones, pero no **visitamos** Panamá. Nosotros **hicimos** un viaje **más corto que** tu viaje.

ARACELI: Panamá es maravilloso. Me gusta mucho la comida. **Comí** muchos tamales con hojas (*leaves*) de plátano y pescado (*fish*).

NORA: ¡Qué bien! Yo **hice** muchas actividades de playa en Costa Rica: **nadé** en el mar, **tomé** el sol, **leí** muchos libros en la playa. ¿Y tú?

ARACELI: No, yo **hice** otras cosas. **Fui** a muchos parques nacionales, como el Parque Nacional Amistad, en el límite entre Costa Rica y Panamá, **vi** el Canal de Panamá y **visité** lugares históricos y museos.

NORA: Pienso que tus vacaciones no **fueron tan relajadas como** mis vacaciones.

ARACELI: No, pero a mí me gusta el turismo de aventura. ¿Qué tipo de turismo prefieres?

NORA: ¡Prefiero el turismo de descanso: sol, calor, mar y playa!

¿Entendiste?

1. ¿Qué **hizo** Araceli durante sus vacaciones?
2. ¿Cuándo **tomó** sus vacaciones?
3. ¿Qué lugares **visitó**?
4. ¿Cómo **fue** el viaje de Araceli en comparación con el viaje de Nora?
5. ¿Qué le gusta a Araceli de Panamá?
6. ¿Qué **hizo** Nora durante su viaje? ¿Por qué?
7. ¿Qué **vio** Araceli en Panamá?

Lengua

Listen to the dialogue again, paying attention to the verb forms and endings used by Araceli and Nora. What can you know about verb conjugations in the past tense in Spanish from the verb forms and endings in the dialogue? Try to write some simple rules for the verbs **nadar** and **ir.**

Ahora te toca a ti...

Nuestras vacaciones

You and your partner are studying Spanish in Costa Rica. You meet after both of you have come back from a week of vacation. Discuss your vacation. Say where you went, what you did there, what the food and weather were like, etc. Use the preceding dialogue as an example. You can also use some of the verb forms in the following section of the book, **Gramática 2.** ¿**Fueron** sus vacaciones similares o diferentes?

GRAMÁTICA 2

TALKING ABOUT THE PAST (PART 1) • PRETERITE OF REGULAR VERBS AND OF *DAR, HACER, IR,* AND *SER*

GRAMÁTICA EN ACCIÓN: UN VIAJE A PANAMÁ

Elisa es periodista (reportera). Hace poco, fue a Panamá para escribir un artículo sobre las reparaciones del Canal de Panamá. Habla Elisa.

- Yo hice el viaje en avión.
- El vuelo fue largo porque el avión hizo escala en Miami.
- Pasé una semana entera en Panamá.
- Visité muchos sitios de interés turístico e histórico.
- Comí mucha comida típica.
- Tomé el sol y nadé en el mar.
- ¡Lo pasé muy bien!

¿Entendiste?

¿Cierto (C) o falso (F)? Corrige las oraciones falsas.

1. Elisa fue a Panamá para pasar sus vacaciones.	**C**	**F**
2. El avión hizo escala en los Estados Unidos.	**C**	**F**
3. Elisa no visitó ningún lugar importante del país.	**C**	**F**
4. No lo pasó bien en la playa.	**C**	**F**

In previous chapters of *Puntos de partida,* Canadian Edition, you have always talked in the present tense. In this section, you will begin to use forms of the *preterite,* one of the past tenses in Spanish. To talk about all aspects of the past in Spanish, there are two *simple tenses* (tenses formed without an auxiliary or "helping" verb): the *preterite* and the *imperfect.* In this chapter, you will learn the regular forms of the *preterite* and those of four irregular verbs: **dar, hacer, ir,** and **ser.** Then in the next three chapters, you will learn more about preterite forms and their uses as well as about the imperfect and how it is used alone and with the preterite.

Preterite of Regular Verbs

hablar		**comer**		**vivir**	
hablé	I spoke (did speak)	**comí**	I ate (did eat)	**viví**	I lived (did live)
hablaste	you spoke	**comiste**	you ate	**viviste**	you lived
habló	you/he/she spoke	**comió**	you/he/she ate	**vivió**	you/he/she lived
hablamos	we spoke	**comimos**	we ate	**vivimos**	we lived
hablasteis	you spoke	**comisteis**	you ate	**vivisteis**	you lived
hablaron	you/they spoke	**comieron**	you/they ate	**vivieron**	you/they lived

The *preterite* (**el pretérito**) has several equivalents in English. For example, **hablé** can mean *I spoke* or *I did speak.* The preterite is used to report finished, completed actions or states of being in the past. If the action or state of being is viewed as completed—no matter how long it lasted or took to complete—it will be expressed with the preterite.

1. Note that the **nosotros** forms of regular preterites for -**ar** and -**ir** verbs are the same as the present tense forms. Context usually helps determine meaning.

En 1999, **pasamos** dos meses en Panamá.
In 1999, we spent two months in Panama.

El verano pasado **compramos** un coche.
Last summer we bought a car.

Ayer **hablamos** del viaje con nuestros amigos. Hoy **hablamos** con el agente de viajes a las dos de la tarde.
Yesterday we spoke about the trip with our friends. Today we're speaking with the travel agent at 2:00 P.M.

2. Note the accent marks on the first and third person singular of the preterite tense. These accent marks are dropped in the conjugation of **ver: vi, vio.**

ver:	vi	vimos
	viste	visteis
	vio	vieron

3. Verbs that end in -**car**, -**gar**, and -**zar** show a spelling change in the first person singular (**yo**) of the preterite.

-car → qu	busqué	buscamos
buscar	buscaste	buscasteis
	buscó	buscaron
-gar → gu	pagué	pagamos
pagar	pagaste	pagasteis
	pagó	pagaron
-zar → c	empecé	empezamos
empezar	empezaste	empezasteis
	empezó	empezaron

4. The -**ar** and -**er** stem-changing verbs (**Capítulo 5**) show no stem change in the preterite. The -**ir** stem-changing verbs do show a change.

pensar (pienso): pensé, pensaste, pensó, pensamos, pensasteis, pensaron
volver (vuelvo): volví, volviste, volvió, volvimos, volvisteis, volvieron

5. An unstressed -**i**- between two vowels becomes -**y**-. Also, note the accent on the **í** in the **tú, nosotros,** and **vosotros** forms.

creer		leer	
creí	creímos	leí	leímos
creíste	creísteis	leíste	leísteis
creyó	creyeron	leyó	leyeron

Irregular Preterite Forms

dar		hacer		ir / ser	
di	**dimos**	**hice**	**hicimos**	**fui**	**fuimos**
diste	**disteis**	**hiciste**	**hicisteis**	**fuiste**	**fuisteis**
dio	**dieron**	**hizo**	**hicieron**	**fue**	**fueron**

1. The preterite endings for **dar** are the same as those used for regular **–er** / **-ir** verbs, except that the accent marks are dropped.

2. **Hizo** is spelled with a **z** to keep the [s] sound of the infinitive.

3. **Ir** and **ser** have identical forms in the preterite. Context will make the meaning clear. In addition, forms of **ir** are often followed by **a** (as in the first example), so they are easy to spot in the preterite.

hic- + -o → **hizo**

Fui a la playa el verano pasado.
I went to the beach last summer.

Fui agente de viajes.
I was a travel agent.

Práctica

A. El verano pasado

Paso 1. Lee las siguientes declaraciones y contesta **sí** o **no,** según su experiencia.

El verano pasado…

	SÍ	**NO**
1. tomé clases en la universidad.	☐	☐
2. asistí a un concierto.	☐	☐
3. trabajé mucho.	☐	☐
4. hice *camping* con algunos amigos / mi familia.	☐	☐
5. pasé todo el tiempo con mis padres / mis hijos.	☐	☐
6. tomé sol / nadé en el mar / en una piscina.	☐	☐
7. fui a una playa.	☐	☐
8. hice un viaje a otro país.	☐	☐
9. fui a muchas fiestas.	☐	☐
10. no hice nada especial.	☐	☐

Paso 2. Camina por la clase y entrevista a varios compañeros usando las declaraciones del **Paso 1.** Escribe el nombre de la persona al lado de la respuesta. Haz una pregunta por tu compañero/a. Debes encontrar una respuesta positiva para cada pregunta.

MODELO: Tú: Tomé clases en la universidad.
Tú: Sean, ¿tomaste alguna clase en la universidad el verano pasado?
Sean: No, no tomé clases el verano pasado.
Tú: Karen, ¿tomaste alguna clase en la universidad el verano pasado?
Karen: Sí, tomé dos clases.
(Tú escribes en tu cuaderno: Karen tomó dos clases en la universidad el verano pasado. Sean no tomó clases.)

Paso 3. Ahora di a la clase el resultado de tu encuesta y tu opinión sobre cada oración.

MODELO: Karen tomó dos clases en la universidad el verano pasado, pero Sean y yo no tomamos clases.

B. Humor viajero. Mira el dibujo y contesta las preguntas en oraciones completas.

¿El piloto o Superhombre? ¿Quién…

1. no vio el avión?
2. no vio a Superhombre?
3. sufrió un accidente?
4. juró (*swore*) algo?
5. no llegó a su destino?
6. fue al hospital?
7. hizo un informe sobre el accidente?

C. El viernes por la tarde... Los siguientes dibujos representan lo que Ramón, el primo costarricense de Eduardo, hizo el viernes por la tarde. Empareja las acciones con los dibujos. Luego usa las frases para narrar la secuencia de acciones.

 Usa palabras como **primero, luego, después, finalmente, por fin,** etcétera. Habla también de los amigos de Ramón.

1.

2.

3.

4.

5.

6.

7.

8.

9.

10.

11.

12.

a. _____ hacer cola para comprar las entradas (*tickets*)

b. _____ regresar tarde a casa

c. _____ volver a casa después de trabajar

d. _____ ir a un café a tomar algo

e. _____ llegar al cine al mismo tiempo

f. _____ llamar a un amigo

g. _____ no gustarles la película

h. _____ comer rápidamente

i. _____ tomar un baño

j. _____ entrar en el cine

k. _____ ir al cine en autobús

l. _____ decidir encontrarse (*to meet up*) en el cine

D. El día de tres compañeras

Paso 1. Teresa, Evangelina y Liliana son compañeras de apartamento en la ciudad de Panamá y asisten a la Universidad de Panamá. Ayer, Teresa y Evangelina fueron a la universidad mientras que (*while*) Liliana se quedó en casa. Haz oraciones completas para describir lo que hicieron, según la perspectiva de cada una.

MODELO: Ayer / yo / levantarse / a / siete y media
Ayer yo me levanté (*I got up*) a las siete y media.

TERESA

1. salir / de / apartamento / a / nueve
2. llegar / biblioteca / a / diez
3. estudiar / toda la mañana / para / examen
4. almorzar / con / amigos / en / restaurante vegetariano
5. ir / a / laboratorio / a / una
6. hacer / experimentos / de / manual (*m.*)
7. regresar / casa / y / ayudar / a / hacer / cena

EVANGELINA

8. yo / también / ir / a / universidad / pero / salir / más tarde
9. estudiar / en casa / toda la mañana
10. tomar / examen / a / tres
11. ¡examen / ser / horrible!
12. volver / casa / después de / examen
13. hacer / postre (*dessert*) / para / cena

LILIANA

14. yo / ver / tele / por / mañana
15. llamar / mi / padres / a / once
16. escribir / composición / para / clase de inglés
17. ir / a / supermercado / y / comprar / comestibles
18. empezar / a / hacer / cena / a / siete y media

LAS TRES COMPAÑERAS

19. (ellas) cenar / juntas (*together*) a / ocho y media
20. tomar / café / y / comer / postre
21. ver / tele / en / sala
22. hacer / tarea / para / día siguiente

¿Entendiste? ¿Quién lo dijo, Teresa, Evangelina o Liliana?

1. Mis compañeras no pasaron mucho tiempo en casa hoy.
2. Hoy estudié mucho.
3. ¡El examen fue desastroso!
4. Hice un experimento muy bueno en el laboratorio.
5. ¿Saben? Hablé con mis padres hoy y…

Paso 2. Vuelve a contar cómo fue el día de una de las tres compañeras. Usa los verbos en la tercera persona del singular y plural.

MODELO: TERESA: 1. Teresa salió de su apartamento…

Paso 3. Ahora cuenta lo que hicieron las tres compañeras juntas, usando **nosotras** como sujeto.

MODELO: Nosotras cenamos…

E. Un semestre en Costa Rica.

E. Un semestre en Costa Rica. Ed, el hijo canadiense de Eduardo, estudió español en el país de su padre, Costa Rica, durante el verano. Ahora está hablando de su experiencia en su clase de español en la Universidad de Alberta. Cuenta la siguiente historia desde el punto de vista de la persona indicada, usando el pretérito de los verbos.

MODELO: (yo) viajar a Costa Rica el año pasado →
          Viajé a Costa Rica el año pasado.

Hola, clase. El año pasado 1. (*yo*) _____ (pasar) los semestres de primavera y verano en San José, la capital de Costa Rica. El tiempo 2. _____ (ser) excelente, con mucho sol y calor. Mi papá 3. _____ (nacer) (*was born*) en Costa Rica. Mis padres me 4. _____ (pagar) el vuelo, pero yo 5. _____ (trabajar) para ganar el dinero para la matrícula y los otros gastos (*expenses*). Durante mi estadía en Costa Rica, yo 6. _____ (vivir) con una familia costarricense encantadora (*enchanting*) y 7. (*yo*) _____ (aprender) mucho sobre la vida y la cultura costarricenses. También 8. (*yo*) _____ (visitar) muchos sitios de interés turístico e histórico. Mis amigos me 9. _____ (escribir) correos electrónicos y mensajes de texto por teléfono. Yo les 10. _____ (mandar) tarjetas postales a mis padres y a mis abuelos en Canadá y Panamá. Además les 11. (*yo*) _____ (comprar) recuerdos (*souvenirs*) para todos. 12. (*yo*) _____ (volver) a Canadá a fines de agosto. ¡Me encanta Costa Rica!

F. Viajes famosos.

F. Viajes famosos. En parejas, digan adónde llegaron o viajaron las siguientes personas y en qué medio de transporte viajaron. Luego traten de (*Try to*) añadir por lo menos un detalle más: ropa especial, compañeros de viaje, cuándo hicieron su viaje (fecha: día, mes, año), etcétera.

1. Cristóbal Colón
2. Dorotea, en *El Mago de Oz*
3. Los astronautas de Apollo 11 en 1969
4. E.T., el extraterrestre (película de Stephen Spielberg)
5. Robinson Crusoe

Vocabulario útil	
el barco	ship
el avión	plane
la isla	
la luna	
la nave espacial	
la tierra	earth
el tornado	

A conversar...

Dos fines de semana diferentes

Estudiante A: It's Monday morning, and you see one of your friends in the student union. You went to a great party last Saturday, and you want to tell him/her about it. First, ask your friend what his/her weekend was like. Then tell him/her where the party was, what you did there, whom you saw there, what time the party ended, and where you went after the party. Use the vocabulary and structures in this section, in other parts of this chapter, and in previous chapters.

Estudiante B: It's Monday morning, and you see one of your friends in the student union. You had a really boring weekend. You were in your room and at the library for most of the weekend. Tell your friend what you did: studied, slept, watched TV, etc. Ask him/her what he/she did. Based on the information he/she gives you, ask as many questions as possible. Use the vocabulary and structures in this section, in other parts of this chapter, and in previous chapters.

Nota cultural II

El canal de Panamá*

La idea de abrir un canal por Panamá para conectar los océanos Pacífico y Atlántico viene del siglo XVI, pero la construcción no empezó hasta finales[a] del siglo XIX. El 7 de enero de 1914 navegó[b] el primer barco[c] por el canal. ¿Cómo es el canal? ¿Y cómo funciona?

El Canal de Panamá tiene una longitud de aproximadamente 80 kilómetros entre los océanos Atlántico y Pacífico. Esta vía interoceánica une a Norte América con Sur América. El canal usa un sistema de esclusas, que son compartimientos[d] con puertas de entrada y salida. Las esclusas funcionan como elevadores de agua: suben las naves[e] desde el nivel del mar (del Pacífico o del Atlántico) hacia el nivel del Lago Gatún (26 metros sobre el nivel del mar); así,[f] los barcos navegan a través del canal, en la Cordillera Central de Panamá.

Cada juego de esclusas se llama como el poblado[g] en donde fue construido:[h] Gatún (en el lado Atlántico), Pedro Miguel y Miraflores (en el Pacífico). El agua que se usa para subir y bajar las naves en las esclusas viene del Lago Gatún.

Barcos de todo el mundo navegan a diario a través del Canal de Panamá. Entre 13 mil y 14 mil barcos usan, cada año, el canal. De hecho,[i] las actividades de transporte comercial a través del canal representan alrededor[j] del 5% de comercio mundial.

Con el trabajo de aproximadamente 9 mil personas, el canal funciona 24 horas al día, 365 días al año, ofreciendo servicio de tránsito a naves de todas las naciones sin discriminación alguna.[k]

Si quieres aprender más sobre la historia y el trabajo del canal y ver más fotos de esta construcción maravillosa, visita el sitio web **www.mcgrawhill.ca/olc/knorre.**

[a]*the end* [b]*sailed* [c]*ships* [d]*locks* [e]*ships and boats* [f]*in this way* [g]*town* [h]*was built* [i]*in fact* [j]*around* [k]*sin... without any type of discrimination*

*Source: Text adapted from the original published on www.pancanal.com/esp/general/asi-es-el-canal.html

¿Entendiste?

1. ¿Cuándo empezó la idea del Canal de Panamá?
2. ¿Por qué es muy importante?
3. ¿Cúales son las partes más importantes del canal?
4. ¿Cómo se llaman las esclusas?
5. ¿Trabaja mucha gente en el canal?
6. ¿A qué hora abre y cierra el canal?
7. ¿Hay una construcción similar al Canal de Panamá en Canadá?

Una esclusa del Canal de Panamá

GRAMÁTICA 3

DESCRIBING • COMPARISONS

GRAMÁTICA EN ACCIÓN: MÉXICO, D.F. Y SEVILLA, ESPAÑA

En los **Capítulos 2** y **5** hablamos de México y España. En esta sección vamos a comparar dos ciudades de estos dos países. ¿Qué similitudes y diferencias hay entre las dos?

México, D.F. (Distrito Federal)

El barrio de Santa Cruz, Sevilla, España

- La Ciudad de México, llamada también D.F., es más grande que Sevilla.
- Tiene edificios más altos que los edificios de Sevilla.
- En el D.F. no hace tanto calor como en Sevilla.

Pero…

- Sevilla es tan bonita como la Ciudad de México.
- No tiene tantos habitantes como el D.F.
- Sin embargo, los sevillanos son tan simpáticos como los mexicanos.

¡Me gusta Sevilla tanto como la Ciudad de México!

Ahora tú…

1. Mi ciudad / pueblo…
   - es / no es tan grande como Toronto.
   - es más / menos cosmopolita que Québec.

2. Me gusta _____ (nombre de mi ciudad / pueblo)…
   - más que _____ (nombre de otra ciudad).
   - menos que _____ (nombre de otra ciudad).
   - tanto como _____ (nombre de otra ciudad).

A *comparative* is a form of or structure with nouns, adjectives, and adverbs used to compare nouns, qualities, or actions. In English the *comparative* (**el comparativo**) is formed in a variety of ways. Equal comparisons are expressed with the word *as.* Unequal comparisons are expressed with the adverbs *more* or *less,* or by adding *-er* to the end of the adjective.

as cold **as**
as many **as**
more intelligent
less important
tall**er**, smart**er**

Comparisons of Inequality in Spanish ≠

1. **más / menos** + *adjective/noun/adverb* + **que** = **more/less** ("-er")… **than**	Hugo es **más alto** que su esposa Nora. *Hugo is taller than his wife Nora.*
	Nora es **menos alta** que su esposo Hugo. *Nora is shorter than her husband Hugo.*
	Araceli tiene **más días de vacaciones** que Nora. *Araceli has more vacation days than Nora.*
	Nora tiene **menos días de vacaciones** que Araceli. *Nora has fewer vacation days than Araceli.*
	Hugo nada **más rápido** que Nora. *Hugo swims faster (more quickly) than Nora.*
	Nora nada **menos rápido** que Hugo. *Nora swims slower (more slowly) than Hugo.*

2. *verb* + **más / menos que** = . . . more/less than	Araceli **trabaja más que** Nora. *Araceli works more than Nora.* Nora **trabaja menos que** Araceli. *Nora works less than Araceli.*
3. **más / menos de** + **number** + *noun* = **more/less than** . . . The preposition **de** is used instead of **que** when the comparison is followed by a number.	Araceli tiene **más de quince** días de vacaciones. *Araceli has more than fifteen vacation days.* Nora tiene **menos de quince** días de vacaciones. *Nora has less than fifteen vacation days.*

Comparisons of Equality =

1. **tan** + *adjective/adverb* + **como** = as . . . as	Nora es **tan alta como** Araceli. *Nora is as tall as Araceli.* Nora juega al tenis **tan bien como** Hugo. *Nora plays tennis as well as Hugo.*
2. **tanto/a/os/as** + *noun* + **como** = as much/many . . . as Like all adjectives, **tanto** must agree in gender and number with the noun it modifies: **tant**o **diner**o, **tant**a **pris**a, **tant**os **abrig**os, **tant**as **sobrin**as.	Nora gana **tanto dinero como** Hugo. *Nora earns as much money as Hugo.* Nora tiene **tantos hermanos como** Hugo. *Nora has as many siblings as Hugo.*
3. *verb* + **tanto como** = as much as	Nora trabaja **tanto como** Hugo. *Nora works as much as Hugo.* Araceli lee **tanto como** Nora. *Araceli reads as much as Nora.*

Irregular Forms

1. **bueno/a/os/as** → **mejor, mejores**	Estos coches son **buenos,** pero esos son **mejores.** *These cars are good, but those are better.* Eduardo habla español **mejor** que su hijo. *Eduardo speaks Spanish better than his son (does).*
2. **malo/a/os/as** → **peor, peores**	Aquí las cosas van de **mal** en **peor.** *Things here are going from bad to worse.* Yo juego al tenis **peor** que mi hermano. *I play tennis worse than my brother (does).*
3. **mayor, mayores**	Hugo es **mayor** que Nora. *Hugo is older than Nora.*
4. **menor, menores**	Mis primos son **menores** que yo. *My cousins are younger than I (am).*

Comparison Summary

■ ≠ ▪	▪ ≠ ■	■ = ■
más... que	**menos... que**	**tan... como**
más que	**menos que**	**tant**o/a/os/as**... como**
		tanto como

Práctica

A. Araceli y Nora. Compara la casa y las posesiones de Araceli con las de Nora.

MODELOS: La casa de Nora tiene más cuartos que la casa de Araceli.
Nora tiene tantas bicicletas como Araceli.

	NORA	ARACELI
1. plantas	8	6
2. baños	2	1
3. dormitorios	3	3
4. camas	3	5
5. coches	3	1
6. sombreros	2	2
7. dinero en el banco	$15.000	$5.000
8. CDs	100	80
9. libros de turismo	15	30
10. sudaderas	7	7

B. La familia de Lucía y Miguel

Paso 1. Lucía es la prima costarricense de Araceli. Su esposo es Miguel. Mira el dibujo e identifica a los miembros de su familia. Piensa en la edad de cada persona.

Lucía y Miguel tienen tres hijos.

Amalia (19)   Ramón (24)   Sancho (20)
Lucía (43)   Miguel (45)   Ramoncito (1)   Sarita (25)   Laura (75)   Javier (80)

MODELO: Amalia es la hija de Lucía y Miguel.
Es la hermana de Ramón y Sancho.

Paso 2. Compara a cada miembro de la familia con otra persona. Habla de sus características físicas y personalidad.

MODELO: Amalia es menor que Sancho pero es más alta que él.
Lucía es más alegre que su esposo Miguel.

Paso 3. Ahora compara a los miembros de tu propia (*own*) familia. Haz por lo menos cinco declaraciones.

MODELOS: Mi hermana Mary es mayor que yo, pero yo soy más alto que ella.
Mi abuela es mayor que mi abuelo, pero ella es más activa que él.

Paso 4. Lee tus oraciones del **Paso 3** a un/a compañero/a. Luego hazle preguntas (*ask him/her*) sobre tu familia.

MODELO: ¿Qué miembro de mi familia es mayor que yo?

C. Expresiones

Paso 1. Las comparaciones se usan mucho en el habla (*speech*) popular, especialmente en los refranes y expresiones. Las siguientes expresiones se oyen mucho entre las personas de habla española. En parejas, léanlas. ¿Tienen algunas (*some of them*) equivalentes en inglés?

1. pesar (*to weigh*) menos que un mosquito
2. ser más pesado (*overbearing, boring*) que el matrimonio (*marriage*)
3. ser más bueno que el pan (*bread*)
4. ser más largo que un día sin pan (*without bread*)
5. estar más claro que el agua (*water*)
6. ser más alto que un pino (*pine tree*)
7. ser tan rápido como un chisme (*rumour*)

Paso 2. Ahora, en parejas, inventen por lo menos cuatro expresiones que se parecen a (*resemble*) las del **Paso 1.** Pueden cambiar la terminación de las expresiones del **Paso 1** (pesar menos que… ¿ ?) o crear expresiones originales (ser tan divertido como…, ser más larga que una semana sin…). Al crear (*When you are creating*) las expresiones, piensen en cosas y cualidades que, en la cultura de este país, son generalmente positivas o negativas. En las expresiones del **Paso 1,** por ejemplo, se usa la palabra **pan** dos veces (*times*). ¿Cómo se presenta el pan en la cultura hispánica en estas expresiones, como una cosa muy positiva o negativa?

Paso 3. Ahora compartan (*share*) sus expresiones con la clase. Todos deben elegir (*choose*) las cuatro expresiones más divertidas de la clase.

D. Mi universidad y otras universidades en Canada.
If you were to compare your university with other schools in Canada in terms of students, sports, location, and academic areas, would you say that this university is similar to others? With a partner, compare your university with other Canadian schools. Think of at least six sentences using comparatives (e.g., **tan…, más que…, menos que…,** and **tanto… como**). How does your university compare to other schools? What does the class think?

MODELO: El equipo de fútbol americano de nuestra universidad es tan
bueno como el equipo de…

E. Repaso: Los países que visitamos.
Vamos a repasar la información que tenemos sobre los países que visitamos en este capítulo y los capítulos anteriores: México, Guatemala, El Salvador, Nicaragua, Colombia, España, Costa Rica y Panamá. Con un/a compañero/a, compara estos países. Hagan por lo menos ocho comparaciones usando ocho adjetivos / sustantivos diferentes. ¿Qué países les gustan más? ¿Por qué?

MODELO: España tiene menos habitantes que México.
Nicaragua es más pequeña que Colombia.

F. Repaso: Dos hemisferios.
Complete the following paragraphs with the correct forms of the words in parentheses, as suggested by context. When two possibilities are given in parentheses, circle the correct word.

¡OJO!

The verbs in the paragraphs in Activities F and G will be present tense or preterite. The context will indicate which tense to use.

¿Sabes tú[a] algo de las diferencias entre los hemisferios del norte y del sur? Hay 1. (mucho) _____ diferencias entre el clima del hemisferio norte y el del hemisferio sur. Cuando 2. (ser / estar) invierno en este país, por ejemplo, 3. (ser / estar) verano en la Argentina, en Bolivia, en Chile… Cuando yo 4. (salir) _____ para la universidad en enero, con frecuencia tengo que 5. (llevar) _____ abrigo y botas. En 6. (los / los) países del hemisferio sur, un estudiante 7. (poder) _____ asistir 8.

(a / de) un concierto en febrero llevando sólo pantalones 9. (corto) _____,
camiseta y sandalias. En muchas partes de este país, 10. (antes de / durante) las vacaciones
de diciembre, siempre 11. (hacer) _____ frío y a veces 12. (nevar)
_____. En 13. (grande) _____ parte de Sudamérica, al
otro lado del ecuador, hace calor y 14. (muy / mucho)
_____ sol durante ese mes. En
general, hace 15. (calor) _____
y 16. (frío) _____ en América
del Sur que en Canadá.

A veces en los periódicos, hay fotos de personas
que 17. (tomar) _____ el sol y
nadan en las playas sudamericanas en enero. Uno de
mis amigos 18. (ir) _____ a
Buenos Aires el verano pasado y me dice que allí la Navidad[b]
19. (ser / estar) _____ una fiesta de
verano y que todos 20. (llevar) _____
ropa de verano. Parece[c] increíble, ¿verdad?

[a]¿Sabes... *Do you know*   [b]*Christmas*   [c]*It seems*

En diciembre, en Buenos Aires, ¿qué
tiempo hace? ¿Qué ropa lleva la
gente en esta foto?

G. Repaso. Mi abuela panameña.

Ed, el hijo de Eduardo, habla de su abuela
panameña en su clase de español. Complete the following paragraphs with the correct form
of the words in parentheses, as suggested by context. When two possibilities are given in
parentheses, select the correct word.

Ayer llegó de visita mi abuela Manuela. Ella vive en la ciudad de Panamá con mi tía Zaira, la
1. (hermana / sobrina) de mi mamá. 2. (*Nosotros:* Ir) _____ a recibirla al
aeropuerto y nos 3. (*ella:* dar) _____ un abrazo[a] muy fuerte. Mi abuela
4. (ir) _____ a pasar dos meses con nosotros en Edmonton, y luego ella y mi mamá
5. (ir) _____ a estar un mes en la casa de mi tío Julián en Vancouver. Así es la
vida[b] de muchas abuelas con hijos en otro país.

Mi abuela 6. (querer) _____ tener a todos sus hijos y 7. (nietos / sobrinos)
en la ciudad de Panamá y siempre 8. (ser / estar) _____ muy triste cuando
9. (volver) a su país 10. (antes de / después de) visitarnos. Pero a ella también le gusta mucho la
vida en Canadá. 11. (*Ella:* Decir) _____ que aquí los canadienses viven muy
bien y que las casas 12. (ser / estar) _____ muy cómodas y bonitas.

El problema es que no le gustan los inviernos de este país. ¡Es lógico! A ella le gustan las playas y
las palmeras y los días en que hace mucho 13. (frío / sol). Cuando mi abuela regresa a Panamá,
14. (les / le) mandamos con ella muchos regalos a nuestros 15. (padres / parientes[c]).

[a]*hug*   [b]Así... *Such is the life*   [c]*relatives*

¿Entendiste? Contesta las siguientes preguntas.

1. ¿Quién es Manuela: la madre del papá o de la mamá de Ed?
2. ¿Dónde vive la tía Zaira?
3. ¿Qué le gusta de la vida en Canadá a la abuela?
4. ¿Qué no le gusta?
5. ¿Toda la familia de Ed emigró a Canadá?

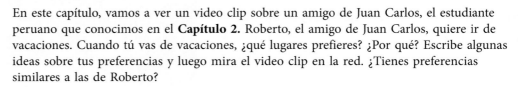

UN POCO DE TODO

VIDEOTECA

En contexto

En este capítulo, vamos a ver un video clip sobre un amigo de Juan Carlos, el estudiante peruano que conocimos en el **Capítulo 2.** Roberto, el amigo de Juan Carlos, quiere ir de vacaciones. Cuando tú vas de vacaciones, ¿qué lugares prefieres? ¿Por qué? Escribe algunas ideas sobre tus preferencias y luego mira el video clip en la red. ¿Tienes preferencias similares a las de Roberto?

¿Entendiste?

A. Las reservaciones. Roberto habla con una agente de viajes sobre sus planes para las vacaciones. Mira el video clip una vez más y contesta las siguientes preguntas.

1. ¿A dónde quiere viajar Roberto? ¿Por qué?
2. Si pensamos en el precio del viaje, ¿cuándo es mejor viajar al lugar que quiere visitar Roberto?
3. ¿Cómo es el clima en el lugar que quiere visitar Roberto?
4. Según la agente de viaje, ¿a dónde debe viajar Roberto?
5. ¿Cómo es el lugar que recomienda la agente?
6. ¿Quién va a organizar el viaje?

B. El tiempo en las vacaciones. En este video clip, Roberto planea sus vacaciones con una agente de viajes. En su conversación, podemos ver que el clima de un lugar es muy importante para Roberto. Imagina que Roberto quiere viajar a tu ciudad y te hace preguntas sobre el clima y otros aspectos de tu ciudad.

Paso 1. Lee las preguntas de Roberto y elige la mejor respuesta.

1. Hola, hoy hace muy buen tiempo aquí. ¿Qué tiempo hace hoy donde vives tú?

   ☐ Son las tres.
   ☐ Es invierno.
   ☐ Es enero.
   ☐ Nieva.
   ☐ Todo el tiempo.

2. ¿En qué parte de tu país vives tú?

   ☐ Entre invierno y primavera.
   ☐ En el oeste.
   ☐ Esta noche.
   ☐ Llueve mucho.
   ☐ Detrás del parque.

3. ¿Qué tiempo hace en el invierno donde tú vives?

☐ Hace frío y nieva mucho.
☐ Es una estación.
☐ No hay tiempo.
☐ El primero de enero.
☐ Está ordenado.

4. ¿Y qué tiempo hace durante el verano?

☐ Es en julio.
☐ Está cerca de la piscina.
☐ Voy a la playa.
☐ Llueve mucho y hace calor.
☐ Está triste.

5. ¿Qué haces cuando hace mal tiempo?

☐ Estoy ocupado.
☐ Leo o duermo.
☐ Voy al parque con el perro.
☐ Me gusta ir a la playa.
☐ Llueve y hace viento.

Paso 2. Ahora tienes que hacer preguntas para cada una de las respuestas en Paso 1.

MODELO: Respuesta: Son las tres.
           Tú preguntas: ¿Qué hora es?

A conversar...

Planificar un viaje

Estudiante A: Imagine that you are a travel agent at an agency in your city. It's January. It's very cold, and it's been raining/snowing for two days. A client comes to your agency looking for a warm place to spend his/her winter vacation. Help your client by asking him/her questions about his/her preferences, and by providing him/her with suggestions of places where he/she should go. Give as much information as possible. Use the vocabulary and structures in this chapter, and Roberto's conversation with the travel agent as a model.

Estudiante B: It's January. It's very cold, and it's been raining/snowing for two days. You're tired of winter, and decide to go on vacation to a warm place. You talk to a travel agent. Answer the travel agent's questions, and ask him/her for suggestions about destinations. Also ask questions about the weather, activities that you can do in a particular place, prices, etc. Get as much information as possible, and decide on a place. Use the vocabulary and structures in this chapter, and Roberto's conversation with the travel agent as a model.

LECTURA

SOBRE LA LECTURA... El texto que vas a leer en este capítulo apareció en la revista *Muy interesante*. Esta revista contiene artículos sobre ciencia y temas relacionados a, por ejemplo, la arqueología, la biología, etc. La fuente (*source*) de un artículo es importante porque te puede ayudar a entender el contenido y a formular una hipótesis sobre el tema antes de empezar a leer.

ESTRATEGIA: Forming a General Idea about Content

Before starting a reading, it is a good idea to try to form a general sense of the content. The more you know about a text before you begin to read, the easier it will seem to you. Here are some things you can do to prepare yourself for the reading. You have already applied some of these strategies to the readings thus far in previous chapters.

1. Make sure you understand the title. Think about what it suggests to you and what you already know about the topic. Do the same with any subtitles in the reading.
2. Look at the drawings, the photos, or other visual clues that accompany the reading. What do they indicate about the content?
3. Read the comprehension questions before starting to read the selection. They will direct you to the kind of information you should be looking for.

ANTES DE LEER

You should be able to determine the general message of the reading in this chapter if you apply the following strategies.

- **The title.** The reading, **"Todos juntos en los trópicos,"** contains a key word in the title: **trópicos.** It is a cognate. Can you guess what it means?
- **The art.** The reading is accompanied by a photograph and a caption. What additional information do these items tell you about the reading?
- **The comprehension questions.** Scan the activities in the **Después de leer** section. What additional clues do they give you about the content of the passage?

Contesta estas preguntas y luego lee el texto. ¿Son tus ideas correctas?

A LEER

Lee el siguiente texto y verifica si tus ideas son correctas.

Todos juntos en los trópicos

Los trópicos son las regiones biológicamente más diversas del planeta y cuentan con[a] el triple de <u>especies</u> que en cualquier otra zona. Pero, ¿por qué? Los biólogos no han sido capaces[b] de dar una respuesta unívoca.[c] Es más, las diferentes teorías que se han propuesto[d] tienen todas sus puntos débiles.[e]

En resumen, existen tres <u>razones</u> expuestas para esta riqueza.[f] La primera teoría fue diseñada[g] hace 20 años[h] por Michael Rosenzweigh, de Arizona, en los Estados Unidos. Según él, en los trópicos hay más especies, sencillamente[i] porque se cuenta con más espacio geográfico <u>habitable</u>.

<u>La segunda</u> es de los últimos años 80 y fue diseñada por George Stevens, de Nuevo México: las especies tropicales son esclavas[j] de sus condiciones térmicas;[k] por eso no pueden <u>colonizar</u> nuevos territorios menos cálidos[l] y se concentran como en un gueto[m] en el trópico.

---

[a]cuentan… *tienen* [b]no… *have not been able* [c]*unambiguous* [d]que… *that have been proposed*
[e]puntos… *weak points* [f]expuestas… *given for this wealth* [g]fue… *was outlined* [h]hace… *20 years ago*
[i]*simply* [j]*slaves* [k]*thermal* [l]*hot* [m]*ghetto*

La tercera es una teoría histórica y explica que los trópicos fueron las áreas de la Tierra que escaparon el efecto destructor del aumento[n] de las regiones heladas[ñ] durante las glaciaciones.

Ninguna de las tres ha sido confirmada.[o]

[n]*increase* [ñ]*frozen* [o]*ha... has been confirmed*

No hay una teoría única para explicar la exuberancia natural que se produce en los trópicos.

DESPUÉS DE LEER

A. ¿Se menciona o no? ¿Cuáles de los siguientes temas se mencionan en la lectura?

	SÍ	NO
1. información sobre la gente (*people*) indígena de los trópicos	☐	☐
2. teorías que explican (*explain*) la biodiversidad de los trópicos	☐	☐
3. información sobre la deforestación de los trópicos	☐	☐
4. teorías que explican la climatología de los trópicos	☐	☐
5. la contaminación de algunas regiones de los trópicos	☐	☐

B. La biodiversidad local. La lectura comenta la gran biodiversidad de los trópicos y propone teorías que explican este fenómeno.

Paso 1. Con un/a compañero/a, escribe un breve resumen en inglés de las tres teorías presentadas en la lectura. ¿Cuál de las teorías piensan ustedes que es más factible (*feasible*)?

Paso 2. Ahora piensen en el clima donde ustedes viven y qué animales y plantas habitan la zona. Escriban un resumen breve en español. Usen las siguientes preguntas para empezar y consulten un diccionario bilingüe si es necesario.

¿Cómo es la biodiversidad de la región donde ustedes viven?
¿Hay muchos animales y plantas indígenas?
¿Cuál es la relación entre el clima de la región y la flora y la fauna?

Paso 3. Las selvas (*jungles*) latinoamericanas. Busca información sobre las selvas en América Latina. Usa las siguientes preguntas y escribe un resumen corto para compartir con el resto de la clase.

¿En qué países hay selvas tropicales?
¿Cómo se llaman las selvas?
¿Qué tribus indígenas viven en las selvas?
¿Cómo es el clima de las selvas y cuáles son las estaciones?

REDACCIÓN

UN VIAJE INOLVIDABLE

En este capítulo, vas a escribir una narración sobre un viaje inolvidable que hiciste en el pasado.

ANTES DE ESCRIBIR

Usa las siguientes preguntas para pensar en tu narración. Tu instructor/a te puede ayudar con palabras y construcciones nuevas.

1. ¿Cuándo fuiste de viaje?
2. ¿Adónde fuiste? (Primero menciona el lugar y luego describe ese lugar usando **ser / estar** en el presente.
3. ¿Con quién viajaste?
4. ¿Qué hiciste en el lugar? (Describe tus actividades usando al menos **ocho** verbos diferentes.
5. ¿Qué lugares visitaste?
6. ¿Cómo fue el tiempo?
7. ¿Quieres volver a ese lugar algún día? ¿Por qué? ¿Por qué no?

A ESCRIBIR

Ahora escribe tu narración y recuerda…

- usar el vocabulario y verbos de este capítulo y de los capítulos anteriores.
- prestar atención a las formas del pretérito (por ejemplo, yo via**jé**). Ten cuidado con los acentos en la primera y tercera persona del singular.
- prestar atención al género y número cuando usas artículos, adjetivos y sustantivos (por ejemplo, l**a** play**a** es muy bonit**a**).
- prestar atención a la diferencia entre **ser** y **estar** (por ejemplo, La playa **es** muy bonita. vs. La playa **está** en Costa Rica.).
- prestar atención a las conjugaciones correctas de los verbos (por ejemplo, **Mis padres viajaron** conmigo.).
- unir tus ideas con conectores como **y, pero, además, sin embargo, por eso, porque,** etc.

Empieza tu composición de la siguiente forma:
"Hace… (escribe el número de años) años, hice un viaje inolvidable…"

DESPUÉS DE ESCRIBIR

Now read your narration, and focus on the following:

- <u>Content</u>: Have you included all the information required?
- <u>Grammar</u>:
  - Articles, possessive adjectives, nouns, and adjectives: Do they agree in gender and number?
  - Verbs: Have you conjugated your verbs correctly?
  - Past tense: Have you written all your verbs (except for your description of the place) in the preterite?
  - Ser vs. estar: Have you used these two verbs correctly?
- <u>Connectors</u>: Have you connected your ideas with the suggested connectors and conjunctions?

Correct your text, and write a new, improved version.

Costa Rica y Panamá

Antes de explorar...

En este capítulo, hablamos de Costa Rica y Panamá. ¿Qué aprendiste sobre estos países? Con un/a compañero/a, escribe una lista de datos sobre estos dos países.

¡A explorar!

Ahora vamos a aprender más sobre Costa Rica y Panamá. Lee los siguientes textos y piensa en las similitudes y las diferencias entre estos dos países y Canadá. Usa los comparativos que aprendimos en este capítulo para comparar estos dos países con Canadá.

Costa Rica

- Nombre oficial: República de Costa Rica
- Capital: San José
- Población: más de 4 millones de habitantes
- El ecoturismo es importante para la economía de Costa Rica y para la preservación de la biodiversidad y la belleza[a] natural que existen en el país. El ecoturismo tiene como propósito[b] controlar la entrada[c] de turistas en regiones protegidas[d] y, a la vez,[e] obtener fondos[f] para continuar con la protección de las regiones naturales. Aproximadamente el 30 por ciento del territorio costarricense está cubierto de selvas o bosques.[g] En total, más de un cuarto[h] del territorio del país ha sido destinado[i] para la preservación.
- Costa Rica es una de las primeras democracias de América. En 1821, convocaron[j] las primeras elecciones. El gobierno de Costa Rica tiene tres poderes:[k] el ejecutivo (un presidente y dos vicepresidentes), el legislativo y el judicial.
- Costa Rica no tiene fuerzas armadas.[l] De hecho,[m] la Constitución prohíbe la organización de un ejército.[n]
- Muchos consideran a Costa Rica como "la Suiza[ñ] de Centroamérica" porque es un país "amistoso"[o] que se mantiene neutral durante conflictos internacionales. A menudo[p] los líderes de Costa Rica intervienen para negociar la paz[q] durante tales[r] conflictos.

Panamá

- Nombre oficial: República de Panamá
- Capital: la Ciudad de Panamá
- Población: más de 3 millones de habitantes
- **Panamá** es una palabra indígena que significa "tierra de muchos peces".[s]
- La Carretera[t] Panamericana, el sistema de carreteras que va de Alaska a la Argentina, se interrumpe[u] en la densa e[v] impenetrable selva panameña de Darién. Para llegar a Sudamérica es necesario tomar un barco hasta Colombia, en donde continúa la carretera.

[a]*beauty* [b]*purpose* [c]*entrance* [d]*protected* [e]*a... at the same time* [f]*funds* [g]*está... is covered with jungles or forests* [h]*quarter* [i]*ha... has been set aside* [j]*they held* [k]*powers, branches* [l]*fuerzas... military force* [m]*De... In fact* [n]*army* [ñ]*Switzerland* [o]*friendly* [p]*A... Often* [q]*peace* [r]*such* [s]*fish* [t]*Highway* [u]*se... is interrupted* [v]*y*

El Volcán Arenal. El Parque Nacional Arenal es una de las atracciones más populares de Costa Rica. El centro del parque es el Volcán Arenal, que tiene erupciones espectaculares desde 1968. Los ecoturistas pueden alojarse[a] en hoteles y cabañas[b] con vistas[c] al volcán, hacer excursiones a pie[d] por los senderos del parque y bañarse en aguas termales.[e]

[a]*stay* [b]*cabins* [c]*views* [d]*hacer... hike* [e]*aguas... hot springs*

Carreta[a] de Sarchí. Sarchí es el pueblo principal de las artesanías[b] costarricenses y su producto más famoso son sus carretas pintadas.[c] En el siglo XIX,[d] las carretas eran[e] esenciales para transportar al mercado la cosecha de los granos de café,[f] y las familias pintaban y decoraban[g] sus carretas para llamar la atención.[h] Hoy día[i] las carretas de Sarchí representan una tradición nacional.

[a]*Oxcart* [b]*arts and crafts* [c]*painted* [d]*siglo... 19th century* [e]*were* [f]*cosecha... coffee bean harvest* [g]*pintaban... painted and decorated* [h]*llamar... attract attention* [i]*Hoy... Today*

Una rana calzonuda.[a] Costa Rica es como un puente migratorio[b] para muchas especies de animales que pasan parte del año en los parques y reservas nacionales del país. La rana calzonuda se cuenta entre[c] las 175 especies de anfibios que viven en Costa Rica.

[a]*rana... red-eyed tree frog* [b]*puente... migratory bridge* [c]*se... is included among*

La cosecha del café. La rica tierra volcánica de Costa Rica es ideal para el cultivo del café. Costa Rica fue el primer país en exportar café, primero a sus vecinos[a] latinoamericanos y luego a Inglaterra y a otros países. El café sigue siendo un producto importante de la economía costarricense.

[a]*neighbours*

El Casco Antiguo (*Old City Centre*) de la
Ciudad de Panamá

La parte moderna de la Ciudad de Panamá

La Ciudad de Panamá. La Ciudad de Panamá, capital del país, es una ciudad moderna y cosmopolita. La influencia de la cultura y del dólar estadounidenses en esta ciudad es notable. Dentro de[a] la capital hay tres áreas de marcadas diferencias: Panamá la Vieja (restos[b] de la ciudad original que datan[c] del siglo XVI), el Casco Antiguo (la parte colonial española que data del siglo XVII) y la Ciudad Moderna con sus rascacielos.[d]

[a]*Dentro... Within* [b]*remains* [c]*date* [d]*skyscrapers*

Una mujer kuna con sus molas panameñas. Los kunas, una tribu indígena, viven en las islas de San Blas. Las mujeres kunas son famosas por sus molas, una artesanía textil de múltiples capas de telas,[a] cortadas y bordadas[b] en diseños coloridos y complejos.[c] Las artesanas también se decoran las piernas y los brazos[d] con los mismos diseños de sus molas.

[a]*capas... layers of material* [b]*cortadas... cut and embroidered* [c]*diseños... colourful and complex designs* [d]*se... decorate their legs and arms*

La Cordillera[a] de Talamanca. Panamá protege[b] el 22 por ciento de su territorio con parques y reservas nacionales. La Cordillera de Talamanca queda[c] en la frontera[d] entre Panamá y Costa Rica. Las Reservas de la Cordillera de Talamanca y el Parque Internacional de La Amistad, junto con[e] otras propiedades, fueron declarados Patrimonio Mundial[f] de la Humanidad por la UNESCO en 1990.

[a]*Mountain Range* [b]*protects* [c]*is located* [d]*border* [e]*junto... together with* [f]*Patrimonio... World Heritage Site*

La música, la literatura y el arte de Costa Rica y Panamá

Los instrumentos musicales tradicionales de Costa Rica son la marimba, la ocarina,[a] el quijongo[b] y la chirimía.[c] La provincia de Guanacaste es conocida[d] por su música y sus bailes, entre[e] ellos "La cajeta", "La flor de caña" y "El punto guanacasteco". Tal vez el baile folclórico más conocido es "El punto guanacasteco", cuya[f] música se toca[g] con marimba de calabaza[h] y guitarra.

El calipso es la forma musical más popular y famosa de Panamá. El calipso llegó a Panamá de la isla de Trinidad durante la construcción del canal. Muchas de las canciones de calipso son improvisaciones, y son muy comunes los "duelos"[i] entre cantantes.[j]

Uno de los músicos contemporáneos más importantes de Panamá es Ruben Blades. Sus canciones combinan ritmos tradicionales latinoamericanos, como la salsa, con el jazz y muchas de ellas expresan temas sociales y políticos que afectan a su país y a América Latina. Además de ser músico, Blades es parte de la política de su país. Por ejemplo, del 2004 al 2009 fue el Ministro del Instituto Panameño de Turismo. Su amor por su país es evidente en una de sus canciones más famosas, "Patria",[k] en la que habla de sus sentimientos[l] por su país.

"Mujer de Yucatán sentada" por Francisco Zúñiga

Otro aspectos importantes de Costa Rica y Panamá son su literatura y arte. Como en otros países latinoamericanos, muchos escritores costarricenses y panameños escriben sobre la realidad social y geográfica de sus países. Por ejemplo, esta literatura habla de los habitantes en las zonas rurales y los desafíos que enfrentan[m] cada día. Entre estos escritores podemos mencionar a Carlos Luis Fallas, Joaquín Gutiérrez y José Marín Cañas en Costa Rica y a Rogelio Sinán, Renato Ozores y José Guillermo Ros-Zanet en Panamá.

Existe además en estos dos países una nueva generación de escritores como Catalina Murillo, Laura Quijano, Alí Víquez Jiménez y Gustavo Adolfo Chaves en Costa Rica y Carlos Fong, José Luis Rodríguez Pittí y Gloria Melania Rodríguez en Panamá, que escriben más sobre la realidad social urbana de sus naciones y otros temas universales como los derechos de la mujer. Todos ellos contribuyen a una literatura rica en temas y géneros.

En el arte costarricense y panameño, podemos mencionar al escultor y pintor Francisco Zúñiga (1912–1998). Este artista nació en Costa Rica, pero pasó la mayoría de su vida en México. Su arte es similar al de Fernando Botero, ya que sus obras principales muestran figuras de mujeres de proporciones muy grandes, como las del artista colombiano. Observa la foto a la derecha y compara la escultura de Zúñiga con la pintura de Botero en el **Capítulo 4.** ¿Qué similitudes y diferencias hay entre las obras de estos dos artistas? Puedes usar los comparativos que aprendiste en este capítulo para comparar las obras.

También puedes visitar el sitio web **www.mcgrawhill.ca/olc/knorre** para aprender más sobre Zúñiga y Rubén Blades.

[a]*potato-shaped wind instrument* [b]*single-bow with gourd resonator* [c]*clarinet-type wind instrument* [d]*known*
[e]*among* [f]*whose* [g]*se... is played* [h]*gourd* [i]*duels* [j]*singers* [k]*homeland* [l]*feelings* [m]*los desafíos... the challenges that they face*

Los costarricenses y panameños en Canadá

Las comunidades de costarricenses y panameños en Canadá no son tan activas como otros grupos de inmigrantes latinoamericanos, quizás porque su número de personas no es tan grande como en otras comunidades. Sin embargo, tanto Costa Rica como Panamá tienen relaciones comerciales y sociales muy importantes con Canadá. Por ejemplo, los dos países tienen tratados de importación y exportación con el gobierno canadiense y mucha gente en Canadá invierte y tiene casas en uno de los dos países centroamericanos. Es así que hay grupos internacionales que facilitan las negociaciones entre estos países como por ejemplo la **Casa Canada Group.**

¿Y qué tipo de negocios existen entre estos tres países? Primero piensa en los productos que cada uno puede ofrecer y haz una lista. Luego lee los siguientes textos y verifica si tus ideas son correctas.

Texto 1*

"El comercio entre Panamá y Canadá supera[a] en la actualidad los 700 millones de dólares anuales. Las exportaciones hacia esa nación son principalmente de aceites de pescados,[b] café, productos del mar, frutas, productos de pollo,[c] entre otros, que se espera se fortalecerán[d] con el TLC (Tratado de Libre Comercio).[e]

Para los productores panameños, Canadá representa un mercado potencial de cerca de 32 millones de habitantes, con un ingreso por persona anual de 20.186 dólares..."

[a]*is higher than* [b]*fish oil* [c]*chicken* [d]*que... which are expected to become stronger with* [e]*Tratado... Free Trade Agreement*

Texto 2**

"Una delegación compuesta por 12 empresas canadienses va a estar en Panamá entre el 2 y el 4 de junio (de 2009) en busca de oportunidades de negocio.

La misión está liderada[a] por Atlantic Canada, agencia de los gobiernos de las cuatro provincias del Atlántico canadiense. Seis empresas son del sector marítimo[b] (software, reclutamiento de personal,[c] entre otras) y las otras seis de educación, telecomunicaciones, construcción, turismo, agricultura y medio ambiente.[d] Las compañías canadienses tienen la intención de introducir sus productos y servicios en el mercado local..."

[a]*is headed* [b]*marine* [c]*recruitment of personnel* [d]*environmental*

Texto 3***

"Un grupo de comerciantes[a] de Costa Rica participan desde ayer domingo (de 2010) en una Misión de Exportadores en Canadá. Entre los productos que los costarricenses quieren exportar a Canadá están la zanahoria,[b] la calabaza,[c] el plátano, la piña,[d] la yuca, el chile dulce y el tomate. La actividad es impulsada[e] por la Promotora de Comercio Exterior (Procomer) y su oficina regional canadiense.

Entre los principales supermercados que tienen interés en más del 70% sobre los productos promocionados están Sobeys, Loblaws y Metro..."

[a]*businessmen* [b]*carrots* [c]*pumpkins* [d]*pineapple* [e]*promoted by*

---

*Source: Text adapted from original on http://www.radiolaprimerisima.com/noticias/resumen/45157

**Source: Text adapted from original on http://mensual.prensa.com/mensual/contenido/2009/05/20/hoy/negocios/1791314.asp

***Source: Text adapted from original on http://www.elfinancierocr.com/ef_archivo/2009/mayo/10/negocios1953976.html

¿Entendiste?

¿Qué tipo de productos puede exportar cada país? Responde esta pregunta describiendo la geografía y clima de cada país y su relación a los productos que pueden exportar.

Proyecto cultural en grupo: Una historia fantástica en Costa Rica o Panamá

Para esta actividad vas a trabajar con tres o cuatro compañeros. Ustedes van a imaginar que son comerciantes canadienses en Costa Rica o Panamá. Tienen el fin de semana libre y deciden hacer algo interesante.

Paso 1. Con los compañeros en tu grupo, en una hoja de papel, escribe cinco oraciones sobre algo muy extraño o muy cómico que les haya pasado en Costa Rica o Panamá el fin de semana pasado. Lo que escriban no tiene que ser verdad: pueden inventar tanto como quieran, pero deben mencionar elementos culturales del país. Deben usar verbos en el pretérito. Cuando terminen de escribir sus oraciones, pasen su hoja al grupo de al lado.

"El sábado pasado..."

Paso 2. Tus compañeros y tú han recibido las oraciones que el grupo de al lado ha escrito. En esa hojita, completen la historia, escribiendo cinco oraciones más. Cuando terminen de escribir sus oraciones, pasen su hoja al grupo de al lado. Continúen con el mismo proceso hasta completar las hojas de todos los grupos.

Paso 3. Escuchen las historias que resultaron de la actividad y decidan cuál es la mejor. ¿Cómo son las historias?

EN RESUMEN

Gramática

To review the grammar points presented in this chapter, refer to the indicated grammar presentations.

Gramática 1. ¿*Ser* o *estar*?—Summary of the Uses of **ser** and **estar**

Should you use **ser** or **estar** to describe inherent qualities, to describe health and physical conditions, to express time, to form the present progressive?

Gramática 2. Talking About the Past (Part 1)—Preterite of Regular Verbs and of **dar, hacer, ir,** and **ser**

You should know how to conjugate regular preterite verbs. Can you use the irregular verbs **dar, hacer, ir,** and **ser** in the preterite as well?

Gramática 3. Describing—Comparisons

Do you know how to compare things and people?

Vocabulario

Los verbos

celebrar	to celebrate
continuar (continúo)	to continue
pasar	to spend (*time*); to happen
seguir (sigo)(i)	to continue

¿Qué tiempo hace?

está (muy) nublado	it's (very) cloudy, overcast
hace...	it's . . .
(muy) buen / mal tiempo	(very) good/ bad weather
(mucho) calor	(very) hot
fresco	cool
(mucho) frío	(very) cold
(mucho) sol	(very) sunny
(mucho) viento	(very) windy
hay (mucha) contaminación	there's (lots of) pollution
llover: llueve	to rain / it's raining
nevar: nieva	to snow / it's snowing

Los meses del año

¿Cual es la fecha de hoy? **¿Qué fecha es hoy?**	What's today's date?
el primero de	the first of (*month*)

enero	**julio**
febrero	**agosto**
marzo	**septiembre**
abril	**octubre**
mayo	**noviembre**
junio	**diciembre**

Las estaciones del año

la primavera	spring
el verano	summer
el otoño	fall, autumn
el invierno	winter

Los lugares

la capital	capital city
la isla	island
el mundo	world
la playa	beach

Otros sustantivos

el año	year
el clima	climate
el cumpleaños	birthday
la estación	season
la fecha	date (*calendar*)
el mes	month
el / la novio/a	boyfriend/girlfriend
la respuesta	answer
el tiempo	weather; time

Los adjetivos

abierto/a	open
aburrido/a	bored
alegre	happy
cansado/a	tired
cariñoso/a	affectionate
cerrado/a	closed
congelado/a	frozen; very cold
contento/a	content, happy

desordenado/a	messy
difícil	hard, difficult
enfermo/a	sick
fácil	easy
furioso/a	furious, angry
limpio/a	clean
loco/a	crazy
mismo/a	same
molesto/a	annoyed
nervioso/a	nervous
ocupado/a	busy
ordenado/a	neat
preocupado/a	worried
querido/a	dear
seguro/a	sure, certain
sucio/a	dirty
triste	sad

Las comparaciones

más / menos... que	more/less (-er) . . . than
tan... como	as . . . as
tanto como	as much as
tanto/a(s)... como	as much/many . . . as
mayor	older
mejor	better; best
menor	younger
peor	worse

Las preposiciones

a la derecha de	to the right of
a la izquierda de	to the left of
al lado de	alongside of
cerca de	close to
debajo de	below
delante de	in front of
detrás de	behind
encima de	on top of
entre	between, among
lejos de	far from

Los puntos cardinals

el norte, el sur, el este, el oeste

Palabras adicionales

afuera	outdoors
ahora mismo	right now
conmigo	with me
contigo	with you (*fam.*)
mí (*obj. of prep.*)	me
sin embargo	nevertheless
ti (*obj. of prep.*)	you (*fam.*)
todavía	still

Vocabulario personal

Use this space to write down other words and phrases you learn in this chapter.

To access the Instructor Supplements, please go to the Online Learning Centre at **www.mcgrawhill.ca/olc/knorre.**

CAPÍTULO 7

Una comida en Argentina

¡Vamos a Argentina, Uruguay y Paraguay!

En este capítulo, vamos a visitar Argentina, el país más cerca del Polo Sur, y dos de sus países limítrofes, Uruguay y Paraguay. ¿Visitaste estos países alguna vez? ¿Tienes ideas sobre estos países? Escribe tus ideas y luego mira los videos sobre Argentina, Uruguay y Paraguay en la sección "Panorama cultural" en la red.

Ahora contesta las siguientes preguntas sobre los videos. Puedes usar el mapa a continuación como ayuda.

1. ¿En qué continente están Argentina, Uruguay y Paraguay? ¿Con qué otros países limitan?
2. ¿Cómo se llaman sus capitales?
3. ¿Cúal es el nombre informal de la gente de Buenos Aires?
4. ¿Cúal es la música más importante de Argentina?
5. ¿Cómo es la ciudad de Montevideo?
6. ¿Quiénes son los gauchos? ¿Qué hacen en Argentina y Uruguay?
7. ¿Cómo es la ciudad de Asunción?
8. ¿En qué río está la represa (*dam*) de Itaipú?
9. ¿Qué lugar comparten (*share*) Argentina y Paraguay?

Gauchos argentinos preparando un asado (*barbecue*) tradicional

PARAGUAY   BRASIL

Asunción

CORDILLERA DE LOS ANDES

Córdoba

URUGUAY

CHILE

Buenos Aires   Montevideo

OCÉANO
ATLÁNTICO

ARGENTINA

En este capítulo

A comunicarnos
In this chapter, we will learn how to . . .

- talk about food and meals
- talk about things and people that you know
- talk about likes and dislikes
- talk about past activities
- compare and contrast people and things

Gramática
- Irregular preterites and preterites of stem-changing verbs
- **Gustar** and similar verbs
- Superlatives

Cultura
- Argentina y su gente
- Uruguay y su gente
- Paraguay y su gente
- La comida en los países hispanos
- Los argentinos, uruguayos y paraguayos en Canadá

VOCABULARIO Preparación

En este capítulo vamos a hablar de la comida en Argentina. Este país es el mayor consumidor de carne de vaca (*beef*) del mundo y muchos restaurantes no ofrecen comidas vegetarianas. ¿Cómo es la situación en Canadá? ¿Come la gente mucha carne? ¿Cuáles son los platos típicos de este país?

EN UN CAFÉ DE BUENOS AIRES

Laura es una estudiante de la Universidad de Calgary. Ahora está visitando Argentina por sus vacaciones de verano y ayer almorzó en un café tradicional de Buenos Aires. En este tipo de restaurante puedes comer comida rápida o "minutas" como sandwiches. Laura es vegetariana. Lee su diálogo con el mozo (*waiter*). ¿Encontró Laura alguna comida vegetariana? Puedes usar el vocabulario en las páginas 227 y 228 para leer la conversación.

Un típico café de Buenos Aires

MOZO: Buenas tardes, Señorita.
LAURA: Buenas tardes. Quisiera almorzar. ¿Qué me recomienda?
MOZO: Tenemos dos platos del día por $50. **Pollo asado con papas fritas** o **bife con ensalada clásica** de **tomate, lechuga, zanahoria** y **huevo.** El precio incluye **bebidas** como **agua mineral con o sin gas** o **gaseosa** y **postre** y **café.** De **postre** hoy tenemos **flan con dulce de leche** o **helado.**
LAURA: Todo parece muy **rico,** pero soy vegetariana…
MOZO: Ah, muy bien. Entonces le puedo recomendar nuestra excelente **tortilla española** con **papas, huevo** y **cebolla.**
LAURA: Perfecto. ¿Me puede también traer una ensalada de **zanahoria?**
MOZO: Sí, por supuesto. ¿Quiere la ensalada con **aceite de oliva?**
LAURA: Sí, por favor. Y para beber, quisiera un **agua mineral con gas.**
MOZO: Muy bien…

Media hora después…

MOZO: ¿Cómo **estuvo** todo?
LAURA: Excelente, gracias.
MOZO: ¿Algo de **postre?**
LAURA: Sí, voy a probar el **flan con dulce de leche**…y **café** por favor…

Quince minutos después…

LAURA: La cuenta, por favor.
MOZO: Son $35
LAURA: ¿Aceptan tarjeta de crédito?
MOZO: Sí, aceptamos tarjetas de crédito y débito…

Una tortilla española

¿Entendiste? (Para hacer este ejercicio, puedes consultar la sección de **Gramática 1** en este capítulo.)

1. ¿Qué platos no puede comer Laura? ¿Por qué no?
2. ¿Qué comida vegetariana le **ofreció** el mozo a Laura?
3. ¿Qué le **trajo** el mozo para beber a Laura?
4. ¿Qué otra comida **pidió** Laura?
5. Según Laura, ¿cómo **estuvo** la comida?
6. ¿Cuánto **costó** la comida de Laura?
7. ¿Cómo crees que **pagó** su cuenta Laura?

Lengua

1. ¿Qué usaron Laura y el mozo en el diálogo, tú o usted? ¿Por qué?
2. En las preguntas anteriores, aparecen algunas formas del pretérito de los verbos **poder, ofrecer, traer** y **estar.** Todos estos verbos tienen una conjugación irregular. ¿Puedes tratar de conjugar uno de estos verbos?

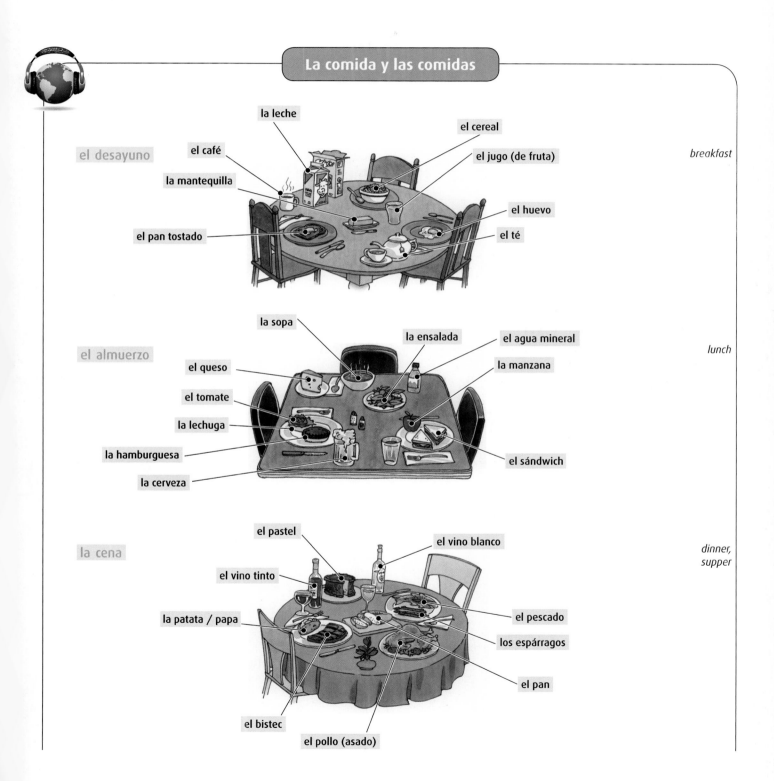

La comida y las comidas

el desayuno — *breakfast*

la leche

el café

la mantequilla

el pan tostado

el cereal

el jugo (de fruta)

el huevo

el té

el almuerzo — *lunch*

la sopa

el queso

el tomate

la lechuga

la hamburguesa

la cerveza

la ensalada

el agua mineral

la manzana

el sándwich

la cena — *dinner, supper*

el pastel

el vino tinto

la patata / papa

el bistec

el pollo (asado)

el vino blanco

el pescado

los espárragos

el pan

Otra bebida

el refresco	soft drink

Otras frutas

la banana	banana
la naranja	orange

Otras verduras

los champiñones	mushrooms
la lechuga	lettuce
la zanahoria	carrot
la cebolla	onion

Las legumbres

las arvejas	green peas
los frijoles	beans
los garbanzos	chick peas

Otras carnes

la barbacoa / el asado	barbecue
la chuleta (de cerdo)	(pork) chop
el jamón	ham
el pavo	turkey
la salchicha	sausage; hot dog

Otros pescados y mariscos

el atún	tuna
los camarones	shrimp
el salmón	salmon

Otras comidas

el aceite	oil
el aceite de oliva	olive oil
el arroz	rice
el azúcar	sugar
la pimienta	pepper
la sal	salt
el yogur	yogurt

Otros postres

los dulces	sweets; candy
el flan	(baked) custard
el dulce de leche	a caramel-like spread
la galleta	cookie, cracker
el helado	ice cream

Los verbos

desayunar	to have (eat) breakfast
almorzar (almuerzo)	to have (eat) lunch
cenar	to have (eat) dinner, supper
cocinar	to cook

El español camaleón

En **La comida,** aprendiste dos palabras para *potato:* **la papa** (*L.A.*) y **la patata** (*Sp.*). Hay una gran variedad de palabras en español que se usan para la comida en diferentes partes de América Latina y España. Las palabras a continuación son algunas de las que se usan más frecuentemente:

las arvejas = los guisantes (*Sp.*)
el bistec = el bife (*Arg.*)
la barbacoa = el asado (*Arg., L.A.*)
el jugo = el zumo (*Sp.*)
los camarones = las gambas (*Sp.*)
el refresco = la gaseosa, la soda   ¡**OJO!** (**el refresco** = *soda water* in
la mantequilla = la manteca (*Arg.*)   some areas)
el pastel = la torta (*Arg.*)
mozo = camarero (*Sp., L.A.*), mesero (*Mex.*)

También hay varias maneras de expresar **la tienda de comestibles** (*grocery store*): **la abacería, el almacén** (que también significa *department store* en la mayoría de los países), **la bodega** (popular en el Caribe), **la pulpería** (*C.A., S.A.*), **la trucha** (*C.A.*).

Nota comunicativa

Más frases relacionadas con la comida

tener (mucha) hambre / sed	to be (very) hungry/thirsty
merendar (meriendo)	to snack
la merienda	snack
los comestibles	groceries, foodstuff
el plato	dish (*food prepared in a particular way*)
el plato principal	main course
la entrada	appetizer
caliente	hot (*in temperature, not taste*)
picante	hot, spicy
rico/a	tasty, rich (*in the caloric sense*)

Práctica

A. ¿Qué quiere tomar? Match the following descriptions of meals with a category.

1. una sopa fría, langosta, espárragos, ensalada de lechuga y tomate, vino blanco y, para terminar, un pastel
2. jugo de fruta, huevos con jamón, pan tostado y café
3. un vaso (*glass*) de leche y unas galletas
4. pollo asado, arroz, arvejas, agua mineral y, para terminar, una manzana
5. una hamburguesa con patatas fritas, un refresco y un helado

a. un menú con pocas calorías para una dieta
b. una comida rápida
c. una cena elegante
d. un desayuno estilo norteamericano
e. una merienda

B. Definiciones

Paso 1. Da las palabras definidas.

1. un plato de lechuga y tomate
2. una bebida alcohólica blanca o roja
3. una verdura anaranjada
4. la carne típica para la barbacoa en este país
5. la comida favorita de los ratones (*mice*)
6. se comen fritas, con las hamburguesas
7. una fruta roja o verde
8. una bebida de color negro que la gente toma en el desayuno o durante el día
9. una comida que la gente come de postre o cuando es su cumpleaños
10. un tipo de legumbre negra muy común en la comida mexicana y caribeña

Paso 2. Ahora, en parejas, túrnense para crear (*create*) definiciones de comidas y bebidas, según el modelo del **Paso 1.** Una persona da la definición y la otra da la palabra correspondiente. Hagan por lo menos seis definiciones.

C. Consejos (*Advice*) **a la hora de comer.** ¿Qué debe comer o beber tu compañero/a en las siguientes situaciones? Ofrécele consejos, según el modelo.

MODELO: Tengo mucha hambre. →
    E1: Tengo mucha hambre.
    E2: ¿Por qué no comes un bistec con patatas fritas?

1. Tengo mucha sed.
2. Tengo hambre a las cuatro de la mañana, después de una fiesta.
3. Estoy a dieta.
4. Estoy de vacaciones en Vancouver.
5. Es hora de merendar. Estoy en (casa, la universidad).
6. Soy vegano/a (un vegetariano estricto / una vegetariana estricta).
7. Voy a jugar un partido de hockey sobre hielo en tres horas.
8. Hace mucho frío afuera y tengo que caminar a la universidad.

D. Las preferencias gastronómicas

Paso 1. Escribe una lista de los ingredientes principales de por lo menos dos de tus platos favoritos. La receta (*recipe*) de las Chuletas de Cerdo Maggi puede servir de modelo.

Paso 2. Haz una lista de tus tres lugares favoritos para comer en esta ciudad.

Paso 3. Haz una lista de los tres tipos de cocinas (*cuisines*) que prefieres. Consulta la lista de nacionalidades en el **Capítulo 3** si es necesario.

Paso 4. Entre todos, comparen las listas. ¿Cuáles son los platos, los lugares para comer y las cocinas favoritos de la clase? ¿Cuáles son los ingredientes más necesarios para cocinar sus platos favoritos?

Chuletas de Cerdo Maggi®

Rinde[a] de 6 a 8 porciones

Ingredientes
3 tazas[b] de hojas de cilantro o de perejil
1 taza de mermelada de uva[c]
1 tableta de MAGGI® Caldo[d] Sabor a Pollo y Tomate,
   disuelta en ¼ taza[e] de agua caliente
3 dientes de ajo picados[f]
1 a 2 chiles chipotle en salsa de adobo, sin semillas[g]
Jugo de 2 limones verdes[h]
2 cucharadas[i] de Jugo Sazonador MAGGI®
6 a 8 chuletas de cerdo de ½ pulgada de anchura[j]
   sin o con hueso
2 cucharadas de aceite canola
Cilantro fresco picado (opcional)

[a]*It* [*The recipe*] *yields*   [b]*cups*   [c]*grape*   [d]*Broth*   [e]¼... un cuarto de taza
[f]dientes... *garlic cloves, chopped*   [g]*seeds*   [h]limones... *limes*   [i]*tablespoons*
[j]½... (media pulgada) *half an inch thick*

A conversar...

En un restaurante latinoamericano

Estudiante A: You are in a Latin American restaurant in your town, and you want to order a meal. You are very hungry. You want to practise your Spanish, and decide to order your meal in that language.

1. Greet the waiter/waitress.
2. Tell him/her about any dietary restrictions (use, for example, the verb "ser").
3. Ask for recommendations (e.g., ¿Qué platos me recomienda?).
4. Place your order.
5. Request your check.
6. Ask about payment preferences.

Estudiante B: Camarero/a. You are a waiter/waitress in a Latin American restaurant in your town. Help your client order his/her meal.

1. Greet the client.
2. Offer him/her a drink before ordering.
3. Suggest food alternatives according to your client's diet restrictions (e.g., Le recomiendo una sopa de verduras).
4. Offer him/her dessert.
5. Give him/her the check.
6. Answer any questions about payment preferences.

Nota cultural I

La comida del mundo hispánico

Cuando la gente en Canadá y los Estados Unidos habla de la comida en América Latina y España, generalmente piensan en el arroz, los frijoles, los chiles picantes, las tortillas de maíz o harina[a] y los burritos. Sin embargo, ésta es una idea equivocada,[b] ya que, en muchos países de habla hispana, la gente no come tortillas de harina o maíz ni[c] burritos. Además, la cocina de algunos países hispanos no es picante y, si estás en España y pides **una tortilla,** el camarero te va a traer un plato preparado con patatas y huevo (parecido a un omelette).

Las cocinas de los países hispanos son tan diferentes como sus habitantes. Por ejemplo, la llegada de los españoles tuvo influencia sobre los platos indígenas y se incorporaron[d] comidas como la carne de vaca y el pollo que no existían[e] en estos platos. De la misma manera, la cocina europea cambió cuando llegaron alimentos de América como el tomate, las patatas y el chocolate a Europa.

También la cocina de algunos países hispanos sufrió[f] cambios con la llegada de los inmigrantes europeos de Irlanda, Alemania, Italia, China y Japón a fines del siglo XIX y en el siglo XX. Así, por ejemplo, la gente de Argentina y Uruguay come mucha pasta por la gran influencia italiana y tiene postres de origen italiano, francés y alemán.

En general, la cocina de cada país también contiene los productos típicos de la región geográfica en la que se encuentra el mismo. Por ejemplo, en los países del Caribe y América Central, los plátanos y los frijoles son parte importante de la dieta de sus habitantes. En Argentina y Uruguay, la carne de vaca es la base de la mayoría de los platos tradicionales (como el asado) y en España, hay muchos platos con mariscos y pescado, como la famosa paella valenciana.

[a]*flour* [b]*wrong, mistaken* [c]*nor* [d]*were incorporated* [e]*didn't exist* [f]*suffered changes*

Entonces podemos definir a la cocina de los países hispanos como tan variada como sus paisajes, habitantes e historia y con influencias indígenas, europeas y regionales. El mundo de la comida hispana es muy rico no sólo en sabor,[g] pero también en variedad.[h]

[g]*flavour*   [h]*variety*

¿Entendiste?

1. ¿Por qué crees que la gente de Norteamérica piensa en el arroz, los frijoles y los burritos cuando habla de la comida en los países hispanos?
2. ¿Es toda la comida hispana picante?
3. ¿Por qué la comida hispana es tan diferente?
4. ¿Qué tipos de comida podemos encontrar en los países hispanos?
5. ¿Qué determina el tipo de comida en un país hispano?
6. ¿Cómo es la comida de Canadá? ¿Es tan variada como la comida hispana? ¿Por qué? ¿Por qué no?
7. ¿Comiste alguna vez comida hispana? ¿De qué país? ¿Qué platos comiste? ¿Te gustaron?
8. ¿Cuál es tu comida preferida? ¿Por qué?

El arroz con pollo y frijoles, un típico plato panameño

El famoso guacamole mexicano, con aguacate (*avocado*), tomate, cebolla y cilantro

¿Recuerdas?

You have already learned the irregular preterite stem and endings for the verb **hacer.** All of the verbs presented in **Gramática 1** have irregular stems, and they all use the same preterite endings as **hacer.** Review those endings by completing the following forms.

1. yo: hic _____   2. nosotros: hic _____

3. Ud.: hiz _____   4. ellos: hic _____

GRAMÁTICA 1

TALKING ABOUT THE PAST (PART 2) • IRREGULAR PRETERITES

GRAMÁTICA EN ACCIÓN: LA FIESTA DE SOFÍA

Sofía, la hermana de Laura, la estudiante que está visitando Argentina, hizo una fiesta para sus amigos el sábado pasado. ¿Cómo estuvo su fiesta? Mira el dibujo y contesta las siguientes preguntas.

1. ¿Quién dio la fiesta?
2. ¿Cuántos niños estuvieron en la fiesta?
3. ¿Quién no pudo ir a la fiesta?
4. ¿Quién puso su copa de champán sobre el televisor?
5. ¿Quién hizo mucho ruido?
6. ¿Quiénes no quisieron beber más?

¿Y tú?

1. ¿Estuviste alguna vez en una fiesta como esta? (...estuve...)
2. ¿Tuviste que volver a casa temprano de la fiesta? (...tuve...)
   ¿O estuviste en la fiesta hasta muy tarde? (...estuve...)
3. ¿Le diste un regalo al anfitrión / a la anfitriona? (...di...)

1. You have already learned the irregular preterite forms of **dar, hacer, ir,** and **ser.** The following verbs are also irregular in the preterite. Note that the first and third person singular endings, which are the only irregular ones, are unstressed, in contrast with the stressed endings of regular preterite forms.

2. When the preterite verb stem ends in **-j-**, the **-i-** of the third person plural ending is omitted: **dijeron, trajeron.**

3. The preterite of **hay** (**haber**) is **hubo** (*there was/were*).

estar	
estuve	estuvimos
estuviste	estuvisteis
estuvo	estuvieron

estar:	estuv-	-e
poder:	pud-	-iste
poner:	pus-	-o
querer:	quis-	-imos
tener:	tuv-	-isteis
venir:	vin-	-ieron

decir:	dij-	-e, -iste, -o, -imos, -isteis, -eron
traer:	traj-	

Hubo un accidente ayer en el centro.
There was an accident downtown yesterday.

Changes in Meaning

Several of the following Spanish verbs have an English equivalent in the preterite tense that is different from that of the infinitive.

Infinitive Meaning		Preterite Meaning	
querer	to want		to try
	Quiero hacerlo hoy. *I want to do it today.*		**Quise** hacerlo ayer. *I tried to do it yesterday.*
no querer	not to want		to refuse
	No quiero hacerlo hoy. *I don't want to do it today.*		**No quise** hacerlo anteayer. *I refused to do it the day before yesterday.*
poder	to be able to (*do something*)		to succeed (*in doing something*)
	Puedo leer este libro. *I can (am able to) read this book.*		**Pude** leer este libro ayer. *I could (and did) read this book yesterday.*
no poder	not to be able, capable (*of doing something*)		to fail (*to do something*)
	No puedo leer este libro. *I can't (am not able to) read this book.*		**No pude** leer este libro anteayer. *I couldn't (did not) read this book the day before yesterday.*

Práctica

A. El fin de semana pasado.

Paso 1. Piensa en lo que hiciste el fin de semana pasado y contesta las siguientes preguntas en oraciones completas.

1. ¿Adónde fuiste?
2. ¿Diste una fiesta en tu casa? ¿Cómo estuvo la fiesta?
3. ¿Con quién estuviste?
4. ¿Qué quisiste hacer y no pudiste?
5. ¿Qué comiste?
6. ¿Qué tuviste que hacer?
7. ¿Qué ropa te pusiste?
8. ¿Qué cosas pudiste y no pudiste hacer?

Paso 2. Ahora, en parejas, comparen sus respuestas. Si es posible, digan a la clase dos o más acciones en que coincidieron.

MODELO: Douglas y yo fuimos a una fiesta en casa de un amigo y bailamos mucho allí.

B. Una fiesta de cumpleaños para Laura en casa de los Ramírez.

Paso 1. La semana pasada, Laura cumplió 20 años en Argentina. Su amigo argentino, Ricardo, organizó una fiesta para ella. Describe lo que pasó en la fiesta, haciendo el papel (*playing the role*) de Ricardo. Haz oraciones completas en el pretérito con las palabras indicadas, usando el sujeto pronominal cuando sea necesario.

1. todos / estar / en mi casa / antes de las nueve
2. (nosotros) poner / muchos regalos / para Laura / junto a la torta de cumpleaños
3. (nosotros) invitar / los vecinos (*neighbours*) / pero / no / poder / venir
4. mis tíos y primos / venir / con / comida y bebidas
5. yo / tener / que / ayudar / a / hacer / la comida

6. haber **/** una cena especial **/** para **/** Laura

7. más tarde **/** algunos amigos **/** venir **/** a **/** bailar **/** con nosotros

8. Analía, **/** mi hermana menor, **/** querer **/** beber **/** cerveza **/** pero **/** mi **/** padres **/** decir **/** que no

9. a medianoche **/** todos **/** cantar **/** el feliz cumpleaños

10. Laura **/** estar **/** muy feliz

11. al día siguiente **/** todos **/** decir **/** que **/** la fiesta **/** ser **/** estupenda

Paso 2. ¿Cierto (C), falso (F) o no se sabes (N)? Corrige las oraciones falsas.

1. Hubo muy poca gente en la fiesta.	C	F	N
2. Sólo estuvieron los miembros de la familia de Ricardo en la fiesta.	C	F	N
3. Todos comieron bien… ¡y mucho!	C	F	N
4. El pastel de cumpleaños de Laura estuvo delicioso.	C	F	N
5. Analía bebió cerveza.	C	F	N
6. Los invitados cantaron y bailaron.	C	F	N
7. A Laura le gustó mucho la fiesta.	C	F	N

C. El pasado.

Paso 1. ¿Recuerdas que pasó el primer día de clase? ¿Y en tu último cumpleaños? Con un/a compañero/a habla de tus recuerdos usando las preguntas a continuación como guía.

El primer día de clase

1. ¿En qué aula estuvimos en nuestra primera clase de español? ¿Qué hicimos en la primera clase?

2. ¿Tuvimos que hablar español el primer día de clase? ¿Tuvimos mucha tarea para el día siguiente?

3. ¿Hablaste con tus compañeros de clase en español el primer día? ¿Qué les dijiste?

Mi último cumpleaños

4. ¿Cuándo celebraste tu último cumpleaños?

5. ¿Cuántos años cumpliste?

6. ¿Con quién celebraste?

7. ¿Tuviste una fiesta? ¿Cómo estuvo la fiesta?

8. ¿Qué regalos recibiste?

9. ¿Comiste algo especial?

Paso 2. ¿Tienen ustedes recuerdos similares de la primera clase? ¿Fueron sus cumpleaños similares o diferentes? Preparen una breve presentación sobre su conversación para el resto de la clase.

MODELO: Pat y yo tenemos recuerdos diferentes de la primera clase. Pat dice que estuvimos en el aula…, pero yo pienso que estuvimos en…

D. La última fiesta que diste.

Paso 1. Haz una lista de todos los detalles que recuerdas de la última fiesta que organizaste. Puede ser una fiesta que organizaste solo/a o con tu familia o con un grupo de amigos. Haz por lo menos ocho oraciones completas para describir la fiesta y usa por lo menos cinco de los siguientes verbos: **dar, estar, invitar, organizar, poder, ser, venir, cocinar, ir, comprar, querer.**

MODELO: Di una fiesta de sorpresa para el cumpleaños de mi mejor amiga.

Mi amigo Clark y yo organizamos la fiesta.…

Paso 2. Ahora, usando tus oraciones como base, entrevista a un/a compañero/a sobre la última fiesta que organizó él o ella. Luego digan a la clase dos detalles interesantes sobre las fiestas que ustedes organizaron.

Nota cultural II

El mate: una tradición compartida*

Una de las tradiciones que comparten Argentina, Uruguay y Paraguay es una bebida, **el mate.** El mate es similar al té en sabor, pero también es muy diferente. A diferencia del té, la gente toma mate compartiendo[a] el recipiente y la **bombilla**[b] con otras personas (como puedes ver en la foto en esta página). La palabra **mate** proviene del quechua "matí" y es el fruto de una planta, una calabacita,[c] que adecuadamente acondicionada[d] sirve de recipiente para preparar "el mate cebado."

El mate cebado es una bebida social y una tradición cultural en estos tres países. Los argentinos, uruguayos y paraguayos toman mate dulce o amargo, caliente o frío, en cualquier momento del día, en cualquier lado, el campo o la ciudad, frecuentemente en compañía de otras personas como miembros de la familia o amigos. El mate puede ser tu desayuno o merienda, puedes beber mate a media mañana o media tarde, mientras ves la tele, lees o estás estudiando o trabajando, hablando con alguien o simplemente en un momento de meditación.

La yerba mate es la materia prima para la preparación del mate y se cultiva[e] en climas subtropicales como el noreste de Argentina y en Paraguay. El mate fue muy importante para los primeros habitantes de Argentina, Uruguay y Paraguay. Según los españoles en el siglo XVI, los indígenas de la zona, los guaraníes, llevaban[f] hojas de yerba mate triturada[g] que mascaban[h] o usaban[i] para preparar el mate como bebida en el matí (calabaza). Luego tomaban[j] el mate con una bombilla hecha de caña.[k]

Para preparar el mate necesitas: un mate (recipiente), una bombilla, agua caliente o fría, yerba mate y azúcar (opcional) y un grupo de amigos o familiares para hablar. Puedes acompañar el mate con platos dulces tradicionales como los **pastelitos.**[l]

[a]*sharing* [b]*a metal straw through which people drink the mate* [c]*small gourd* [d]*specially prepared, conditioned for* [e]*is grown* [f]*used to carry* [g]hojas... *crushed yerba mate leaves* [h]*would chew* [i]*would use* [j]*would drink* [k]*sugar cane* [l]*pastry filled with quince or sweet potato jam*

Pastelitos

¿Entendiste?

1. ¿Por qué es el mate diferente del té?
2. ¿Por qué es el mate tan importante para los argentinos, uruguayos y paraguayos?
3. ¿En qué ocasiones toman mate los habitantes de Argentina, Uruguay y Paraguay?
4. ¿Qué usamos para preparar el mate?
5. ¿Quiénes fueron los primeros habitantes que tomaron mate?
6. ¿Qué puedes comer cuando tomas mate?
7. ¿Hay algo como el mate en Canadá? ¿Cuál es la bebida social del país?
8. ¿Hay alguna tradición de cocina o bebida en este país? Describe algunas de las tradiciones de comida o bebida en tu ciudad / provincia.
9. ¿Probaste alguna vez el mate? ¿Te gustó? ¿Por qué? ¿Por qué no?

Tomando mate en Uruguay

*Text adapted from the original on http://www.mateargentino.com.ar/

¿Recuerdas?

In **Capítulo 4,** you learned to make a change in the **-ndo** form of **-ir** stem changing verbs. That same change occurs in some forms of the preterite of those verbs. Review the change by completing the following forms.

1. pedir: p_____diendo   2. dormir: d_____rmiendo

You will learn about this change in the preterite in Grámatica 2.

GRAMÁTICA 2

TALKING ABOUT THE PAST (3) • PRETERITE OF STEM-CHANGING VERBS

GRAMÁTICA EN ACCIÓN: LA FIESTA DE QUINCE AÑOS

Las muchachas de muchos países celebran su llegada a los 15 años como la transición de niña a mujer. Ese día, en general, sus familias les dan una fiesta. La muchacha viste un vestido largo, hay una cena importante y luego una fiesta con música para bailar. En Argentina, Laura asistió a la fiesta de quince años de Analía, la hermana de su amigo Ricardo. ¿Qué pasó en la fiesta? Mira el dibujo e imagina qué pasó.

1. Analía vistió
   - ☐ un vestido blanco muy elegante.
   - ☐ una camiseta y pantalones negros.
   - ☐ el vestido de novia de su abuela.

2. Cuando cortó su pastel de cumpleaños, Analía
   - ☐ empezó a llorar.
   - ☐ habló mucho.
   - ☐ sonrió para una foto.

3. Analía pidió un deseo al cortar el pastel. Ella
   - ☐ les dijo a todos qué fue lo que pidió.
   - ☐ prefirió guardar su deseo en secreto.

4. En la fiesta sirvieron
   - ☐ champán y otras bebidas alcohólicas.
   - ☐ refrescos.
   - ☐ sólo té y café.

5. Todos bailaron mucho en la fiesta. Los invitados volvieron a sus casas a la(s) _____ (hora).

¿Y tú?

1. ¿Recuerdas qué hiciste cuando cumpliste 15 años?
2. ¿Qué regalos pediste? (...pedí...)
3. ¿Qué sirvieron en la fiesta? (Sirvieron...)
4. ¿Qué tipo de ropa vestiste? (...vestí...)
5. ¿Cuántas horas dormiste al otro día de la fiesta? (...dormí...)

1. In **Capítulo 6** you learned that **-ar** and **-er** stem-changing verbs have no stem change in the preterite (or in the present participle).

recordar (recuerdo)		perder (pierdo)	
recordé	recordamos	perdí	perdimos
recordaste	recordasteis	perdiste	perdisteis
recordó	recordaron	perdió	perdieron
recordando		perdiendo	

2. The **-ir** stem-changing verbs *do* have a stem change in the preterite, but only in the third person singular and plural, where the stem vowels **e** and **o** change to **i** and **u**, respectively. This is the same change that occurs in the present participle of **-ir** stem-changing verbs.

pedir (pido) (i)		dormir (duermo) (u)	
pedí	pedimos	dormí	dormimos
pediste	pedisteis	dormiste	dormisteis
pidió	pidieron	durmió	durmieron
pidiendo		durmiendo	

 Remember that this change is indicated in parentheses after the infinitive in vocabulary lists: **pedir (pido) (i)**, **dormir (duermo) (u)**.

3. Here are some **-ir** stem-changing verbs. You already know or have seen many of them.

 Note the simplification:
son-ri-ió → sonrió;
son-ri-ieron → sonrieron

conseguir (consigo) (i)	to get, to obtain
conseguir + *inf.*	to succeed in (*doing something*)
dormir (duermo) (u)	to sleep
pedir (pido) (i)	to ask for; to order
preferir (prefiero) (i)	to prefer
seguir (sigo) (i)	to continue
servir (sirvo) (i)	to serve
sonreír (sonrío) (i)	to smile
sentir (siento) (i)	to regret, to feel
sugerir (sugiero) (i)	to suggest
vestir (visto) (i)	to dress, to wear

Práctica

A. Historias breves. Cuenta las siguientes historias breves en el pretérito. Luego termina las historias. Puedes trabajar con un/a compañero/a.

1. **En un restaurante:** Juan (comer) en un restaurante la semana pasada. Cuando (llegar) el camarero, Juan le (pedir) una cerveza. El camarero no (recordar) lo que Juan (pedir) y le (servir) una Coca-Cola. Juan no (querer) beber la Coca-Cola. Le (decir) al camarero: "Perdón, señor. Le (*yo:* pedir) una cerveza". El camarero le (contestar): "_____".

2. **Un día típico:** Rosa (dormir) muy bien anoche y (desayunar) temprano. (Salir) para la universidad a las 7:30 de la mañana. En el autobús (ver) a su amigo José y los dos (sonreír) pero no (hablar). Rosa y José no (poder) hablar porque (tener) que repasar para su examen de biología. A las nueve _____.

3. **Dos noches diferentes:** El viernes pasado, yo (ir) a una fiesta, (bailar) mucho y (volver) tarde a casa. Mi compañero de cuarto (decidir) no salir de casa y (ver) televisión toda la noche. No la (pasar) bien, (perder) una fiesta excelente y después lo (sentir) mucho. Yo _____.

B. Las historias que todos conocemos. Cuenta detalles de algunas historias tradicionales, usando una palabra o frase de cada columna y el pretérito de los verbos.

| la Bella Durmiente (*Sleeping Beauty*) Rip Van Winkle la Cenicienta (*Cinderella*) el Príncipe las hermanastras de la Cenicienta Romeo | **+** | conseguir perder bailar preferir tener sentir vestir dormir hablar | **+** | en un baile encontrar (*to find*) a la mujer misteriosa (por) muchos años el amor de Julieta un zapato envidia (*envy*) de su hermanastra |

C. Una entrevista indiscreta.

Paso 1. Un/a compañero/a va a usar las siguientes preguntas para entrevistarte en el **Paso 2** de esta actividad. Lee las preguntas ahora y piensa en las respuestas que vas a dar. Debes inventar también algunas respuestas falsas.

1. ¿Cuántas horas dormiste anoche?
2. ¿Perdiste mucho dinero alguna vez? ¿Cuándo? ¿Por qué?
3. ¿Qué programa de televisión viste mucho en los días o meses pasados... pero te da vergüenza (*you're ashamed to*) admitir que viste?
4. ¿Vestiste un traje de animal alguna vez? ¿En qué ocasión?
5. ¿Seguiste haciendo algo después de que tu padre / madre (compañero/a, esposo/a) te dijo que no lo hicieras (*not to do it*)? ¿Qué cosa?
6. ¿Pediste una bebida alcohólica antes de tener 18 años?
7. ¿Qué cosa o tarea no conseguiste terminar el mes pasado?
8. ¿Tuviste alguna vez una cita interesante? ¿Por qué fue interesante?
9. ¿Hiciste algo peligroso alguna vez? ¿Qué? ¿Cuándo?
10. ¿Comiste algo extraño alguna vez? ¿Qué? ¿Cuándo?

Paso 2. En parejas, usen las preguntas del **Paso 1** para entrevistarse. Luego digan a la clase las respuestas más interesantes de su compañero/a. La clase va a adivinar si la respuesta es cierta o falsa.

MODELO: E1: Julie, ¿cuántas horas dormiste anoche?
E2: Dormí sólo tres horas.
E1: (*a la clase*): Julie durmió sólo tres horas anoche.
CLASE: No es cierto.
E1: ¡Sí, es cierto! (Tienen razón. No es cierto.)

D. Una fiesta del Día de las Brujas (*Halloween*) inolvidable.

Paso 1. Usa las siguientes preguntas como guía para hablar de una fiesta inolvidable que tuviste un Día de las Brujas cuando eras (*you were*) niño/a.

1. ¿Qué disfraz llevaste?
2. ¿Qué sentiste cuando viste el disfraz?
3. ¿Fuiste de casa en casa pidiendo dulces?
4. ¿Qué les dijiste a tus vecinos (*neighbours*)?
5. ¿Qué te dieron los vecinos?
6. ¿Sonrieron los vecinos cuando te vieron?
7. ¿Te dieron muchos dulces?

Vocabulario útil	
la bruja	witch
el disfraz	costume
el esqueleto	
el monstruo	

8. ¿También fuiste a una fiesta?
9. ¿Qué comida y bebidas sirvieron en la fiesta?
10. ¿Qué hiciste en la fiesta?
11. ¿Te gustó la fiesta? ¿Por qué? ¿Por qué no?

Paso 2. De todos los miembros de la clase, ¿quién describió el disfraz más cómico? ¿el más espantoso (*frightening*)? ¿el más original? ¿el más bonito? ¿Hubo algún incidente divertido? ¿Qué pasó?

EL ESPAÑOL *EN ACCIÓN*

UNA FIESTA PARA RICARDO

Laura volvió a Canadá ayer, pero antes de viajar, le preparó una fiesta sorpresa a su amigo Ricardo. Analía, la hermana de Ricardo, ayudó a Laura a planear la comida y bebida para la fiesta. ¿Fue la comida de la fiesta similar a la comida en las fiestas canadienses? ¿Qué comidas le gustan a Ricardo? Usa la información en **Gramática 3** y **4** para entender el diálogo.

LAURA: Entonces el sábado tenemos la fiesta sorpresa para Ricardo. **Me encantan** las fiestas sorpresas.

ANALÍA: A mí también **me gustan** mucho. ¿Qué **te gustaría** servir en la fiesta? Puedo ayudarte a comprar todo…

LAURA: No sé…¿Qué comidas **le gustan** a Ricardo?

ANALÍA: Bueno, su comida preferida es la pizza. **Le fascina** la pizza especial que tiene jamón, queso, aceitunas (*olives*) y morrones (*red peppers*). Podemos comprar la pizza en Pedrín. Es una pizzería cerca de mi casa. Allí venden la pizza **más barata** y **más rica** de la ciudad.

LAURA: Muy bien, podemos servir pizza especial y vegetariana. ¿Qué más?

ANALÍA: A Ricardo **le gustan** mucho los pastelitos y el matambre, que es un plato de carne rellena (*filled*) con huevo y verduras. Mi mamá puede preparar el matambre y mi abuela hace los pastelitos. Los pastelitos de mi abuela son **los mejores** del mundo.

LAURA: Perfecto. ¿Me acompañas al supermercado a comprar los ingredientes?

ANALÍA: Sí, claro. Y tenemos que comprar bebidas. Ricardo **odia** la cerveza, pero **le encanta** el vino Malbec, que es el típico vino argentino.

LAURA: Y a nosotras **nos gusta** el agua mineral con gas. Entonces compramos vino, agua mineral con gas y gaseosas para los otros invitados…

¿Entendiste?

1. ¿Por qué crees que Laura le dio una fiesta a Ricardo?
2. ¿Es Ricardo vegetariano? Explica tu respuesta.
3. ¿Qué tipo de platos le sugirió Analía a Laura?
4. Según Analía, ¿quién vende la mejor pizza de la ciudad?
5. ¿Qué tipo de pizzas pidieron Analía y Laura en la pizzería?
6. ¿Y qué tipo de pizza puedes comprar en Canadá? ¿Hay una pizza "especial" como en Argentina?
7. ¿Preparó Laura la comida? Explica tu respuesta.
8. ¿Qué ingredientes tuvieron que comprar Laura y Analía?
9. ¿Qué **le gusta** beber a Ricardo?
10. ¿Son tus gustos similares a los de Ricardo? ¿Qué comida **te encanta**? ¿Qué bebidas **te gusta** tomar? ¿Qué comida **odias**?

Ahora te toca a ti...

Nuestra fiesta

You and your partner are in Argentina, and you are planning a party/dinner for your Argentinean friends. You need to plan a menu for 10 people, and buy the food/ingredients you need. Look at the COTO supermarket fliers below, and discuss what you will serve at the party. Express your likes and dislikes using the dialogue between Analía and Laura as a model. Then create a list of food/ingredients, and calculate how much you will spend. You only have $45, so be careful with what you buy. You can ask your instructor for help with the vocabulary in the fliers.

flyers?

¿Recuerdas?

In **Capítulo 1** you started to use forms of gustar to express your likes and dislikes. Review what you know by answering the following questions. Then, changing their form as needed, interview your instructor.

1. ¿Te gusta el café (el vino, el té...)?
2. ¿Te gusta jugar al hockey sobre hielo (al golf, al fútbol, al...)?
3. ¿Te gusta viajar en avión (ir de compras, cocinar...)?
4. ¿Qué te gusta más, estudiar o ir a fiestas (trabajar o descansar, cocinar o comer)?

GRAMÁTICA 3

EXPRESSING LIKES AND DISLIKES • *GUSTAR* AND SIMILAR VERBS (PART 2)

GRAMÁTICA EN ACCIÓN: LAS PREFERENCIAS CULINARIAS DE LOS URUGUAYOS

A muchos uruguayos les gusta comer afuera. Lee el anuncio del restaurante "Las Palmas" en la ciudad de Montevideo y luego indica si las oraciones sobre el tipo de comida que les gusta a los uruguayos son ciertas o falsas.

Restaurante "Las Palmas"

Nuestro nuevo menú de comida les brinda a nuestros clientes la mejor y más sabrosa carne asada, exquisitas pastas caseras, quesos, fiambres y frescas ensaladas con verduras de nuestro país para disfrutar de su almuerzo o cena.

Y para la merienda, los invitamos a probar nuestra excelente selección de tés acompañados por unos sabrosos y calentitos scones con mermelada de la abuela.

... y qué más resta por decir: "los vinos" con la más antigua historia y estructuras para elaborar vinos finos y champagnes en Uruguay de gran delicadeza y excepcional calidad. Vinos intensos con aromas frutados y sabores suaves con gran persistencia para el paladar que los deleita.

Los esperamos en "Las Palmas," el sabor de Montevideo.

1. A los uruguayos les gusta sólo la carne asada.
2. A los uruguayos les gustan las verduras frescas.
3. Sólo les gusta cenar o almorzar en el restaurante "Las Palmas".
4. A los argentinos no les gustaría la comida de este restaurante. (Explica tu opinion.)

¿Y a ti? ¿Te gusta comer afuera? ¿Te gustan las carnes o las verduras? ¿Cuál de los platos de este restaurante te gustaría comer?

Constructions with *gustar*

Spanish	Literal Equivalent	English Phrasing
Me gusta <u>la espinaca.</u>	Spinach is pleasing to me.	*I like spinach.*
No le gustan <u>los champiñones.</u>	Mushrooms are not pleasing to him.	*He doesn't like mushrooms.*
Nos gusta <u>comer afuera.</u>	Eating out is pleasing to us.	*We like eating out.*

1. You have been using the verb **gustar** since the beginning of *Puntos de partida,* Canadian Edition to express likes and dislikes. However, **gustar** does not literally mean *to like,* but rather *to be pleasing.*

2. **Gustar** is always used with an indirect object pronoun (**Capítulo 4**): Someone or something is pleasing *to* someone else. The verb must agree with the subject of the sentence—that is, the person or thing that is pleasing.

 An infinitive is viewed as a singular subject in Spanish.

3. When the person pleased is stated as a noun, the phrase **a** + *noun* must be used in addition to the indirect object pronoun. The prepositional phrase usually appears before the indirect object pronoun, but it can also appear after the verb.

 The indirect object pronoun *must* be used with **gustar** even when the prepositional phrase **a** + *noun* or *pronoun* is used.

4. A phrase with **a** *pronoun* is often used for clarification or emphasis. The prepositional phrase can appear before the indirect object pronoun or after the verb.

 Mí (accent) and **ti** (no accent) are used as the object of most prepositions, except **conmigo** and **contigo**. Subject pronouns (**Ud., él, ella,...**) are used as the object of all prepositions for all other persons.

Me gusta comer tortillas españolas.
Eating Spanish tortillas is pleasing to me. (I like eating/ to eat Spanish tortillas.)

Me gustan los vinos argentinos.
Argentinean wines are pleasing to me. (I like Argentinean wines.)

Me gust**a** esta ensalada.
This salad is pleasing to me. (I like this salad.)

No **me** gust**an** las ensaladas.
Salads are not pleasing to me. (I don't like salads.)

Me gust**a** mucho **cocinar.**
Cooking is really pleasing to me. (I really like to cook/cooking.)

A David no **le** gustan las verduras.
No **le** gustan las verduras **a David.**
David doesn't like vegetables.

A Raquel y a Arturo les gusta cocinar.
Les gusta cocinar **a Raquel y Arturo.**
Raquel and Arturo like to cook/cooking.

CLARIFICATION

¿**Le** gusta **a Ud.** cocinar?
Do you like to cook/cooking?

¿**Le** gusta **a él** cocinar?
Does he like to cook/cooking?

EMPHASIS

A mí me gusta comer pescado, pero **a mi esposo le** gusta comer pollo. Y **a ti,** ¿qué **te** gusta comer?
I like to eat fish, but my husband likes to eat chicken. What do you *like to eat?*

Other Ways and Verbs to Express Likes and Dislikes

Here are some ways to express intense likes and dislikes.

1. Use the phrases **mucho / muchísimo** or **(para) nada**.

Me gusta mucho / muchísimo.
I like it a lot/a whole lot.

No me gusta (para) nada.
I don't like it at all.

2. To express *love* and *hate* in reference to likes and dislikes, you can use **encantar** or **fascinar** and **odiar**.

Encantar and **fascinar** are used just like **gustar**.
Me encanta / Me fascina el chocolate.
I love chocolate.

Les encanta / Les fascina comer afuera, ¿verdad?
They love eating out, right?

Odiar, on the other hand, functions like a transitive verb (one that can take a direct object).
Odio el apio.
I hate celery.

Mi madre **odia** cocinar los fines de semana.
My mother hates cooking on the weekend.

3. To express interest in something, use **interesar**. This verb is also used like **gustar, encantar,** and **fascinar**.

Me interesan los libros de cocina.
I'm interested in cookbooks.

Would Like/Wouldn't Like

What one *would* or *would not* like to do is expressed with the form **gustaría** + *infinitive* and the appropriate indirect objects.

A mí me gustaría viajar a Paraguay.
I would like to travel to Paraguay.

Nos gustaría comer comida latinoamericana.
We would like to eat Latin American food.

Práctica

A. Los gustos y preferencias.

Paso 1. Quieres encontrar un/a nuevo/a compañero/a de cuarto. Eres una persona con gustos especiales y quieres una persona con una personalidad similar. Expresa tus gustos con oraciones completas para poder compararte con otra persona.

MODELOS: ¿el café?   (No) Me gusta el café.
¿los pasteles?   (No) Me gustan los pasteles.

1. ¿la música hip hop?
2. ¿las clases que empiezan a las ocho de la mañana?
3. ¿los gatos?
4. ¿cocinar?
5. ¿la carne?
6. ¿la leche?
7. ¿dar fiestas?
8. ¿mirar televisión?
9. ¿el invierno?
10. ¿el hockey sobre hielo?
11. ¿esquiar?
12. ¿el chocolate?
13. ¿las películas de terror?
14. ¿los juegos de video?
15. ¿limpiar la casa?

Paso 2. Ahora, en parejas, túrnense para entrevistarse sobre las ideas del **Paso 1.** Decidan si tienen personalidades similares o diferentes. Luego digan a la clase dos cosas que Uds. tienen en común y si van a ser compañeros/as de cuarto y por qué / por qué no.

MODELO: E1: A mí no me gusta el café.
E2: A mí tampoco.
E1: (*a la clase*): A mí no me gusta el café y a Bill tampoco (le gusta).
E2: Creo que no vamos a ser compañeros de cuarto porque tengo un gato y a Bill no le gustan los gatos.

Vocabulario útil			
A mí también.	So do I.	**Pues a mí, sí.**	Well, I do.
A mí tampoco.	I don't either./Neither do I.	**Pues a mí, no.**	Well, I don't.

B. Las vacaciones de la familia de Ricardo y Analía.

Ricardo y Analía, los amigos argentinos de Laura, hablan de las preferencias de su familia en las vacaciones. Haz oraciones completas para describir lo que prefiere hacer cada miembro de la familia en sus vacaciones.

MODELO: padre / nadar: ir a la playa
A nuestro padre *le gusta* nadar. *Le gustaría* ir a la playa.

1. padre / comer afuera: ir a un restaurante en el centro
2. hermanos pequeños / nadar: también ir a la playa
3. tío Ernesto / cocinar: preparar asados todos los días
4. abuelos / descansar: mirar televisión en casa
5. madre / la tranquilidad: visitar un pueblecito (*small town*) en las montañas
6. nosotros / discotecas: pasar las vacaciones en una ciudad grande
7. ¿a ti? / ¿ ? (Describe tus preferencias.)

¿Entendiste?

Contesta las siguientes preguntas sobre las preferencias de la familia de Ricardo y Analía.

1. ¿A quién le gustaría ir a la gran ciudad cosmopolita de Montevideo?
2. ¿A quién le gustaría viajar a Mar del Plata en la costa argentina?
3. ¿Quién no quiere salir de casa?
4. ¿A quién le gustaría comer carne todos los días?
5. ¿Quién quiere ir a Mendoza, la provincia argentina donde está la montaña Aconcagua?

C. ¿Conoces bien a... ?

Paso 1. Piensa en tu profesor(a) de español. En tu opinión, ¿le gustan a él / ella las siguientes cosas o no?

	SÍ, LE GUSTA(N).	NO, NO LE GUSTA(N).
1. la música clásica	☐	☐
2. el color negro	☐	☐
3. las canciones (*songs*) de los años 80	☐	☐
4. viajar en coche	☐	☐
5. la comida argentina	☐	☐
6. dar clases por la mañana	☐	☐
7. estudiar otras lenguas	☐	☐
8. el arte surrealista	☐	☐
9. las películas trágicas	☐	☐
10. ¿ ? (deportes, otra música, etc.)	☐	☐

Paso 2. Entrevista. Ahora entrevista a tu profesor(a) para saber si le gustan las cosas del **Paso 1** o no. Si tu profesor/a responde "no", hazle más preguntas. ¿Conoces realmente a tu profesor/a?

MODELOS: E1: ¿A Ud. le gusta la música clásica?
Prof.: No, no me gusta mucho.

E2: ¿Qué tipo de música prefiere / le gusta?
Prof.: Me gusta….

Paso 3. Entrevista. Ahora entrevista a un/a compañero/a sobre las mismas cosas. Si tu compañero/a responde "no", hazle más preguntas. ¿Tienen ustedes gustos similares o diferentes? Reporten a la clase al menos dos gustos similares o diferentes.

MODELOS: E1: ¿Te gusta la música clásica?
E2: Sí, me gusta mucho. ¿Y a ti?
A la clase: A Melanie y a mí nos gusta mucho la música clásica.

E1: ¿Te gusta la música clásica?
E2: No, no me gusta mucho. ¿Y a ti?

E1: Sí, me gusta mucho. Y entonces tú, ¿qué tipo de música prefieres? /
Y entonces a ti, ¿qué tipo de música te gusta?
E2: Me gusta / Prefiero el hip hop.
A la clase: A Melanie le gusta el hip hop, pero a mí me gusta mucho la música clásica.

D. Paraguayos interesantes.

Estos cuatro paraguayos viven en Asunción y son vecinos, pero sus personalidades son muy diferentes. En parejas, describan a cada persona (personalidad, aspecto físico, ropa, trabajo / profesión) e inventen con detalles sus preferencias (usen los verbos **gustar, encantar, fascinar, interesar** y **odiar**). ¿Cuál de las personas es similar a cada uno/a de Uds.? ¿Por qué?

1. Darío   2. Blanca y Miguel   3. Máximo

Situaciones

en un almacén grande	en el salón de clase
en un autobús	en el coche
en un avión	en una discoteca
en la biblioteca	en una fiesta
en una cafetería	en un parque
en casa con mis amigos	en la playa
en casa con mis padres / hijos	en un tren

E. Los lugares y las situaciones. En parejas, túrnense para describir lo que les gusta y lo que odian cuando están en las siguientes situaciones. Inventen los detalles necesarios.

MODELO: en la playa

Cuando estoy en la playa, me gusta mucho nadar en el mar, pero no me gusta el sol ni me gusta la arena (*sand*). Por eso, no me gusta pasar todo el día en la playa. Prefiero nadar en una piscina.

GRAMÁTICA 4

EXPRESSING EXTREMES • SUPERLATIVES

GRAMÁTICA EN ACCIÓN: EL MEJOR RESTAURANTE DE ASUNCIÓN

Hay muchos restaurantes buenos en la capital de Paraguay, Asunción. Lee las siguientes críticas en un blog sobre restaurantes en Asunción. Estas personas escriben sobre tres restaurantes importantes. En base a sus opiniones, completa las oraciones a continuación.

Confitería "Bolero"

Dirección: Estrella 539, Asunción, Paraguay

Pedro1:
⊙⊙⊙⊙○

"Muy buen restaurante. Tradicional e ideal para el almuerzo familiar de los domingos. Comida internacional."

Meri10:
⊙⊙⊙⊙○

"Comida deliciosa y ambiente muy tradicional. Muy buen servicio. Recomiendo las milanesas de pollo con el puré de papas o el muy reconocido Strogonoff de lomo. ¡Exquisito!"

Bar "El Trópico"

Dirección: Esquina de Chile y Bolivia, centro de Asunción, Paraguay

Marta7:
⊙⊙⊙○○

"Comida típica de Paraguay. El lugar no es muy lindo, pero es ideal para comprar comida y llevarla a casa. La comida es muy barata. Es una típica experiencia paraguaya."

Carlitos68:
⊙⊙⊙⊙○

"Este es uno de los bares más conocidos de Asunción. Está en pleno centro de Asunción y es muy turístico. La comida es buena. Recomiendo la sopa de verduras y las empanadas. Recomiendo ir de noche. Muy buenos precios."

"Brasilia Grill"

Dirección: Esquina de San Martín y Pascal, Asunción, Paraguay

Quico8:
⊙⊙○○○

"Es irregular en la calidad del servicio y la comida. El lugar no es excepcional."

Rafa70:
⊙⊙⊙○○

"Rica carne paraguaya, pero los precios no son buenos. También el servicio es malo y el lugar no es muy atractivo."

norma_garcía:
⊙⊙⊙⊙○

"La comida es deliciosa, en especial el asado y la pasta. Precios un poco caros. Ideal para familias. Muy buen menú de desayuno también."

1. El restaurante _____ es el **más turístico.**

2. El restaurante _____ es el **más barato.**

3. El restaurante _____ es el **más tradicional.**

4. El restaurante _____ tiene la comida **más típica** de Paraguay.

5. El restaurante _____ tiene **las mejores** críticas.

6. El restaurante _____ tiene **las peores** críticas.

7. **El mejor** restaurante de los tres es el _____.

¿Y los restaurantes en tu ciudad y universidad? Completa las siguientes declaraciones para expresar tu opinión. ¿Tienen tus compañeros tus mismas opiniones?

> **superlative** = an adjective or adverb phrase used to express an extreme

1. El restaurante **más barato** de mi universidad es _____ y / pero es / no es **el mejor.**

2. **El mejor** restaurante de mi ciudad es _____ y **el peor** es _____.

3. **El mejor restaurante** de mi universidad es _____ y **el peor** es _____.

Superlative Construction

el / la / los / las + *noun* + **más / menos** + *adjective* + **de**

1. The *superlative* (**el superlativo**) is expressed with comparatives but is always accompanied by the definite article. *In* or *at* is expressed with **de.**

El asado es **el plato más popular de** Argentina.
The barbecue is the most popular dish in Argentina.

El hockey sobre hielo es **el deporte más peligroso de** todos.
Ice hockey is the most dangerous sport of all.

el / la / los / las + **mejor(es) peor(es)** + *noun* + **de**

2. **Mejor** and **peor** tend to precede the noun in this construction.

Son **los mejores restaurantes de** la ciudad.
They're the best restaurants in the city.

La verdad es que es **el peor camarero del** restaurante.
The truth is that he's the worst waiter at the restaurant.

Práctica

A. Tus superlativos sobre Canadá. Imagina que Ricardo, el amigo argentino de Laura, quiere vivir en Canadá. Te hace algunas preguntas sobre este país. Contesta las preguntas de Ricardo y luego compara tus respuestas con las de un/a compañero/a. ¿Tienen ustedes opiniones similares sobre su país?

1. ¿Cuál es el peor mes del año? ¿Por qué?
2. ¿Quién es la persona más influyente (*influential*) de Canadá? ¿Por qué?
3. ¿Cuál es el problema más serio de Canadá? ¿Cómo podemos resolver este problema?
4. ¿Cuál es el día más festivo del año en Canadá? ¿Por qué?
5. ¿Quién es el / la mejor escritor/a de Canadá?
6. ¿Cuál es la mejor ciudad de Canadá? ¿Y la peor? ¿Por qué?
7. ¿Cuál es la ciudad más contaminada?
8. ¿Cuál es el lugar más interesante de Canadá? ¿Por qué?
9. ¿Es Canadá el mejor país del mundo? ¿Por qué? ¿Por qué no?

B. Otros superlativos. Modifica las siguientes oraciones según el modelo. Luego repite cada oración con información verdadera.

MODELO: Es una estudiante muy trabajadora. (la clase) →
Es la estudiante *más trabajadora de la clase.* →
Carlota es la estudiante más trabajadora de la clase.

1. Es un día festivo muy divertido. (el año)
2. Es una clase muy interesante. (todas mis clases)
3. Es una persona muy inteligente. (todos mis amigos)
4. Es una ciudad muy grande. (Canadá)
5. Es una provincia muy pequeña. (Canadá)
6. Es un auto muy rápido. (el mundo)
7. Es una residencia muy ruidosa (*noisy*). (la universidad)
8. Es una montaña muy alta. (el mundo)

C. Repaso: Los países que visitamos.

Vamos a repasar la información que tenemos sobre los países que visitamos en este capítulo y los capítulos anteriores: México, Guatemala, El Salvador, Nicaragua, Colombia, España, Costa Rica, Panamá, Argentina, Uruguay y Paraguay. Con un/a compañero/a, compara estos países. Hagan por lo menos ocho comparaciones con los superlativos usando ocho adjetivos / sustantivos diferentes. Puedes hablar del número de habitantes, del clima, de la comida, de la historia, de las ciudades, de las universidades, etc. Usa la información en las secciones de **Perspectivas culturales.** ¿Qué países te gustaría visitar? ¿Por qué?

MODELOS: Uruguay es el país más pequeño de todos.
México es el país más grande de todos.

D. Repaso: Mis sentimientos y acciones. Imagina que te encontraste en las siguientes situaciones en el pasado. ¿Qué sentiste en esos momentos? ¿Sonreíste? ¿Lloraste? ¿Te sentiste enojado/a, triste, contento/a, furioso/a? ¿Qué hiciste? Describe tus sentimientos y acciones. Usa los verbos de las secciones de gramática de este capítulo y del **Capítulo 6.**

MODELO: Tu compañero/a de cuarto hizo mucho ruido cuando
regresó a casa a las cuatro de la mañana. →
Me sentí enojado/a.
Me puse furiosísimo/a.
Fui a dormir a casa de un amigo.
Hablé con él / ella y le dije: "Tienes que llegar más temprano".
No me gustó su comportamiento (*behaviour*).

Situaciones

1. El profesor te dijo que no habría (*there would be no*) clase mañana.
2. Rompiste el reloj que era (*was*) regalo de tu abuelo.
3. Tu hermano/a perdió el CD que te gusta más.
4. Tu mejor amigo/a preparó una comida muy rica.
5. Un/a amigo/a hizo una dieta muy mala y perdió mucho peso.
6. Recibiste el aumento de sueldo (*raise*) más grande de toda la oficina.

A conversar...

Dos cenas inolvidables

Estudiante A: It's Monday morning, and you see one of your friends in the cafeteria. You prepared a great dinner for your girlfriend/boyfriend and her/his parents, and you want to tell him/her about it. Then tell him/her what you prepared for dinner and why (talk about your guests' preferences and likes/dislikes), what happened at your dinner (mentioned the best and worst aspects of your dinner—e.g., food, conversation, etc.), what time your dinner ended, and what you did after your guests left. Ask your friend what he/she did during the weekend. Based on the information he/she gives you, ask as many questions as possible. Use the vocabulary and structures in this grammar section, other parts of this chapter (e.g., **gustar** and similar verbs), and in previous chapters.

Estudiante B: It's Monday morning, and you see one of your friends in the cafeteria. You had a really bad experience this weekend: You went to a nice restaurant with your girlfriend/boyfriend, but everything went wrong. Tell your friend where you went, what you ordered at the restaurant, and why dinner was a disaster (mention best and worst aspects—e.g., food, waiter, conversation, etc.). Ask him/her what he/she did. Based on the information he/she gives you, ask as many questions as possible. Use the vocabulary and structures in this grammar section, other parts of this chapter (e.g., **gustar** and similar verbs), and in previous chapters.

UN POCO DE TODO

VIDEOTECA

En contexto

¿Recuerdas a Mariela Castillo, la chica costarricense que conocimos en el **Capítulo 4**? En este capítulo, vamos a ver un clip sobre Mariela. Ella va a preparar una cena especial. ¿Cuándo preparas tú una cena especial? ¿Para quién? ¿Y qué cocinas? Escribe algunas ideas sobre tus preferencias y luego mira el video clip en la red. ¿Por qué prepara Mariela una cena especial? ¿Es su comida similar a tu comida?

¿Entendiste?

A. Las compras. Mariela va de compras a un mercado tradicional. Mira el video clip una vez más y contesta las siguientes preguntas.

1. ¿Cómo es el mercado al que va Mariela? ¿Qué vende la gente?
2. ¿Por qué va a preparar Mariela una cena especial?
3. ¿Qué plato le sugiere primero el Sr. Valderrama a Mariela? ¿Acepta Mariela la sugerencia? ¿Por qué? ¿Por qué no?
4. ¿Qué decide cocinar Mariela?
5. ¿Qué ingredientes compra Mariela?
6. ¿Cúanto cuestan los espárragos?

Lengua

1. Cuando Mariela y el Sr. Valderrama hablan, ¿usan "tú" o "usted"? ¿Por qué?
2. Al final de la conversación, el Sr. Valderrama le dice a Mariela: "Donde usted está, siempre hace sol". ¿Qué significa esta oración?
3. Mariela le contesta al Sr. Valderrama: "¡Qué flores me echa, Sr. Valderrama!". ¿Qué quiere decir Mariela?
4. ¿Cómo es la relación entre el Sr. Valderrama y Mariela? ¿Crees que este tipo de relación puede existir en Canadá? ¿Por qué? ¿Por qué no?

B. En el mercado. En este clip, Mariela hace las compras y habla con el Sr. Valderrama, un vendedor del mercado. Imagina que estás haciendo las compras y el vendedor te hace preguntas sobre las cosas que necesitas comprar.

Paso 1. Lee las preguntas y elige la mejor respuesta.

1. Muy buenos días. ¿Qué plato va a preparar Ud. para la cena de esta noche?
   - ☐ Manzanas y naranjas.
   - ☐ No sé todavía. Pienso servir un pastel de manzana.
   - ☐ No sé, pero creo que voy a preparar verduras asadas o algún tipo de ensalada.
   - ☐ Creo que voy a preparar galletas.
   - ☐ Me gustaría servir jugo de naranja esta noche.

2. Y, ¿qué verduras necesita comprar?
   - ☐ Voy a comprar pavo y huevos.
   - ☐ ¿Tiene arvejas y zanahorias frescas?
   - ☐ Me gusta el pollo.
   - ☐ Necesito comprar leche.
   - ☐ ¿Tiene mariscos frescos?

3. Y, ¿qué carne necesita?
   - ☐ Quiero unas chuletas de cerdo.
   - ☐ Unos espárragos y arvejas.
   - ☐ ¿Tiene dulces buenos?
   - ☐ Necesito unos postres.
   - ☐ Voy a comprar champiñones.

4. Tenemos unas frutas muy frescas hoy. ¿Qué frutas le doy?
   - ☐ Quiero unos frijoles.
   - ☐ ¿Tiene langostas frescas?
   - ☐ Sólo necesito manzanas.
   - ☐ Las arvejas son perfectas.
   - ☐ ¿Tiene lechuga fresca?

Paso 2. Ahora tienes que hacer preguntas para cada una de las respuestas en el **Paso 1**. Si hay una pregunta, da una respuesta.

MODELOS: Respuesta: Manzanas y naranjas.
          Tú preguntas: ¿Qué frutas te gustan?

          Pregunta: ¿Tiene arvejas y zanahorias frescas?
          Tú respondes: Sí, tengo unas arvejas muy buenas y unas zanahorias muy baratas.

A conversar...

En el mercado

Estudiante A: Imagine that you work in a food market like the one Mariela visited in the video clip. One of your regular clients is a young person who doesn't know much about cooking. He/She wants to cook something special for his/her family. Help your client by asking him/her questions about his/her preferences, and by providing him/her with suggestions of food he/she can cook. Give as much information as possible. Use the vocabulary and structures in this chapter, and Mariela's conversation with Sr. Valderrama as a model.

Estudiante B: You want to cook a special dinner for your family. Your parents are vegetarian, but your grandparents eat meat. You don't have a lot of experience cooking. You go to the local market, and you talk to the person that usually sells you fruit and vegetables. Tell this person you want to cook a special dinner. Answer his/her questions, and ask him/her for suggestions about dishes that you can prepare. Get as much information as possible, and decide on two dishes. Buy fruit and vegetables. Use the vocabulary and structures in this chapter, and Mariela's conversation with Sr. Valderrama as a model.

LECTURA

SOBRE LA LECTURA... El texto que vas a leer en este capítulo apareció en la revista *Américas*, una publicación de la Organización de los Estados Americanos (OEA). Esta organización publica artículos sobre los países de habla hispana en Latinoamérica. El texto que vas a leer habla sobre un chef hispano que trabaja en Nueva York y sobre su programa de cocina para otros profesionales hispanos que trabajan en esa industria.

ESTRATEGIA: Words with Multiple Meanings

It is easy to get off track while reading Spanish (or any language!) if you assign the wrong meaning to a word that has multiple English equivalents. For example, the word **como** in Spanish can cause confusion because it can mean *like, the way, as, since,* and *I eat,* depending on the context. Often you must rely on the context to determine which meaning is appropriate. What is the correct meaning of **como** in the following sentences?

1. En España, como en Francia, la gente come mucho pescado.
2. Cuando voy a mi restaurante favorito, siempre como una ensalada.
3. Como tú no quieres estudiar, ¿por qué no tomamos un café?

Use this strategy when you read the text below.

ANTES DE LEER

- Lee el título del texto.
- Estas son algunas de las palabras que aparecen en el texto: supervisar, postre, proyecto, cocinar y libro.

Teniendo en cuenta el título y las palabras dadas, ¿cuál piensas que es el tema principal de este texto? Escribe algunas ideas.

A LEER

Lee el siguiente texto y verifica si tus ideas son correctas.

La cocina de Palomino

Cualquiera pensaría[a] que manejar tres restaurantes, escribir libros de cocina y supervisar la fabricación y distribución de su propio[b] postre sería[c] trabajo suficiente para un solo hombre. Pero el chef Rafael Palomino tiene otro proyecto, que nació de la creencia[d] de que quizá los empleados de sus restaurantes, algunos muy talentosos y con gran potencial,[e] nunca van a poder cumplir[f] el sueño de abrir su propio negocio.

"Muchos de los que trabajaban para mí sentían[g] que lo más alto a que podían[h] llegar era[i] sous chefs", dice Palomino. La mayoría son hablantes nativos de español. Podrían estar cocinando[j] pasta primavera, pato[k] o costillas,[l] pero no importa si son habilidosos o no, las barreras del idioma, la cultura y el entrenamiento hacen que encarar[m] un negocio tan complicado y riesgoso[n] como un restaurante parezca imposible.

Por eso, Palomino comenzó[ñ] la Asociación de Chefs Españoles de América. Es una organización comunitaria que sirve de centro de información y asesoramiento[o] sobre:

- las oportunidades de capacitación[p]
- la información básica sobre el negocio
- las experiencias de chefs y empresarios exitosos

Palomino, oriundo de Bogotá, Colombia, creció[q] en Queens, Nueva York y ahora dirige[r] "Vida",[s] en Manhattan, y "Sonora", en Port Chester, Nueva York. El último libro de Palomino, *Viva la vida: Festive Recipes for Entertaining Latin-Style* (publicado por Arlen Gargagliano, Chronicle Books), se concentra en la cocina casera[t] latinoamericana, y pone al alcance del cocinero común[u] recetas no tan conocidas de ceviches, ensaladas y estofados. A continuación hay una receta de su libro, para salsa de mango y lima.

Salsa de mango y lima (3 tazas)

1 mango, pelado y cortado en cubos de un cuarto de pulgada[v]
2 cucharadas[w] de tequila dorado
jugo de una naranja
jugo de dos limas
6 hojas de menta fresca, apiladas, enrolladas y cortadas en tiras finas
2 cucharadas de aceite de oliva
1 cucharadita de mostaza Pommery or Dijon
1 pepino,[x] sin semillas y cortado en cubitos de un cuarto de pulgada
Sal Kosher y pimienta recién molida, a gusto

Chef Rafael Palomino

En un recipiente mediano[y] de vidrio o cerámica, combinar el mango, el tequila, el jugo de naranja y el jugo de lima. Mezclar revolviendo.[z] Agregar la menta, el aceite de oliva, la mostaza y el pepino. Añadir la sal y la pimienta y revolver. Servir inmediatamente o refrigerar hasta por tres días.

[a]*Cualquiera… One would think* [b]*own* [c]*would be* [d]*que… which was born from the belief* [e]*con… full of potential* [f]*achieve* [g]*felt* [h]*they could* [i]*was* [j]*Podrían… They could be cooking* [k]*duck* [l]*ribs* [m]*facing, starting* [n]*risky* [ñ]*founded* [o]*counselling* [p]*training* [q]*grew up* [r]*he directs* [s]*Life* [t]*home style* [u]*pone… makes available to the average cook* [v]*inch* [w]*tablespoons* [x]*cucumber* [y]*medium-sized* [z]*Mezclar… Stir.*

DESPUÉS DE LEER

A. ¿Cierto o falso? Contesta según la lectura y luego comenta tus respuestas con otro estudiante. Corrige las oraciones falsas.

1. El chef Palomino es muy ambicioso y tiene muchos proyectos.	C	F
2. El chef Palomino cree que sus empleados hispanos tienen poco talento.	C	F
3. Es difícil para un chef hispano tener su propio restaurante por la diferencia de cultura e idioma.	C	F
4. La Asociación de Chefs Españoles de América es exclusivamente para los chefs de España.	C	F
5. La Asociación de Chefs Españoles de América ayuda a los hispanos que desean trabajar en la profesión culinaria.	C	F
6. El libro del chef Palomino les enseña a los cocineros hispanos a cocinar comida típica de los Estados Unidos.	C	F
7. El chef Palomino vive en Colombia.	C	F
8. La receta del chef Palomino es muy complicada.	C	F

B. ¿Qué significa? Las siguientes palabras subrayadas tienen doble significado. ¿Cuál es el significado apropiado, según el contexto?

1. "La cocina de Palomino"
   El significado apropiado de **cocina** es:

   ☐ *kitchen*   ☐ *cuisine, cooking*

2. "nunca cumplan el sueño de abrir su propio negocio"
   El significado apropiado de **sueño** es:

   ☐ *dream*   ☐ *sleep*

3. "pone al alcance del cocinero común recetas no tan conocidas"
   El significado apropiado de **recetas** es:

   ☐ *recipes*   ☐ *prescriptions*

4. "cortado en cubos de un cuarto de pulgada"
   El significado apropiado de **cuarto** es:

   ☐ *room*   ☐ *one quarter, one fourth*

REDACCIÓN

UNA COMIDA INOLVIDABLE

En este capítulo, vas a escribir una composición sobre una comida inolvidable en tu pasado. Piensa en una celebración especial o una cena que hiciste o tu familia hizo para ti. Vas a escribir tu composición en el pretérito.

ANTES DE ESCRIBIR

Usa las siguientes preguntas para pensar en tu composición. Tu instructor/a te puede ayudar con palabras y construcciones nuevas.

1. ¿Cuándo fue la comida especial?
2. ¿Por qué fue una comida especial? ¿Qué celebraste / celebró tu familia?
3. ¿Adónde fue? (Primero menciona el lugar y luego describe ese lugar usando **ser / estar** en el presente.)
4. ¿Con quién comiste?
5. ¿Quién hizo la comida? ¿Dónde compró esta persona los ingredientes?
6. ¿Qué comiste / comieron? (Describe los platos y sus ingredientes; si fueron a un restaurante, describe qué pidió cada persona.)

7. ¿Cómo estuvo cada plato? (Usa verbos como **gustar** y **encantar** para describir tu reacción a cada plato.)
8. ¿Cuál fue el plato más delicioso? ¿Por qué?
9. ¿Qué hiciste / hicieron además de comer? (Describe las conversaciones de la mesa— de qué hablaron, qué temas se tocaron, etc.)
10. ¿Por qué fue esta comida especial? (Describe la razón por la que fue especial.)
11. ¿Te gustaría tener otra comida especial pronto? ¿Por qué? ¿Por qué no?

A ESCRIBIR

Ahora escribe tu composición y recuerda...

- usar el vocabulario y verbos de este capítulo y de los capítulos anteriores.
- prestar atención a las formas del pretérito (por ejemplo, yo com**í**, mi mamá cocin**ó**). Ten cuidado con los acentos en la primera y tercera persona del singular.
- prestar atención al género y número cuando usas artículos, adjetivos y sustantivos (por ejemplo, **la** ensalad**a** estuvo muy ric**a**).
- prestar atención a las conjugaciones correctas de los verbos (por ejemplo, **Mis padres comieron** conmigo).
- unir tus ideas con conectores como **y, pero,** etc.

Empieza tu composición de la siguiente forma:
"Hace… (escribe el número de años) años, **disfruté** de una comida muy especial…"

DESPUÉS DE ESCRIBIR

Now read your composition, and focus on the following:

- <u>Content</u>: Have you included all the information required?
- <u>Grammar</u>:
    - Articles, possessive adjectives, nouns, and adjectives: Do they agree in gender and number?
    - Verbs: Have you conjugated your verbs correctly?
    - Past tense: Have you written all your verbs (except for your description of the place) in the preterite?
- <u>Connectors</u>: Have you connected your ideas with the suggested connectors and conjunctions?

Correct your text, and write a new, improved version.

Argentina, Uruguay y Paraguay

Antes de explorar...

En este capítulo, hablamos de Argentina, Uruguay y Paraguay. ¿Qué aprendiste sobre estos países? Con un/a compañero/a, escribe una lista de datos sobre estos dos países.

¡A explorar!

Ahora vamos a aprender más sobre Argentina, Uruguay y Paraguay. Lee los siguientes textos y piensa en las similitudes y diferencias entre estos tres países y Canadá. Usa los comparativos y superlativos que aprendimos en este capítulo y en el **Capítulo 6** para comparar estos tres países entre sí y con Canadá.

Argentina

- Nombre oficial: República Argentina
- Capital: Buenos Aires
- Población: aproximadamente 40 millones de habitantes
- La inmigración de europeos en el siglo XIX tuvo un papel decisivo en la formación de la población de la Argentina (así como en la del Uruguay). En 1856, la población argentina era[a] de 1.200.000 habitantes; ya para 1930, 10.500.000 extranjeros habían llegado[b] al país por el puerto de Buenos Aires. La mitad[c] de ellos eran italianos; una tercera parte, españoles, y el resto consistía principalmente en alemanes y eslavos. Muchos de estos inmigrantes llegaron como trabajadores temporales, que terminaron[d] regresando a su país de origen. El resto, sin embargo,[e] se estableció en el país de manera permanente. Aunque[f] originalmente el gobierno[g] argentino había atraído[h] a los inmigrantes para poblar[i] las Pampas, la mayoría de ellos optó por la vida urbana y se quedó[j] en Buenos Aires.
- La ciudad de Buenos Aires es una metrópolis con más de 13 millones de habitantes, lo cual supone[k] más del 30 por ciento de la población del país. Es el centro cultural, comercial, industrial, financiero y gubernamental, así como el puerto principal de la Argentina. A las personas de Buenos Aires se las llama[l] "porteños", nombre que viene de la palabra **puerto.**
- El 95 por ciento de la población argentina es de origen europeo porque la mayoría de los indígenas murió durante los primeros años de la colonización.

[a]was . . . [b]extranjeros... *foreigners had arrived* [c]La... *Half* [d]*ended up* [e]sin... *however* [f]*Although* [g]*government* [h]*had attracted* [i]*populate* [j]*stayed* [k]lo... *which constitutes* [l]se... *they are called*

Uruguay

Nombre oficial: República Oriental de Uruguay
Capital: Montevideo
Población: más de 3 millones de habitantes

- Uruguay es el país hispanohablante más pequeño de Sudamérica. Aproximadamente el 45 por ciento de su población vive en Montevideo.
- En Uruguay, toda la educación, incluso la universitaria, es gratuita.[a] La tasa de alfabetización[b] es de un 98 por ciento, una de las más altas de Latinoamérica.

[a]*free* [b]tasa... *literacy rate*

Paraguay

Nombre oficial: República de Paraguay
Capital: Asunción
Población: más de 6 millones de habitantes

- Paraguay, como Bolivia, no tiene acceso al mar, por lo cual[a] los ríos del país son importantes para su economía.
- Asunción fue la primera ciudad permanente de la región y fue fundada por los españoles en 1537.
- Paraguay es el único país latinoamericano que tiene dos lenguas oficiales: el guaraní (una lengua indígena) y el español. Aunque el español es la lengua del gobierno, aproximadamente el 90 por ciento de la población habla guaraní, ya sea[b] como su única lengua o además del[c] español.

[a]por... *for which reason* [b]ya... *whether that be* [c]además... *in addition to*

La Boca, en Buenos Aires. La Boca es un pintoresco barrio de Buenos Aires. Es famoso por sus casas pintadas de colores brillantes, especialmente en la calle Caminitos. Fue el primer puerto de Buenos Aires, y hoy sus edificios, clubes de baile, tiendas y restaurantes atraen tanto a los porteños como a los turistas.

Un gaucho con su mate. El gaucho, la versión argentina del *cowboy,* tradicionalmente trabajaba[a] cuidando el ganado[b] desde las Pampas hasta la Patagonia. Más que el *cowboy* estadounidense, el gaucho argentino es reverenciado[c] como símbolo nacional de su país. Hay gauchos que trabajan en las estancias[d] todavía, pero hoy día muchos son figuras representativas que sólo aparecen en festivales y desfiles.[e]

[a]*used to work* [b]cuidando... *taking care of cattle* [c]*revered* [d]*ranches* [e]*parades*

La Casa Rosada y la Plaza de Mayo, en Buenos Aires.
La Casa Rosada es el palacio presidencial y está enfrente de la Plaza de Mayo. La Plaza de Mayo se hizo famosa en las últimas décadas del siglo XX a causa de las manifestaciones[a] semanales de las Madres de la Plaza de Mayo. Estas mujeres exigían[b] información a las autoridades sobre los llamados "desaparecidos", sus hijos y nietos que desaparecieron durante la cruel dictadura[c] militar de 1976 a 1983.

[a]*demonstrations* [b]*used to demand* [c]*dictatorship*

La Garganta del Diablo,[a] en las Cataratas[b] del Iguazú. Las Cataratas del Iguazú están en la frontera[c] entre Argentina, Brasil y Paraguay. Hay casi 300 saltos[d] individuales en este complejo, entre ellos la Garganta del Diablo es el más impresionante. El nombre "Iguazú" viene del guaraní y significa "agua grande".

[a]Garganta... *Devil's Throat* [b]*Waterfalls* [c]*border* [d]*waterfalls*

Punta del Este, Uruguay. Punta del Este está en una península entre el océano Atlántico y el río de la Plata. Por el lado[a] del Atlántico se encuentra Playa Brava, un lugar fantástico para hacer *surfing*. Por la costa rioplatense está Playa Mansa, un famoso lugar de vacaciones de aguas tranquilas, ideal para hacer esquí acuático y *windsurfing*.

[a]*side*

Colonia del Sacramento,[a] Uruguay. Las calles adoquinadas[b] de Colonia del Sacramento reflejan su historia. Fue construida por los portugueses en el siglo XVII y tiene muchas de las características de Lisboa, la capital de Portugal. Fue un lugar estratégico para resistir a los españoles. Este pueblo uruguayo pasó de manos portuguesas a manos españolas varias veces.

[a]Colonia... *Colony of the Blessed Sacrament (a colonial town)* [b]*cobblestone*

Unos tambores[a] de candombe[b] en Uruguay. Según muchos, el Uruguay tiene el carnaval más prolongado del mundo: su celebración dura[c] un mes. Los desfiles[d] y celebraciones del carnaval se distinguen por las "cuerdas": los tres tambores del candombe. El tambor piano es el más grande, el tambor chico es el de tamaño mediano[e] y el tambor repique es el más pequeño.

[a]*drums* [b]*type of Uruguayan music* [c]*it lasts* [d]*parades* [e]el... *the medium sized one*

La Represa de Itaipú, entre Paraguay, Argentina y Brasil.
La Represa de Itaipú, resultado de un proyecto binacional
entre Paraguay y Brasil, es la represa hidroeléctrica más
grande del mundo y una de las siete maravillas[a] del mundo
moderno, según la Sociedad Americana de Ingenieros Civiles.
Provee de casi[b] toda la energía necesaria a Paraguay y un
cuarto de la energía que consume Brasil.

[a]*wonders*   [b]*Provee... It provides almost*

El Chaco, Paraguay. El Chaco es una inmensa llanura[a] seis veces más grande
que el Parque Nacional Yosemite de los Estados Unidos. Cubre el 60 por ciento
del Paraguay, aunque sólo el 2 por ciento de la población vive en esta zona de
bosques de malezas[b] y pantanos.[c]

[a]*plain*   [b]*shrubs*   [c]*marshes*

La música, la literatura y el arte de Argentina, Uruguay y Paraguay

El tango representa la música y el baile nacionales de la Argentina. Esta música se toca con
varios instrumentos musicales, pero el instrumento característico del tango es el bandoneón,
un tipo de acordeón de origen alemán. El baile se caracteriza por movimientos pegados[a] y
contenidos[b] entre las parejas porque originalmente el tango se bailaba[c] entre las mesas y sillas
de los bares porteños, donde no había[d] pista de baile.[e]

El candombe es la música del Uruguay. Este ritmo afrouruguayo, de tradiciones bantúes
con influencias europeas y del tango, se toca con tres tambores o "cuerdas". Los desfiles de
comparsas[f] del candombe durante el carnaval son populares, aunque durante todo el año en
Montevideo hay desfiles espontáneos del candombe.

Entre las contribuciones de los jesuitas al Paraguay están la música y el arpa[g] paraguaya.
El arpa paraguaya se usa en la música folclórica del país, pero también es apreciada por su
calidad[h] entre los arpistas y músicos de todo el mundo.

La música contemporánea de estos tres países es también muy importante. En los estilos
rock y pop se destacan las bandas como Soda Stereo y Los Fabulosos Cadillacs en Argentina,
Buitres en Uruguay y los Rockers en Paraguay. La música de estas bandas combina los sonidos
propios del rock y pop con otros tradicionales como el tango y el candombe. La música rock y
pop fue un arma[i] esencial de protesta contra las dictaduras militares en estos tres países en las
décadas de los años 70 y 80.

En la literatura de estos tres países hay escritores y poetas conocidos mundialmente como
Jorge Luis Borges (1899–1986), Julio Cortázar (1914–1984), Horacio Quiroga (1878–1937),
Mario Benedetti (1920–2009), Josefina Pla (1903–1999) y Rubén Bareiro Saguier (1930). Siguiendo
la tradición sudamericana, muchas de las obras de estos autores combinan realidad y fantasía y
también se refieren a temas universales como el amor, la amistad y el patriotismo.

Uno de los géneros muy importantes en el arte visual de estos países, particularmente en
Argentina, es la caricatura.[j] Tres de los artistas más importantes son Quino, Roberto Fontanarrosa
y Florencio Molina Campos. En sus obras, Quino y Fontanarrosa expresan la realidad diaria del
ciudadano común y también aspectos de la política e idiosincrasia argentina. El personaje más
famoso de Quino es Mafalda, una niña con preguntas muy precoces.[k]

Las pinturas de Florencia Molina Campos muestran la vida del campo y gaucho argentino
pero en forma de caricatura. Sus obras de colores vivos resaltan[l] las actividades diarias del
gaucho y el paisaje de las pampas argentinas.

[a]*close*   [b]*contained*   [c]*used to be danced*   [d]*there wasn't*   [e]*pista... dance floor*   [f]*troupes*   [g]*harp*   [h]*quality*   [i]*weapon*
[j]*art of cartoons*   [k]*precocious*   [l]*highlight*

A trabajar...

1. Ve al sitio web **www.mcgrawhill.ca/olc/knorre** y visita las páginas de Fontanarrosa y Molina Campos. ¿Qué temas reflejan sus caricaturas? Describe dos caricaturas y compara el arte de Fontanarrosa y Molina Campos. Habla de similitudes y diferencias.
2. Mira la caricatura de Quino a continuación y describe las acciones de los diferentes cuadritos. Usa el pretérito para tu descripción. Luego contesta las siguientes preguntas:
   1. ¿Quiénes son los personajes de esta tira cómica?
   2. ¿Cómo es cada personaje? Describe su apariencia física, su personalidad y gustos / preferencias.
   3. ¿Dónde están?
   4. ¿Qué vende el señor?
   5. ¿Cuál es el tema principal de esta tira cómica?
   6. ¿Qué tipo de temas crees que le interesan a Quino?
   7. ¿Hay algún artista como Quino en Canadá? ¿Cómo se llama?

© Joaquín S. Lavado (Quino) / Caminito S.A.S.

Los argentinos, uruguayos y paraguayos en Canadá

Los argentinos, uruguayos y paraguayos forman una comunidad de inmigrantes muy activa en la red, ya que existen muchos sitios dedicados a dar información sobre las actividades de cada comunidad y ayuda a los nuevos inmigrantes que llegan a Canadá. También hay blogs interesantes donde la gente describe sus experiencias en su nuevo país. Uno de los ejemplos más interesantes es el blog de los Marge, una familia de argentinos que habla de aspectos culturales canadienses desde el punto de vista de un inmigrante y de sus "aventuras" diarias en la provincia de Québec. ¿Qué tipo de información crees que puedes encontrar en este tipo de blog? Escribe algunas ideas y luego visita el sitio web **www.mcgrawhill.ca/olc/knorre** para verificar si los temas que piensas que pueden interesarles a los inmigrantes argentinos aparecen en el blog. ¿Qué otro tipo de información les dan los Marge a los inmigrantes? ¿Cuándo llegaron los Marge a Canadá? ¿Cuándo recibieron la ciudadanía canadiense?

Las comunidades argentinas, uruguayas y paraguayas en Canadá también están representadas por su cocina y música. Por ejemplo, en Toronto y Montréal, donde vive la mayoría de los inmigrantes de estos tres países hay restaurantes y negocios que ofrecen platos como el tradicional asado e ingredientes como la yerba mate y el dulce de leche. ¿Qué otros platos tradicionales puedes comer en restaurantes argentinos, uruguayos y paraguayos en Canadá? Visita el sitio web **www.mcgrawhill.ca/olc/knorre** y nombra tres platos. Explica a tus compañeros qué ingredientes lleva cada uno. ¿Comiste alguna vez en estos restaurantes? ¿Te gustaría comer allí? ¿Por qué? ¿Por qué no?

En cuanto a la música, el género más importante es el tango. Este tipo de música es muy popular en Canadá, ya que hay varias presentaciones teatrales anuales y existen escuelas de tango donde la gente puede aprender a bailar en varias ciudades de Canadá. Una de estas academias de tango es el Club Tango Argentino, en la ciudad de Calgary. ¿Qué tipo de clases puedes tomar allí? ¿Cuánto cuestan las clases? ¿En qué otras ciudades de Canadá puedes aprender a bailar tango? Visita el sitio web **www.mcgrawhill.ca/olc/knorre,** contesta estas preguntas y lee la información sobre el tango argentino. ¿Qué más aprendiste sobre el tango?

¿Bailaste alguna vez tango? ¿Te gustaría aprender? ¿Por qué? ¿Por qué no?

Bailando tango en la Argentina

Proyecto cultural en grupo: Una noche cultural

Para esta actividad vas a trabajar con tres o cuatro compañeros. Ustedes van a imaginar que tienen que organizar una fiesta argentina, uruguaya o paraguaya para las otras clases de español. En su fiesta tienen que incluir comida y música típica, actividades para la gente e información cultural sobre el país.

Paso 1. Con los compañeros en tu grupo,

1. Elijan uno de estos tres países.
2. Decidan qué comida típica van a preparar. Nombren los platos y bebidas y escriban una lista de ingredientes. Tienen que tener un plato de entrada, un plato principal y un postre.
3. Decidan qué música típica van a tener en la fiesta y qué actividades van a preparar para la gente. Escriban esta información.
4. Elijan cinco aspectos culturales de los que van a hablar. Escriban esta información.

En el sitio web **www.mcgrawhill.ca/olc/knorre** van a encontrar información adicional sobre estos tres países que pueden usar para preparar su proyecto.

Paso 2. Presenten la información sobre su fiesta al resto de la clase. Imaginen que la fiesta fue el sábado pasado y describan los detalles en el pretérito. Pueden empezar su descripción de esta forma: "El sábado pasado, Kelly, Pat y yo preparamos una fiesta uruguaya. Tuvimos…

EN RESUMEN

Gramática

To review the grammar points presented in this chapter, refer to the indicated grammar presentations.

Gramática 1. Talking About the Past (Part 2)—Irregular Preterites

Do you know how to conjugate the verbs that are irregular in the preterite? How does the preterite change the meaning of **querer** and **poder**?

Gramática 2. Talking About the Past (Part 3)—Preterite of Stem-Changing Verbs

You should know the stem-changing patterns for -ir verbs like **pedir, sentir,** and **dormir.**

Gramática 3. Expressing Likes and Dislikes—**gustar** and Similar Verbs (Part 2)

Do you know how to talk about things you and others like and like to do?

Gramática 4. Expressing Extremes—Superlatives

Do you know how to express that something is the best or the most?

Vocabulario

Los verbos

ayudar	to help
cenar	to have (eat) dinner, supper
cocinar	to cook
desayunar	to have (eat) breakfast
merendar (meriendo)	to have a snack
preparar	to prepare

Repaso: almorzar (almuerzo) (c)

La comida

el aceite	oil
el arroz	rice
las arvejas	green peas
el asado	barbecue
el atún	tuna
el azúcar	sugar
el bistec	steak
los camarones	shrimp
la carne	meat
la cebolla	onion
los champiñones	mushrooms
la chuleta (de cerdo)	(pork) chop
los dulces	sweets; candy
el dulce de leche	caramel-like spread
los espárragos	asparagus
el flan	(baked) custard
los frijoles	beans
la galleta	cookie, cracker
los garbanzos	chick peas
el helado	ice cream
el huevo	egg
el jamón	ham

la langosta	lobster
la lechuga	lettuce
las legumbres	vegetables
la mantequilla	butter
la manzana	apple
los mariscos	shellfish
la naranja	orange
el pan	bread
el pan tostado	toast
la papa (frita)	(French fried) potato
el pastel	cake; pie; quiche
la patata (frita)	(French fried) potato
el pavo	turkey
el pescado	fish
la pimienta	pepper
el pollo (asado)	(roast) chicken
el postre	dessert
el queso	cheese
la sal	salt
la salchicha	sausage; hot dog
la sopa	soup
las verduras	vegetables
la zanahoria	carrot

Cognados: la banana, la barbacoa, el cereal, la ensalada, la fruta, la hamburguesa, el salmón, el sándwich, el tofu, el tomate, el yogur

Las bebidas

el agua (mineral)	(mineral) water
el agua (mineral) con gas	soda water, sparkling water
la cerveza	beer
el jugo (de fruta)	(fruit) juice

la leche	milk
el refresco	soft drink
el vino (blanco, tinto)	(white, red) wine

Cognado: el té

Repaso: el café

Las comidas

el almuerzo	lunch
la cena	dinner, supper
las comidas	meals
el desayuno	breakfast
la merienda	snack

En un restaurante

el / la camarero/a	waiter/waitress
la cuenta	check, bill
la entrada	appetizer, starter
el plato	dish; course
el plato principal	main course

Cognados: el menú

Repaso: los platos (*dishes*)

Los adjetivos

asado/a	roast(ed)
caliente	hot (*temperature*)
fresco/a	fresh
frito/a	fried
ligero/a	light, not heavy
picante	hot, spicy
rico/a	tasty, savoury; rich
tostado/a	toasted

Palabras adicionales

| **estar a dieta** | to be on a diet |

Otros sustantivos

la ayuda	help
la cocina	cuisine
los comestibles	groceries, foodstuff
la comida	food; meal

Vocabulario personal

Use this space to write down other words and phrases you learn in this chapter.

To access the Instructor Supplements, please go to the Online Learning Centre at **www.mcgrawhill.ca/olc/knorre.**

De vacaciones en el Caribe

¡Vamos al Caribe!

En este capítulo, vamos a visitar tres países caribeños: la República Dominicana, Cuba y Puerto Rico. ¿Visitaste estos países alguna vez? ¿Tienes ideas sobre estos países? Escribe tus ideas y luego mira los videos sobre la República Dominicana, Cuba y Puerto Rico en la sección "Panorama cultural" en la red.

Ahora contesta las siguientes preguntas sobre los videos. Puedes usar el mapa a continuación como ayuda.

1. ¿Dónde están estos tres países? ¿Con qué otros países / lugares limitan?
2. ¿Cómo se llaman sus capitales?
3. ¿Por qué es Santo Domingo un importante lugar histórico?
4. ¿Por qué podemos decir que la República Dominicana es un paraíso tropical?
5. ¿Cómo es la ciudad de La Habana? Describe su arquitectura y sus lugares importantes.
6. ¿Qué dos tipos de música nacieron en Santiago de Cuba?
7. ¿Cómo son las noches cubanas de acuerdo al video?
8. ¿Cuál es el nombre informal de la gente de Puerto Rico?
9. ¿Qué tipo de arquitectura puedes encontrar en la isla?
10. ¿Qué tipo de lugares puedes visitar en Puerto Rico?

Una playa de arena (*sand*) fina en la República Dominicana

OCÉANO
ATLÁNTICO

Camagüey

Santiago

REPÚBLICA
HAITÍ DOMINICANA

PUERTO
RICO

Santo
Domingo

Ponce

San
Juan

ARIBE

En este capítulo

A comunicarnos
In this chapter, we will learn how to . . .

- talk about travelling and vacations
- talk about daily routines and activities

Gramática
- **Saber** and **conocer**
- The personal **a**
- Direct object pronouns
- Reflexives

Cultura
- La República Dominicana y su gente
- Cuba y su gente
- Puerto Rico y su gente
- El turismo en los países hispanos
- Los dominicanos, cubanos y puertorriqueños en Canadá

VOCABULARIO   Preparación

En este capítulo vamos a hablar de las vacaciones y los lugares turísticos en la República Dominicana, Cuba y Puerto Rico. ¿Cuándo va la gente de vacaciones en Canadá? ¿Qué lugares prefiere? ¿Son los países del Caribe populares entre los canadienses? ¿Crees que Canadá es un lugar turístico? ¿Cuáles son los lugares más turísticos de este país?

VACACIONES DE INVIERNO EN EL CARIBE

La semana pasada nevó mucho en Montréal y ahora hace mucho frío. Jean-Jacques, su hermana Geneviève y su mejor amigo, Lucas, quieren escapar del frío. Les gustaría viajar al Caribe para sus vacaciones de invierno. La Sra. Almeida, la tía de Lucas, tiene una agencia de viajes. Ayer los tres fueron a visitarla para hablar de sus opciones. ¿Adónde decidieron viajar? ¿Qué tipo de lugares planearon visitar? Puedes usar el vocabulario en las páginas 268 y 271 y la información en **Gramática 1** para leer la conversación.

LUCAS:	¡Hola, tía Almeida!
ALMEIDA:	Hola, mi amor. ¿Cómo estás?
LUCAS:	Muy bien, gracias. Te presento a mis amigos, Jean-Jacques y su hermana melliza, Geneviève. Ellos hablan muy bien español.
ALMEIDA:	¡Qué bien! Encantada de conocer**los,** chicos.
JEAN-JACQUES:	Igualmente.
GENEVIÈVE:	Encantada de conocer**la.**
LUCAS:	Mira, tía, nos gustaría **hacer un viaje** a la República Dominicana en febrero. ¿Cuánto cuesta un **boleto** de ida y vuelta a Santo Domingo?
ALMEIDA:	Los boletos de **avión** están un poco caros, pero hoy me llegó una oferta muy buena: dos noches en Santo Domingo y cinco en Punta Cana, con hotel y desayuno y **boleto de ida y vuelta** por $1,200.
LUCAS:	Jean-Jacques, Geneviève, ¿les parece bien este precio?
GENEVIÈVE:	Sí, me gusta mucho… no es tan caro…
JEAN-JACQUES:	Sí… ¿tenemos que pagar por nuestras **maletas**?
ALMEIDA:	Sólo si llevan más de una. ¿Quieren reservar **el viaje**?
LUCAS:	Sí, **lo** podemos reservar y **lo** pagamos mañana.
ALMEIDA:	Tienen una semana para pagar. ¿Qué **asientos** prefieren?
LUCAS:	**Ventanilla**
JEAN-JACQUES:	Ventanilla
GENEVIÈVE:	**Pasillo.** ¿Necesitamos **visa** para visitar la República Dominicana?

ALMEIDA: No, los canadienses no necesitan visa, pero sí tienen que llevar sus **pasaportes** y deben llegar al aeropuerto tres horas antes del **vuelo** para **facturar las maletas** y **pasar por el control de la seguridad.** Y el avión **hace escala** en Toronto. ¿Está bien?

LUCAS: Sí, claro.

ALMEIDA: A ustedes les va a encantar mi país. Yo nací en Santo Domingo y me fascinan las **playas de arena fina** y el **mar.** Y los dominicanos son muy simpáticos...

GENEVIÈVE: Sí, **lo sabemos.** La familia de Lucas es fantástica. Sus padres son muy divertidos. Su papá siempre cuenta chistes (*jokes*) muy buenos...

ALMEIDA: Sí, mi hermano es el payaso (*clown*) de la familia...

¿Entendiste?

1. ¿Cómo estuvo el tiempo en Montréal la semana pasada?
2. ¿Por qué fueron Lucas y sus amigos a la agencia de viajes de Almeida?
3. ¿Cuándo conoció Almeida a Jean-Jacques y a su hermana Geneviève?
4. ¿Qué quiso saber Lucas?
5. ¿Qué información les dio Almeida a Lucas y a sus amigos?
6. ¿Qué decidieron los chicos?
7. ¿Qué hizo Almeida?
8. ¿De dónde emigró Almeida a Canadá?
9. ¿Qué atracciones tiene la República Dominicana?
10. ¿Qué sabemos sobre la familia de Lucas por este diálogo?

Lengua

1. En las siguientes oraciones, ¿a qué se refieren los pronombres **lo, la** y **los**?

a. "ALMEIDA: ¡Qué bien! Encantada de conocer**los,** chicos.
   JEAN-JACQUES: Igualmente.
   GENEVIÈVE: Encantada de conocer**la.**"

b. "ALMEIDA: Sólo si llevan más de una. ¿Quieren reservar el viaje?
   LUCAS: Sí, **lo** podemos reservar y **lo** pagamos mañana."

De viaje

En el aeropuerto

el maletero

el asistente de vuelo

la asistente de vuelo

VUELO 33
SALIDA 10:35

el equipaje

Jorge

la maleta

Javier

Anita

facturar el equipaje

Alejandro   Josefina   Juana

el pasajero   la pasajera

Los medios de transporte

la cabina	cabin (*on a ship*)	**la demora**	delay
el crucero	cruise (ship)	**la llegada**	arrival
la estación	station	**el pasaje**	fare, price (*of a plane/train/bus/ferry/etc. ticket*)
de autobuses	bus station		
del tren	train station		
el puerto	port	**el pasaporte**	passport
la sala de espera	waiting room	**la salida**	departure
la sala de fumar /	smoking	**bajarse (de)**	to get down (from); to get off (of) (*a vehicle*)
de fumadores	area		
el vuelo	flight		

ir en...	to go/to travel by . . .	**estar atrasado/a**	to be late
autobus	bus	**facturar el equipaje**	to check baggage
avión	plane	**guardar (un puesto)**	to save (a place [*in line*])
barco	boat, ship		
tren	train	**hacer cola**	to stand in line

El viaje

		hacer escalas / paradas	to make stops
la agencia de viajes	travel agency	**hacer la(s) maleta(s)**	to pack one's suitcase(s)
el / la agente de viajes	travel agent	**hacer un viaje**	to take a trip
el asiento	seat		
de ventanilla	window seat	**pasar por el control**	to go/to pass through (the) security (check)
de pasillo	aisle seat	**de la seguridad**	
		quejarse (de)	to complain (about)
el billete (*Sp.*) /	ticket	**subir (a)**	to go up; to get on (*a vehicle*)
el boleto (*L.A.*)			
de ida	one-way ticket	**viajar**	to travel
de ida y vuelta	round-trip ticket	**volar (vuelo) en avión**	to fly, to go by plane

El español camaleón

El autobús is expressed in a variety of ways in different parts of the Spanish-speaking world. Here are a few of the most common ones.

el camión (*Mex.*)   el bus (*C.A.*)
la guagua (*Cuba, P.R.*)   el colectivo (*Arg.*)

Here are some other common travel-related variations.

la maleta = la valija (*Arg.*), la petaca (*Mex.*)

El boleto is generally understood to express plane, bus, or train ticket throughout the Spanish-speaking world. The word **el tiquete** is heard in Mexico and Central America, as well as among the Hispanic communities in the United States, and **el billete** is used in Spain.

Práctica

A. Un viaje en avión. Imagina que vas a hacer un viaje en avión. El vuelo sale a las siete de la mañana. Usando los números del 1 al 9, indica en qué orden van a pasar las siguientes cosas.

a. _____ Subo al avión.

b. _____ Voy a la sala de espera.

c. _____ Hago cola para facturar el equipaje.

d. _____ Llego al aeropuerto a tiempo (*on time*) y me bajo del taxi.

e. _____ Por fin se anuncia la salida del vuelo.

f. ___1___ Estoy atrasado/a. Salgo para el aeropuerto en taxi.

g. _____ La asistente me indica el asiento en clase turística.

h. _____ Pido un asiento de ventanilla, pero sólo hay asientos de pasillo.

i. _____ Hay demora. Todos tenemos que esperar el vuelo allí antes de subir al avión.

B. Definiciones. Da las palabras definidas.

1. Es la persona que nos ayuda con el equipaje en la estación del tren.
2. Es la cosa que se compra antes de hacer un viaje.
3. Es el antónimo de **subir a.**
4. Tenemos que ir allí cuando hacemos un viaje en avión.
5. Tenemos que ir allí cuando hacemos un viaje en tren.
6. Es la persona que nos ayuda durante un vuelo.
7. Es lo que pasa cuando un avión está atrasado.
8. Es lo que podemos hacer cuando tenemos problemas con nuestro vuelo, viaje u hotel y queremos expresar nuestro enojo.
9. Compramos este tipo de asiento cuando queremos ver el paisaje (*landscape*) desde el avión.
10. Son dos cosas que tenemos que hacer antes de subir a nuestro avión.

C. En el aeropuerto. Almeida, la tía de Lucas, viajó a Santo Domingo la semana pasada. Hubo una demora con su vuelo y estuvo en la sala de espera por mucho tiempo. ¿Qué vio mientras esperaba (*was waiting*)? En parejas, nombren (*name*) o describan las cosas y acciones que Almeida vio y que están representadas en este dibujo. **Usen el pretérito.**

EL ESPAÑOL *EN ACCIÓN*

MIS VACACIONES

Geneviève volvió a Canadá de la República Dominicana ayer y les contó a sus compañeros y profesora de su clase de español qué hizo allí. ¿Qué tipo de actividades crees que hizo? Usa el vocabulario en la página siguiente y la información en **Gramática 1** y **2** para entender el diálogo.

PROFESORA: A ver, Geneviève, cuéntanos (*tell us*) dónde **pasaste tus vacaciones.**

GENEVIÈVE: **Las** pasé en la República Dominicana. Me encanta ese país y me gustaría vivir allí.

PROFESORA: ¿Por qué te gustó tanto? ¿Qué hiciste allí?

GENEVIÈVE: Bueno, aquí **me levanto** todos los días a las seis, **me ducho** y voy a mis clases. Pero durante mis vacaciones **me levanté** todos los días a las 10:00 y **fui a la playa, tomé el sol, nadé en el mar** y **saqué muchas fotos.**

PROFESORA: ¿Qué más hiciste? ¿Hablaste español?

GENEVIÈVE: Sí, claro, **lo** hablé mucho. También todas las noches fui a la discoteca y **me acosté** muy tarde. Aquí estudio todas las noches y **me acuesto** muy temprano.

PROFESORA: Claro, la vida es mejor cuando **tomamos unas vacaciones…**

GENEVIÈVE: Si, mucho mejor… Me encantan los dominicanos…

PROFESORA: Sí, son muy simpáticos. ¿Quién más **salió de vacaciones**?

KELLY: Yo también salí de vacaciones. Fui a…

¿Entendiste?

1. ¿Por qué crees que a Geneviève le gusta mucho la República Dominicana?
2. ¿Cómo fue la rutina diaria de Genevieve durante sus vacaciones? ¿Es su vida diferente en Montréal? ¿Por qué? ¿Por qué no?
3. ¿Qué tipo de actividades hizo Geneviève en la República Dominicana? ¿Por qué? Describe la geografía y el clima del país.
4. ¿Pudo hablar mucho español Geneviève?
5. ¿Qué piensa de los dominicanos?
6. ¿Te gustaría tener unas vacaciones como las de Geneviève? ¿Por qué? ¿Por qué no? ¿A qué tipo de lugares vas de vacaciones?

Lengua

1. En las siguientes oraciones, ¿a qué se refieren los pronombres **las** y **lo**?

   a. "PROFESORA: A ver, Geneviève, cuéntanos (*tell us*) dónde pasaste tus vacaciones.
   GENEVIÈVE: **Las** pasé en la República Dominicana."

   b. "PROFESORA: ¿Qué más hiciste? ¿Hablaste español?
   GENEVIÈVE: Sí, claro, **lo** hablé mucho."

2. Cuando Geneviève describe su rutina en Montréal usa verbos como **me levanto, me ducho, me acuesto**. ¿Por qué se usa el pronombre **me** delante de los verbos? ¿Qué tipos de acciones describen estos verbos?

Ahora te toca a ti...

Mis vacaciones de invierno

You and your partner are back from your winter vacations. You want to tell your Spanish class what you did during your vacation. Talk about where you went (describe the place), what you did there, what you liked and didn't like about the place, etc. You can also compare your routine during your vacation with your routine at home. Compare your vacations, and decide which one was the best. Use the dialogue between the Profesora and Geneviève as a model, and the vocabulary below.

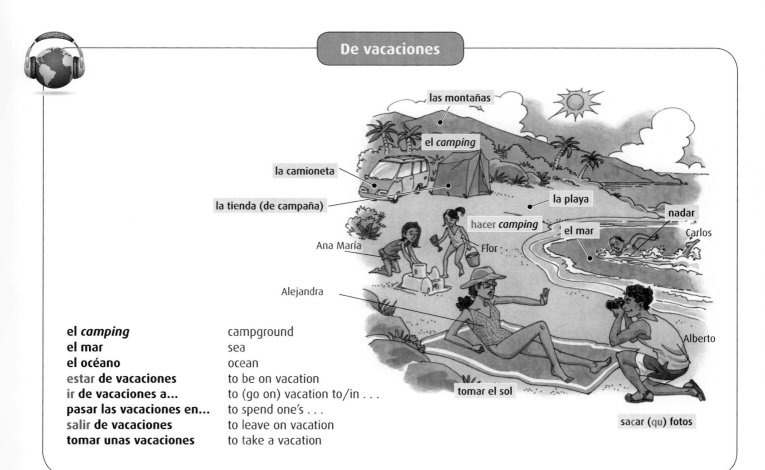

De vacaciones

las montañas
el *camping*
la camioneta
la tienda (de campaña)
la playa
nadar
hacer *camping*
el mar
Carlos
Ana María
Flor
Alejandra
tomar el sol
Alberto
sacar (qu) fotos

el *camping*	campground
el mar	sea
el océano	ocean
estar de vacaciones	to be on vacation
ir de vacaciones a...	to (go on) vacation to/in . . .
pasar las vacaciones en...	to spend one's . . .
salir de vacaciones	to leave on vacation
tomar unas vacaciones	to take a vacation

El español camaleón

la camioneta = la ranchera, la rubia, el coche rural, el coche familiar,
el monovolumen (*Sp.*), la mini van (*Arg.*)
el *camping* = el campamento
sacar fotos = tomar fotos
la tienda de campaña = la tienda de acampar, la carpa (*Arg.*)

Nota cultural I

Los nuevos tipos de turismo en el mundo hispánico

El turista de hoy ya no es el turista tradicional y fácil de complacer.[a] Por eso hay nuevas industrias para satisfacer su interés en **la ecología, la agricultura** o **la aventura:** el ecoturismo, el agroturismo y el aventurismo. Los países hispanos ofrecen ricas oportunidades para disfrutar de[b] estas nuevas formas de hacer turismo.

El ecoturismo consiste en viajar a **lugares no explotados por el ser humano.**[c] Los lugares del mundo hispano que ofrecen amplias oportunidades para el ecoturismo son **las selvas tropicales** de Centroamérica y la Amazonia, especialmente en Costa Rica y el Ecuador. Las Islas Galápagos y la Patagonia (en el sur de la Argentina y Chile) también son destinos populares entre los ecoturistas.

El agroturismo indica **viajes a lugares rurales** donde el turista se queda[d] en casas rurales renovadas, a veces visitando más de una casa o zona durante su viaje. Algunas excursiones son informativas o educativas, con visitas a **granjas y campos de cultivo.**[e] Otras son simplemente parte de un programa para renovar casas y pueblos rurales. España ofrece varias oportunidades al agroturista por todo el país, especialmente en el País Vasco y en las Islas Baleares. La isla Chiloé de Chile también tiene una organización agroturística.

El aventurista, o sea[f] el turista que busca viajes emocionantes, a veces peligrosos,[g] también tiene amplias oportunidades en los países hispanos. En los Andes, la Patagonia y las montañas de España, puede practicar **alpinismo, ciclismo de montaña, navegación en rápidos, esquí** y *snowboard* extremos.

[a]*please* [b]*disfrutar... enjoying* [c]*por... by humans* [d]*stays*
[e]*granjas...* [f]*arms and croplands* [f]*o... or in other words*
[g]*dangerous*

¿Entendiste?

1. ¿Por qué es el turista de hoy diferente al turista del pasado?
2. ¿Qué puede el turista de hoy encontrar en los países hispanos?
3. ¿Qué tipo de lugares puede visitar el ecoturista?
4. ¿Por qué crees que estos lugares son ideales para el ecoturismo? ¿Cómo son?
5. ¿Qué es el agroturismo?
6. ¿Qué tipo de actividades tiene un agroturista?
7. ¿Qué tipo de vacaciones quiere un aventurista?
8. ¿Dónde hay oportunidades de hacer turismo de aventura en los países hispanos?
9. ¿Qué puede un aventurista hacer allí?
10. ¿Hiciste alguna vez eco-, agro- o aventurismo? ¿Dónde? ¿Qué tipo de actividades hiciste?

Un grupo de estudiantes ecoturistas en la Amazonia, en Perú

Nota comunicativa

Uses of *se* (for Recognition)

It is likely that you have often seen and heard the phrase shown in the photo that accompanies this box: **Se habla español.** (*Spanish is spoken* [*here*].) Here are some additional examples of this use of **se** with Spanish verbs. Note how the meaning of the verb changes slightly in English.

Se venden billetes aquí.   *Tickets are sold here.*

Aquí no **se fuma.**   *You don't (One doesn't) smoke here. Smoking is forbidden here.*

Be alert to this use of **se** when you see it because it will occur with some frequency in readings and in direction lines in *Puntos de partida,* Canadian Edition. The activities in this text will not require you to use this grammar point on your own, however.

Un anuncio en una tienda de Nueva York

Práctica

A. ¿Dónde se hace esto? Indica el lugar (o los lugares) donde se hacen las siguientes actividades.

1. Se factura el equipaje y se anuncian los vuelos.
2. Se hacen las maletas.
3. Se compran los boletos.
4. Se hace una reservación.
5. Se espera en la sala de espera.
6. Se pide una bebida.
7. Se mira una película.
8. Se nada y se toma el sol.

B. La publicidad

Paso 1. Lee con cuidado (*carefully*) este anuncio de una aerolínea latinoamericana.

Paso 2. Ahora, en parejas, contesten las siguientes preguntas. ¡Piensen como expertos en *marketing*!

1. ¿Cómo se llama la aerolínea? ¿Saben algo sobre esta aerolínea?
2. ¿A qué tipo de persona va dirigido (*directed*) el anuncio?
3. ¿Por qué se usa un plato con comida en el anuncio?
4. ¿Qué comida se ve en el plato? ¿Qué representa?
5. ¿En qué tipo de publicación creen Uds. que se encuentra (*is found*) este anuncio?

¿Qué sabes tú y a quién conoces?

As you know, two Spanish verbs express *to be:* **ser** and **estar.** They are not interchangeable, and their use depends on the meaning the speaker wishes to express. Similarly, two Spanish verbs express *to know:* **saber** and **conocer. Conocer** is frequently used with the word **a** when referring to a person (as in the phrase **¿a quién conoces?** from the title of this section).

En el aeropuerto de San Juan

Los vuelos de Julio y Estela están atrasados. Los dos deciden comer algo mientras esperan. Están comiendo en el restaurante más elegante del aeropuerto… pero no comen juntos; no se conocen. Julio quiere conocer a Estela. También quiere saber su número de teléfono. ¿Y Estela? ¿Quiere conocer a Julio? ¡No! Quiere conocer a Felipe, el cocinero del restaurante, porque él sabe hacer platos deliciosos.

saber = to know (*facts or information*); to know how to (*do something*)

sé	**sabemos**
sabes	**sabéis**
sabe	**saben**

una dirección (*address*)
un número de teléfono
un nombre
la letra (*lyrics*) de una canción
hacer algo (tocar el piano…)
una cosa

conocer = to know (*a person*); to meet (*a person*); to be acquainted, to be familiar with (*a place or thing*)

conozco	**conocemos**
conoces	**conocéis**
conoce	**conocen**

a una persona
un lugar

¡OJO! **Saber** and **conocer** have an English equivalent in the preterite tense that is different from that of the infinitive.

	Infinitive Meaning	Preterite Meaning
saber	to know (*facts, information*) Ya lo **sé.** *I already know it.*	to find out, to learn Lo **supe** ayer. *I found it out (learned it) yesterday.*
conocer	to know, to be familiar with (*people, places*) Ya la **conozco.** *I already know her.*	to meet (*for the first time*) La **conocí** ayer. *I met her yesterday.*

Direct Objects (Part 1): The Personal *a*

Note the use of the word **a** in the preceding sample paragraph and notes. This **a** is called "the personal **a.**" It is used in Spanish before a direct object that refers to a specific person or persons, and personified animals or things (e.g., your pet, a little girl's favourite doll), and it has no equivalent in English. You will learn more about it in **Gramática 1** in this chapter. In this section, the activities will always show you when to use the personal **a.**

A. Los usos de *saber* y *conocer*

Paso 1. Llena (*Fill in*) los espacios en blanco con la forma apropiada de **saber.** Luego da su equivalente en inglés.

—¿(*Tú:* _____[1]) la dirección de un restaurante cubano?

—¡Claro! Hay uno en la Avenida Whyte. El chef, Ernesto, (_____[2]) hacer unos platos muy originales.

—¿(*Tú:* _____[3]) a qué hora abren los sábados?

—No (*yo:* _____[4]) exactamente. ¿Por qué no llamamos al restaurante?

Paso 2. Ahora llena los espacios en blanco con la forma apropiada de **conocer.** Luego da su equivalente en inglés.

—¿(*Tú:* _____[1]) ese restaurante cubano que está en la Avenida Whyte?

—Sí, y también (*yo:* _____[2]) al chef, Ernesto.

—¿Ah sí? Yo quiero (_____[3]) a Ernesto. Es muy famoso.

B. ¿Dónde cenamos? Lola y Manolo, los padres de Lucas, están de vacaciones en La Habana y quieren salir a cenar. Pero, ¿dónde? Completa el diálogo con la forma apropiada de **saber** o **conocer.**

LOLA: ¿(Sabes / Conoces[1]) adónde quieres ir a cenar?

MANOLO: No (sé / conozco[2]). ¿Y tú?

LOLA: No. Pero según esta guía turística, hay un restaurante muy bueno en la calle Empedrado. Creo que se llama "La Bodeguita del Medio". ¿(Sabes / Conoces[3]) el restaurante?

MANOLO: No, pero (sé / conozco[4]) que tiene mucha fama. Es el restaurante favorito de Virginia. Ella (sabe / conoce[5]) a la dueña.

LOLA: ¿(Sabes / Conoces[6]) qué tipo de comida tienen?

MANOLO: No (sé / conozco[7]). Pero podemos llamar a Virginia. ¿(Sabes / Conoces[8]) su teléfono?

LOLA: Está en mi guía telefónica. Y pregúntale a Virginia si ella (sabe / conoce[9]) si aceptan reservaciones o no.

MANOLO: De acuerdo.

C. ¡Qué talento!

Paso 1. Inventa oraciones sobre tres cosas que sabes hacer. Usa tu creatividad.

MODELO: Sé tocar el acordeón.

Paso 2. Ahora, en grupos de tres estudiantes, pregúntales (*ask*) a tus compañeros si saben hacer esas actividades. Escribe sí o no, según sus respuestas.

MODELO: ¿Sabes tocar el acordeón?

Paso 3. Ahora describe las habilidades de los estudiantes de tu grupo.

MODELO: Bill y yo sabemos tocar el acordeón, pero Kerri no. (En el grupo, sólo yo sé tocar el acordeón.)

D. Entrevista. ¿Crees que sabes mucho sobre tus compañeros/as de clase? Habla con dos de tus compañeros/as usando las siguientes preguntas. Luego reporta a la clase dos cosas nuevas que aprendiste sobre ellos / ellas. ¿Tienen ustedes mucho en común?

1. ¿Conoces a una persona famosa? ¿Quién es? ¿Cómo es? ¿Qué detalles sabes de la vida (*life*) de esa persona? ¿A qué persona famosa te gustaría conocer? ¿Por qué?

2. ¿Qué lugares conoces en el Caribe, el resto de Latinoamérica o España? ¿Qué sabes sobre estos lugares? ¿Cuál es tu lugar favorito? ¿Por qué es tu favorito? ¿Qué tipo de vacaciones puedes tener allí? ¿Visitas este lugar con frecuencia? ¿Qué otro lugar en el mundo conoces? ¿Qué lugares te gusta conocer? ¿Por qué? ¿Por cuánto tiempo sales de vacaciones? ¿En qué época del año? ¿Qué lugares no quieres conocer? ¿Por qué no?

3. ¿Conoces a alguna persona hispana? ¿De dónde es esta persona? ¿Qué sabes sobre sus preferencias (qué le gusta, qué no le gusta)? (Si no conoces a ninguna persona hispana, habla de tu persona favorita.)

¿Recuerdas?

In **Capítulo 4,** you learned how to use indirect object pronouns (**me, te, le, nos, os, les**) to avoid repetition. Can you identify the indirect object pronouns in the following exchange? To whom do these pronouns refer?

—Roberto, ¿me das los boletos?

—Te doy los boletos en un minuto… Estoy terminando de hacer mi maleta. ¿Me puedes traer mi camisa azul?

—Aquí esta. Y tienes que darte prisa. Tenemos que salir para el aeropuerto en media hora.

—Sí, sí… ¿Le diste la llave de la casa a tu hermana? Tiene que darle comida a nuestros gatos.

—Sí, le di la llave anoche. Nos va a enviar un correo electrónico si hay algún problema.

—Perfecto.

GRAMÁTICA 1

EXPRESSING *WHAT* OR *WHO(M)* • DIRECT OBJECTS
THE PERSONAL *A*; DIRECT OBJECT PRONOUNS

GRAMÁTICA EN ACCIÓN: TURISMO EN CUBA

Lee el siguiente anuncio sobre un ecotur en Cuba y completa las siguientes oraciones. Da información sobre cuándo podemos visitar los lugares y qué vamos a hacer allí.

¡Cuba lo espera! La Habana maravillosa

Disfrute de este maravilloso itinerario
Duración: 8 días y 7 noches
Salidas semanales desde Vancouver

Día 1. Llegada al aeropuerto de La Habana y traslado al hotel.

Día 2. Desayuno continental en el hotel. Excursión por La Habana Vieja con visitas al Casco Histórico, la Catedral, el Capitolio y la Plaza de Armas. Visita a otros lugares tradicionales como el famoso restaurante La Bodeguita del Medio donde comemos un tradicional guiso cubano de frijoles con arroz.

Día 3. Desayuno continental en el hotel y visita a la Playa de Santa María. Actividades acuáticas por la mañana y la tarde. Cena en el restaurante del hotel, donde disfrutamos de la música y los bailes cubanos tradicionales.

Día 4. Desayuno continental en el hotel. Visita a la casa de José Martí y a una plantación de tabaco con un guía especializado que nos cuenta la famosa historia de la independencia cubana y nos explica cómo se cultiva el tabaco.

Día 5. Desayuno continental en el hotel. Visita a una ceremonia de Santería en Regla.

1. **La Habana Vieja**

   La visitamos _____.

   Allí vamos a ver _____.

2. **El guiso de frijoles tradicional cubano**

   Lo comemos en _____.

3. **La música y los bailes tradicionales**

   Los disfrutamos _____.

   En la Playa de Santa María vamos a _____.

4. **La casa de José Martí y la plantación de tabaco**

   Las visitamos _____.

   Un guía **nos** habla de _____.

Direct Objects (Part 2): The Personal *a*

1. In English and in Spanish, the *direct object* (**el complemento directo**) of a sentence answers the question *what?* or *who(m)?* in relation to the subject and verb. It is the noun or pronoun that receives the action of the verb.

   Ana is preparing dinner.
   What is Ana preparing? → dinner

   They can't hear the pilot.
   Who(m) can't they hear? → the pilot

2. In Spanish, the word **a** immediately precedes the direct object of a sentence when the direct object refers to a specific person or persons and to personified animals (e.g., a family pet) or things (e.g., a child's favourite toy). This **a,** called the personal **a,** has no equivalent in English.

Indicate the direct objects in the following sentences.

1. I don't see Betty and Mary here.
2. Give the dog a bone.
3. No tenemos dinero.
4. ¿Por qué no pones las maletas en el coche?

Vamos a visitar **a nuestros abuelos.**
We're going to visit our grandparents.
But
Vamos a visitar **la casa de nuestros abuelos.**
We're going to visit our grandparents' house.

Necesitan **a sus padres.**
They need their parents.
But
Necesitan **el coche de sus padres.**
They need their parents' car.

Mi hermanita Mariela besa a su muñeca preferida
   todos los días.
My little sister Mariela kisses her favourite doll every day.
But
Mamá: Carlitos, no beses el auto. ¡Está sucio!
Mother: Carlitos, don't kiss the car. It's dirty!

 The personal **a** is used before the interrogative words **¿quién?** and **¿quiénes?** when they function as direct objects.

¿**A** quién llamas? ¿**Al** agente de viajes?
Who(m) are you calling? The travel agent?

 The verbs **escuchar** (*to listen to*) and **mirar** (*to look at*) include the sense of the English preposition *at*. The verb **esperar** (*to wait* [*for*]; *to expect*) includes the meaning of English *for*. Therefore, these verbs take direct objects in Spanish, not prepositional phrases, as in English, but you must still use the personal **a** before direct objects that are persons or personified animals (e.g., a family pet) or things (e.g., a kid's favourite toy).

Miro el paisaje.
I'm looking at the landscape.
Escucho los pájaros.
I'm listening to the birds.
Espero mi vuelo.
I'm waiting for my flight.
But
Miro a mi gato, Scout.
I'm looking at my cat, Scout.
Escucho a mi madre.
I listen to my mother.
Espero a mi amigo Jorge.
I'm waiting for my friend Jorge.

 The personal **a** is not used with **tener.**

Tenemos cuatro hijos.

Direct Objects Pronouns

me	me		nos	us
te	you (*fam. sing.*)		**os**	you (*fam. pl.*)
lo	you (*form. sing.*), him, it (*m.*)		**los**	you (*form. pl.*), them (*m., m.f.*)
la	you (*form. sing.*), her, it (*f.*)		**las**	you (*form. pl.*), them (*f.*)

1. Like direct object nouns, *direct object pronouns* (**los pronombres del complemento directo**) are the first recipient of the action of the verb. Direct object pronouns are placed before a conjugated verb and after the word **no** when it appears. Third person direct object pronouns are used only when the direct object noun has already been mentioned.

2. The direct object pronouns may be attached to an infinitive or a present participle (el gerundio).

 When the direct object pronoun is attached to a present participle, there is a written accent on the third syllable (on the **a** or **e** immediately preceding the -ndo).

3. Note that the direct object pronoun **lo** can refer to actions, situations, or ideas in general. When used in this way, **lo** expresses the English *it* or *that*.

¿El boleto? Diego **no lo necesita.**
The ticket? Diego doesn't need it.

¿Dónde están el pasaporte y el billete? **Los necesito** ahora.
Where are the passport and the ticket? I need them now.

Ellos **me ayudan.**
They're helping me.

Las tengo que leer. ⎫
Tengo que **leerlas.** ⎭   *I have to read them.*

Lo estoy comiendo. ⎫
Estoy **comiéndolo.** ⎭   *I am eating it.*

Lo estoy estudiando.
I'm studying it.
Estoy estudi**á**ndo**lo.**

Lo comprende muy bien.
He understands it (that) very well.

No **lo** creo.
I don't believe it (that).

Lo sé.
I know (it).

Práctica

A. ¿A personal o no? Completa las siguientes oraciones breves.

 Usa la **a** personal cuando sea (*whenever it is*) necesario.

Busco…

1. el presidente.
2. una clase de historia.
3. mi amiga.
4. la clase de matemáticas.
5. un trabajo (*job*).
6. mi perro Sultán.

Miro…

7. la televisión.
8. mis niños en el parque.
9. películas en español.
10. el profesor / la profesora en clase.

B. La cena de Lola y Manolo.
Lola y Manolo decidieron cenar en el restaurante "La Bodeguita del Medio." ¿Qué pasó en la cena? La siguiente descripción de la cena de Lola y Manolo es muy repetitiva.

Paso 1. Combina las oraciones, cambiando los sustantivos de complemento directo en rojo por (*with*) pronombres.

Paso 2. Cambia los verbos del presente al pretérito.

MODELO: El camarero (*waiter*) trae un menú. Lola lee el menú. →
El camarero *trajo* un menú y Lola *lo leyó.*

1. El camarero trae una botella de vino tinto. Pone la botella en la mesa.
2. El camarero trae las copas (*glasses*) de vino. Pone las copas delante de Lola y Manolo.
3. Lola quiere el plato "Ropa vieja", la especialidad de la casa. Va a pedir la especialidad de la casa.
4. Manolo prefiere el pescado fresco. Pide el pescado fresco.
5. Lola quiere una ensalada también. Por eso pide una ensalada.
6. El camarero trae la comida. Sirve la comida.
7. Manolo necesita otra servilleta (*napkin*). Pide otra servilleta.
8. "¿La cuenta? El dueño está preparando la cuenta para Uds."
9. Manolo quiere pagar con tarjeta (*card*) de crédito. Pero no trae su tarjeta.
10. Por fin, Lola toma la cuenta. Paga la cuenta.

Nota comunicativa

Talking About What You Have Just Done

To talk about what you have *just* done, use the phrase **acabar** + **de** + *infinitive*.

Acabo de almorzar con Beto.　　　　*I just had lunch with Beto.*
Acabas de celebrar tu cumpleaños,　*You just celebrated your birthday,*
　¿verdad?　　　　　　　　　　　　　*didn't you?*

Note that the infinitive follows **de.** Remember that the infinitive is the only verb form that can follow a preposition in Spanish.

C. ¡Acabo de hacerlo! Imagina que un amigo te pide muchas cosas. Con un/a compañero/a le dices que ya hiciste cada una de esas cosas usando una de las dos formas que presenta el modelo.

MODELO: E1: ¿Por qué no estudias la lección?
E2: Acabo de estudiar*la.* (*La* acabo de estudiar.)

1. ¿Por qué no escribes las composiciones para tus clases?
2. ¿Vas a comprar el periódico hoy?
3. ¿Por qué no pagas los cafés?
4. ¿Vas a cocinar la comida para la fiesta?
5. ¿Puedes pedir la cuenta?
6. ¿Quieres ayudarme?
7. ¿Hiciste las reservaciones para el viaje a Puerto Rico?
8. ¿Limpiaste tu cuarto y la sala?

D. Cuando era puertorriqueña.*

A continuación te presentamos un fragmento del libro "Cuando era (*I was*) puertorriqueña" por Esmeralda Santiago, una escritora de Puerto Rico que vive en los Estados Unidos. En su libro, esta autora describe su infancia (*childhood*) en Puerto Rico. En este fragmento, Esmeralda habla de una tormenta en el campo.

---

*Texto adaptado del original en las páginas 117–118 del libro *Cuando era puertorriqueña* por Esmeralda Santiago.

Paso 1. Con un/a compañero/a, lean el fragmento e indiquen a qué o quién se refieren los pronombres de objeto directo e indirecto **subrayados** y si son objetos directos o indirectos y por qué.

MODELO: —Papi, ¿por qué (a) **les** ponen nombres de santos a las tormentas?
Les se refiere a "las tormentas" y es un pronombre de objeto indirecto porque el sustantivo <u>tormentas</u> recibe <u>los nombres de santos</u> (objeto directo).

Paso 2. Conjuguen los verbos en paréntesis en el pretérito.

El cielo[a] 1. (bajar) _____ hasta las montañas… Los pájaros[b] se 2. (ir) _____ del barrio… Doña Ana 3. (poner) _____ su vaca[c] dentro de un ranchón[d] detrás de su casa. La radio 4. (decir) _____ que el huracán sería[e] más fuerte que el huracán San Felipe de 1918.

—Papi, ¿por qué (a) **les** ponen nombres de santos a las tormentas?—(b) **le** 5. (preguntar) _____ y (c) **lo** 6. (ayudar) _____ a llevar una lámina de madera[f] para proteger las ventanas de la casa.

—Yo no sé—(d) **me** 7. (contestar) _____.

Mami cargó[g] su sillón, la mesa y otros muebles hasta una esquina, amarró[h] (e) **lo** que pudo contra las vigas[i] y empujó[j] el resto contra una pared, donde (f) **lo** cubrió con una sábana.[k]

Yo 8. (buscar) _____ a mis hermanos. Por primera vez no 9. (tener) _____ que (g) correr**los** ni (h) gritar**les** para que (i) **me** obedecieran.[l] Raymond, el bebé, estaba durmiendo[m] en su coy, pero mami (j) **lo** 10. (sacar) _____ y (k) **me** (l) **lo** 11. (dar) _____.

[a]*sky* [b]*birds* [c]*cow* [d]*a kind of barn* [e]*would be* [f]*lámina… wooden plate* [g]*carried* [h]*strapped* [i]*beams* [j]*pushed* [k]*cubrió… covered with a sheet* [l]*would obey me* [m]*was sleeping*

Ahora te toca a ti...

Las relaciones en el cine y la televisión

To complete this activity, you will work with four or five of your classmates. You are a group of writers who write questions and answers for a game show (for example, like *Jeopardy*). One of the themes of this week's show is famous movie and TV relationships. You need to think of five or more popular movies and/or TV shows, and the relationships (love and hate) among the characters in them. Then you need to create eight questions based on those relationships for the other teams in your class to answer. The team that answers the most questions correctly and makes the fewest grammar and vocabulary mistakes wins.

You will be expected to follow these rules:

1. Use six of the following verbs: **admirar, entender, respetar, mirar, odiar, llamar, conocer.**
2. You can only ask questions with ¿Quién? o ¿Quiénes? (e.g., En la película New Moon, ¿quién **ama a Bella?** Respuesta: Edward y Jacob **la aman.**)
3. You can ask questions using physical characteristics and ¿Quién? o ¿Quiénes? (e.g., En Twighlight, ¿quién es pelirroja? Respuesta: Bella.)
4. You can only use popular movies and TV shows, and you need to mention the name of the movie or show before you ask the question.
5. Every correct answer must contain **a direct object pronoun** and will receive 2 points. A vocabulary error will cost each group .5 point, and a grammar error (or no/incorrect pronoun), 1 point. ¡Buena suerte!

Nota cultural II

Puerto Rico: Una historia particular

En el mar Caribe están las Antillas, un grupo de islas que se dividen entre las "Antillas Mayores" y las "Antillas Menores". Las Antillas Mayores son las islas de Cuba, Española (que incluye la República Dominicana y Haití), Jamaica y Puerto Rico. Este último país tiene una historia muy rica y única en Latinoamérica. Los habitantes originales de Puerto Rico eran[a] los taínos, parte del grupo de los caribes, indígenas que se extendían por gran parte de las costas caribeñas.

Cristóbal Colón llegó a Puerto Rico en su segunda[b] expedición al Nuevo Mundo. Se dice que el jefe[c] de los taínos, que tenía[d] el título de cacique, recibió a Colón con un collar de oro. Es por eso que Colón pensó que había[e] mucho oro en la isla, pero cometió un error.[f] De todas formas,[g] los españoles explotaron la isla intensamente. En poco tiempo, la población taína prácticamente desapareció debido a[h] tres factores: la explotación laboral, las rebeliones de los nativos y las enfermedades que los españoles llevaron consigo[i] y que eran nuevas para los taínos. La población africana, que los españoles llevaron como esclavos,[j] empezó a llegar en el siglo XVI.

En el siglo XIX, por toda Latinoamérica hubo guerras[k] contra España para obtener su independencia. Pero las islas antillanas no se independizaron.[l] En 1898 Puerto Rico se convirtió[m] en territorio de los Estados Unidos, después de que España perdió la guerra que en los Estados Unidos se llama "*the Spanish American War*" (la Guerra Hispano-Norteamericana).

En 1917, los puertorriquenos fueron declarados ciudadanos estadounidenses, y desde 1953 su país es un Estado Libre Asociado a los Estados Unidos de América. Esto significa que aunque[n] no es independiente, tiene plena[ñ] autonomía interna. Estos acontecimientos[o] históricos son únicos en América Latina. Se puede decir que, debido a la influencia estadounidense, Cuba y Puerto Rico se destacan culturalmente: Cuba, por su independencia cultural de los Estados Unidos debido al embargo y Puerto Rico, por la fuerte presencia diaria de ese país en la vida social, política y cultural de la isla.

[a]*were* [b]*second* [c]*chief* [d]*had* [e]*there was* [f]*made a mistake*
[g]*De... In any case* [h]*debido... due to* [i]*with them* [j]*slaves* [k]*wars*
[l]*did not become independent* [m]*became* [n]*although* [ñ]*full* [o]*events*

¿Entendiste?

1. ¿Dónde están las Antillas?
2. ¿Cuáles son las Antillas Mayores?
3. ¿Quiénes fueron los habitantes originales de Puerto Rico?
4. ¿Qué pasó con los habitantes originales de Puerto Rico?
5. ¿Qué otro grupo racial encontramos en Puerto Rico?
6. ¿Qué pasó en América Latina en el siglo XIX? ¿Existió esa situación en Puerto Rico?
7. ¿Desde (*Since*) cuándo es Puerto Rico territorio de los Estados Unidos?
8. ¿Cuál es la situación política actual de Puerto Rico?
9. ¿Viajaste alguna vez a Puerto Rico? Describe tu experiencia. Si no viajaste nunca a la isla, ¿te gustaría hacerlo?
10. ¿Qué más te gustaría saber sobre Puerto Rico y su gente?

Una estatua de Cristóbal Colón en Puerto Rico

¿Recuerdas?

In **Capítulo 1,** you learned how to ask what someone's name is and express your own name by using phrases with the verb **llamar.** Show what you remember by completing the following phrases.

1. (yo) _____ llamo   2. (tú) _____ llamas   3. Ud. _____ llama

The words with which you completed those phrases are part of a pronoun system that you will learn about in **Gramática 2.**

GRAMÁTICA 2

EXPRESSING *-SELF/-SELVES* • REFLEXIVE PRONOUNS

GRAMÁTICA EN ACCIÓN: LA RUTINA DIARIA DE ANDRÉS

Andrés es el hijo de Almeida y el primo de Lucas. Su rutina empieza todos los días a la siete y media. ¿Y tu rutina? Lee el siguiente texto y compara tu rutina con la de Andrés.

1.

2.

3.

4.

5.

6.   7.

(1) Me despierto a las siete y media y me levanto en seguida. Primero, (2) me ducho y luego (3) me cepillo los dientes. (4) Me peino, (5) me pongo la bata y (6) voy al cuarto a vestirme. Por fin, (7) salgo para la universidad. No tomo nada antes de salir porque, por lo general, ¡tengo prisa!

¿Y cómo es tu rutina diaria? ¿Es similar o diferente a la de Andrés? Completa las oraciones con la hora y el lugar donde haces estas actividades.

1. Yo me levanto…
2. Me ducho…
3. Me visto…
4. Me peino…
5. Antes de salir para las clases…
6. Llego a la universidad… y…

Uses of Reflexive Pronouns

bañarse (*to take a bath*)

(yo)	**me baño**	I take a bath	(nosotros)	**nos bañamos**	we take baths
(tú)	**te bañas**	you take a bath	(vosotros)	**os bañáis**	you take baths
(Ud.)		you take a bath	(Uds.)		you take baths
(él)	**se baña**	he takes a bath	(ellos)	**se bañan**	they take baths
(ella)		she takes a bath	(ellas)		they take baths

1. The pronoun **se** at the end of an infinitive indicates that the verb is used reflexively. The reflexive pronoun in Spanish reflects the subject doing something to or for himself, herself, or itself. When the verb is conjugated, the reflexive pronoun that corresponds to the subject must be used.

bañarse = to take a bath (to bathe oneself)

me baño = I take a bath (bathe myself)

te bañas = you take a bath (bathe yourself)

Reflexive Pronouns

me	myself		**nos**	ourselves
te	yourself (*fam., sing.*)		**os**	yourselves (*fam. pl. Sp.*)
se	himself, herself, itself; yourself (*form. sing.*)		**se**	themselves; yourselves

 Many English verbs that describe parts of one's daily routine—to get up, to take a bath, and so on—are expressed in Spanish with a reflexive construction.

2. Here and on the following page are some reflexive verbs you will find useful as you talk about daily routines. Note that some of these verbs are also stem-changing:

e → ie,   **o → ue,**   **e → i.**

despertarse (me despierto), (*to wake up*)

ducharse (*to take a shower*)

afeitarse (*to shave*)

vestirse (me visto) (*to get dressed*)

sentarse (me siento) (*to sit down*)

acostarse (me acuesto)	to go to bed	**levantarse**	to get up (out of bed); to stand up
bañarse	to take a bath		
cepillarse los dientes	to brush one's teeth	**peinarse**	to brush/to comb one's hair
divertirse (me divierto)	to have a good time, to enjoy oneself	**ponerse (me pongo)**	to put on (*an article of clothing*)
dormirse (me duermo)	to fall asleep	**quitarse**	to take off (*an article of clothing*)

Note also the verb **llamarse,** which you have been using since **Capítulo 1: Me llamo _____.**
¿Cómo se llama Ud.?

llamarse = to be called

3. All of these verbs can also be used nonreflexively, often with a different meaning:

dormir = to sleep	vs.	**dormirse** = to fall asleep
poner = to put, to place	vs.	**ponerse** = to put on
vestir = to wear	vs.	**vestirse** = to get dressed

After **ponerse** and **quitarse,** the definite article, not the possessive as in English, is used with articles of clothing.

Se pone el abrigo.
He's putting on his coat.

Se quitan el sombrero.
They're taking off their hats.

The reflexive pronoun must be repeated with each verb in a series of verbs.

Me levanto a las siete, **me ducho** y **me visto** antes de peinar**me.**

Mi esposo **se baña,** yo **me ducho** y los dos **nos peinamos** antes de las seis.

Placement of Reflexive Pronouns

1. Reflexive pronouns are placed before a conjugated verb. In a negative sentence, they are placed between the word **no** and the conjugated verb: **No *se* bañan.** When a conjugated verb is followed by an infinitive, the pronouns may either precede the conjugated verb or be attached to the infinitive.

Me tengo que levantar temprano.
Tengo que **levantarme** temprano.
I have to get up early.

Debo **acostarme** más temprano.
Me debo acostar más temprano.
I should go to bed earlier.

2. When the sentence has a direct object, the object pronoun is placed between the reflexive pronoun and the conjugated verb. This applies for negative sentences too.

Me cepillo los dientes después de cada comida. Me **los** cepillo después de cada comida.
I brush my teeth after every meal. I brush them after every meal.

Carlitos no se cepilla los dientes después de cada comida. No se **los** cepilla después de cada comida.
Carlitos doesn't brush his teeth after every meal. He doesn't brush them after every meal.

When a conjugated verb is followed by an infinitive, the reflexive and direct object pronouns may either precede the conjugated verb or be attached to the infinitive (notice the written accent when both pronouns are attached to the infinitive).

Me tengo que lavar **la cara. Me la** tengo que lavar.
Tengo que **lavarme la cara.** Tengo que **lavármela.**
I have to wash my face. I have to wash it.

Nota comunicativa

Sequence Expressions

The following adverbs and expressions will help you indicate the sequence of actions or events.

primero	first	**finalmente**	finally
después	then, later	**por fin**	finally
luego	then, afterward, next		

Primero, me ducho y me visto. **Luego,** tomo un café y leo el periódico. **Después,** me cepillo los dientes. **Por fin,** salgo para el trabajo.

Práctica

A. Mi rutina diaria

Paso 1. ¿Qué acostumbras a hacer en un día típico? Usa las siguientes frases para describir tu rutina diaria. Añade otras ideas si quieres. Usa las palabras de la **Nota comunicativa** (en la página 286) en tus oraciones.

MODELO: despertarse a (hora) Me despierto a las siete. Luego…

1. despertarse a (hora)
2. levantarse a (hora)
3. (no) ducharse / bañarse por la mañana
4. vestirse antes o después de tomar algo
5. ir a la universidad y asistir a (número) clases
6. almorzar a (hora) y sentarse en (lugar) para estudiar
7. volver a (lugar) a (hora)
8. comer con (persona[s] o solo/a)
9. acostarse tarde / temprano
10. dormirse a (hora)

Paso 2. Usa las oraciones del **Paso 1** para indicar lo que hiciste ayer por la mañana. Añade información si puedes. ¿Fue tu rutina igual o diferente a la de todas las mañanas? ¿Por qué? ¿Por qué no?

MODELO: despertarse a (hora) Ayer fue domingo y entonces mi rutina fue
diferente a la de todos los días. Primero, **me desperté** a las diez…

B. La rutina durante las vacaciones. Ahora, con un/a compañero/a, piensen en sus últimas vacaciones.

Paso 1. En parejas, túrnense para entrevistarse. ¿Adónde fueron? ¿Cómo fueron sus rutinas? ¿Qué hicieron cada día? Hagan preguntas, usando las ideas de las tres columnas y otras de su imaginación. Traten de usar una palabra o frase de cada columna y el vocabulario de las vacaciones (por ejemplo, **nadar, tomar el sol,** etc.). Usen el pretérito.

¿cuándo?		acostarse	vestirse / ponerse		todos los días
¿a qué hora?		despertarse	cepillarse los dientes		tarde / temprano
¿hasta qué hora?	**+**	levantarse	sentarse	**+**	durante el día
¿dónde?		ducharse / bañarse	volver		por la noche
¿con quién?		afeitarse	dormirse		en la mañana / en la tarde
¿durante?		peinarse			solo/a

Paso 2. Ahora digan a la clase un detalle (*detail*) interesante, raro o indiscreto de la vida (*life*) de su compañero/a.

MODELO: Peter viajó a Banff para sus vacaciones. Se despertó todos
los días a las 6:00 de la mañana y se levantó…

C. ¿Qué hace Roberto los martes?

Paso 1. Roberto es el hermano de Lucas y el novio de Geneviève. Los martes tiene una rutina diferente a la de todos los días. ¿Qué pasa en su vida? Describe la rutina de Roberto, haciendo oraciones según las indicaciones.

MODELO: Roberto / siempre / levantarse / después de / siete y media
Roberto siempre se levanta después de las siete y media.

1. Pero / los martes / Roberto / nunca / salir / del apartamento / antes de / las doce
2. esperar / su amigo Samuel / en / la parada del autobús (*bus stop*)
3. (ellos) llegar / la universidad / a / la una
4. (ellos) buscar / Geneviève / en / la cafetería
5. ella / acabar / empezar / sus estudios / allí
6. (ella) no / conocer / mucha gente (*people*) / todavía
7. a / las dos / todos / tener / clase de sicología
8. siempre / (ellos) oír / las conferencias (*lectures*) / interesantes / y / hacer / alguna / pregunta
9. a / las cinco / Samuel y Roberto / volver / esperar / el autobus
10. Roberto / hacer / la cena / y / luego / mirar / televisión / Geneviève

Paso 2. Reescribe las siguientes oraciones del **Paso 1** reemplazando las palabras <u>subrayadas</u> por los pronombres de objeto directo (**lo, la, los, las**).

1. esperar / <u>su amigo Samuel</u> / en / la parada del autobús (*bus stop*)
2. (ellos) buscar / <u>Geneviève</u> / en / la cafetería
3. ella / acabar / empezar / <u>sus estudios</u> / allí
4. a / las dos / todos / tener / <u>clase de sicología</u>
5. siempre / (ellos) oír / <u>las conferencias (*lectures*) interesantes</u> / y / hacer / <u>alguna pregunta</u>
6. a / las cinco / Samuel y Roberto / volver / esperar / <u>el autobús</u>
7. Roberto / hacer / <u>la cena</u>
8. luego / Geneviève y él / mirar / <u>televisión</u>

Paso 3. Ahora imagina que hoy es miércoles y Roberto cuenta su historia de ayer, martes. Vuelve a contar la historia en el **Paso 1** desde el punto de vista de Roberto, usando **yo** o **nosotros** como sujeto donde sea apropiado y poniendo los verbos en el pretérito.

MODELO: Roberto / siempre / levantarse / después de / las siete y media
Ayer me levanté después de las siete y media.

A conversar...

Vamos de vacaciones

You and your classmate are thinking of going on vacation together, but first you want to find out more about each other's preferences in terms of places, weather, and vacation routines. Describe your ideal vacation to each other. Ask each other questions to clarify any information. Then decide on the place where you will go, and plan your vacation routine. Use the vacation vocabulary and reflexive verbs in this and previous chapters.

UN POCO DE TODO

VIDEOTECA

En contexto

Juan Carlos, el primo peruano de Mariela Castillo, quiere escribir un libro sobre los pueblos típicos de Perú. En este capítulo, vamos a ver cómo piensa hacerlo. ¿Qué crees que debe hacer una persona para escribir ese tipo de libro? ¿Cómo debe viajar? Escribe algunas ideas y luego mira el video clip en la red. ¿Dónde está Juan Carlos? ¿Son sus planes similares a tus propuestas?

¿Entendiste?

A. El viaje de Juan Carlos. ¿Qué planes tiene Juan Carlos? ¿Son similares a tus propuestas? Ahora mira el video clip una vez más y completa la siguiente narración con las palabras de la lista.

Hay más palabras de las que necesitas. No te olvides de conjugar tus verbos.

> maleta   dos y cuarto   tren   mecánico   seis y cuarto   de ventanilla   facturar
> atrasado   de pasillo   tres menos cinco   de ida   mochila   billete   de ida y vuelta

Juan Carlos pide un (1) _____ (2) _____ para Tarma,

pero el tren está (3) _____ y no sale hasta las (4) _____.

La vendedora cree que hay un problema (5) _____. Entonces, en vez de ir

a Tarma, Juan Carlos decide ir a Chincheros porque ese (6) _____ sale a las

(7) _____. La vendedora no entiende por qué Juan Carlos quiere ir a

otro pueblo y él le explica que escribe una guía turística sobre pueblos pequeños y no

importa qué pueblo visita hoy. Juan Carlos pide un asiento (8) _____.

No (9) _____ equipaje porque sólo tiene una (10) _____.

B. Lengua

Juan Carlos y la empleada en la estación de trenes tienen la misma edad, pero usan "usted". ¿Por qué?

C. En la estación de trenes. En este clip, Juan Carlos trata de comprar un boleto de tren. Imagina que tú necesitas comprar un boleto de tren también.

Paso 1. Lee las preguntas de la vendedora y elige la mejor respuesta.

1. Buenos días. ¿Adónde viaja Ud.?

  ☐ Soy de aquí.
  ☐ Voy a clase.
  ☐ Viajo con mi sobrino.
  ☐ A las montañas.
  ☐ De ida y vuelta.

2. ¿Qué tipo de boleto necesita?

  ☐ No, está atrasado.
  ☐ Dos asientos.
  ☐ Sí, viajamos juntos.
  ☐ De ida.
  ☐ Hace cola.

3. ¿En qué clase prefiere viajar?

☐ Sólo de ida.
☐ Clase turística.
☐ Porque no tengo clases hoy.
☐ No, no voy a clase.
☐ Me gustaría ir a Cuba.

4. ¿Qué tipo de asiento prefiere?

☐ La sala de no fumar está allí.
☐ Un crucero por las Antillas.
☐ De ventanilla.
☐ Sí, a tiempo.
☐ Mi vuelo.

5. ¿Qué equipaje tiene?

☐ No tengo libros.
☐ En avión.
☐ Sólo una maleta.
☐ Hace dos escalas.
☐ En la sala de espera.

Paso 2. Ahora tienes que hacer preguntas para cada una de las respuestas en **Paso 1.**

MODELO: Respuesta: No, no voy a clase.
Tú preguntas: ¿Vas a clase hoy?

A conversar...

En la estación de trenes

Estudiante A: Imagine that you work at the train station in your town/city (if there isn't one, imagine there is!). A Dominican student is visiting Canada. His/her English is not very good, so you help him/her in Spanish. He/she wants suggestions on what places to visit. Help your client by asking him/her questions about his/her preferences, and by providing him/her with suggestions of places he/she should visit (e.g., Creo que usted debe visitar...). Give as much information as possible, and ask him/her what kind of ticket he/she needs, what kind of seat he/she prefers, what kind of luggage he/she has, etc. Use the vocabulary and structures in this chapter, and Juan Carlos's conversation with the station agent as a model.

Estudiante B: You are a Dominican student visiting Canada. You are not sure about where you want to travel. You go to the train station, and you ask the station agent for suggestions about places to visit in Canada. Answer his/her questions, and ask him/her questions about particular places that might interest you. Get as much information as possible, and then decide where to go, what kind of ticket you need, what seat you prefer, etc. Also provide information about your luggage. Use the vocabulary and structures in this chapter, and Juan Carlos's conversation with the station agent as a model.

LECTURA

SOBRE LA LECTURA... Este artículo es de la revista hispana *Nexos,* una publicación de la compañía aérea American Airlines. En esta revista se publican artículos de interés a los viajeros y turistas. Esta lectura en particular presenta parte de una entrevista con Frank Rainieri, un pionero de la industria turística en la República Dominicana.

ESTRATEGIA: Identifying the Source of a Passage

If you pick up the magazine *Maclean's,* what sort of articles do you expect to find? For whom are they written and for what purpose? Would you anticipate similar articles in *Chatelaine*?

You can often make useful predictions about an article—its narrative style, its target audience, the author's purpose, and so on—if you know something about the magazine or journal from which it comes. The article you are about to read was first published in *Nexos*, a Spanish-language in-flight magazine published by American Airlines for their Spanish-speaking customers. Knowing this, which of the following topics do you think might be treated in a given issue of this magazine?

1. the Incas and Machu Picchu
2. how to remove coffee stains from silk
3. a walking tour of Boston
4. Miami by night

All but number two might logically appear in *Nexos*. Keeping in mind the source of a reading will often help you to predict its content.

ANTES DE LEER

- Lee el título del texto.
- Estas son algunas de las palabras que aparecen en el texto: turístico, economía, golf, Punta Cana, música.

Teniendo en cuenta el título del artículo, la revista donde se publicó y las palabras dadas, ¿cuál piensas que es el tema principal de este texto? Escribe algunas ideas.

A LEER

Entrevista con Frank Rainieri: Un pionero de la República Dominicana

NEXOS: Como pionero en el desarrollo[a] turístico de la República Dominicana, ¿qué grandes cambios ha visto[b] en las últimas décadas?

RAINIERI: La industria turística ha producido[c] una gran revolución en la economía dominicana. En 30 años, nuestro país pasó de ser un exportador de materias primas[d] de origen agrícola (azúcar, café y cacao) y minerales (oro, plata, bauxita y ferro níquel), actividades que en su mejor momento nunca sumaron[e] el 15% de los ingresos[f] en dólares a lo que produjo el año pasado el turismo (US$3.519 millones). Dependíamos de[g] una economía agrícola de plantación con posibilidades muy limitadas, basada en actividades productivas en algunos casos poco estimulantes del desarrollo humano. En un período relativamente breve (1980–2000), nuestro país ha logrado crear[h] una industria turística competitiva.

NEXOS: ¿Cómo ve el futuro del desarrollo turístico de la República Dominicana? ¿Qué nuevos modelos de turismo envisiona?

RAINIERI: El futuro de la industria turística se orienta hacia[i] la diversificación, la oferta de productos orientados a mercados de mayor poder adquisitivo,[j] el fortalecimiento[k] de la oferta de golf y marinas deportivas y la expansión de la oferta de turismo residencial y complejos residenciales exclusivos para personas de alto poder adquisitivo. También hacia el surgimiento[l] de una interesante oferta de turismo ecológico y al aprovechamiento[m] de nuestros atributos históricos y culturales (monumentos, gastronomía, música y deportes).

[a]*development* [b]*ha… have you seen* [c]*ha… has produced* [d]*materias… raw materials* [e]*totaled*
[f]*income, revenue* [g]*Dependíamos… We depended on* [h]*ha… has managed to create* [i]*toward*
[j]*de… of great purchasing power* [k]*strengthening* [l]*rise* [m]*tapping*

NEXOS: ¿Cuál es su filosofía empresarial[n]?

RAINIERI: Nosotros creemos que el desarrollo tiene que involucrar[ñ] a las personas que participan en los procesos productivos, porque el ser humano es la principal riqueza de la sociedad. Las personas que participan de una empresa tienen que sentir que participan equitativamente[o] de los beneficios y las riquezas que contribuyen a crear con su trabajo. En el Grupo Punta Cana, esto se expresa en políticas[p] específicas, como por ejemplo cuando construimos una escuela para hijos del personal de Punta Cana que cuenta con[q] más de 400 alumnos; construimos un residencial para empleados y una iglesia; construimos para la comunidad un politécnico que cuenta con casi 300 alumnos.

[n]*business*   [ñ]*include*   [o]*justly*   [p]*policies*   [q]cuenta... *tiene*

DESPUÉS DE LEER

A. El texto y tus ideas. ¿Cuál es la idea principal de este texto? ¿Fueron tus predicciones correctas o no? Compara tus ideas con el tema del texto.

B. ¿Cierto o falso? Decide si estas oraciones son ciertas (C) o falsas (F). Corrige las oraciones falsas.

1. El turismo es más importante que la agricultura en la actual República Dominicana.   C   F
2. El objetivo de Rainieri es atraer a turistas de la clase media.   C   F
3. Rainieri tiene planes para ofrecer paquetes turísticos a la gente que le interesa bucear y hacer surf.   C   F
4. Rainieri quiere desarrollar una industria turística que ignora la historia de la República Dominicana.   C   F
5. Rainieri no está interesado en el ecoturismo.   C   F
6. Rainieri quiere que los turistas disfruten de la cocina y música dominicanas.   C   F
7. Rainieri tiene interés en el bienestar (*well-being*) de los empleados.   C   F
8. Los empleados que trabajan para la empresa de Rainieri no tienen muchos beneficios.   C   F

REDACCIÓN

UNAS VACACIONES INOLVIDABLES

En este capítulo, vas a escribir una narración sobre unas vacaciones inolvidables en tu pasado. Piensa en un viaje que hiciste solo/a, con amigos/as o tu familia e imagina que escribes sobre tu experiencia en un blog sobre viajes. Vas a escribir tu entrada en el blog en el pretérito.

ANTES DE ESCRIBIR

Usa las siguientes preguntas para pensar en tu narración. Tu instructor te puede ayudar con palabras y construcciones nuevas.

1. ¿Adónde viajaste? (Primero menciona el lugar y luego describe ese lugar usando **ser / estar** en el presente.)
2. ¿Cuándo viajaste?
3. ¿Con quién viajaste?
4. ¿Cuántos días estuviste de vacaciones?

5. ¿Dónde te quedaste? ¿Cómo estuvo el clima? Describe el hotel o lugar donde estuviste esos días y el clima durante tu estadía.

6. ¿Cómo fue tu rutina? Describe qué hiciste cada día. Usa los verbos reflexivos que aprendiste en este capítulo.

7. ¿Qué actividades especiales hiciste? Describe cada una de las actividades en detalle. Usa el vocabulario sobre los viajes y las vacaciones en este capítulo.

8. ¿Comiste algo especial? Describe los platos especiales que comiste. Usa el vocabulario del **Capítulo 7.**

9. ¿Qué te gustó más sobre el lugar y estas vacaciones? (Usa verbos como **gustar** y **encantar** para describir tus reacciones; describe por qué las vacaciones fueron inolvidables.)

10. ¿Te gustaría volver a ese lugar? ¿Por qué? ¿Por qué no?

A ESCRIBIR

Ahora escribe tu composición y recuerda…

- usar el vocabulario y verbos de este capítulo y de los capítulos anteriores.
- prestar atención a las formas del pretérito (por ejemplo, yo tom**é** el sol, mi mamá nad**ó**). Ten cuidado con los acentos en la primera y tercera persona del singular.
- prestar atención al género y número cuando usas artículos, adjetivos y sustantivos (por ejemplo, **la** aren**a** en esa playa es muy blanc**a**).
- usar pronombres de objeto directo (me, te, lo, la, nos, los, las) y de objeto indirecto (me, te, le, nos, les) para evitar la repetición de palabras (por ejemplo, vimos el amanecer el día que llegamos y decidimos ver**lo** todos los días).
- prestar atención a los pronombres reflexivos según la persona de la que hablas (por ejemplo, **Mis padres se levantaron** muy temprano, pero yo **me levanté** a las 12:00 todos los días.).
- prestar atención a las conjugaciones correctas de los verbos (por ejemplo, **Mis padres viajaron** conmigo.).
- unir tus ideas con conectores como **y, pero, sin embargo, también, además,** etc. Empieza tu composición de la siguiente forma:

  "Hace… (escribe el número de años) años, **tuve** unas vacaciones inolvidables…"

DESPUÉS DE ESCRIBIR

Now read your composition, and focus on the following:

- <u>Content</u>: Have you included all the information required?
- <u>Grammar</u>:
  - Articles, possessive adjectives, nouns, and adjectives: Do they agree in gender and number?
  - Verbs: Have you conjugated your verbs correctly?
  - Past tense: Have you written all your verbs (except for your description of the place) in the preterite?
  - Pronouns: Have you used the correct reflexive and direct and indirect object pronouns?
- <u>Connectors</u>: Have you connected your ideas with the suggested connectors and conjunctions?

Correct your text, and write a new, improved version.

La República Dominicana, Cuba y Puerto Rico

Antes de explorar...

En este capítulo, hablamos de la República Dominicana, Cuba y Puerto Rico. ¿Qué aprendiste sobre estos países? Con un/a compañero/a, escribe una lista de datos sobre estos tres países.

¡A explorar!

Ahora vamos a aprender más sobre estos tres países. Lee los siguientes textos y piensa en las similitudes y diferencias entre estos tres países y Canadá. Compara los tres países también.

La República Dominicana

- Nombre oficial: República Dominicana
- Capital: Santo Domingo
- Población: más de 9 millones de habitantes
- La República Dominicana ocupa los dos tercios orientales[a] de la isla de La Española en el mar Caribe. Cuando Cristóbal Colón llegó a la isla por primera vez en 1492, declaró que era[b] la isla más bella del mundo.
- España le cedió[c] el tercio occidental[d] de La Española a Francia en 1697. Por eso, esa parte de la isla, el actual país de Haití, tiene una cultura y un idioma diferentes de los de la República Dominicana.
- Bartolomé Colón, hermano de Cristóbal, fundó la ciudad de Santo Domingo en 1496, y es la ciudad más antigua del continente americano.

Cuba

- Nombre oficial: República de Cuba
- Capital: La Habana
- Población: más de 11 millones de habitantes
- Cuba obtuvo su independencia de España en 1898, durante la Guerra Hispano-Norteamericana.[e] Después de esa guerra, los Estados Unidos gobernaron la isla hasta 1909.
- En 1959 hubo una revolución socialista en Cuba para derrocar[f] al dictador Fulgencio Batista. Los líderes fueron Fidel Castro y Ernesto "Che" Guevara. Esta revolución provocó un éxodo de cubanos a los Estados Unidos. Estos exiliados se establecieron principalmente en la Florida, con la esperanza[g] de volver muy pronto a su país. Sin embargo, a principios de[h] este siglo, Fidel Castro seguía gobernando[i] Cuba, aunque desde 2007 su hermano Raúl actúa como presidente.
- El régimen de Castro redujo el analfabetismo[j] a menos del 5 por ciento y reformó el sistema educativo con resultados admirables. Pero la situación económica de Cuba es difícil. Con la caída,[k] de la Unión Soviética, Cuba perdió un apoyo[l] financiero indispensable para el país. El embargo económico estadounidense también sigue afectando las condiciones de vida[m] de los cubanos.

[a]dos... *eastern two thirds* [b]*it was* [c]*ceded* [d]*western* [e]Guerra... *Spanish-American War* [f]*overthrow* [g]*hope* [h]a... *at the beginning of* [i]seguía... *still governed* [j]redujo... *reduced illiteracy* [k]*fall* [l]*support* [m]condiciones... *living conditions*

Puerto Rico

- Nombre oficial: Estado Libre Asociado de Puerto Rico
- Capital: San Juan
- Población: casi 4 millones de habitantes
- La isla de Puerto Rico es la más pequeña de las Antillas Mayores y la más oriental. Con 1.000 personas por milla cuadrada[n] (391 personas por km^2), es una de las islas más densamente pobladas del mundo.
- Otro nombre de Puerto Rico es "Borinquen", y los puertorriqueños se conocen también como "boricuas". Estos nombres vienen de la lengua indígena de los taínos. Los taínos llegaron a la isla en el siglo XIII, pero su cultura casi desapareció con la llegada de los españoles en 1493.

[n]milla... *square mile*

La Avenida Hermanas Mirabal, en Santo Domingo. También llamada[a] "El Malecón" y "la discoteca más grande del mundo", la Avenida Hermanas Mirabal es un enorme[b] bulevar donde hay discotecas, restaurantes y bares. Es el corazón[c] del Carnaval Dominicano en la primavera y del Festival del Merengue en el verano. Este festival representa diez días de música, bailes y espectáculos en las calles.

[a]*called* [b]*large* [c]*heart*

El Teatro Nacional, en Santo Domingo. Inaugurado[a] en 1973, el Teatro Nacional cuenta con[b] 1.700 asientos en el auditorio principal. Es uno de los teatros más espléndidos de América. Varias estatuas[c] de dramaturgos,[d] compositores[e] y escritores rodean[f] la Plaza de la Cultura donde se encuentra[g] el teatro. A la entrada[h] del teatro se ve la estatua del dramaturgo español Pedro Calderón de la Barca (1600–1681).

[a]*Inaugurated* [b]*cuenta... has* [c]*statues* [d]*playwrights* [e]*composers* [f]*surround* [g]*se... is found* [h]*entrance*

El Lago[a] Enriquillo. Este lago es el más grande de las islas caribeñas. Hace unos 5.000 años era[b] un canal natural que dividía[c] La Española. Lleva el nombre "Enriquillo" en honor de un cacique[d] taíno que se rebeló contra los españoles en el siglo XVI. Hoy día tiene la concentración más grande de cocodrilos americanos y una especie[e] de iguana endémica[f] de la isla.

[a]*Lake* [b]*Hace... About 5,000 years ago it was* [c]*divided* [d]*chief* [e]*species* [f]*native*

El Parque Colón, Santo Domingo. El Parque Colón está en el centro de la ciudad colonial de Santo Domingo. La estatua de Cristóbal Colón apunta hacia[a] España. A sus pies[b] está la imagen de Anacaona, una cacica[c] taína y la primera taína en aprender a leer y escribir en español. Los españoles consideraron que era demasiado poderosa y peligrosa,[d] y por eso la asesinaron en 1503.

[a]apunta... *is pointing toward* [b]*feet* [c]*female chief* [d]era... *she was too powerful and dangerous*

¿Un futuro jugador de las Ligas Mayores[a]? La República Dominicana también se conoce como "la República del Béisbol", ya que[b] produce más jugadores de las Ligas Mayores que cualquier[c] otro país, excepto los Estados Unidos. Sin embargo, de cada cien aspirantes que asisten a las academias de béisbol dominicanas, sólo uno llega a las ligas menores, y muy pocos de esos llegan a las Ligas Mayores.

[a]Ligas... *Major Leagues* [b]ya... *porque* [c]*any*

El Castillo[a] de los Tres Santos Reyes Magos del Morro, Cuba. Este castillo, también llamado "El Morro", se construyó[b] entre 1589 y 1630 para proteger la flotilla española,[c] que hacía paradas[d] dos veces al año en La Habana mientras transportaba las riquezas[e] del Nuevo Mundo a España.

[a]*Castle* [b]*was built* [c]proteger... *protect the Spanish fleet* [d]hacía... *made stops* [e]*riches*

Jugando al béisbol en Cuba. Para los aficionados al[a] béisbol, Cuba es un paraíso donde el béisbol todavía es una pasión y se juega por amor al[b] juego. En Cuba, hasta ahora, las ligas no se ahogan[c] bajo el control de ningún negocio[d] ni de conflictos laborales. Los jugadores cubanos son regionales, es decir[e] que juegan en el equipo[f] regional, y no son agentes libres. Es de mencionar que Cuba ha ganado[g] más medallas[h] olímpicas en béisbol que ningún otro país desde que[i] el béisbol fue declarado[j] deporte olímpico en 1992. Los cubanos ganaron la medalla de oro en 1992, 1996 y 2004 y la medalla de plata en 2000. También fueron subcampeones[k] en el primer *World Baseball Classic* en 2006.

[a]aficionados... *fans of* [b]amor... *love of the game . . .* [c]*choke* [d]*business* [e]es... *that is to say* [f]*team* [g]ha... *has won* [h]*medals* [i]ningún... *any other country since* [j]*declared* [k]*runners-up*

El lechón[a] con frijoles y arroz. La cocina cubana es una fusión de tradiciones e ingredientes europeos, africanos y americanos. El puerco y el pollo son las carnes principales de los platos cubanos. Los frijoles negros, el arroz y los plátanos[b] también son populares. El lechón asado servido con frijoles negros y arroz es uno de los platos típicos de Cuba.

[a]*suckling pig* [b]*plantains*

El Valle[a] de Viñales. El turismo puede ser una manera de recuperar y suplementar la economía cubana, tradicionalmente agrícola. El ecoturista, por ejemplo, puede visitar plantaciones de tabaco y azúcar en lugares como el Valle de Viñales. Este valle carst[b] se caracteriza por sus mogotes[c] y cuevas[d] pintorescas.

[a]*Valley* [b]*a geographic formation often characterized by abundant caves and aquifers*
[c]*limestone hillocks* [d]*caves*

El Viejo San Juan, Puerto Rico. El Viejo San Juan es la zona histórica de la capital, y queda[a] dentro de las murallas[b] que protegían la ciudad. Sus calles adoquinadas[c] y sus bellos edificios coloniales le dan un gran encanto[d] e interés histórico.

[a]*está* [b]*fortified walls* [c]*cobblestone* [d]*charm*

Un coquí. El coquí es una pequeña rana arborícola[a] endémica[b] de la isla y es uno de los símbolos de Puerto Rico. Su nombre es una imitación del sonido[c] de su voz ("co-quí") y es el sonido nacional de Puerto Rico.

[a]*rana... tree frog* [b]*nativa* [c]*sound*

El Observatorio de Arecibo. Este observatorio, terminado en 1963, contiene el radiotelescopio de un solo disco más grande del mundo. Se compone de casi 40.000 paneles y tiene un diámetro de 305 metros.[a] La antena y el receptor,[b] que son enormes también, están suspendidos 137 metros[c] sobre el disco y se pueden mover para interceptar señales[d] del espacio.

[a]*305... 1,000 feet* [b]*receiver* [c]*137... 450 feet* [d]*signals*

El Yunque, al sureste de San Juan. El Parque Nacional del Caribe, o El Yunque, es el parque nacional más pequeño del sistema de Parques Nacionales de los Estados Unidos, así como[a] el único bosque lluvioso.[b] Es territorio protegido[c] desde 1876, y fue una de las primeras reservas ecológicas del hemisferio occidental.[d]

[a]así... *as well as*   [b]bosque... *rain forest*   [c]*protected*   [d]*western*

El Morro. El Fuerte[a] San Felipe del Morro, o simplemente "El Morro", es una de las fortificaciones españolas más grandes y mejor conservadas del mundo. Los españoles empezaron a construirlo en 1539 a la entrada de la Bahía de San Juan para proteger la bahía y la ciudad de los ataques por mar. Fue objeto de varios ataques a través de[b] la historia, pero nunca fue conquistado.[c] Hoy día es un destino turístico que ofrece algunas de las mejores vistas de San Juan.

[a]*Fort*   [b]a... *throughout*   [c]*conquered*

La música y la literatura de la República Dominicana, Cuba y Puerto Rico

Estos tres países tienen una historia literaria y musical riquísima, donde encontramos estilos y temas tradicionales combinados con otros que reflejan los aspectos importantes de la realidad social actual.

La música y baile nacional de la República Dominicana es el merengue. Los orígenes del merengue se desconocen,[a] pero casi todos concurren en[b] que el merengue es una fusión de tradiciones africanas y europeas con tendencias de la música cubana de los siglos[c] XVII y XVIII. Hay artistas de merengue que se conocen en todo el mundo, como Juan Luis Guerra. Muchas de las canciones de este artista hablan de temas sociales como la pobreza, los problemas de los campesinos, la influencia económica de los Estados Unidos, pero también rescatan temas universales como el amor. Guerra también usa muchos símbolos propios de la geografía dominicana como el mar, el café y los peces[d] para expresar metáforas en sus temas.

En Cuba, la música y el baile son una rica combinación de culturas, pero los ritmos predominantes son africanos. Algunos de los instrumentos musicales más comunes en la música popular cubana incluyen varios tipos de tambores, como el bongó, la conga, la paila y la tumbadora. También destacan[e] las maracas, los claves[f] y el güiro.[g] El estilo musical más conocido y popular se llama "el son". El son se originó en el este de Cuba y se considera el "abuelo" de toda la música cubana. A finales de los años 90, este ritmo se conoció en todo el mundo por la popularidad de la orquesta Buena Vista Social Club, un grupo de músicos mayores que aparecieron en el documental del mismo nombre, dirigido por el prestigioso director Wim Wenders. En la actualidad, es interesante ver cómo los ritmos tradicionales del son se combinan con los de hip hop en la música de artistas excelentes como el grupo Orishas. ¿Escuchaste alguna vez hip hop cubano? ¿Cuáles son las similitudes y diferencias entre este tipo de hip hop y el tradicionalmente norteamericano (Canadá y Estados Unidos)?

[a]se... *are unknown*   [b]casi... *almost everyone agrees*   [c]*centuries*   [d]*fish*   [e]*of note are*   [f]*wooden sticks*   [g]*musical instrument made from a dried gourd*

En Puerto Rico, la música tradicional más conocida comprende[h] "la bomba" y "la plena". Son dos estilos diferentes, pero muchos los conocen en conjunto bajo el nombre de "bombayplena" por las semejanzas[i] que tienen. Los dos estilos tienen orígenes africanos y su interpretación incluye danzas y "conversaciones" entre los participantes. Uno de los instrumentos musicales principales es la pandereta, una especia de *tambourine* pero sin los címbalos. Otros instrumentos pueden incluir varios tipos de tambores, congas, el güiro[j] o sólo una maraca y la guitarra. Hoy en día, Puerto Rico se conoce internacionalmente como la cuna del "reggaetón", una combinación de estilos como el reggae, el hip hop y la música electrónica con ritmos tradicionales como la bomba y el merengue. Tres de los artistas de reggaetón más conocidos de Puerto Rico son Tego Calderón, Daddy Yankee y Luny Tunes. ¿Te gusta el reggaetón? ¿De qué tipo de temas hablan los artistas de este estilo musical? ¿Conoces otros artistas puertorriqueños? Si quieres aprender más sobre los estilos musicales y artistas en esta sección, visita el sitio web **www.mcgrawhill/ca/olc/knorre.**

Otro aspecto importante de la cultura de estos países caribeños, particularmente de Cuba y Puerto Rico, es la literatura. Entre los escritores y poetas cubanos debemos primero mencionar a José Martí (1853–1895), quien se considera uno de los grandes escritores del mundo hispano. Este escritor también tuvo un rol muy activo en la historia de Cuba y Latino América ya que, a través de sus escritos, luchó[k] por la independencia de su país y de otras naciones latinoamericanas de España. Su sueño[l] fue ver a los países latinos unidos e independientes. Otros autores importantes son Reinaldo Arenas (1943–1990), Nicolás Guillén (1902–1983, considerado el poeta nacional de Cuba), Alejo Carpentier (1904–1980, ganador del premio Nobel) y José Lezama Lima (1910–1976). La literatura de Cuba se destaca por su tono político, ya que los escritores mencionados y muchos otros de sus compatriotas expresan sus ideas políticas en sus escritos, rescatando los derechos del pueblo a la libertad.[m]

En la literatura puertorriqueña contemporánea se destaca el trabajo de dos escritoras: Rosario Ferré y Esmeralda Santiago. Las obras de estas dos autoras tratan temas sociales y directamente relacionados a la posición de la mujer en la sociedad puertorriqueña. Otro tema importante en la obra de estas dos escritoras y otros de sus compatriotas son las diferencias culturales entre la isla y los Estados Unidos y la forma en que las mismas influyen sobre la identidad del puertorriqueño que vive en, por ejemplo, Nueva York, pero que nació,[n] creció[ñ] o tiene lazos familiares con Puerto Rico. Algunos de estos autores pertenecen a un grupo que se llama "Nuyorican Movement." ¿En qué consiste este grupo? ¿Por qué se llama así? Encuentra la respuesta a estas preguntas en el sitio web **www.mcgrawhill/ca/olc/knorre.** ¿Por qué piensas que se creó este grupo? ¿Hay algún grupo así en Canadá?

[h]*incluye* [i]*similarities* [j]*gourd instrument* [k]*fought* [l]*dream* [m]*los... the people's right to freedom* [n]*was born* [ñ]*was raised*

Los dominicanos, cubanos y puertorriqueños en Canadá

Como otras comunidades hispanas en Canadá, los dominicanos, cubanos y puertorriqueños tienen una presencia activa en la red con páginas o grupos en sitios como Facebook que actúan como servicio de información para los nuevos inmigrantes y sirven también de conexión para los que ya viven en este país. Por ejemplo, sitios como Torontodominicano.com o cubanosencanada.com proveen información cultural como festivales locales de música y comida, noticias locales e internacionales y canales de comunicación como *chats* que la gente puede usar para comunicarse con otros inmigrantes. ¿Qué otros servicios ofrecen estas páginas? ¿Qué pueden aprender los canadienses sobre los inmigrantes de estos tres países? Visita el sitio web **www.mcgrawhill/ca/olc/knorre** y haz una lista de otros servicios. Escribe además tres aspectos sobre la cultura de la República Dominicana, Cuba y Puerto Rico que aprendiste en tu visita.

Además de dar la bienvenida a los inmigrantes de estos tres países, Canadá, a diferencia de los Estados Unidos, tiene un rol muy importante en la promoción de la cultura de Cuba. La posición neutral de este país con respecto al embargo estadounidense le permite recibir a artistas, escritores y músicos cubanos para presentar su arte. Por ejemplo, en el año 2008, Canadá organizó un evento muy importante para la cultura cubana. ¿Sabes a qué evento nos referimos? ¿Qué ocurrió en el mismo? Lee el siguiente artículo y contesta las preguntas en la página 301.

El arte de Cuba va para Canadá*

por Jacques Lemieux, desde Montréal

Obras de arte de Cuba que muestran la rica y tumultuosa historia de la isla, algunas nunca exhibidas en público, están reunidas[a] por primera vez en una exposición que se inaugura el jueves en el Museo de Bellas Artes de Montréal. "Cuba! Arte e historia de 1868 a nuestros días" ofrece un panorama completo del arte cubano, desde las primeras guerras[b] de la independencia hasta el día de hoy, con unas 400 obras de los artistas cubanos más importantes.

"Es la primera vez que se reúnen tantas obras para contar una historia de Cuba a través[c] de las artes visuales", dijo a la AFP la directora del museo y comisaria[d] de la exposición, Nathalie Bondil. La retrospectiva, que va a extenderse hasta el 8 de junio (de 2008), consiste de un centenar de cuadros, 200 fotografías y documentos de archivos, un centenar de afiches de antes y después de la revolución de 1959, instalaciones, videos y segmentos de música y de películas.

Tres años de trabajo fueron necesarios para preparar la exhibición. Más de la mitad de las obras provienen de Cuba, sobre todo del Museo Nacional de Bellas Artes y la Fototeca de La Habana, y las otras de diferentes colecciones en el mundo, como la del Museo de Arte Moderno de Nueva York (MoMA).

"Nunca se había organizado[e] una exposición tan grande fuera de Cuba", declaró por su parte la directora del Museo de Bellas Artes de La Habana, Moraima Clavijo Colom. Su organización representó un inmenso desafío[f] técnico. El museo debió fabricar en Canadá las cajas[g] que se usaron para transportar el material y luego (1) enviar**las** a Cuba.

Según Bondil, aunque[h] la música y la literatura cubanas han conquistado[i] desde hace tiempo su lugar en el extranjero, no pasa lo mismo con las artes visuales cubanas, a excepción de algunos pintores conocidos como Wilfredo Lam (1902–1982), o fotógrafos famosos de la revolución como Korda, Salas, Corrales o Noval.

Así, además de la foto más famosa de la historia cubana, la de Korda mostrando al 'Che' Guevara como "guerillero heroico", la exposición (2) **le** permite[j] a la gente descubrir artistas como los pintores Cundo Bermúdez y Marcelo Pogolotti. Pero la mayor atracción de la exposición, según Bondil, es el mural revolucionario de 1967 "Cuba Colectiva", pese a que,[k] desde el punto de vista estrictamente artístico, es una obra secundaria. Emblemático[l] de la euforia revolucionaria, este mural fue realizado en una sola noche por un centenar de artistas e intelectuales cubanos y extranjeros en octubre de 1967. El mural salió solo una vez de Cuba, pero casi nadie pudo (3) ver**lo**. Fue hace 40 años, en París. El Salón de Mayo donde fue expuesto debió cerrar pocas horas después de su inaguración por los acontecimientos de mayo de 1968. (AFP)

CUBA: Arte e historia desde 1868 hasta nuestros días. The Montréal Museum of Fine Arts. Del 31 de enero al 8 de junio de 2008. Foto: The Montréal Museum of Fine Arts, Jean-François Brière. Exposición producida por el Montréal Museum of Fine Arts en colaboración con el Museo Nacional de Bellas Artes y la Fototeca de Cuba en La Habana.

[a]*are gathered, are shown together* [b]*wars* [c]*a… through* [d]*curator*
[e]*se… had been organized* [f]*challenge* [g]*boxes* [h]*even though*
[i]*have conquered* [j]*allows* [k]*even though* [l]*as a symbol*

*Text adapted from original text published on http://www1.rionegro.com.ar/blog/eh/index.php?mode=viewid&post_id=704

A. ¿Entendiste?

Vuelve a leer el texto y contesta las siguientes preguntas.

1. ¿Por qué crees que se organizó esta exposición en Canadá y no en Cuba o en los Estados Unidos?
2. ¿Quiénes la organizaron?
3. ¿Cuánto tiempo llevó organizar la exposición? ¿De dónde vienen las obras?
4. Según Bondil, ¿por qué es tan importante esta muestra?
5. ¿Qué problemas tuvieron los organizadores de la exposición cuando la prepararon?
6. ¿Conoces la foto del Che de la que habla el artículo? ¿Cómo es? ¿Qué representa?
7. Teniendo en cuenta el arte que se presenta, ¿qué temas crees que representan las obras?
8. ¿Cuál es la obra más importante de la exposición? ¿Por qué?

B. Los objetos. Vuelve a leer el texto prestando atención a los pronombres de objeto directo e indirecto **subrayados.** Indica si el pronombre es de objeto directo o indirecto y a qué cosa o persona se refiere.

1. las
2. le
3. lo

Proyecto cultural en grupo: Un cuadro especial

Para esta actividad vas a trabajar con tres o cuatro compañeros. Ustedes van a imaginar que son expertos en arte cubano y van a presentar un cuadro representativo de este arte a los estudiantes de otras clases de español en su universidad.

Paso 1. Con los compañeros en tu grupo,

1. visiten el sitio web **www.mcgrawhill/ca/olc/knorre.**
2. elijan uno de los cuadros en los sitios que se encuentran allí y digan por qué lo eligieron.
3. nombren el cuadro y busquen información sobre su artista y fecha en que fue pintado.
4. describan lo que ven en el cuadro con detalles.
5. expliquen qué tema creen que representa y por qué.

En el sitio web **www.mcgrawhill/ca/olc/knorre** van a encontrar información adicional sobre todos los cuadros. Pueden usar esta información para preparar su proyecto.

Paso 2. Presenten la información sobre su cuadro al resto de la clase. Comiencen su presentación de esta forma: "Nosotros elegimos el cuadro (nombre) por (nombre del artista) porque..." Luego den el resto de la información siguiendo el orden en el **Paso 1.**

EN RESUMEN

Gramática

To review the grammar points presented in this chapter, refer to the indicated grammar presentations.

Gramática 1. Expressing *what* or *who(m)*—Direct Objects (Part 2): The Personal **a;** Direct Object Pronouns

Gramática 2. Expressing -self/-selves—Reflexive Pronouns

Do you know how to avoid repetition by using direct object pronouns?

You should be able to talk about your daily routine using reflexive verbs like **levantarse, bañarse,** and **afeitarse.**

Vocabulario

Los verbos

acabar de + *inf.*	to have just (*done something*)
conocer (conozco)	to know, to be acquainted with, to be familiar with; to meet
saber (sé)	to know
saber + *inf.*	to know how to (*do something*)

Los verbos reflexivos

acostarse (me acuesto)	to go to bed
afeitarse	to shave
bañarse	to take a bath
cepillarse los dientes	to brush one's teeth
despertarse (me despierto)	to wake up
divertirse (me divierto)	to have a good time, to enjoy oneself
dormirse (me duermo)	to fall asleep
ducharse	to take a shower
levantarse	to get up (out of bed); to stand up
llamarse	to be called
peinarse	to brush/to comb one's hair
ponerse (me pongo)	to put on (*an article of clothing*)
quitarse	to take off (*an article of clothing*)
sentarse (me siento)	to sit down
vestirse (me visto)	to get dressed

De viaje

el aeropuerto	airport
la agencia de viajes	travel agency
el / la agente de viajes	travel agent
el asiento	seat
de ventanilla	window seat
de pasillo	aisle seat
el / la asistente de vuelo	flight attendant
el autobús	bus
el avión	airplane
el barco	boat, ship
el billete (*Sp.*) / el boleto (*L.A.*)	ticket
de ida	one-way ticket
de ida y vuelta	round-trip ticket
la cabina	cabin (*on a ship*)
la clase turística	tourist class, coach
la cola	line (*of people*)
el crucero	cruise (ship)
la demora	delay
el equipaje	baggage, luggage
la estación	station
de autobuses	bus station
del tren	train station
la llegada	arrival
la maleta	suitcase
el maletero	porter
el medio de transporte	means of transportation
el pasaje	fare, price (*of a plane/train/ bus/ferry/etc. ticket*)
el pasaporte	passport
el / la pasajero/a	passenger
el pasillo	aisle
la primera clase	first class
el puerto	port
la sala de espera	waiting room
la sala de fumar / fumadores	smoking area
la salida	departure
la tarjeta (postal)	(post)card

el tren	train
la ventanilla	small window (*on a plane*)
el vuelo	flight

Repaso: el viaje

facturar el equipaje	to check baggage
guardar (un puesto)	to save (a place[*in line*])
hacer cola	to stand in line
hacer escalas / paradas	to make stops
hacer la(s) maleta(s)	to pack
ir en...	to go/to travel by...
autobús	bus
avión	plane
barco	boat, ship
tren	train
pasar por el control de la seguridad	to go/to pass through security (check)
viajar	to travel
volar (vuelo) en	to fly, to go by plane

Repaso: hacer un viaje

De vacaciones

la camioneta	station wagon; van
el *camping*	campground
la foto(grafía)	photo(graph)
el mar	sea
la montaña	mountain
el océano	ocean
la tienda (de campaña)	tent

Repaso: la playa

estar de vacaciones	to be on vacation
hacer *camping*	to go camping
ir de vacaciones a...	to go on vacation to/in . . .
nadar	to swim
pasar las vacaciones en...	to spend your vacation in . . .
sacar (qu) fotos	to take photos
salir de vacaciones	to leave on vacation
tomar el sol	to sunbathe
tomar unas vacaciones	to take a vacation

Otros sustantivos

el chiste	joke
la flor	flower

Los adjetivos

atrasado/a (*with* estar)	late
juntos/as	together

Palabras adicionales

a tiempo	on time
de vacaciones	on vacation
de viaje	travelling, on a trip
me gustaría (mucho)...	I would (really) like . . .
muchísimo	an awful lot
por	through; for

Vocabulario personal

Use this space to write down other words and phrases you learn in this chapter.

To access the Instructor Supplements, please go to the Online Learning Centre at **www.mcgrawhill.ca/olc/knorre.**

El tiempo libre en Chile

¡Vamos a Chile!

En este capítulo, vamos a visitar Chile. ¿Viajaste a este país alguna vez? ¿Qué sabes de Chile? Escribe tus ideas y luego mira el video sobre Chile en la sección "Panorama cultural" en la red.

Ahora contesta las siguientes preguntas sobre el video. Puedes usar el mapa a continuación como ayuda.

1. ¿Cómo se llama su capital?
2. ¿Qué tipo de lugares podemos encontrar en el este, oeste, sur y norte de Chile?
3. ¿Cómo es la ciudad de Santiago? Describe sus calles, arquitectura y lugares importantes.
4. ¿Cómo podemos definir la cultura chilena?
5. ¿Cómo se define a Chile en el video?

El Famoso restaurante "Brujas" en Valparaíso, Chile

CHILE

Valparaíso

Santiago

CORDILLERA DE LOS ANL

ARGEN

En este capítulo

A comunicarnos
In this chapter, we will learn how to . . .

- talk about pastimes, fun activities, and hobbies
- talk about habitual actions in the past

Gramática
- The imperfect
- Double object pronouns
- Interrogative words

Cultura
- Chile y su gente
- Los deportes y las diversiones en los países hispanos
- Los chilenos en Canadá

VOCABULARIO Preparación

En este capítulo vamos a hablar de las actividades que hace la gente cuando no trabaja, como los deportes y aficiones (*hobbies*). ¿Cuáles son los pasatiempos favoritos de los jóvenes canadienses? ¿Qué les gusta hacer en su tiempo libre?

LOS PASATIEMPOS EN VALPARAÍSO

A continuación te presentamos un folleto con información sobre Valparaíso, una ciudad chilena que les gusta mucho a los jóvenes chilenos. ¿Por qué crees que les gusta? ¿Qué actividades pueden hacer allí? ¿Piensas que Valparaíso le gustaría a un joven canadiense? ¿Por qué? ¿Por qué no? Puedes usar el vocabulario en la página 307 para leer este texto.

Valparaíso: Una ciudad joven

Situada a 120 km. al oeste de Santiago, Valparaíso es una ciudad única. Sus 45 cerros[a] forman un anfiteatro natural con vista al puerto y al océano. Esta pintoresca y multifacética ciudad les ofrece a los jóvenes una gran variedad de **pasatiempos.**

Por ejemplo, el visitante puede **caminar** por Valparaíso apreciando la singularidad de su arquitectura y topografía, como los barrios financiero, portuario y comercial, cerros Alegre y Concepción, más el Museo a Cielo Abierto; **dar un paseo** por la costanera; **pasear en bicicleta** por la Avenida Altamirano o **hacer un picnic** en Playa Ancha.

Para los que disfrutan de los paseos culturales, una de las grandes atracciones de Valparaíso es su casco histórico, que fue declarado Patrimonio de la Humanidad en 2003. Esta ciudad fue lugar de inspiración de pintores y poetas, en especial de Pablo Neruda, Premio Nobel de Literatura en 1971. Una de sus casas, "La Sebastiana", convertida en museo, acerca[b] al visitante a la vida y obra de este poeta.

Para la bohemia, la ciudad tiene una intensa vida nocturna con sus **bares,** restaurantes, pubs, **discotecas** y salones de baile. También el visitante puede disfrutar de **una obra de teatro** o **concierto,** o **ver una película** en uno de los cines de la ciudad.

Los amantes del deporte y el aire libre[c] pueden encontrar en Valparaíso una gama[d] de atracciones de verano como las actividades náuticas[e] en Muelle Barón, la **toma de fotografías, natación** y el *hiking*, o de invierno como el **esquí** y snowboard en la cercana ciudad de Portillo.

La gente disfruta del mar y la playa en Valparaíso, Chile

Y para los que buscan un fin de año[f] diferente, con calor y diversión, Valparaíso les ofrece una opción inolvidable. A fines de diciembre, sus calles se ven inundadas[g] por actividades artístico-culturales. Son tres días de ensueño que terminan con un carnaval y dan paso[h] a la noche de año nuevo, en que la comunidad y los visitantes participan de una celebración pirotécnica espectacular seguida por fiestas en las discotecas más populares de la ciudad.

¡Te esperamos en Valparaíso!

[a]*hills* [b]*brings the visitor close to* [c]*the outdoors* [d]*variety* [e]*activities related to sailing* [f]*New Year* [g]*are flooded with* [h]*give way to*

¿Entendiste?

1. ¿Por qué es Valparaíso una ciudad ideal para los jóvenes?
2. ¿Qué actividades al aire libre ofrece Valparaíso?
3. ¿Qué puede hacer una persona a la que le gustan las actividades culturales?
4. ¿Es posible disfrutar de la música y el teatro en Valparaíso? ¿Por qué? ¿Por qué no?
5. ¿En qué época del año es mejor visitar Valparaíso? ¿Por qué?
6. ¿Qué puedes celebrar en esta ciudad? ¿Por qué se recomienda esta fiesta?

7. ¿Te gustaría visitar Valparaíso? ¿Por qué? ¿Por qué no?

8. ¿Se parece tu ciudad a Valparaíso? ¿Por qué? ¿Por qué no? Compara las actividades que ofrecen las dos ciudades, la geografía y el clima.

9. ¿Qué ciudad canadiense se parece a Valparaíso? ¿Por qué?

10. ¿Cuál es la mejor ciudad canadiense para los jóvenes? ¿Por qué?

Los pasatiempos, diversiones y aficiones

Andrés
Leona
montar a caballo
Nina
Rita
dar un paseo
Irene
Eva
Cristina
correr
Julio
Sara
Felipe
hacer un *picnic*
patinar en línea
pasear en bicicleta

Los pasatiempos

los ratos libres	spare (free) time
caminar	to walk
dar / hacer una fiesta	to have a party
hacer *camping*	to go camping
hacer planes para + *inf.*	to make plans to (*do something*)
ir...	to go . . .
al cine	to the movies
a una discoteca / a un bar	to a disco/to a bar
al teatro / a un concierto	to the theater/ to a concert
a ver una película	to see a movie
jugar (juego) (gu) al ajedrez / a las cartas	to play chess/ cards
sacar (qu) fotos	to take pictures
tomar el sol	to sunbathe
visitar un museo	to visit a museum
aburrirse	to get bored
ser...	to be . . .
aburrido/a	boring
divertido/a	fun/amusing/entertaining

Los deportes

el ciclismo	bicycling
esquiar (esquío)	to ski
el fútbol	soccer
el fútbol americano	football
hacer *surfing*	to surf
nadar	to swim
la natación	swimming
patinar	to skate
patinar en línea	to rollerblade

Cognados: el basquetbol, el béisbol, el golf, el hockey, el tenis, el voleibol

el equipo	team
el / la jugador(a)	player
el partido	game, match
entrenar	to practise, to train
ganar	to win
jugar (juego) (gu) al + *sport*	to play (*a sport*)
perder (pierdo)	to lose
practicar (qu)	to participate (*in a sport*)
ser aficionado/a (a)	to be a fan (of)

El español camaleón

el basquetbol = el baloncesto (*Sp.*)
hacer *camping* = hacer acampada
hacer *surfing* = hacer *surf* (*P.R.*)
pasear en bicicleta = andar en bicicleta, montar en bicicleta
la película = el filme, el film
el voleibol = el vólibol, el volibol

Práctica

A. ¿Cierto o falso?

Paso 1. Corrige las oraciones falsas, según tu opinión.

1. Ver un partido de hockey sobre hielo en la televisión es más aburrido que ir al cine.	C	F
2. Lo paso mejor con mi familia que con mis amigos.	C	F
3. Las actividades educativas me gustan más que las deportivas (*sporting*).	C	F
4. Odio el hockey sobre hielo tanto como el fútbol.	C	F
5. Los estudiantes universitarios tienen tanto tiempo libre como los de la escuela secundaria.	C	F
6. La mejor actividad para un viernes por la noche es estudiar.	C	F
7. Andar en bicicleta es más divertido que esquiar en Banff.	C	F
8. Jugar al ajedrez es más aburrido que jugar a las cartas.	C	F

Paso 2. Ahora haz una lista de tus pasatiempos favoritos y de los que menos te gustan. Compara tu lista con la de un/a compañero/a. ¿Tienen opiniones similares o diferentes?

B. Definiciones

Paso 1. Da las palabras definidas.

MODELO: entrar en un lugar para ver una película → ir al cine

1. un grupo de jugadores
2. asistir a todos los partidos de un equipo en particular
3. salir bien y salir mal en una competencia
4. un deporte que se practica en una piscina o en el mar
5. practicar un deporte intensamente

Paso 2. Ahora define las siguientes palabras, según el modelo del **Paso 1.**

1. un jugador   3. un partido   5. aburrirse
2. hacer un *picnic*   4. dar un paseo

C. ¿Cómo pasan estas personas su tiempo libre?

Paso 1. ¿Qué crees que hacen las siguientes personas para divertirse los sábados? Usa tu imaginación pero limítate a lo que es posible.

1. una persona que tiene mucho dinero y vive en Toronto
2. unos amigos que trabajan en una fábrica (*factory*)
3. un matrimonio joven con poco dinero y dos niños pequeños
4. un/a estudiante universitario/a en Canadá

TIEMPO QUE DEDICAN A SUS AFICIONES	
(Media de minutos diarios)	
Ver la televisión	**120**
Tomar copas	**60**
Pasear	**22**
Leer libros	**15**
Escuchar música	**15**
Oír la radio	**8**
Hacer deporte	**9**
Practicar pasatiempos	**8**
Leer la prensa	**6**
«Juegos»	**4**

Paso 2. Este recorte (*clipping*) de una revista española (a la izquierda) indica el tiempo medio (*average*) que los jóvenes españoles dedican a sus aficiones. ¿Puedes explicar en español lo que significan los términos **tomar copas** y **prensa**? ¿A qué tipos de "**juegos**" se refiere el recorte?

Paso 3. En parejas, indiquen cuántos minutos les dedican ustedes a estas aficiones cada día. ¿Qué diferencia hay entre ustedes y los jóvenes españoles? Digan a la clase lo que ahora saben sobre su compañero/a.

D. Tu ciudad joven

Paso 1. Con un/a compañero/a, haz una lista de actividades que se ofrecen en tu ciudad para la gente joven. Piensa en actividades culturales, paseos, deportes, baile, etc.

Paso 2. Con tu compañero/a, escriban un párrafo informativo usando la lista del **Paso 1** y describiendo las actividades para jóvenes más importantes de tu ciudad. Pueden usar el texto sobre Valparaíso como modelo.

Paso 3. Presenten su párrafo a la clase. ¿Cuáles son las actividades más recomendadas por toda la clase? Elijan el mejor párrafo.

Nota cultural I

Los deportes más importantes en los países hispanos

Sin duda,[a] el deporte más popular en los países hispánicos es **el fútbol. La Copa Mundial** de fútbol es el evento deportivo más popular del mundo. Este **torneo internacional** ocurre cada cuatro años y tiene más **espectadores** que cualquier[b] otro evento deportivo. Por ejemplo, en 2006, más de 284 millones de televidentes miraron el partido final de la Copa Mundial, en comparación con los 140 millones de espectadores del *Super Bowl* en los Estados Unidos. Como es un deporte tan popular, en todas las ciudades hispanas hay muchos **campos**[c] **de fútbol.** Los niños y los adultos van a jugar siempre que pueden.[d]

En Latino América y España hay muchos equipos de fútbol famosos como Real Madrid y Barcelona en España, River Plate y Boca Juniors en Argentina, América de México en México y Peñarol en Uruguay. En Chile, este deporte es el más popular. Por ejemplo, Chile fue sede de la Copa Mundial en 1962 y su equipo nacional de fútbol es uno de los mejores de Sudamérica. Sin embargo, también hay otros deportes importantes como **el tenis,** con jugadores excelentes como Marcelo Ríos, número 1 del mundo en 1998, Nicolás Massú y Fernando González, y **el ciclismo,** con la competencia mundial "La vuelta ciclista de Chile" y el conocido ciclista Marco Arraigada.

Otro deporte popular en el mundo hispano, sobre todo en el Caribe, es **el béisbol.** Como vimos en el **Capítulo 8,** en Cuba, la República Dominicana y también Puerto Rico este deporte tiene una gran importancia y muchos niños en estos países sueñan con ser jugadores en **las ligas profesionales** de los Estados Unidos. En 1973, el puertorriqueño Roberto Clemente fue el primer jugador hispano elegido al *Baseball Hall of Fame.*

Otro deporte muy popular **es el basquetbol** o **baloncesto.** En los Juegos Olímpicos de verano de 2004, la Argentina se llevó la medalla de oro[e] después de derrotar[f] a Italia. En la Asociación Nacional de Basquetbol (*NBA*) de los Estados Unidos hay varios jugadores hispanos, entre ellos Emanuel Ginobili (argentino), Eduardo Nájera (mexicano), Pau Gasol (español) y Carlos Arroyo (puertorriqueño).

[a]*doubt* [b]*any* [c]*fields* [d]*siempre... whenever they can* [e]*se... took the gold medal* [f]*defeating*

¿Entendiste?

1. ¿Cuál es el deporte más importante en la mayoría de los países hispanos?
2. ¿Qué aspectos importantes del fútbol se destacan en este texto?
3. ¿Qué deportes practican muchos chilenos?
4. ¿Por qué crees que el béisbol es tan popular en el Caribe?
5. ¿Qué otros deportes se practican en los países hispanos?
6. ¿Y cuál es la situación deportiva en Canadá? ¿Es similar o diferente a la de los países hispanos? Habla de los deportes, geografía, clima, etc.
7. ¿Quiénes son los deportistas más importantes de Canadá?
8. ¿Te gustan los deportes? ¿Por qué? ¿Por qué no? ¿Practicas alguno(s)? ¿Cuál(es)? ¿Por qué?

Un partido entre las seleccions (*national team*) de Chile y Venezuela

¿Recuerdas?

In **Capítulos 6** and **7,** you learned the forms and some uses of the preterite. Before you learn the other simple past tense (in **Gramática 1**), you might want to review the forms of the preterite in those chapters. The verbs in the following sentences are in the preterite. Can you identify any words in the sentences that emphasize the completed nature of the actions expressed by the verbs?

1. Esta mañana me levanté a las seis.
2. Ayer fui al cine con un amigo.
3. La semana pasada jugué al hockey con mis hermanos.

GRAMÁTICA 1

TALKING ABOUT THE PAST (PART 4) • DESCRIPTIONS AND HABITUAL ACTIONS IN THE PAST: *IMPERFECT OF REGULAR AND IRREGULAR VERBS*

GRAMÁTICA EN ACCIÓN: ESTOY DEPRIMIDA...

Natalia es una estudiante universitaria en Edmonton, pero sus padres son inmigrantes de Chile. El año pasado Natalia conoció a su familia chilena en Valparaíso y ahora es muy amiga de su prima, Noemí. Natalia decide enviarle un mensaje a su prima. Es la última semana de exámenes finales en diciembre. Hace mucho frío y nieva en Edmonton. ¿Por qué está triste? ¿Qué extraña? Lee su mensaje y contesta estas preguntas.

From: natalia_bella@profileweb.ca
To: noemíg@chilejov.cl
Subject: Estoy triste...

Hola prima querida. ¿Cómo estás? Yo me siento un poco triste. No me gusta la vida universitaria. Extraño la escuela secundaria. Todo era diferente y mejor... Cuando estaba en la escuela secundaria, me levantaba temprano, me duchaba y salía muy contenta para mis clases porque eran muy fáciles. No estudiaba mucho y salía mucho con mis amigas. No trabajaba y jugaba al fútbol tres veces por semana. Mi mamá cocinaba y lavaba mi ropa...

¡Ahora tengo tanto que hacer! Me levanto muy temprano y estudio para mis clases. No son fáciles como antes... Tengo que trabajar todos los días en la biblioteca y tengo que cocinar y lavar mi ropa. Sólo puedo jugar al fútbol una vez por semana. Y no salgo mucho con mis amigas porque no tengo mucho tiempo libre. Ahora estudio y estudio y estudio y no me divierto mucho. Creo que necesito otras vacaciones en Valparaíso. ¿Es tu vida tan difícil como la mía?

¿Y tú? Piensa en tu vida en la escuela secundaria y completa las siguientes oraciones.

Cuando estaba en la escuela secundaria…

1. Me levantaba…
2. Estudiaba…
3. Trabajaba en…
4. Salía…
5. Jugaba al… / Practicaba el…
6. ¿Qué otras cosas hacías? ¿Era tu vida más fácil o más difícil que tu vida ahora?

You have already used the *preterite* (**el pretérito**) to express events in the past. The *imperfect* (**el imperfecto**) is the second simple past tense in Spanish. The imperfect is also used for describing the past. However, in contrast to the *preterite*, which is used when you view actions or states of being as begun or completed in the past, the *imperfect* is used when you view past actions or states of being as habitual or as "in progress." Why is Natalia using the imperfect in her e-mail to Noemí? What is she talking about?

Forms of the Imperfect

hablar		comer		vivir	
hablaba	hablábamos	comía	comíamos	vivía	vivíamos
hablabas	hablabais	comías	comíais	vivías	vivíais
hablaba	hablaban	comía	comían	vivía	vivían

1. The imperfect has several English equivalents. Most of these English equivalents indicate that the action was still in progress (*was/were -ing*) or that it was habitual (*used to, would*).

   yo hablaba = *I spoke, I was speaking, I used to speak, I would speak*
   comíamos = *we ate, we were eating, we used to eat, we would eat*
   él vivía = *he lived, he was living, he used to live, he would live*

 The simple English equivalent (*I spoke, we ate, he lived*) can correspond to either the preterite or the imperfect, but it usually corresponds to the preterite.

 would = repeated action

   Comíamos allí todos los domingos.
   We would eat there every Sunday.

2. Stem-changing verbs do not show a change in the imperfect. The imperfect of **hay** is **había** (*there was, there were, there used to be*).

   almorzar (almuerzo) → almorzaba
   perder (pierdo) → perdía
   pedir (pido) (i) → pedía

3. Only three verbs are irregular in the imperfect: **ir, ser,** and **ver.**

ir		ser		ver	
iba	íbamos	era	éramos	veía	veíamos
ibas	ibais	eras	erais	veías	veíais
iba	iban	era	eran	veía	veían

4. Note that the first and third person forms are identical for **-ar, -er,** and **-ir** verbs. When context does not make meaning clear, subject pronouns are used.

   Los sábados **yo jugaba** al tenis y **él paseaba** en bicicleta.
   On Saturdays I used to play tennis and he used to ride his bike.

Uses of the Imperfect

If you know when and where to use the imperfect, understanding where the preterite is used will be easier. When talking about the past, the preterite *is* used when the imperfect *isn't*. That is an oversimplification, but at the same time it is a general rule of thumb that will help you out at first.

The imperfect has the following uses.

1. To describe *repeated habitual* actions in the past

Siempre nos quedábamos en aquel hotel.
We always stayed (used to stay, would stay) at that hotel.

Todos los veranos iban a la costa.
Every summer they went (used to go, would go) to the coast.

2. To describe an *action that was in progress* (*when something else happened*)

Ramón **pedía** la cena (cuando Cristina lo **llamó**).
Ramón was ordering dinner (when Cristina called him).

3. To describe two *simultaneous past actions in progress*, with **mientras**

Tú **dormías mientras** Juan **jugaba** al tenis.
You were sleeping while Juan was playing tennis.

4. To describe ongoing *physical, mental,* or *emotional states* in the past

Estaban muy **distraídos.**
They were very distracted.

La quería muchísimo.
He loved her a lot.

5. To tell *time* in the past and to *express age* with tener

Era la una. / **Eran** las dos.
It was one o'clock. / It was two o'clock.

Tenía 18 años.
She was 18 years old.

 Just as in the present, the singular form of the verb **ser** is used with one o'clock, the plural form from two o'clock on.

Práctica

A. Cuando Noemí era niña... ¿Cómo era la vida de Noemí en Valparaíso cuando era niña? Describe su vida, haciendo oraciones completas con las palabras indicadas. ¿Era tu vida similar a la de ella cuando tenías 6 años? Recuerda conjugar tus verbos y agregar las palabras que faltan (por ejemplo, los pronombres de objeto directo e indirecto).

La vida de Natalia era muy diferente cuando tenía 6 años.

1. todos los días / asistir / a / escuela primaria
2. aprender / a / leer / y / escribir / en / pizarra
3. a / diez / jugar / con / compañeros / en / patio / de / escuela
4. a / una / ir / a / casa / para / almorzar
5. en la tarde / frecuentemente / pasar / por / casa / de / abuelos / y / hacer / su tarea
6. camino a (*on the way*) su casa / comprar / dulces / y / se los / comer
7. cenar / con / padres / y / ayudar / a / lavar / platos
8. mirar / tele / un rato / y / acostarse / a / ocho

B. Los tiempos cambian.

Algunas personas piensan que la vida de antes (por ejemplo, a principios del siglo XX) era mejor que la de ahora. ¿Estás de acuerdo? Las siguientes oraciones describen aspectos de la vida de hoy. En parejas, túrnense para describir cómo son las cosas ahora y cómo eran en otra época (*in another era*) y decidan qué época era mejor, antes o ahora.

HOY

MODELO: E1: Ahora casi todos los bebés nacen (*are born*) en un hospital, pero antes…
E2: Antes casi todos los bebés nacían en casa.

1. Ahora muchas personas viven en una casa muy grande con un jardín pequeño.
2. Se come con frecuencia en los restaurantes.
3. Muchísimas mujeres trabajan fuera de casa.
4. Muchas personas van al cine y miran la televisión.
5. Ahora las mujeres —no sólo los hombres— llevan pantalones.
6. Ahora la mayoría de los niños y adolescentes juegan con video juegos.
7. Ahora tenemos coches pequeños que gastan (*use*) poca gasolina.
8. Ahora usamos más máquinas y por eso hacemos menos trabajo físico.
9. Ahora enviamos muchos mensajes de texto por teléfono.
10. Ahora las familias son más pequeñas.
11. Muchas parejas viven juntas sin casarse (*getting married*).
12. Ahora usamos Wikipedia u otros sitios en la red para saber más sobre un tema.
13. ¿Qué otros aspectos de la vida diaria / el mundo son diferentes? Compara dos aspectos más (por ejemplo, medios de transporte, geografía, etc.)

AYER

C. La escuela secundaria

Paso 1. En parejas, túrnense para entrevistarse sobre su adolescencia y los años de la escuela secundaria. Usen las siguientes categorías para organizar su conversación. Deben obtener detalles interesantes y personales de su compañero/a.

MODELO: gustar: molestar (*to annoy*) a alguien →
E1: Cuando tenías 15 años, ¿a quién te gustaba molestar?
E2: Me gustaba molestar a mi hermano menor. Él a veces tomaba mis cosas sin mi permiso.
E1: ¿Y ahora todavía te gusta molestarlo?
E2: La verdad es que sí. (*Actually, yes.*)

1. gustar: molestar a alguien, oír un tipo de música, vestirse con un estilo de ropa
2. preferir: programas de tele, películas, materias, comidas y bebidas
3. comer: a qué hora, dónde, con quién
4. leer: revistas, novelas
5. hacer: los fines de semana, después de las clases
6. discutir (*to argue*): con quién, sobre qué

Paso 2. Ahora digan a la clase dos cosas que Uds. tenían en común.

MODELO: A Frank y a mí nos gustaba oír música hip hop. Preferíamos ver películas de acción.

Nota comunicativa

The Past Progressive

Sometimes you want to emphasize that an action was in progress in the past. To do so, you can use the past progressive. It is formed with the imperfect of **estar** plus the present participle (**-ndo**) of another verb.

Estábamos cenando a las diez. ¿No **estabas estudiando**?
We were having dinner at ten. *Weren't you studying?*

You will use the past progressive in this way in **Práctica D.**

D. El trabajo de niñera (*baby-sitter*)

El trabajo de niñera puede ser muy pesado (*difficult*), pero cuando los niños son traviesos (*mischievous*) también puede ser peligroso (*dangerous*). ¿Qué estaba pasando cuando la niñera perdió por fin la paciencia? Describe todas las acciones que puedas, usando **estaba(n)** + *present participle* (**-ndo**).

MODELO: La niñera perdió la paciencia cuando… →
          el bebé estaba llorando.

          La niñera perdió la paciencia cuando…

Vocabulario útil	
el timbre	doorbell
discutir	to argue
ladrar	to bark
pelear	to fight
sonar	to ring

A conversar...

Nuestra infancia

Tu compañero/a y tú están estudiando español en Santiago. Como parte de la tarea, tienen que preparar un reporte sobre la niñez típica de un niño/a canadiense. Piensen en su niñez y en el tipo de cosas que hacían cuando eran niños/as. Conversen y averigüen la siguiente información sobre cada uno:

- Lugar donde vivías (describe tu ciudad y tu casa) y con quién vivías (describe cómo era tu familia)
- La escuela a la que ibas (describe la escuela, tus clases, los / las maestros/as)
- Mejor amigo/a y personalidad de esta persona
- Deportes que practicabas
- Programas de televisión que veías
- Cosas que te gustaba hacer en tu tiempo libre

En base a la información de cada uno, escriban un informe corto sobre lo que han averiguado. ¿Hay muchas diferencias / similitudes entre sus experiencias? Presenten su informe al resto de la clase.

EL ESPAÑOL *EN ACCIÓN*

LA ABUELA CHILENA DE NATALIA Y NOEMÍ

La abuela de Natalia y Noemí va a mudarse a la casa de los padres de Noemí y ella la está ayudando a organizar sus cosas. ¿Qué cosas interesantes tiene la abuela? Puedes usar la información en las secciones de **Gramática 2** y **3** para leer este diálogo.

NOEMÍ: Abuelita, qué hermoso reloj. **¿De quién** es?

ABUELA: Ah, sí, era de tu abuelo. **Se lo** regalaron en el trabajo, cuando se jubiló (*retired*). **Se lo** voy a dar a tu papá…

NOEMÍ: ¿Y esta bufanda?

ABUELA: Era mi bufanda favorita cuando yo tenía 15 años. ¿Te gusta? **Te la** puedo dar si quieres.

NOEMÍ: Sí, gracias. Es preciosa. ¿Y estos zapatos? **¿Dónde** los compraste?

ABUELA: **Me los** compró mi mamá cuando tenía 20 años. Siempre los usaba cuando salía a bailar con tu abuelo… ¡Qué lindos recuerdos! Pero ahora están muy viejos. Creo que debemos tirarlos a la basura…

NOEMÍ: ¡No! Están a la moda… A Natalia le van a encantar también. **¿Nos los** das por favor?

ABUELA: Claro… Ustedes, las chicas de hoy, son un poco extrañas…

NOEMÍ: No, no, somos muy normales… Y dime abuela, ¿tienes más ropa interesante? **¿Cuáles** son las maletas con tu ropa vieja?

ABUELA: La azul y la roja tienen mucha ropa vieja. **¿Me las** traes por favor? Podemos ver qué te puedes llevar…

NOEMÍ: Perfecto. A ver si tienes alguna ropa interesante para la fiesta de mi amiga Anita esta noche…

¿Entendiste?

1. ¿Qué están organizando Noemí y su abuela?
2. ¿A quién le quiere dar la abuela el reloj del abuelo?
3. ¿Qué ropa le gusta a Noemí?
4. ¿Cuándo usaba la abuela la ropa que le gusta a Noemí?
5. ¿Compró la abuela los zapatos o **se los** regalaron? ¿Quién?
6. ¿Dónde guarda la abuela su ropa vieja?
7. ¿Usas la ropa vieja de tus padres y / o abuelos? ¿Por qué? ¿Por qué no?

Lengua

1. En las siguientes oraciones, ¿a qué se refieren los pronombres **se** y **lo**?

NOEMÍ: Abuelita, qué hermoso reloj. ¿De quién es?

ABUELA: Ah, sí, era de tu abuelo. **Se lo** regalaron en el trabajo, cuando se jubiló (*retired*). **Se lo** voy a dar a tu papá…

¿Por qué crees que se usa **se** en vez de **le**?

2. ¿Qué otros pronombres de objeto directo e indirecto aparecen en el diálogo? Haz una lista y menciona en qué oración aparecen y a qué sustantivo reemplazan.

MODELO: Pronombre **los** en "¿Dónde **los** compraste?"
Reemplaza al sustantivo **zapatos.**

GRAMÁTICA 2

EXPRESSING DIRECT AND INDIRECT OBJECTS TOGETHER • DOUBLE OBJECT PRONOUNS

GRAMÁTICA EN ACCIÓN: NOEMÍ HABLA DE LA FIESTA DE ANITA

Este fin de semana pasado, Noemí estuvo en una fiesta en casa de su mejor amiga, Anita, quien es también muy buena amiga de Natalia. Ahora Noemí le escribe un mensaje a Natalia describiendo la fiesta.

1. Hice unas empanadas chilenas tradicionales y **se las** di a Anita para la fiesta.

2. Me encantó el CD que Anita puso en la fiesta. Por eso Anita **me lo** prestó para oírlo en casa.

3. Sergio sacó muchas fotos de la fiesta y **nos las** mostró en la computadora.

¿Entendiste?

¿Cierto o falso? Corrige las oraciones falsas.

1. ¿Las empanadas? Noemí **se las** dio a Anita.   C   F
2. ¿El CD? Sergio **se lo** prestó a Berta.   C   F
3. ¿Las fotos? Anita **se las** mostró a todos.   C   F

Order of Pronouns

When both an indirect and a direct object pronoun are used in a sentence, the indirect object pronoun (**I**) precedes the direct (**D**): **ID.** Note that nothing comes between the two pronouns. The position of double object pronouns with respect to the verb is the same as that of single object pronouns.

—¿Tienes el trofeo?
Do you have the trophy?
—Sí, acaban de dár**melo.**
Yes, they just gave it to me.

—Mamá, ¿está listo el almuerzo?
Mom, is lunch ready?
—**Te lo** hago ahora mismo.
I'll make it for you right now.

Le(s) → se

1. When both the indirect and the direct object pronouns begin with the letter **l,** the indirect object pronoun always changes to **se.** The direct object pronoun does not change. Four combinations are possible: **se lo, se la, se los, se las.** In all cases, **se** represents the indirect object. The direct object is represented by **lo, la, los,** or **las.** In sentences of this kind, just use **se** automatically and focus only on the correct direct object form.

Les dimos <u>el auto</u>. (les <u>lo</u>)   *We gave them the car.*

Se lo dimos.   *We gave it to them.*

Le escribí <u>la carta</u> ayer. (le <u>la</u>)   *I wrote her the letter yesterday.*

Se la escribí ayer.   *I wrote it to her yesterday.*

Le regaló <u>esos zapatos</u>. (le <u>los</u>)   *He gave him those shoes.*

Se los regaló.   *He gave them to him.*

Les mandamos <u>las invitaciones</u>. (le <u>las</u>)   *We sent them the invitations.*

Se las mandamos.   *We sent them to them.*

2. Since **se** can stand for **le** (*to/for you* [sing.], *him, her*) or **les** (*to/for you* [pl.], *them*), it is often necessary to clarify its meaning by using **a** plus the pronoun objects of prepositions.

Se lo escribo **a Uds. (a ellos, a ellas…).**
I'll write it to you (them . . .).

Se las doy **a Ud. (a él, a ella…).**
I'll give them to you (him, her . . .).

Práctica

A. Lo que se oye en casa. ¿A qué se refieren las siguientes oraciones? Fíjate en (*Note*) los pronombres y en el sentido (*meaning*) de la oración.

1. No **se lo** prendas (*switch on*). Prefiero que los niños lean o que jueguen.
2. ¿Me **la** pasas? Gracias.
3. Tengo muchas ganas de comprárme**los** todos. Me encanta esa música.
4. ¿Por qué no se **las** mandas a los abuelos? Les van a gustar muchísimo.
5. Tengo que reservárte**los** hoy mismo, porque se vence (*expires*) la oferta especial de Lan Chile.
6. Yo se **la** di a Lupe para su cumpleaños. Antonio y Diego le hicieron un pastel.

a. unas fotos
b. la ensalada
c. unos billetes de avión para Santiago
d. la fiesta
e. el partido de fútbol
f. los CDs de los Orishas

B. En la mesa. Imagina que acabas de comer, pero todavía tienes hambre. Pide más comida, según el modelo.

MODELO: ensalada → ¿Hay más *ensalada*? ¿Me *la* pasas, por favor?

1. pan
2. tortillas
3. tomates
4. fruta
5. vino
6. jamón

C. En el aeropuerto. Estas son algunas de las frases que se escuchan en el aeropuerto de Santiago de Chile. Cambia los sustantivos por pronombres para evitar (*avoid*) la repetición.

MODELO: ¿La maleta? Van a enviarme (*send*) la maleta mañana. →
¿La maleta? Van a enviár*mela* (*Me la* van a enviar) mañana.

1. ¿La hora de la salida? Acaban de decirnos la hora de la salida.
2. ¿El horario? Sí, ¿me repite el horario, por favor?
3. ¿Los boletos? No, no nos tiene que mostrar los boletos aquí.
4. ¿El equipaje? Sí, yo le puedo facturar el equipaje.
5. ¿Los boletos? Ya te di los boletos.
6. ¿El puesto? No te preocupes. Te puedo guardar el puesto.
7. ¿La clase turística? Sí, les recomiendo la clase turística, señores.
8. ¿La cena? La asistente de vuelo nos va a servir la cena en el avión.

D. Regalos especiales

Paso 1. The drawings in **Grupo A** show the presents that different members of Noemí's family have just received. They were given by the people in **Grupo B.** Can you match the presents with the giver? Make as many logical guesses as you can.

GRUPO A

Ⓐ Estela

Ⓑ Maritere

Ⓒ

Carlos y Juanita

Ⓓ Rigoberto

GRUPO B

① Pilar

② Jorge

③

Raúl

④ la Sra. Santana

Paso 2. Now compare your matches with those of a partner. Use the verbs **dar, comprar, traer** and **regalar.**

MODELO: E1: ¿Quién le regaló (dio) la computadora a Maritere?
E2: Se la regaló (dio) _____.

E. ¿Quién te regaló eso?

Paso 1. Haz una lista de los cinco mejores regalos que tú has recibido (*have received*) en tu vida (*life*). Si no sabes cómo expresar algo, pregúntaselo a tu profesor(a).

Paso 2. Ahora dale a un/a compañero/a tu lista. Él / Ella te va a preguntar: **¿Quién te regaló _____?** Usa pronombres en tu respuesta.

 Fíjate en estas formas en plural **(ellos): regalaron, dieron, mandaron.**

MODELO: E1: ¿Quién te regaló los aretes?
E2: Mis padres *me los* regalaron.

Nota cultural II

Condorito*

Condorito es una caricatura chilena famosa en toda Latinoamérica y se considera un símbolo cultural de Chile. El siguiente texto, publicado por la Biblioteca Nacional Chilena, en su sitio en la red "Memoria chilena: Portal de la cultura de Chile", te cuenta la historia de esta caricatura.

La primera caricatura de **Condorito** apareció en la revista *Okey* el 13 agosto de 1949 como una mezcla[a] entre un cóndor y un "huaso"[b] chileno que siempre necesitaba dinero y tenía dificultades para obtenerlo. En los años en

que la migración rural de Chile chocaba[c] con la nueva realidad urbana, Condorito, el Aventurero, fue la representación gráfica del campesino ingenioso y bromista[d] que emigra a la ciudad.

Su creador, René Ríos Boettiger, creó a Condorito luego de ver dos de las películas realizadas por Walt Disney,

[a]*mixture* [b]*hick; country bumpkin* [c]*collided with* [d]*fond of joking or playing jokes*

*Adapted from original text on http://www.memoriachilena.cl/temas/index.asp?id_ut=condorito(1949-).

"Saludos amigos" y "Los tres caballeros", en 1943, donde se representaban los distintos países latinoamericanos con diferentes personajes[e] de caricatura. Para Chile, Disney creó a **Pedrito,** un pequeño avión que cruzaba con dificultad la Cordillera de los Andes para llevar la correspondencia a Argentina. Sin embargo, para el autor de Condorito, la caricatura de Disney no representaba a Chile y entonces decidió crear a su Condorito.

Ríos Boettiger le dio a Condorito una familia particular y un lugar donde vivir. De esta forma[f] aparecieron **Yayita,** la novia eterna de Condorito, **Don Chuma,** su amigo fiel y **Coné,** el sobrino que Condorito recibe en su casa y adopta como a un hijo. También el autor concibió[g] la ciudad de **Pelotillehue,** localidad semi-rural, ubicada entre Cumpeo y Buenas Peras para Condorito y una variedad de personajes que constituyen[h] un universo heterogéneo y pintoresco.

Muchas expresiones propias de **Condorito** hoy forman parte del dialecto chileno como por ejemplo "Exijo[i] una explicación", frase que expresa la sorpresa de Condorito cuando fracasa[j] y "Reflauta", una expresión de sorpresa.

El humor de **Condorito** no se basó[k] en aspectos políticos y sociales, pero, implícitamente, presentó los cambios que

Chile y el mundo experimentaron en las últimas décadas. Por ejemplo, Condorito tuvo muchos trabajos contemporáneos y además representó a políticos, deportistas, científicos y artistas del cine y la música. Sus aventuras también lo llevaron a distintos países y épocas históricas.

Leer a la revista de **Condorito** es el pasatiempo favorito de muchos niños y adultos chilenos y latinoamericanos. Si quieres saber más sobre este personaje y sus amigos, visita el sitio oficial de esta caricatura en http://www.condorito.cl/index.htm.

[e]*characters* [f]*de... in this way* [g]*conceived* [h]*constitute*
[i]*I demand* [j]*fails* [k]*was not based*

¿Entendiste?

1. ¿Por qué piensas que Condorito es un símbolo cultural de Chile?
2. ¿Cómo es Condorito? Puedes usar la información del texto y el dibujo en esta sección para contestar esta pregunta.
3. ¿Por qué crees que el autor eligió a un cóndor?
4. ¿Cuál fue la inspiración para la creación de Condorito?
5. ¿Cuándo se creó Condorito? ¿Qué tema social representa?
6. ¿Dónde vive Condorito? ¿Qué personajes son parte de su vida?
7. ¿Qué tipo de temas crees que presenta Condorito en sus chistes? Puedes usar la información en el texto y la tira cómica a continuación para contestar esta pregunta.
8. ¿Existe una caricatura típicamente canadiense como Condorito? Si es así, ¿cómo es? ¿De qué temas habla?
9. Lee algunos de los chistes en la página de Condorito. ¿Te parecen divertidos? ¿Por qué? ¿Por qué no?
10. ¿Crees que a los canadienses les gustaría leer Condorito? ¿Por qué? ¿Por qué no? Piensa en aspectos culturales y sociales para responder esta pregunta.
11. Cuando eras niño/a, ¿te gustaba leer caricaturas o *"comics"*? ¿Cuáles eran tus preferidas/os? Y ahora, ¿lees alguna/o?

Estatua de Condorito y su perro en Washington, D.C.

¿Recuerdas?

You have been using interrogative words since the beginning of *Puntos de partida,* Canadian Edition, so not much will be new for you in **Gramática 3.** Review what you already know by telling which interrogative word or phrase you associate with the following phrases.

1. un lugar
2. la hora
3. una persona
4. la manera de hacer algo
5. una selección
6. la razón (*reason*) de algo
7. el lugar de origen de una persona
8. el destino (*destination*)
9. una cantidad
10. ser el dueño (*owner*) de algo

GRAMÁTICA 3

GETTING INFORMATION (PART 2) • SUMMARY OF INTERROGATIVE WORDS

GRAMÁTICA EN ACCIÓN: EL RESTAURANTE PREFERIDO DEL TÍO DE NATALIA Y NOEMÍ

Natalia y Noemí tienen un tío, Jorge, que emigró de Santiago de Chile a los Estados Unidos en los años 80. A Jorge le encanta la comida latinoamericana y siempre come en este restaurante. Lee el anuncio del restaurante y contesta las siguientes preguntas.

1. ¿Cómo se llama el restaurante?
2. ¿En qué ciudad de Connecticut está?
3. ¿En qué tipo de cocina se especializa el restaurante?
4. ¿Cuál es la especialidad de este restaurante?

¿Y tú? ¿Cuántas preguntas más puedes hacer sobre este restaurante, por lo que dice el anuncio?

El Pavo real
RESTAURANTE • CLUB DE BAILE
32 Garvey St., New Haven, CT
El lugar más amplio y más lujoso de CT.

Comida Colombiana con Especialidad en Mariscos

Venga y deléitese con nuestros sabrosos platos
ABIERTO TODOS LOS DÍAS DESDE LAS 11:30 A.M. - 2:00 A.M

VIERNES, 6 DE OCTUBRE
• PRESENTANDO LA SENSACIÓN DEL MERENGUE •
ORQUESTA MALA FE CANTANDO TODOS SUS ÉXITOS

¿Cómo?	How?	**¿Dónde?**	Where?
¿Cuándo?	When?	**¿De dónde?**	From where?
¿A qué hora?	At what time?	**¿Adónde?**	Where (to)?
¿Qué?	What? Which?	**¿Cuánto/a?**	How much?
¿Cuál(es)?	What? Which one(s)?	**¿Cuántos/as?**	How many?
¿Por qué?	Why?	**¿Quién(es)?**	Who?
		¿De quién(es)?	Whose?

The chart above shows all of the interrogatives you have learned so far. Be sure that you know what they mean and how they are used. If you are not certain, the index and end-of-book vocabularies will help you find where they are first introduced. Only the details about using **¿qué?** and **¿cuál?** are new information.

Using ¿qué? and ¿cuál?

1. **¿Qué?** asks for a definition or an explanation.	**¿Qué** es esto? *What is this?*
	¿Qué quieres? *What do you want?*
	¿Qué practicas? *What (sport) do you play?*
2. **¿Qué?** can be directly followed by a noun.	**¿Qué deporte** prefieres? *What (Which) sport do you prefer?*
	¿Qué ciudad chilena te gusta más? *What (Which) Chilean city do you like most?*
	¿Qué instrumento musical tocas? *What (Which) musical instrument do you play?*
3. **¿Cuál(es)?** expresses *what?* or *which?* in all other cases.	**¿Cuál** es la clase más grande? *What (Which) is the biggest class?*
	¿Cuáles son tus jugadores favoritos? *What (Which) are your favourite players?*
	¿Cuál es la capital de Chile? *What is the capital of Chile?*
	¿Cuál es tu (número de) teléfono? *What is your phone number?*

Práctica

A. ¿Qué o cuál(es)?

1. ¿_____ es esto? —Un lavaplatos.

2. ¿_____ son los Juegos Olímpicos? —Son un conjunto (*group*) de competiciones deportivas.

3. ¿_____ es el deporte que más te gusta? —El tenis.

4. ¿_____ bicicleta vas a usar? —La de mi hermana.

5. ¿_____ son los cines más modernos? —Los del centro.

6. ¿_____ DVD debo sacar? —El nuevo del director David Cronenberg.

7. ¿_____ es una cafetera? —Es un aparato que se usa para hacer café.

8. ¿_____ es tu padre? —En la foto, es el hombre a la izquierda del coche.

B. Entrevista: Datos (*Information*) personales

Paso 1. Haz preguntas para averiguar (*find out*) la siguiente información de un/a compañero/a. Es posible usar varias palabras interrogativas.

MODELO: su dirección? → ¿Cuál es tu dirección? (¿Dónde vives?)

1. su (número de) teléfono	**5.** su tienda favorita
2. la persona en que más confía (*he/she trusts*)	**6.** la fecha de su próximo examen
3. su cumpleaños	**7.** su libro favorito
4. la ciudad en que nació (*he/she was born*)	**8.** deportes que practica

Paso 2. Ahora camina por la clase y entrevista a tus compañeros usando tus preguntas del **Paso 1.** Anota el nombre de la persona que responde. Debes entrevistar a ocho personas diferentes.

Paso 3. Reporta a la clase algunos de los resultados de tu encuesta.

C. Una encuesta sobre el pasado

En parejas, túrnense para entrevistarse sobre los siguientes temas hablando de sus preferencias de niño/a. Deben obtener detalles interesantes y personales de su compañero/a. Tienen que utilizar estos verbos: gustar, practicar, jugar, tener, ver, comer, leer.

MODELO: estaciones del año →
E1: ¿Qué estación preferías (entre todas) de niño/a?
E2: Prefería el invierno.
E1: ¿Por qué?
E2: Porque me gustaba jugar en la nieve.

1. estilo de música
2. pasatiempos o juegos
3. deportes
4. colores
5. programas de televisión
6. tipos de comida
7. libros y revistas

D. Repaso: ¿Qué hizo Ricardo ayer?

Paso 1. The following drawings show what Ricardo, Noemí's brother, did yesterday. Match the phrases with individual drawings in the sequence. Then narrate what Ricardo did, using verbs in the preterite.

Some of the phrases are not depicted in the drawings but are related to the time of day or activity in the drawing, and some drawings can be associated with more than one phrase.

a. _____ llegar tarde a su primera clase

b. _____ almorzar en un bar con algunos amigos

c. _____ quedarse en cama durmiendo

d. _____ mirar la televisión un rato

e. _____ regresar a casa

f. _____ ir al gimnasio

g. _____ ducharse y vestirse rápidamente

h. _____ acostarse

i. _____ estudiar un rato

j. _____ jugar un partido de baloncesto

k. _____ despertarse temprano

l. _____ hacer la cena

m. _____ sonar el teléfono

Paso 2. Ahora haz oraciones completas con las palabras indicadas para dar más detalles sobre el día de Ricardo. Usa el imperfecto de los verbos. Los números concuerdan con (*correspond to*) los números de los dibujos del **Paso 1.**

1. ser **/** seis y media **/** mañana
2. Ricardo **/** tener prisa
3. estudiantes **/** escuchar **/** profesora
4. Ricardo **/** tener **/** mucho **/** hambre
5. haber **/** mucho **/** personas **/** gimnasio
6. ser **/** temprano **/** todavía
7. no **/** querer **/** hablar **/** teléfono
8. Ricardo **/** pensar **/** en **/** examen **/** mañana

E. Repaso: Lengua y cultura: El pasado en un poema

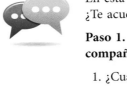

En esta actividad, vamos a trabajar con un poema del autor uruguayo Mario Benedetti. ¿Te acuerdas de él? Lo mencionamos en el **Capítulo 7.** Este poema se llama *Pasatiempo*.

Paso 1. Antes de leer: Con un/a compañero/a, contesten estas preguntas.

1. ¿Cuántos años tenía el autor cuando le tomaron esta foto?
2. ¿Qué tipo de personalidad tenía? Piensa en tres características.
3. ¿Sobre qué temas crees que escribía? Piensa en dos temas.
4. En el poema aparecen las siguientes palabras. ¿Cuál crees que es el tema del mismo?

niños   viejos   muerte   cincuenta

Paso 2. A leer: Con tu compañero/a, lean el poema y comprueben si sus ideas sobre Benedetti y el poema son correctas.

Cuando éramos niños	ya cuando nos casamos[e]
los viejos tenían como treinta	los ancianos[f] estaban en cincuenta
un charco[a] era un océano	un lago era un océano
la muerte[b] lisa y llana	la muerte era la muerte
no existía	de los otros
luego cuando muchachos[c]	ahora veteranos
los viejos eran gente de cuarenta	ya le dimos alcance[g] a la verdad[h]
un estanque[d] era un océano	el océano por fin es el océano
la muerte solamente	pero la muerte empieza a ser
una palabra	la nuestra.

[a]*puddle* [b]*death* [c]*jóvenes* [d]*pond* [e]*we got married* [f]*viejos* [g]*we have reached* [h]*truth*

Paso 3. Después de leer: Con tu compañero/a, comparen sus ideas y contesten las siguientes preguntas.

1. ¿Cuál es la idea principal del poema? ¿Qué períodos de la vida describe Benedetti?
2. Según las imágenes de Benedetti, ¿qué características definen a cada período? Escribe dos características.

Infancia: "un charco era un océano / la muerte lisa y llana / no existía"

_____ y _____

Juventud: "un estanque era océano / la muerte solamente / una palabra"

_____ y _____

Madurez: "un lago era un océano / la muerte era la muerte / de los otros"

_____ y _____

Vejez: "el océano es por fin el océano / pero la muerte empieza a ser / la nuestra"

_____ y _____

3. ¿Estás de acuerdo con la visión de Benedetti? ¿Cómo veías el mundo cuando eras niño/a? Piensa en dos ejemplos de cosas que hacías o en las que creías que muestran esta visión.
4. ¿Cómo es el tono del poema? ¿Crees que la foto de Benedetti coincide con el tono del poema? ¿Cómo se siente el autor?
5. ¿Te gustó el poema? ¿Cómo te sentiste?

UN POCO DE TODO

VIDEOTECA

Entre amigos

Primera parte

¿Te acuerdas de Miguel, Tané, Rubén y Carina, los estudiantes que conocimos en el **Capítulo 1**? En este capítulo, estos estudiantes hablan de lo que les gusta hacer en su tiempo libre y planean su fin de semana. ¿Cuáles crees que son sus actividades preferidas? ¿Crees que alguno de ellos practica algún deporte? Escribe algunas ideas en el cuadro a continuación. Toma en cuenta su país de origen y lo que sabes sobre estos países.

	¿Qué les gusta hacer en su tiempo libre?	¿Practican un deporte? ¿Cuál?	¿Tocan un instrumento musical? ¿Cuál?	¿Qué les gusta hacer con sus amigos?
Miguel (México)				
Tané (Cuba)				
Rubén (España)				
Carina (Venezuela)				

Ahora mira la primera parte del video y comprueba si tus ideas son correctas o no. Completa el cuadro con otras ideas. ¿Son tus preferencias similares o diferentes? ¿A cuál de los cuatro estudiantes te pareces más?

Segunda parte

¿Tienes algún plan para este fin de semana? ¿Adónde vas a ir? Teniendo en cuenta las preferencias de Miguel, Tané, Rubén y Carina, ¿qué piensas que van a hacer el fin de semana? ¿Crees que van a salir juntos? Escribe algunas ideas y luego mira la segunda parte del video. ¿Son tus ideas correctas?

¿Entendiste?

A. El fin de semana. Contesta las siguientes preguntas sobre los planes de Miguel, Tané, Rubén y Carina.

1. ¿Por qué quiere Rubén salir este fin de semana?
2. ¿Qué hizo Rubén la semana pasada?

3. ¿Adónde deciden ir el sábado? ¿Qué tipo de lugar es?
4. ¿Qué planes tiene Miguel para hoy? ¿Va a salir con Rubén y Carina?
5. ¿Le gusta a Tané el plan de Rubén y Carina? ¿Por qué?
6. ¿Por qué crees que Tané y Carina saben bailar salsa pero Rubén no sabe? Piensa en sus culturas.
7. ¿A qué hora van a salir el sábado?
8. ¿Qué quieren hacer el domingo?
9. ¿Son tus planes para este fin de semana similares o diferentes? ¿Por qué?
10. ¿Hay algún lugar para bailar salsa en tu ciudad? ¿Lo conoces? ¿Te gusta? ¿Por qué? ¿Por qué no?

B. Tus planes. En el clip que viste, Miguel y sus amigos planean su fin de semana. Imagina que Miguel quiere saber más sobre tus planes…

Paso 1. Lee sus preguntas y elige la respuesta más adecuada.

1. Hola. Qué onda. Por fin es viernes. Qué semana muy larga, ¿verdad? ¿Qué planes tienes para el fin de semana?

   ☐ Porque me aburro los lunes.
   ☐ Jugaba al fútbol con mis amigos todos los domingos.
   ☐ No sé. Todavía no tengo planes.
   ☐ Fui a la playa.
   ☐ Mis abuelos me compraban un helado.

2. ¿Qué piensas hacer el domingo?

   ☐ Tengo que estudiar.
   ☐ Fui a desayunar a un restaurante con mis padres.
   ☐ No soy aficionado/a a los deportes.
   ☐ Limpié la casa entera.
   ☐ Montaba a caballo con mi hermana todos los domingos.

3. ¿Por qué no cenamos juntos esta noche? ¿Qué tipo de comida te gusta más?

   ☐ La natación es interesante.
   ☐ Son divertidas las películas de acción.
   ☐ Me encanta la comida chilena.
   ☐ Era muy larga la película.
   ☐ Me aburren los museos.

4. Está bien. Conozco un restaurante excelente. Y después, ¿qué quieres hacer?

   ☐ Pasé la aspiradora.
   ☐ Siempre dormía hasta muy tarde.
   ☐ Fui al cine con mi mejor amigo.
   ☐ ¿Por qué no vamos a bailar salsa?
   ☐ ¿Quieres esquiar en la nieve?

Paso 2. Ahora tienes que hacer preguntas o respuestas para cada una de las respuestas o preguntas en **Paso 1.**

MODELO: Respuesta: Porque me aburro los lunes.
Tú preguntas: ¿Por qué no te gustan los lunes?

C. A inventar: El fin de semana de Miguel, Tané, Rubén y Carina

Paso 1. Con un/a compañero/a, imaginen que son uno de los personajes en el video clip (Miguel, Tané, Rubén o Carina). Es el lunes por la mañana y le cuentan a otro amigo lo que hicieron este fin de semana. Cuenten qué pasó el sábado y el domingo como si fueran (*as if you were*) uno de estos cuatro estudiantes, teniendo en cuenta la personalidad y las características de cada uno de ellos. Usen el pretérito y el imperfecto y:

1. describan el lugar adónde fueron el sábado por la noche (cómo era el lugar, la gente, la música, etc.);
2. qué hicieron allí (qué hizo cada uno de los personajes, qué comieron y bebieron, etc.);
3. qué película vieron el domingo;
4. cómo era la película (el tema, los personajes, las características);
5. qué hicieron después de la película.

Paso 2. Presenten su historia a la clase. La clase va a elegir la historia más creativa e interesante.

LECTURA

SOBRE LA LECTURA... Este artículo apareció en la revista *Quo,* una publicación española que trata de temas populares, como la tecnología, la salud, la vida cotidiana (*daily*) y las relaciones entre los sexos. La lectura relata un fenómeno cultural reciente en España, el creciente (*growing*) número de empresas (*businesses*) de servicio de "veinticuatro horas".

> **ESTRATEGIA: Recognizing Derivative Adjectives**
>
> In previous chapters you learned to recognize cognates, word endings, and new words that are related to familiar words. In this chapter, you will learn about derivative adjectives, a large group of adjectives derived from verbs. These adjectives end in **-ado** or **-ido.** You can often guess their meaning if you know the related verb. For example: **conocer** (*to know*) **conocido** (*known, famous*); **preparar** (*to prepare*) **preparado** (*prepared*).
>
> In the following reading there are many **-do** adjectives. Try to guess their meaning from context. You might also notice past participle forms (**-do**) in conjunction with a verb form you don't recognize, such as **ha comentado** (*has commented*).

ANTES DE LEER

- Lee el título del texto.
- Estas son algunas de las palabras que aparecen en el texto: trabajos, veinticuatro horas, gimnasios, supermercados, jóvenes.

Teniendo en cuenta el título del artículo, la revista donde se publicó y las palabras dadas, ¿cuál piensas que es el tema principal de este texto? Escribe algunas ideas.

A LEER

Noctámbulos

Las ciudades españolas se están adaptando con rapidez a la llamada "sociedad de las veinticuatro horas". Cualquier[a] necesidad puede ser cubierta[b] a cualquier hora. Esto es algo que en países como Canadá, Estados Unidos u Holanda hace tiempo que es[c] una realidad, pero en España es ahora cuando se está produciendo el *boom* de las empresas de servicios veinticuatro horas. Es lo que llamamos la "sociedad de las veinticuatro horas". Ya no sólo basta con[d] poder comer de madrugada[e] en un restaurante o pidiendo la comida desde nuestra casa. Por eso la oferta se está ampliando notablemente. En los "*work centre*" se puede hacer todo tipo de trabajos a cualquier hora, desde una simple fotocopia a una presentación completa en "PowerPoint".

Pero no son los únicos servicios que podemos encontrar de noche. Ya hay gimnasios abiertos hasta la madrugada y videoclubes nocturnos que incluyen cajeros expendedores[f] de películas que funcionan las veinticuatro horas. Pero, por supuesto, también podemos hacer la compra de madrugada en un supermercado. De hecho,[g] en una encuesta[h] realizada en el Reino Unido[i] más de un millón de personas declaró que sólo podía hacer la compra a partir de[j] las diez de la noche. En plena era de las comunicaciones[k] no podíamos dejar de mencionar los cibercafés, que en algunos casos abren hasta bien entrada la madrugada.[l]

[a]*Any* [b]*covered, taken care of* [c]*hace... for some time has been* [d]*Ya... It's no longer enough* [e]*de... late at night* [f]*cajeros... dispensing machines* [g]*De... In fact* [h]*survey* [i]*Reino... United Kingdom* [j]*a... después de* [k]*En... At the height of the communications age* [l]*hasta... well into the early morning*

En total, entre un 10 y un 20 por ciento de la población activa, en función de los distintos sectores de producción, realiza toda o parte de su jornada laboral[m] por la noche. En España, son casi 2 millones de personas las que trabajan de noche, sin olvidarnos de quienes optan por el ocio:[n] el 63 por ciento de los jóvenes dedican su tiempo libre a salir de noche, porcentaje que se va reduciendo con la edad.

[m]jornada... *work day*   [n]*leisure*

Un gimnasio que está abierto las veinticuatro horas, en Barcelona, España

DESPUÉS DE LEER

A. ¿Cierto o falso? Corrige las oraciones falsas.

1. El servicio de veinticuatro horas sólo existe en los países de América del Norte.   C   F
2. La sociedad española está cambiando para aceptar un horario mucho más flexible y adaptable.   C   F
3. Es posible comer a cualquier hora en España.   C   F
4. La variedad de empresas que abren las veinticuatro horas en España está limitada.   C   F
5. Si eres un estudiante en España y no tienes una computadora, puedes preparar tus presentaciones o enviar un mensaje de correo electrónico a la madrugada.   C   F
6. Los servicios de veinticuatro horas favorecen a un porcentaje pequeño de la población.   C   F
7. También hay servicios para los que salen a divertirse hasta bien entrada la madrugada.   C   F
8. Los servicios de veinticuatro horas son muy importantes para el mercado laboral español.   C   F

B. Palabras relacionadas

Paso 1. ¿De qué verbos se derivan los siguientes adjetivos del artículo?

1. llamada _____   2. realizada _____   3. entrada _____

Paso 2. Hay dos formas derivadas irregulares en la lectura. ¿Puedes identificar los verbos de que se derivan estas palabras?

1. cubierta _____   2. abiertos _____

REDACCIÓN

UNA AVENTURA FANTÁSTICA

En este capítulo, vas a revivir o inventar una historia sobre un evento sorprendente o fantástico que viviste en el pasado. Vas a escribir una narración y vas a usar el pretérito y el imperfecto. Estos son algunos temas posibles:

- una noche en una ciudad muy interesante de Canadá como Montréal (u otra ciudad)
- un sábado por la noche en una fiesta en la universidad

ANTES DE ESCRIBIR

Prepara tus ideas para la narración teniendo en cuenta que tienes que incluir la siguiente información. Tu instructor/a te puede ayudar con palabras y construcciones nuevas.

1. Referencia a la fecha, el día, la hora y el lugar donde estabas
2. Descripción del tiempo, del lugar, de las personas
3. Descripciones de lo que pasaba en ese lugar (acciones en progreso, etc.)
4. Lo que pasó (evento)
5. Final de la historia (como terminó tu aventura)

A ESCRIBIR

Ahora escribe tu composición y recuerda…

- usar el vocabulario y verbos de este capítulo y de los capítulos anteriores.
- prestar atención a las formas del pretérito y del imperfecto (por ejemplo, mi mejor amigo y yo camina**bamos** por la calle cuando **yo pensé** en…). Ten cuidado con los acentos en la primera y tercera persona del singular del pretérito y la primera persona del plural del imperfecto.
- prestar atención al género y número cuando usas artículos, adjetivos y sustantivos (por ejemplo, l**a** discotec**a** estaba llen**a** de estudiantes).
- usar pronombres de objeto directo (me, te, lo, la, nos, los, las) y de objeto indirecto (me, te, le, nos, les) para evitar la repetición de palabras. Ten cuidado con el uso de los dos tipos de pronombres juntos (por ejemplo, Compré una empanada y **se la** di a mi amigo.).
- prestar atención a las conjugaciones correctas de los verbos (por ejemplo, **Mis amigos estaban** aburridos y **decidieron** salir conmigo.).
- unir tus ideas con conectores como **y, pero, sin embargo, también, además,** etc.

Empieza tu composición de la siguiente forma:

"Hace… (escribe el número de días, meses o años) años, **tuve** una noche / aventura fantástica…"

DESPUÉS DE ESCRIBIR

Now read your narration, and focus on the following:

- <u>Content</u>: Have you included all the information required?
- <u>Grammar</u>:
  - Articles, possessive adjectives, nouns, and adjectives: Do they agree in gender and number?
  - Verbs: Have you conjugated your verbs correctly?
  - Past tense: Have you written all your verbs in the preterite and imperfect?
  - Pronouns: Have you used the correct direct and indirect object pronouns?
- <u>Connectors</u>: Have you connected your ideas with the suggested connectors and conjunctions?

Correct your text, and write a new, improved version.

Chile

Antes de explorar...

En este capítulo, hablamos de Chile. ¿Qué aprendiste sobre este país? Con un/a compañero/a, escribe una lista de datos sobre este país.

¡A explorar!

Ahora vamos a aprender más sobre este país. Lee los siguientes textos y piensa en las similitudes y diferencias entre este país y Canadá.

- Nombre oficial: República de Chile
- Capital: Santiago de Chile (o Santiago)
- Población: más de 16 millones de habitantes
- Chile es hoy uno de los países más modernos e industrializados de Sudamérica. Pero durante la colonización de Sudamérica, debido a[a] que la barrera[b] natural de los Andes dificultaba los viajes a lo que hoy es Chile, el desarrollo[c] de la región no empezó hasta que el explorador portugués Fernando de Magallanes descubrió el estrecho[d] que lleva su nombre y que conecta el océano Atlántico con el Pacífico.
- Aunque Chile pasó por una crisis económica en los años 70,[e] a finales del siglo XX muchos lo llamaban "el jaguar económico de Latinoamérica". La calidad de la vida en Chile es una de las mejores entre los países hispánicos. Los problemas de la natalidad[f] se redujeron drásticamente y la esperanza de vida[g] es de aproximadamente 80 años. Chile tiene un sistema estable de escuelas y universidades, y una tasa de alfabetización[h] de casi el 95 por ciento.

[a]debido... *due to the fact* [b]*barrier* [c]*development* [d]*strait* [e]años... *1970s* [f]*birth* [g]esperanza... *life expectancy*
[h]tasa... *literacy rate*

El Valle de la Luna,[a] en el desierto de Atacama. El desierto de Atacama está al norte de Chile, y es el lugar más árido del mundo, con un promedio[b] de precipitación de sólo 15 milímetros[c] al año. Pueden pasar años sin[d] lluvia en todo el desierto, ¡y en una parte no llueve desde el año 1570!

[a]Valle... *Valley of the Moon* [b]*average* [c]15... *0.59 inches* [d]*without*

Una viña[a] chilena. Chile tiene una larga historia vinícola.[b] En el siglo XVI los españoles introdujeron las primeras cepas.[c] Más tarde en el siglo XVIII, los franceses enviaron cepas de Cabernet y Merlot, lo que inició una gran tradición de excelentes vinos tintos. Hoy los vinos chilenos se cuentan entre[d] los mejores del mundo, y Chile ocupa el cuarto[e] lugar entre los mayores exportadores de vinos a Canadá y los Estados Unidos.

[a]*vineyard* [b]*wine-growing* [c]*root stock (vine seedlings)* [d]se... *are included among* [e]*the fourth*

Las Torres[a] del Paine en la Patagonia. El Parque Nacional de las Torres del Paine es un destino ideal para los turistas que desean ver la naturaleza. Las tres torres son estructuras monolíticas de piedra,[b] formadas por los glaciares y los vientos. La torre más alta, el Cerro[c] Paine Grande de 3.050 metros de altura,[d] fue escalada[e] por primera vez en 1963. En una excursión por el Paine, puedes admirar los hermosos lagos de aguas intensamente verdes o azules, además de numerosas especies de animales, como guanacos[f] y cóndores.

[a]*Towers* [b]*stone* [c]*Mt.* [d]*3.050...10,006 feet high* [e]*climbed*
[f]*type of mammal similar to a llama*

Una empanada[a] chilena. La cocina chilena es tan variada como su geografía y clima. Las empanadas son una de las comidas típicas. Hay muchas variedades de empanadas en Chile, pero típicamente llevan un relleno[b] de carne o mariscos con cebolla. Gracias a una costa larguísima y a lo que se llama "la Corriente[c] de Humboldt", Chile tiene fama por sus mariscos y pescados exquisitos. Entre estos, los más notables son la langosta, los ostiones,[d] los camarones, las machas (almejas[e]) y los cangrejos[f] gigantes.

[a]*turnovers* [b]*filling* [c]*Current* [d]*large oysters* [e]*clams* [f]*crabs*

Algunos moais de la Isla de Pascua. *"Moai"* significa "estructura" en la lengua de los rapanuis, los habitantes originales de la Isla de Pascua. Estas estatuas monolíticas talladas[a] de ceniza volcánica comprimida[b] son, sin duda alguna, la principal atracción turística de Rapa Nui (nombre de la isla en rapanui). Hay casi 900 moais, algunos de ellos de 6 metros de altura[c] y 20 toneladas de peso.[d] Los rapanuis, probablemente de origen polinesio, han conseguido[e] mantener su lengua y su cultura a pesar de[f] grandes influencias externas. Hoy día el pueblo rapanui vive principalmente del turismo y de la pesca.[g]

[a]*carved* [b]ceniza... *compressed volcanic ash* [c]*6... 20 feet high*
[d]*20... weighing 20 tons* [e]*have managed* [f]a... *in spite of* [g]*fishing*

La música, literatura y arte de Chile

La música, la literatura y el arte chilenos son conocidos mundialmente. Por ejemplo, la "nueva canción" chilena tuvo mucha influencia social en Chile y sobre toda la música latinoamericana. Este estilo musical surgió[a] en los años 50 y 60 y combina formas folclóricas con elementos más modernos como los de la música rock. Los temas de la "nueva canción" son casi siempre sociales y políticos, y tratan de problemas como la violación de los derechos humanos,[b] la pobreza,[c] etcétera. La representante más importante de este movimiento fue Violeta Parra (1917–1967). Otros estilos musicales importantes en Chile son la música andina, originaria de la zona de los Andes en el norte del país, el rock y, en la actualidad, el hip hop. Entre los grupos más importantes de estos estilos encontramos a Inti Illimani (música andina), Los Prisioneros (rock) y Mamma Soul (rock-hip hop). ¿Sabes algo sobre estos artistas? ¿De qué tipos de temas hablan sus canciones? ¿Qué instrumentos usan en las mismas? Visita el sitio web **www.mcgrawhill.ca/ olc/knorre** y contesta estas preguntas.

En la literatura chilena se destacan dos poetas muy importantes y ganadores del Premio Nóbel de Literatura: Gabriela Mistral (1889–1957), la primera autora latinoamericana en recibir este premio, y Pablo Neruda (1904–1973). La poesía de estos autores toca temas universales como el amor y la naturaleza, pero también otros propiamente latinoamericanos como la influencia indígena y europea en la identidad hispana y problemas como la inestabilidad política y social. Otra autora contemporánea muy importante es Isabel Allende, cuyas novelas y cuentos combinan la realidad y la fantasía en diferentes épocas de la historia de su país y reflejan aspectos importantes de su cultura, enfatizando la posición social de la mujer. Si quieres saber más sobre estos tres escritores chilenos, visita el sitio web **www.mcgrawhill.ca/olc/knorre.**

En el arte de Chile debemos mencionar la obra de Roberto Matta (1911–2002), pintor y escultor conocido mundialmente. Este artista es un excelente representante del movimiento surrealista. Como Pablo Neruda, Matta también fue muy importante en su apoyo[d] al gobierno democrático del presidente Salvador Allende, derrocado[e] por Pinochet en 1973. Allende murió en el palacio gubernamental durante el golpe de estado[f] de Pinochet. Al igual que[g] Neruda, Matta expresó su oposición al gobierno militar de Pinochet en sus obras. Observa la pintura a continuación, titulada "La vida Allende la muerte." ¿Qué imágenes representa? Piensa en su título también. ¿Qué opinión política expresa Matta? ¿Cómo son sus colores? ¿Por qué? Si quieres saber más sobre el presidente Salvador Allende y el golpe de estado de Pinochet, visita el sitio web **www.mcgrawhill.ca/olc/knorre.**

[a]*emerged*   [b]*derechos... human rights*   [c]*poverty*   [d]*support*   [e]*overthrown*   [f]*coup d'état*   [g]*Al... Like*

"La vida Allende la muerte" (1973) por Roberto Matta

Los chilenos en Canadá

Después de los mexicanos, los chilenos son el grupo más importante de inmigrantes hispanos en Canadá. Existen aproximadamente 34.000 chilenos en este país y la mayoría emigró después del derrocamiento del gobierno de Allende por Pinochet en 1973 y durante su dictadura en los años 70 y 80. Los chilenos canadienses son una comunidad muy activa cultural, social y políticamente. Por ejemplo, publican un diario en la red, Chileinforma.com, que provee información sobre Chile, Latinoamérica, Canadá y otros países a los inmigrantes chilenos en distintas partes del mundo.

También hay programas de radio importantes como "Sin fronteras" en Edmonton que difunden[a] la música y cultura chilena en Canadá. Además, en las grandes ciudades puedes encontrar restaurantes que sirven comidas típicas y asociaciones de chilenos que organizan festivales y reuniones sociales.

[a]*spread; broadcast*

Otro aspecto importante de la actividad chilena en Canadá son los grupos políticos y de defensa de los derechos humanos, como el "Comité chileno por los derechos humanos" en Montréal y el "Comite de ex presos políticos[b] y torturados de Chile" en Vancouver. Estos dos grupos informan a la gente sobre las violaciones[c] de derechos humanos que ocurrieron[d] en Chile durante la dictadura de Pinochet y busca justicia para las personas y las familias que fueron injustamente apresadas, torturadas o asesinadas[e] durante esa época. Por ejemplo, el 11 de septiembre de 2009, con motivo[f] del centenario del nacimiento de Salvador Allende en 2008, los chilenos en Montréal y el gobierno de esa ciudad inauguraron un monumento a Allende y recordaron los eventos que llevaron a su muerte y a la dictadura en Chile. ¿Sabes algo sobre este monumento? ¿Cómo es? ¿Dónde está? ¿Qué representa? Visita el sitio web **www.mcgrawhill.ca/ olc/knorre** y busca información sobre este monumento y otras actividades políticas importantes de los chilenos en Canadá.

[b]*political prisoners*   [c]*violation*   [d]*took place*   [e]*fueron... were unjustly imprisoned, tortured or killed*   [f]*on the occasion of*

Homenaje al presidente Salvador Allende

Proyecto cultural en grupo: Un itinerario turístico para jóvenes

Para esta actividad vas a trabajar con tres o cuatro compañeros. Ustedes van a imaginar que están organizando un tur a Chile para estudiantes universitarios canadienses. El tur va a durar 15 días y debe incluir visitas a lugares culturales (por ejemplo, museos o lugares históricos) y actividades deportivas y de ocio (por ejemplo, discotecas).

Paso 1. Con los compañeros en tu grupo,

1. visiten el sitio web **www.mcgrawhill.ca/olc/knorre.**
2. elijan los lugares que van a ser parte del tur (por ejemplo, Santiago de Chile y Portillo).
3. organicen el tur nombrando la época del año cuando se organiza y por qué y las actividades y sitios de visita en cada ciudad / lugar. Describan qué van a hacer los estudiantes cada día en la mañana, tarde y noche.
4. escriban su tur para presentar a la clase.

En el sitio web **www.mcgrawhill.ca/olc/knorre** van a encontrar información adicional sobre Chile y sus ciudades / lugares de interés. Usen esta información para preparar su proyecto.

Paso 2. Presenten la información sobre su tur al resto de la clase. Comiencen su presentación de esta forma: "Nuestro tur incluye visitas a..." Luego den el resto de la información siguiendo el orden en el **Paso 1**.

EN RESUMEN

Gramática

To review the grammar points presented in this chapter, refer to the indicated grammar presentations.

Gramática 1. Talking About the Past (Part 4)—Descriptions and Habitual Actions in the Past: Imperfect of Regular and Irregular Verbs

Gramática 2. Expressing Direct and Indirect Objects Together—Double Object Pronouns

Gramática 3. Getting Information (Part 2)—Summary of Interrogative Words

You should know the imperfect forms of all verbs. What are the three verbs that are irregular in the imperfect?

Do you know in which order the direct and indirect object pronouns occur when they are used together in Spanish? You should also know where to place the pronouns and when an accent is required on the verb forms.

You should know how to form questions with question words and how to express the English what? with **¿qué?** or **¿cuál?**

Vocabulario

Los verbos

aburrirse	to get bored
dejar (en)	to leave behind (in [*a place*])
pegar (gu)	to hit
pelear	to fight
sonar (suena)	to ring; to sound

Repaso: deber, necesitar, tener que

Los pasatiempos, diversiones y aficiones

los ratos libres	spare (free) time
caminar	to walk
dar un paseo	to take a walk
hacer un *picnic*	to have a picnic
hacer planes para + *inf.*	to make plans to (*do something*)
ir...	to go . . .
a una discoteca / a un bar	to a disco / to a bar
al teatro / a un concierto	to the theater / to a concert
jugar (juego) (gu) al ajedrez	to play chess
ser...	to be . . .
aburrido/a	boring
divertido/a	fun/amusing/entertaining
visitar un museo	to visit a museum

Repaso: dar / hacer una fiesta, hacer *camping,* ir al cine / a ver una película, jugar (juego) (gu) a las cartas, sacar (qu) / tomar fotos, tomar el sol

Los deportes

el ciclismo	bicycling
correr	to run
esquiar (esquío)	to ski
el fútbol	soccer
el fútbol americano	football
hacer *surfing*	to surf
montar a caballo	to ride a horse
la natación	swimming
pasear en bicicleta	to ride a bicycle
patinar	to skate
patinar en línea	to rollerblade

Cognados: el basquetbol, el béisbol, el golf, el hockey, el hockey sobre hielo, el tenis, el voleibol

Repaso: nadar

el equipo	team
el / la jugador(a)	player
el partido	game, match
entrenar	to practise, to train
ganar	to win
ser aficionado/a (a)	to be a fan (of)

Repaso: jugar (juego) (gu) al + *sport,* **perder (pierdo), practicar (qu)**

Otros sustantivos

la afición	hobby
la dirección	address
la época	era, time (*period*)
la escuela	school

primaria	elementary/primary school
secundaria	high school/secondary school
el grado	grade, year (*in school*)
la niñera	baby-sitter
la niñez / la infancia	childhood

Los adjetivos

deportivo/a	sporting, sports (*adj.*); sports-loving
pesado/a	boring; difficult

Palabras adicionales

de joven	as a youth
de niño/a	as a child
demasiado (*adv.*)	too much
en la actualidad	currently, right now
mientras	while

Repaso: ¿a qué hora?, ¿adónde?, ¿cómo?, ¿cuál(es)?, ¿cuándo?, ¿cuánto/a?, ¿cuántos/as?, ¿de dónde?, ¿de quién(es)?, ¿dónde?, ¿por qué?, ¿qué?, ¿quién(es)?

Vocabulario personal

Use this space to write down other words and phrases you learn in this chapter.

To access the Instructor Supplements, please go to the Online Learning Centre at
www.mcgrawhill.ca/olc/knorre.

CAPÍTULO 10

Las celebraciones en los países andinos

¡Vamos a los países andinos!

En este capítulo, vamos a visitar tres países andinos: Perú, Bolivia y Ecuador. ¿Viajaste a estos países alguna vez? ¿Qué sabes de estos países? Escribe tus ideas y luego mira los videos sobre Perú, Bolivia y Ecuador en la sección "Panorama cultural" en la red.

Ahora contesta las siguientes preguntas sobre los videos. Puedes usar el mapa a continuación como ayuda.

1. ¿Cómo se llaman las capitales de estos tres países? ¿Cómo son? Describe cada ciudad (e.g., arquitectura, tamaño, etc.)
2. ¿Qué tres lugares geográficos o históricos interesantes se pueden visitar en Perú?
3. ¿Qué lengua se habla en la zona de los Andes peruanos?
4. ¿Cómo es la ciudad de Cuzco? ¿Por qué fue importante en el pasado?
5. ¿Cómo es la cultura boliviana? ¿Qué influencias tiene?
6. ¿Qué lenguas se hablan en Bolivia?
7. ¿Por qué era el Lago Titicaca importante para las civilizaciones prehispanas?
8. ¿Cuál es la iglesia más vieja del Ecuador? ¿Por qué es famosa?
9. ¿Qué lugar de Ecuador es conocido en el mundo y es muy importante en la historia de las ciencias naturales?

Una familia celebrando en Cuzco, Perú

Quito ⊛
ECUADOR
Guayaquil

Río Amazonas

BRASIL

PERÚ

CORDILLERA DE LOS

Lima ⊛

BOLIVIA

La Paz ⊛
ALTIPLANO

⊛ Sucre

PARAGUAY

ARGENTINA

En este capítulo

A comunicarnos
In this chapter, we will learn how to . . .

- talk about celebrations
- talk about our feelings and emotions
- ask people to do things for us

Gramática
- Informal commands
- *Por* and *para*
- Preterite and imperfect

Cultura
- Perú y su gente
- Bolivia y su gente
- Ecuador y su gente
- Las celebraciones en los países hispanos
- Los peruanos, bolivianos y ecuatorianos en Canadá

VOCABULARIO Preparación

En este capítulo vamos a hablar de las fiestas y celebraciones en los países andinos. ¿Cuáles son las celebraciones más importantes de Canadá? ¿Qué hace la gente esos días (habla de la comida, de los eventos, etc.)? ¿Cómo celebran los canadienses sus cumpleaños? ¿Cómo es una fiesta típica de cumpleaños canadiense?

UNA FIESTA SORPRESA

¿Recuerdas a Juan Carlos, el estudiante peruano que conocimos en el capítulo 2? Rosa, su hermana, quiere preparar una fiesta de sorpresa para Javier, su novio. Ayer lo llamó por teléfono a Juan Carlos para pedirle sugerencias y ayuda. ¿Qué tipo de fiesta quería hacer Rosa? ¿Es esta fiesta similar a una fiesta de sorpresa en Canadá? Puedes usar el vocabulario en la página 340 y la información en **Gramática 1** y **2** para leer la conversación.

ROSA: Hola, Juan Carlos. Habla Rosa. ¿Cómo estás?

JUAN CARLOS: ¡Hola, hermanita! Muy bien. ¿Y tú?

ROSA: Bien, gracias. Mira, el sábado es el cumpleaños de Javier y le quiero **dar una fiesta de sorpresa para** su cumpleaños **en mi casa.** ¿Puedes ayudarme? Primero, necesito saber qué le puedo **regalar.** Voy a comprarle **una tarjeta** y ¿qué más?

JUAN CARLOS: Hmm... Un regalo **para** Javier... Ya sé, **cómprale** un libro o DVD sobre los incas o alguna otra civilización prehispana, pero **no le compres** ropa. Tu novio es bastante particular con su ropa...

ROSA: Sí, lo sé. A Javier le gusta la ropa muy extraña... ¿Y a quién te parece que debo invitar a la fiesta? No puedo **gastar** mucho dinero...

JUAN CARLOS: Entonces **no invites** a mucha gente. **Invita** a sus mejores amigos, como Pedro, Mario, Natalia, Carmen, José y a su hermana y a sus sobrinos.

ROSA: Buena idea. Le voy a hacer **un pastel de cumpleaños** de chocolate y voy a comprar **unas botanas,** cerveza y vino.

JUAN CARLOS: Y **no olvides** los refrescos **para** los sobrinos de Javier...

ROSA: Claro, ya casi me olvidaba... Gracias por recordármelos... Y **por** supuesto que tú y Graciela **están invitados a la fiesta. Lleguen** temprano y así podemos hablar un rato...

JUAN CARLOS: **Gracias por invitarnos**... ¿Y en qué más puedo ayudarte?

¿Entendiste?

1. ¿Por qué llamó Rosa a su hermano?
2. ¿Qué tipo de fiesta quería organizar Rosa? ¿Dónde?
3. ¿Qué regalos decidió comprarle Rosa a Javier?
4. ¿Por qué no podía Rosa invitar a mucha gente a la fiesta?
5. ¿Qué tipo de comida y bebida decidió tener Rosa en la fiesta?
6. ¿Invitó Rosa a su hermano a la fiesta?
7. ¿Y qué crees que pasó en la fiesta? ¿Qué hizo la gente? Puedes usar la información en la página 340 para responder esta pregunta.
8. ¿Son las fiestas de cumpleaños en Perú similares a las fiestas canadienses? ¿Por qué? ¿Por qué no?
9. ¿Te gustan las fiestas de sorpresa? ¿Por qué? ¿Por qué no?
10. ¿Tuviste alguna vez una fiesta de sorpresa? ¿Qué pasó en la fiesta? ¿Qué comida y bebida había en la fiesta? ¿Qué hizo la gente?

Lengua

¿Cómo le dio Juan Carlos sugerencias a Rosa? Busca ejemplos de una sugerencia positiva y una negativa en el diálogo. ¿Cómo se conjugan estos verbos? ¿Cómo se llaman los verbos cuando los usamos para pedirle algo a alguien? ¿Puedes pensar en una regla?

Tarjetas de cumpleaños electrónicas

La fiesta de cumpleaños de Javier

1. Ayer fue <u>el cumpleaños</u> de Javier y Rosa decidió <u>dar una fiesta</u> de <u>sorpresa</u> **para** él.

2. Primero Rosa fue a la tienda **para** comprar <u>refrescos</u> y <u>botanas</u>.

3. La fiesta <u>fue en</u> casa de Rosa y no hubo muchos invitados.

4. Javier llegó y fue una gran sorpresa.

5. Todos <u>se divirtieron</u> y Javier <u>lo pasó muy bien</u>.

6. <u>Bailaron</u> y <u>celebraron</u> hasta las cuatro de la mañana.

las botanas / las tapas	appetizers	**pasarlo bien / mal**	to have a good/bad time
el cumpleaños	birthday		
el día festivo	holiday	**regalar**	to give (*as a gift*)
el pastel (de cumpleaños)	(birthday) cake	**reunirse (me reúno) (con)**	to get together (with)
el regalo	present, gift		
la tarjeta	card		
		ser +	to take place in/at (*a place*)
celebrar	to celebrate	**en** + *place*	
cumplir años	to have a birthday	—**¿Dónde es** la fiesta?	Where is the party?
dar / hacer una fiesta	to give/to have a party	—**(Es) En** casa de Javier.	(It's) At Javier's house.
divertirse (me divierto) (i)	to enjoy oneself, to have a good time		
faltar (a)	to be absent (from), to not attend	**gracias por** + *noun*	thanks for + *noun*
		Gracias por el regalo.	Thanks for the present.
gastar	to spend (*money*)	**gracias por** + *inf.*	thanks for + *verb*
invitar	to invite	**Gracias por** invitarme.	Thanks for inviting me.

Otras celebraciones importantes

el Día de Año Nuevo	New Year's Day
el Día de los Reyes Magos	Day of the Magi (Three Kings) (6 de enero)
el Día de San Valentín	Saint Valentine's Day (14 de febrero o 20 de septiembre)
el Día de los Enamorados	
el Día de los Novios	
las vacaciones de primavera	Spring Break or Reading Week
el carnaval	Mardi Gras; carnival
el Día de San Patricio	Saint Patrick's Day (17 de marzo)
la Pascua (judía)	Passover
la Pascua	Easter
las Pascuas	
la Pascua Florida	
la Semana Santa	Holy Week
el Cinco de Mayo	Cinco de Mayo (*Mexican awareness celebration in some parts of the U.S. and Canada*)
el Día de Canadá	Canada Day (1 de julio)
el Día de la Independencia	Independence Day
de Perú	28 de julio
de Bolivia	6 de agosto
de Ecuador	10 de agosto
el Día de Acción de Gracias	Thanksgiving
el Día de la Raza	Columbus Day (*Indigenous/Hispanic awareness day in some parts of the U.S.*) (12 de octubre)
el Día de todos los Santos	All Saints' Day (1 de noviembre)
el Día de los Muertos	Day of the Dead (2 de noviembre)
el Día de los Difuntos	
la Fiesta de las Luces	Hanukah
la Nochebuena	Christmas Eve
la Navidad	Christmas
la Noche Vieja	New Year's Eve
el cumpleaños	birthday
el día del santo	saint's day (*the saint for whom one is named*)
la quinceañera	young woman's fifteenth birthday party
la fiesta de quince (años)	

la Navidad

el Día de San Valentín

la Fiesta de las Luces

Práctica

A. Asociaciones. ¿Qué palabras asocias con las siguientes ideas? Da por lo menos dos asociaciones diferentes para cada idea y explica tu elección.

MODELO: regalar chocolates y flores
Asociaciones: el Día de San Valentín / el Día de los Enamorados, el Día de la Madre
¿Por qué?
A las / los novias/os y a las madres les gustan las flores y los chocolates.
Es tradición regalar chocolates y flores el Día de los Enamorados.

1. algo de beber o tomar
2. el cumpleaños de alguien
3. los regalos
4. una fiesta
5. comer muchas comidas típicas como pavo, pastel de calabaza (*pumpkin pie*), etc.
6. divertirse

B. Definiciones

Paso 1. Da las palabras definidas.

1. impresión que causa algo que no se espera o no se sabe
2. algo de comer que se sirve en las fiestas
3. el día en que, por tradición, algunas personas visitan los cementerios
4. la fiesta de una muchacha que cumple 15 años
5. el día en que muchos, por tradición, llevan ropa verde
6. lo que se le dice a un amigo que celebra algo
7. una fiesta de los judíos (*Jewish people*) que dura 8 días
8. el día que celebran la mayoría de los países hispanos con respecto a su relación con España

Paso 2. Ahora crea por lo menos dos definiciones como las del **Paso 1**. La clase va a adivinar (*guess*) la palabra definida.

Vocabulario útil	
el fin	end
el nacimiento	birth

C. Hablando de fiestas

Paso 1. ¿Cuáles de estas fiestas te gustan? ¿Cuáles te gustan mucho? ¿Cuáles no te gustan? Explica por qué. Compara tus respuestas con las (*those*) de tus compañeros de clase. ¿Tienen los mismos gustos?

MODELO: el Día de Canadá
Me gusta mucho el Día de Canadá porque vemos fuegos artificiales en el parque y comemos asado con mi familia.

1. el Día de las Brujas (*Halloween*)
2. el Día de Acción de Gracias
3. el Día de San Patricio
4. la Noche Vieja
5. el Día de los Enamorados

Paso 2. Ahora piensa en tu fiesta favorita. Puede ser una de la lista del **Paso 1** o una de la sección **Otras celebraciones importantes** de la página 341. Piensa en cómo celebras esa fiesta, para explicárselo (*explain it*) luego a la clase. Debes pensar en lo siguiente.

- los preparativos que haces de antemano (*beforehand*)
- la ropa especial que llevas
- las comidas o bebidas especiales que compras o haces
- el lugar donde se celebra
- los adornos (*decorations*) especiales que hay o que pones

Vocabulario útil	
el árbol	tree
el corazón	heart
la corona	wreath
el desfile	parade
la fiesta del barrio	neighbourhood (block) party
los fuegos artificiales	fireworks
el globo	balloon
el disfraz	costume
Papá Noel	Santa Claus

Nota cultural I

Los días festivos importantes del mundo hispánico

Aunque la mayoría de los días festivos varía de país a país y aun de ciudad a ciudad, algunas fiestas se celebran en casi todos los países hispanos.

La Nochebuena: En esta fiesta los hispanos católicos siguen principalmente sus **tradiciones religiosas.** Celebran la víspera[a] de la Navidad con una gran cena. Esta **celebración familiar** puede incluir también a amigos y vecinos.[b] Muchas familias van a la Misa del Gallo,[c] un **servicio religioso** que se celebra a medianoche. Muchas fiestas de Nochebuena terminan muy tarde con música y baile. En algunos lugares, los niños reciben la visita de Papá Noel, el nombre que se le da a Santa Claus en la mayoría de los países hispanos, quien les deja **regalos.**

La Noche Vieja: Como en este país, la Noche Vieja es una ocasión para **grandes celebraciones,** tanto entre familia como en lugares públicos. En España y otros países, como Cuba, algunos siguen la tradición de comer una uva[d] por cada una de las doce campanadas[e] de medianoche.

El Día de los Reyes Magos: En España y otros países hispanos, se celebra el 6 de enero como el día de los Reyes Magos, una fiesta católica también conocida como **la Epifanía.** Los tres Reyes son los encargados[f] de traer regalos. Muchos niños ponen sus zapatos en la ventana o en el balcón antes de acostarse la noche del 5 de enero. Los Reyes llegan en camellos durante la noche y llenan los zapatos con **regalos** y **dulces.**

El Día de la Independencia: Todos los países latinoamericanos, excepto por Puerto Rico, celebran el día de **la declaración de su independencia de España.** Por ejemplo, México celebra su independencia el 16 de septiembre, y, como vimos en la sección de vocabulario, la independencia de Bolivia es el 6 de agosto, la de Perú el 28 de julio y la de Ecuador el 10 de agosto.

La quinceañera: Las muchachas de muchos países hispanos celebran su **llegada a los 15 años** como la transición de niña a mujer. Ese día, hay **una gran fiesta** que les dan su familia y sus amigos. Las muchachas se visten de largo[g] y, con sus invitados, a veces asisten a una misa especial para ellas. Luego se sirve **una cena** y hay una fiesta con música para bailar.

[a]*eve*   [b]*neighbours*   [c]*Misa... Midnight Mass*   [d]*grape*   [e]*bell strokes*   [f]*los... in charge of*   [g]*dresses up (in a gown)*

¿Entendiste?

1. ¿Qué tipo de celebraciones hay en los países hispanos en la Nochebuena?
2. ¿Qué valores de la cultura hispana se reflejan en esa celebración?
3. ¿Qué hacen generalmente los niños a la medianoche en la Nochebuena?
4. ¿Cómo celebran los hispanos la llegada del Año Nuevo?
5. ¿Qué costumbre en particular tienen los españoles? ¿Hay una costumbre similar en Canadá?
6. ¿Qué hacen los niños el 5 y 6 de enero de cada año en los países hispanos?
7. ¿Qué celebración especial comparten casi todos los países de América Latina?
8. ¿Qué representa la fiesta de los quince años en la vida de una muchacha?
9. ¿Qué actividades se preparan cuando una muchacha cumple 15 años? ¿Hay una fiesta similar en Canadá?
10. ¿Cuáles de las celebraciones hispanas se festejan también en Canadá? ¿Qué otras existen en este país pero no en América Latina o España?

Una quinceañera mexicana

EL ESPAÑOL *EN ACCIÓN*

LAS EMOCIONES DEL DÍA DE REYES*

¿Recuerdas a la escritora puertorriqueña Esmeralda Santiago a quien conocimos en el **Capítulo 8**? A continuación vas a leer un fragmento de su cuento (*story*) para niños "Una muñeca (*doll*) para el Día de Reyes." En su historia, Esmeralda cuenta un evento de su infancia el Día de Reyes cuando tenía siete años y vivía en el campo en Puerto Rico. ¿Qué le pasó ese día? ¿Cuáles fueron sus emociones? Lee el texto y luego contesta las preguntas usando el vocabulario en la página siguiente.

"Yo tenía siete años y quería una muñeca[a] como la de mi prima Jenny. Delsa, mi hermana, que tenía cinco años, también quería una muñeca. Les escribí una carta a los Reyes Magos en una hoja de papel especial de Papi:

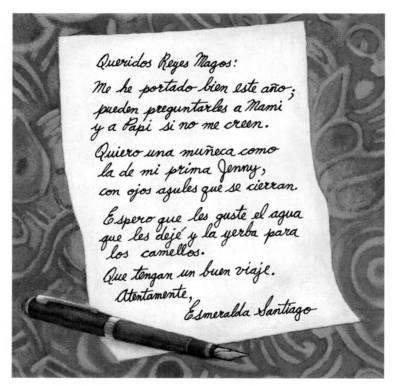

Queridos Reyes Magos:
Me he portado bien este año;
pueden preguntarles a Mami
y a Papi si no me creen.

Quiero una muñeca como
la de mi prima Jenny,
con ojos azules que se cierran.

Espero que les guste el agua
que les dejé y la yerba para
los camellos.
Que tengan un buen viaje.
Atentamente,
Esmeralda Santiago

Adapted from *Una muñeca para el Día de Reyes* by Esmeralda Santiago, illustrated by Enrique O. Sanchez. Text copyright © 2005 by Esmeralda Santiago, illustrations copyright © 2005 by Enrique Sanchez. Reprinted by permission of Scholastic Inc.

El Día de Reyes Delsa recibió una muñeca. Yo salté[b] de la cama, busqué debajo y, junto a mis zapatos, encontré una caja.[c] Pero dentro[d] de la caja no estaba mi muñeca. Había sólo un juego de mesa.[e] Papi notó mi desilusión y me preguntó:

—¿No te gusta?
Mami me miró con cara **preocupada.**

—Yo quería una muñeca—dije **llorando.**
Papi me tomó de la mano y me llevó al patio.

[a]*doll* [b]*jumped* [c]*box* [d]*inside* [e]juego... *board game*

---

*The text in this section contains adapted excerpts from the original story *Una muñeca para el Día de Reyes* written by Esmeralda Santiago.

—Lo siento, mi'ja.[f] Parece que cuando los reyes pasaron por casa ya solamente tenían una muñeca. Ellos saben que tú eres una niña grande; que lo vas a entender mejor que Delsa.

—¡Pero eso no está bien!—**me quejé**—. Los Tres Reyes son magos. ¿Por qué no tienen muñecas para todo el mundo?

Papi me miró, su expresión tan **triste** como me sentía yo. Se veía tan **afligido** que yo sabía que él también estaba desilusionado.

—A lo mejor[g] el año que viene—dijo—. Eso espero.

—Sí, a lo mejor el año que viene.

Lo abracé[h] y besé su mejilla[i] recién afeitada."

[f]*mi hija*   [g]*maybe*   [h]*hugged*   [i]*besé… kissed his cheek*

¿Entendiste?

1. ¿Qué querían Delsa y Esmeralda para el Día de Reyes?
2. ¿Cómo **se portaba** Esmeralda?
3. ¿Qué recibió Esmeralda el Día de Reyes?
4. ¿Qué hizo Esmeralda cuando vio que no había una muñeca en la caja?
5. ¿Cómo se sentían los padres de Esmeralda cuando **lloraba**?
6. ¿Cuál fue la segunda reacción de Esmeralda? Describe sus emociones.
7. ¿Qué sentía el papá de Esmeralda cuando le explicaba el problema de la muñeca?
8. ¿Por qué crees que Esmeralda no recibió una muñeca?
9. ¿Qué juguetes (*toys*) recibías para tu cumpleaños u otras celebraciones cuando eras un/a niño/a? ¿Cómo te sentías? Describe tus emociones.
10. ¿Te gustó este texto? ¿Cómo te sentiste al leerlo?

Las emociones y los estados afectivos

1. reír(se)* ([me] río) (i) (de)
2. sonreír(se)* ([me] sonrío) (i)
3. llorar
4. enojarse (con)
5. enfermarse

discutir (con / sobre)	to argue (with/about)	**reír(se)* ([me] río) (i) (de)**	to laugh (about)
olvidar(se) (de)	to forget (about)	**sentirse (me siento) (i)**	to feel (*an emotion*)
ponerse + *adj.*	to become, to get + *adj.*	**sonreír(se)* (*like* reír)**	to smile
portarse bien / mal	to (mis)behave	**feliz (*pl.* felices)**	happy
quejarse (de)	to complain (about)	**triste / afligido/a**	sad
recordar (recuerdo)	to remember	**preocupado/a**	worried

 The verbs **reír** and **sonreír** are **e** **i** stem-changing verbs. Due to the double vowels, accents are required on all present tense forms of these verbs, but not on their present participles: **(son)riendo, (son)río, (son)ríes, (son)ríe, (son)reímos, (son)reís, (son)ríen.**

Práctica

A. ¿Cuándo... ? ¿En qué ocasiones sientes tú las siguientes emociones o haces las siguientes cosas? Completa las oraciones, según tu experiencia.

MODELOS: Me porto muy bien en (+lugar) / cuando (+acción)... →
Me porto muy bien *en las fiestas.*
Me porto muy bien *cuando alguien me está mirando.*

1. Me quejo en / cuando...
2. Me río mucho en / cuando...
3. Sonrío en / cuando...
4. Lloro en / cuando...
5. Me enojo en / cuando...
6. Me enfermo en / cuando...

Nota comunicativa

Being Emphatic

To emphasize the quality described by an adjective or an adverb, speakers of Spanish often add **-ísimo/a/os/as** to an adjective and **-ísimo** to an adverb. This change adds the idea of *extremely (exceptionally; very, very; super)* to the quality expressed. You have already used one emphatic adverb: **Me gusta muchísimo.**

Estas tapas son **dificilísimas** de preparar.

These appetizers are very, very hard to prepare.

Durante la época navideña, los niños son **buenísimos.**

At Christmastime, kids are extremely good.

If the word ends in a consonant, **-ísimo** is added to the singular form: **difícil dificilísimo** (and any accents on the word stem are dropped).

If the word ends in a vowel, the final vowel is dropped before adding -ísimo: **bueno → buenísimo** (and any accents on the word stem are dropped).

Spelling changes occur when the final consonant of an adjective is **c, g,** or **z:** ri**qu**ísimo, lar**gu**ísimo, feli**c**ísimo.

Vocabulario útil

avergonzado/a	embarrassed
contento/a	
feliz / triste / afligido/a	grieving, heartbroken
furioso/a	
nervioso/a	
serio/a	

B. Reacciones. ¿Cómo te pones tú en estas situaciones? Usa los adjetivos y verbos que sabes y también algunas formas enfáticas (**-ísimo**). ¿Cuántas emociones puedes describir?

1. Nieva por tres semanas y hace -20°C todos los días.
2. Es tu cumpleaños y un amigo te hace un regalo carísimo.
3. Quieres bañarte. No hay agua caliente.
4. Estás solo/a en casa una noche y oyes un ruido.
5. Das una fiesta en tu casa o apartamento. Todos están muy serios.
6. Hoy hay un examen importante, pero tú no estudiaste nada anoche.
7. Cuentas un chiste pero nadie se ríe.
8. Acabas de terminar un examen difícil. Crees que lo hiciste muy bien / mal.

C. Opiniones

Paso 1. ¿Creen tus compañeros que son ciertas o falsas las siguientes declaraciones? Entrevista a tres compañeros/as diferentes y escribe sus opiniones.

EN LAS FIESTAS DE FAMILIA

1. Las fiestas de familia me gustan muchísimo.
2. Un pariente siempre se queja de algo.
3. Uno de mis parientes siempre me hace preguntas indiscretas.
4. Alguien siempre bebe / come demasiado (*too much*) y se enferma.
5. A todos les gustan las cosas que les regalamos.

LOS DÍAS FESTIVOS EN GENERAL

6. La Navidad / La Fiesta de las Luces es solamente una excusa para gastar dinero.

7. Las vacaciones de primavera (*Reading Week*) son las vacaciones más felices del año.

8. Sólo las personas que practican una religión deben tener vacaciones en los días festivos religiosos.

Paso 2. Compara tus respuestas con las de otros tres compañeros. Hagan un resumen de las respuestas. Analicen las respuestas. ¿Están todos de acuerdo? Si todos —o casi todos— están de acuerdo en que una declaración es falsa, cámbienla para que sea cierta.

¿Recuerdas?

In **Gramática 1,** you will learn to form one type of **command.** A **command** or **imperative** is a verb form used to tell someone to do something. In Spanish, most informal commands have the same form as the third person singular of the present tense. Review what you already know about the third person present tense forms by giving the **él / ella** form of the following infinitives.

1. escribir	2. comer	3. leer	4. llamar	5. guardar	6. planchar
7. pensar	8. comprar	9. viajar	10. visitar	11. vivir	12. pedir

GRAMÁTICA 1

INFLUENCING OTHERS (PART 1) • INFORMAL (*TÚ* AND *USTEDES*) COMMANDS

GRAMÁTICA EN ACCIÓN: MANDATOS DE LA ADOLESCENCIA

Este es el cuarto de Pedro, el hermano menor de Rosa y Juan Carlos. Pedro tiene 16 años y vive con sus padres en Lima. Su mamá, Rafaela, siempre discute con Pedro y le da órdenes. Ellos no se llevan bien. ¿Por qué no? ¿Cómo es Pedro? ¿Qué quiere su mamá?

La mamá de Pedro le dice constantemente:

Guarda la ropa limpia en tu cómoda.

Pon la ropa sucia en el cesto.

Limpia tu cuarto.

No te pongas esos pantalones para ir a la escuela.

No dejes los zapatos por todas partes.

Deja el *Wii* ahora mismo.

Quítate el *iPod:* te estoy hablando.

¿Y tú? ¿Oías los mandatos anteriores cuando eras adolescente? ¿Sí o no? ¿Quién te los daba? (Me los daba mi...) ¿Eras similar o diferente a Pedro?

In *Puntos de partida,* Canadian Edition you have seen informal commands in the direction lines of activities since the beginning of the text: **escribe, completa, contesta,** and so on. In Spanish, *informal commands* (**Los mandatos informales**) are used with people whom you would address as **tú** and **ustedes** (e.g., your friends, members of your family, young people of your age or younger). Note that the **ustedes** commands can also be formal; that is, you can use them with people whom you don't know well. Look at some of the basic forms on pages 348–349.

Affirmative *tú* Commands

-ar verbs		-er / -ir verbs	
Habla.	Speak.	**Come.**	Eat.
Canta.	Sing.	**Escribe.**	Write.
Juega.	Play.	**Pide.**	Order.

1. Most affirmative *tú* commands have the same form as the third person singular of the present tense. Some verbs have irregular affirmative *tú* command forms:

decir:	di	**salir:**	sal
hacer:	haz	**ser:**	sé
ir:	ve	**tener:**	ten
poner:	pon	**venir:**	ven

2. *Spelling Hint:* One-syllable words, like the affirmative **tú** commands of some verbs (**decir, ir, tener,** etc.) do not need an accent mark: **di, ve, ten,** etc. Exceptions to this rule are those forms that could be mistaken for other words, like the command of **ser (sé),** which could be mistaken for the pronoun **se.**

Sé puntual, pero **ten** cuidado.
Be there on time, but be careful.

 The affirmative **tú** commands for **ir** and **ver** are identical: **ve.** Context will clarify the meaning. The command form of **ver** is rarely used.

¡**Ve** esa película!
See that movie!

¡**Ve** a casa ahora mismo!
Go home right now!

3. Object and reflexive pronouns follow affirmative **tú** commands and are attached to them. Accent marks are necessary except when a single pronoun is added to a one-syllable command.

Dile la verdad.
Tell him the truth.

Léela, por favor.
Read it, please.

Póntelos.
Put them on.

Negative Informal *tú* Commands

-ar verbs		-er / -ir verbs	
No hables.	Don't speak.	**No comas.**	Don't eat.
No cantes.	Don't sing.	**No escribas.**	Don't write.
No juegues.	Don't play.	**No pidas.**	Don't order.

1. The negative **tú** commands are expressed using the "opposite vowel":

-**ar** verbs take -**e** endings: -**ar** → -**es** → **lavar: no laves**
-**er** / -**ir** verbs take -**a** endings: -**er** / -**ir** → -**as** → **leer: no leas; sonreír: no sonrías**

2. The pronoun **tú** is used only for emphasis.

No cantes tú tan fuerte.
*Don't **you** sing so loudly.*

3. Verbs ending in -**car,** -**gar,** and -**zar** have a spelling change to preserve the -**c-,** -**g-,** and -**z-** sounds.

c → qu	**buscar: no busques**
g → gu	**pagar: no pagues**
z → c	**empezar: no empieces**

4. Some negative commands have an irregular form:

decir:	no digas	salir:	no salgas
hacer:	no hagas	ser:	no seas
ir:	no vayas	tener:	no tengas
poner:	no pongas	venir:	no vengas

5. Object pronouns—direct, indirect, and reflexive—precede negative **tú** commands.

No lo mires.
Don't look at him.

No les escribas.
Don't write to them.

No te levantes.
Don't get up.

Ustedes Commands

1. Most **ustedes** command forms can be derived from the **yo** form of the present tense. The same form is used for both positive and negative commands.

-ar: -o -en: **hablo hablen; no hablen**
-er / -ir: -o -an: **como coman; no coman; escribo escriban; no escriban**

2. Verbs ending in -**car**, -**gar**, and -**zar** have a spelling change to preserve the -**c**-, -**g**-, and -**z**- sounds.

c → qu	buscar:	**busquen; no busquen**
g → gu	pagar:	**paguen; no paguen**
z → c	empezar:	**empiecen; no empiecen**

3. Verbs that have irregular **yo** forms in the present tense will reflect the irregularity in the **ustedes** commands.

conocer: **conozco**   → **conozcan; no conozcan**
decir (*to say, to tell*): **digo**   → **digan; no digan**
hacer: **hago**   → **hagan; no hagan**
oír: **oigo**   → **oigan; no oigan**
salir: **salgo**   → **salgan; no salgan**
tener: **tengo**   → **tengan; no tengan**
traer: **traigo**   → **traigan; no traigan**
venir: **vengo**   → **vengan; no vengan**
ver: **veo**   → **vean; no vean**

4. A few verbs have irregular **ustedes** command forms.

dar (*to give*)   → **den; no den**
estar   → **estén; no estén**
ir   → **vayan; no vayan**
saber   → **sepan; no sepan**
ser   → **sean; no sean**

5. Object and reflexive pronouns follow affirmative **ustedes** commands and are attached to them. Accent marks are necessary.

Díganle la verdad.
(*You guys*) *tell him the truth.*

Léanla, por favor.
(*You guys*) *read it, please.*

Pónganselos.
(*You guys*) *put them on.*

6. Object pronouns—direct, indirect, and reflexive—precede negative **ustedes** commands.

No lo miren.
(*You guys*) *Don't look at him.*

No les escriban.
(*You guys*) *Don't write to them.*

No se levanten.
(*You guys*) *Don't get up.*

Nota comunicativa

Vosotros Commands

In **Capítulo 2,** you learned about the pronoun **vosotros / vosotras** that is used in Spain as the plural of **tú.** Here is some information about forming **vosotros** commands, for recognition only.

1. Affirmative **vosotros** commands are formed by substituting **-d** for the final **-r** of the infinitive. There are no irregular affirmative **vosotros** commands.

hablar → hablad
comer → comed
escribir → escribid

2. Negative **vosotros** commands are expressed with the present subjunctive. (You will learn more about the present subjunctive in the next chapter.)

no habléis
no comáis
no escribáis

3. Placement of object pronouns is the same as for all other command forms.

Decídmelo.
No me lo digáis.

Práctica

A. Recuerdos de la niñez

Paso 1. Indica los mandatos que te daban con frecuencia cuando eras niño/a. Después de leerlos todos, indica los dos que te daban más y escribe un mandato nuevo (uno que no aparece en la lista). ¿Qué mandato no oíste nunca?

1. _____ Limpia tu cuarto.

2. _____ Cómete la espinaca.

3. _____ Haz la tarea.

4. _____ Cierra la puerta.

5. _____ Bébete la leche.

6. _____ Lávate las manos.

7. _____ Dime la verdad.

8. _____ Quítate el *iPod*.

9. _____ Guarda tu bicicleta en el garaje.

10. _____ Sé bueno/a.

¡OJO!

Note in **Práctica A** the use of the reflexive pronoun with the verbs **comer** and **beber.** This use of the reflexive means *to eat up* and *to drink up,* respectively.

Cómete las zanahorias.
Eat up your carrots.

No **te bebas** la leche tan rápido.
Don't drink up your milk so fast.

Paso 2. Ahora indica lo que con frecuencia te prohibían hacer. Indica también los dos mandatos que te daban más y escribe un mandato negativo nuevo (que no aparece en la lista). ¿Qué mandato no te daban nunca? ¿Eran tus padres muy estrictos?

1. _____ No cruces la calle solo/a.

2. _____ No juegues con mis cosas.

3. _____ No comas dulces antes de cenar.

4. _____ No me digas mentiras (*lies*).

5. _____ No les des tanta comida a los peces.

6. _____ No hables con personas desconocidas (*strangers*).

7. _____ No dejes el monopatín en el jardín.

8. _____ No cambies los canales tanto.

9. _____ No seas travieso (*mischievous*).

10. _____ No te portes mal con tus abuelos.

B. ¡Qué desastre! Ahora piensa en la adolescencia. ¿Qué mandatos les da generalmente un padre o madre a sus hijos adolescentes? Escribe la forma de los mandatos para **tú** y **ustedes** de los verbos rojos a continuación. ¿Te resultan (*Do they sound*) familiares estos mandatos?

MODELOS: no acostarse muy tarde →
¡No *te acuestes* muy tarde!
¡No *se acuesten* muy tarde!

1. **levantarse** más temprano
2. **bañarse** todos los días
3. **quitarse** esa ropa sucia
4. **ponerse** ropa limpia
5. **no divertirse** todas las noches con los amigos
6. **ir** más a la biblioteca y **estudiar** más
7. ¿ ? Escribe otro mandato común en la adolescencia.

C. Mandatos en una clase de preescolar (*preschoolers*)

Paso 1. Imagina que tienes un trabajo de medio día (*half-time job*) en un jardín de infantes (*pre-school*) y tienes que cuidar a diez niños pequeños. Da un mandato lógico para niños pequeños en cada una de las siguientes situaciones típicas. Sigue los modelos y usa las formas de **tú.**

MODELOS: Un niño está gritando (*yelling*). → Por favor, no grites.
Una niña siempre deja sus lápices en el suelo (*floor*). → Por favor, no dejes tus lápices en el suelo.

1. Hoy, un niño no se quita el abrigo en clase.
2. Una niña debe sacar su merienda de la mochila.
3. Es hora de sentarse en círculo, pero un niño está coloreando.
4. Es hora de la merienda, pero una niña no come nada.
5. Es la hora del recreo (*recess*), pero una niña no sale a jugar.
6. Es hora de dormir la siesta, pero una niña está cantando.
7. Es hora de recoger los juguetes que están en el suelo, pero un niño no ayuda a levantarlos del suelo.
8. Los libros de una niña están en el suelo.
9. Una niña está llorando porque quiere ver a su mamá.
10. Una niña dice cosas feas.

Paso 2. Ahora da otros cuatro mandatos (dos positivos y dos negativos) que se les dan mucho a un/a niño/a pequeño/a.

D. Profesor(a) por un día. Ahora imagina que eres el profesor o profesora de español hoy. ¿Qué mandatos vas a darles a tus estudiantes? Usa las formas de **ustedes.**

MODELOS: hablar español   Chicos, por favor hablen español.
           hablar inglés   Chicos, por favor no hablen inglés.

1. llegar a tiempo
2. leer la lección
3. escribir una composición
4. abrir los libros
5. volver a clase mañana

6. traer los libros a clase
7. estudiar los mandatos
8. ¿ ? Escribe otro mandato
común en la clase.

E. La importancia de una carrera universitaria

Paso 1. En parejas, lean el anuncio y contesten las preguntas.

1. Busquen los mandatos informales que se usan en el anuncio. ¿Qué significan en inglés?
2. ¿A quiénes va dirigido (*directed*) este anuncio, a la gente (*people*) joven o a la gente mayor? ¿Por qué creen eso?
3. ¿Qué tipo de estudios se destacan (*stand out*) en el anuncio?

Paso 2. Es muy común usar mandatos en los anuncios. Creen (*Create*) un anuncio para hacerle publicidad a su universidad. Deben usar por lo menos seis mandatos, dos de ellos negativos.

Vocabulario útil	
el logro	achievement
la beca	scholarship
el título	degree
mejorar	to improve
desarrollar	to develop
favor de + *inf.*	please (*do something*)

30 AÑOS DE LOGROS

13,421 BECAS PARA ESTUDIOS DE MEDICINA Y ASISTENCIA SANITARIA

12,770 BECAS PARA ESTUDIOS DE ADMINISTRACIÓN COMERCIAL

10,196 BECAS PARA ESTUDIOS DE CIENCIA

} 73,000 BECAS EN TOTAL

Asiste a la universidad. Obtén un título. Mejora tu vida. Nosotros del **Hispanic Scholarship Fund** hemos ayudado a miles de estudiantes hispanos a obtener un título universitario y a llegar a desarrollar plenamente su potencial. Te podemos ayudar a ti, también. Favor de visitar **www.hsf.net** para mayor información o para solicitar una beca.

30TH
HISPANIC
SCHOLARSHIP
FUND
www.hsf.net

A conversar...

El estrés de las clases

Paso 1.

Estudiante A: Este es tu primer semestre en la universidad. Estás tomando cuatro clases, tienes un trabajo y formas parte de una organización estudiantil. Además haces ejercicio todos los días. Te sientes muy estresado y tienes algunos problemas. Decides hablar con tu compañero/a de cuarto para pedirle consejos. Cuéntale cómo te sientes. Habla de tus emociones. Usa el vocabulario y las estructuras en este capítulo.

Estudiante B: Este es el primer semestre como estudiante universitario/a para tu compañero/a de cuarto. Lo / La notas estresado/a. Pregúntale cómo se siente y ofrécele tu ayuda. Piensa en tus experiencias pasadas. Para ofrecer tus consejos, usa las formas de los mandatos informales (tú) y el vocabulario en este capítulo y en los anteriores.

Paso 2. Intercambien los roles y usen estructuras y vocabulario diferentes.

Ahora te toca a ti...

La cita perfecta

Para hacer esta actividad, los chicos van a trabajar con otros chicos y las chicas, con otras chicas.

Paso 1.

Chicas: You have befriended a female student from Bolivia. A Canadian student she really likes has invited her out. Since what you do on a date varies from country to country, your friend is not sure what to do to prepare for the date and what to do on the date. Think of what Canadian young women do on dates and provide her with some tips. Use the **mandatos informales (tú).** Write down your list of tips. Do you think boys would agree with your list?

MODELO: La noche antes de la cita, **duerme** bien para no sentirte cansada.

Chicos: You have befriended a male student from Bolivia. He has asked a Canadian student he really likes to go out with him. Since what you do on a date varies from country to country, your friend is not sure what to do to prepare for the date and what to do on the date. Think of what Canadian young men do on dates and provide him with some tips. Use the **mandatos informales (tú).** Write down your list of tips. Do you think girls would agree with your list?

MODELO: La noche antes de la cita, **duerme** bien para no sentirte cansado.

Paso 2. Chicas and chicos: Compare your lists of tips. Are they similar or different? Do Canadian young women and men see dating in the same way?

Nota comunicativa

El subjuntivo

Except for the informal command forms, all verb forms that you have learned thus far in *Puntos de partida,* Canadian Edition have been part of the *indicative mood* (**el modo indicativo**). In both English and Spanish, the indicative is used to state facts and to ask questions. It objectively expresses most real-world actions or states of being.

Both English and Spanish have another verb system called the *subjunctive mood* (**el modo subjuntivo**), which will be introduced in **Capítulo 11.** The informal **ustedes** command forms and the informal **tú** negative command forms that you have just learned are part of the subjunctive system. From this point on in *Puntos de partida,* Canadian Edition you will see the subjunctive used where it is natural to use it, without translation. What follows is a brief introduction to the subjunctive that will make it easy for you to recognize it when you see it.

Here are some examples of the forms of the subjunctive. The **ustedes** forms (identical to the **ustedes** command forms) and the **tú** forms (identical to the **tú** negative command forms) are highlighted.

hablar		comer		servir		salir	
hable	hablemos	coma	comamos	sirva	sirvamos	salga	salgamos
hables	habléis	comas	comáis	sirvas	sirváis	salgas	salgáis
hable	hablen	coma	coman	sirva	sirvan	salga	salgan

The subjunctive is used to express more subjective or conceptual states, in contrast to the indicative, which reports facts, information that is objectively true. Here are just a few of the situations in which the subjunctive is used in Spanish.

1. to express what the speaker wants others to do (I want you to . . .)
2. to express emotional reactions (I'm glad that . . .)
3. to express probability or uncertainty (It's likely that . . .)

El cumpleaños de María. Fíjate en (*Notice*) los verbos subrayados (*underlined*) en los siguientes diálogos. Di en inglés por qué razón están subrayados. (Usa la lista de la **Nota comunicativa** que aparece antes de este ejercicio.)

EN EL PARQUE

RAÚL: Como hoy es tu cumpleaños, quiero invitarte a cenar. ¿En qué restaurante quieres que (1) <u>cenemos</u>?

MARÍA: Prefiero que tú (2) <u>hagas</u> una de tus espléndidas cenas para mí.

RAÚL: ¡Con mucho gusto!

EN LA CASA DE MARÍA

MADRE: (*Hablando por teléfono*) No, lo siento, pero María no está en casa.

LUISA: ¿Es posible que (3) <u>esté</u> en la biblioteca?

MADRE: No. Sé que ella y Raúl están cenando en casa de él.

LUISA: Ah, sí. Bueno, ¿le puede decir que (4) <u>llame</u> a Luisa cuando regrese?

MADRE: Sí, con mucho gusto, Luisa. Adiós.

LUISA: Hasta luego.

GRAMÁTICA 2

¿POR O PARA? • A SUMMARY OF THEIR USES

GRAMÁTICA EN ACCIÓN: ¿QUÉ SE REPRESENTA?

Estas son algunas escenas de la vida diaria de la gente en Quito, Ecuador. Empareja cada dibujo con la oración a continuación que le corresponde. ¿Qué significado tienen por y para en estas oraciones?

a.

b.

c.

d.

1. _____ Caminamos para el parque.

2. _____ Compré el regalo por la abuela.

3. _____ Caminamos por el parque.

4. _____ El regalo es para Eduardo.

You have been using the prepositions **por** and **para** throughout your study of Spanish. Although most of the information in this section will be a review, you will also learn some new uses of **por** and **para.**

Por

1. The preposition **por** has the following English equivalents.

by, by means of	Vamos **por avión (tren, barco,...).** *We're going by plane (train, ship, . . .).* Nos hablamos **por teléfono** mañana. *We'll talk by (on the) phone tomorrow.*
through, along	Me gusta pasear **por el parque** y **por la playa.** *I like to stroll through the park and along the beach.*
during, in (time of day)	Trabajo **por la mañana.** *I work in the morning.*
because of, due to	Estoy nervioso **por la entrevista.** *I'm nervous because of the interview.*
for = in exchange for	Piden **1.000 dólares por el coche.** *They're asking $1,000 for the car.* **Gracias por todo.** *Thanks for everything.*
for = for the sake of, on behalf of	Lo hago **por ti.** *I'm doing it for you (for your sake).*
for = duration (often omitted)	Vivieron allí (**por**) **un año.** *They lived there for a year.*

2. **Por** is also used in a number of fixed expressions.

por Dios	for heaven's sake
por ejemplo	for example
por eso	that's why
por favor	please
por fin	finally
por lo general	generally, in general
por lo menos	at least

**por primera /
   última vez**
	for the first/
	   last time

por si acaso	just in case
¡Por supuesto!	Of course!
por todas partes	everywhere

Para

Although **para** has many English equivalents, including *for,* its underlying nature refers to a goal, purpose, or destination.

in order to + infinitive	Regresaron pronto **para preparar la cena de Navidad.** *They returned soon (in order) to prepare Christmas dinner.* Estudian **para conseguir** un buen trabajo. *They're studying (in order) to get a good job.*
for = destined for, to be given to	Todo esto es **para ti.** *All this is for you.* Le di un libro **para su hijo.** *I gave her a book for her son.*

for = by (deadline, specified future time)	**Para mañana,** estudien *por* y *para.* *For tomorrow, study **por** and **para**.* La composición es **para el lunes.** *The composition is for Monday.*
for = toward, in the direction of	Salió **para Ecuador** ayer. *She left for Ecuador yesterday.*
for = to be used for Compare the second example to **un vaso de agua** = *a glass (full) of water.*	El dinero es **para la matrícula.** *The money is for tuition.* Es un vaso **para agua.** *It's a water glass.*
for = as compared with others, in relation to others	**Para mí,** el español es fácil. *For me, Spanish is easy.* **Para** (ser) **extranjera,** habla muy bien el español. *For (being) a foreigner, she speaks Spanish very well.*
for = in the employ of	**Trabajan para la universidad.** *They work for the university.*

> ### Por and para Summary
>
> **por:** reason, cause
> **para:** goal, purpose, destination

Práctica

A. Asociaciones. *¿Por o para?* ¿Con qué preposición asocias las siguientes frases?

1. gracias
2. una fecha en el futuro
3. un período de tiempo
4. durante
5. un modo de transporte
6. con cierto destino (*destination*)
7. con el propósito (*purpose*) de
8. en lugar de otra persona
9. con el fin (*goal*) de ayudar a una persona
10. a causa de
11. en medio (*middle*) de, a lo largo de (*along*)
12. trabajar en una compañía
13. pagar o pedir dinero
14. en comparación con otros

B. Preguntas. Completa las siguientes preguntas con **por** o **para.** Si las dos preposiciones son posibles, explica la diferencia de significado.

1. ¿_____ quién trabaja Ud.? ¿Trabaja _____ la mañana o _____ la tarde?

2. ¿_____ dónde tienes que pasar _____ llegar a la universidad?

3. ¿Cuánto pagaste _____ tu coche?

4. ¿_____ qué es la llave grande que tienes en la mano?

5. ¿_____ qué profesión estudiaste? ¿_____ cuántos años tuviste que estudiar?

6. Profesora, ¿_____ qué día de esta semana necesita la tarea?

C. ¿*Por* o *para*? Completa los siguientes diálogos y oraciones con **por** o **para**.

1. Los Sres. Arana salieron _____ Perú esta mañana. Van _____ avión, claro, pero luego piensan viajar en coche _____ todo el país. Van a estar allí _____ dos meses. Va a ser una experiencia extraordinaria _____ toda la familia.

2. Mi prima Graciela quiere estudiar _____ (ser) doctora. _____ eso trabaja _____ un médico _____ la mañana; tiene clases _____ la tarde.

3. ¿ _____ qué están Uds. aquí todavía? Yo pensaba que iban a dar un paseo _____ el parque. Íbamos a hacerlo, pero no fuimos, _____ la nieve.

4. Este cuadro fue pintado (*was painted*) por Picasso _____ expresar los desastres de la guerra (*war*). _____ muchos críticos de arte, es la obra maestra (*masterpiece*) de este artista.

5. La "Asociación Todo _____ Ellos" trabaja _____ las personas mayores, _____ ayudarlos cuando lo necesitan. ¿Trabajas tú _____ alguna asociación de voluntarios? ¿Qué tuviste que hacer _____ inscribirte (*sign up*)?

D. Preguntas con *por* y *para*

Paso 1. Completa las siguientes ideas con **por** o **para**.

1. prepararse _____ una profesión
2. estar nervioso _____ algo
3. trabajar _____ una compañía
4. hablar _____ por teléfono con frecuencia
5. tener algo que hacer _____ mañana
6. pasear _____ el *campus*
7. tener algo que comprar _____ su casa / apartamento / cuarto
8. la idea de pagar mil dólares _____ un abrigo
9. tener algo que hacer _____ alguien
10. la idea de vivir en un sitio _____ toda la vida

Paso 2. Ahora, en parejas, hagan y contesten preguntas, usando las frases del **Paso 1**.

MODELO: prepararse _____ una profesión →
¿Sabes para qué profesión te estás preparando?

Nota cultural II

Ch'aska Palomas: Las artesanías textiles de Bolivia*

Uno de los aspectos más interesantes de Bolivia es la belleza y el diseño de su artesanía indígena. Por ejemplo, cerca de Potosí una asociación de mujeres indígenas se dedica a la artesanía textil como expresión de la identidad étnica calcheña.[a] Trabajando en diez centros, o "ayllus", cerca de 300 mujeres tejedoras,[b] llamadas "Ch'aska Palomas", producen una serie de diferentes tipos de ropa y tejidos.

Hecha[c] a mano, la artesanía textil "calcha" es reconocida por la belleza de sus colores y diseños. Son ideales para decorar ambientes[d] con calidez[e] y elegancia.

Los tejidos de lana de oveja[f] muestran la riqueza de los "ayllus" calcheños. Empiezan siempre con verde, rojo y panti (guindo),[g] una combinación de colores que es algo como el sello[h] calcheño. En el café-museo San Marcos hay una exposición del arte textil calcheño, donde también la gente puede comprar ponchos y tejidos.

Otra opción para un recuerdo es la platería[i] típica potosina.[j] Con las enseñanzas de maestros europeos, la colonia Potosí desarrolló[k] un gremio[l] de artesanos que producía tanto para el consumo local como para la exportación a España exquisitas obras de arte en plata conocidas[m] como platería potosina. Actualmente, se conserva esta rica tradición, y los artesanos locales han reanudado[n] la producción de objetos similares a los coloniales.

Los objetos artísticos pueden ser de adorno, como los delicados broches para la mujer, o también para uso en la casa, como soperas y cubiertos.[ñ]

[a]de Chalcha (un lugar) [b]mujeres... *female weavers* [c]*Made* [d]*places, room, environments* [e]*quality* [f]lana... *lamb's wool* [g]*cherry* [h]*stamp, seal* [i]*silver work* [j]de Potosí (un lugar) [k]*developed* [l]grupo de personas que tiene la misma profesión [m]*known* [n]han... *have revived* [ñ]soperas... *bowls and silverware*

¿Entendiste?

1. ¿A qué aspecto de la cultura boliviana se refiere este texto?
2. ¿Qué es un "ayllu"?
3. ¿Cuáles son algunas características de los textiles "calcha"?
4. ¿Qué tipo de productos textiles se producen en los "ayllus" calcheños? ¿Se pueden comprar estos productos? ¿Dónde?
5. ¿Quiénes les enseñaron el arte de la platería a los bolivianos?
6. ¿Qué tipo de productos hacen los artesanos locales en Potosí?
7. ¿Hay artesanías como las que se describen en este texto en Canadá? ¿Dónde se producen? ¿Quiénes las producen?
8. ¿A qué aspectos de la historia boliviana están unidas las tradiciones de los tejidos y platería en Bolivia?
9. Mira las fotos a continuación y describe el tipo de material, colores y ropa que los grupos indígenas producen y llevan en Bolivia.
10. ¿Es posible comprar este tipo de producto en tu ciudad? ¿Dónde? ¿Te gustan las artesanías bolivianas? ¿Por qué? ¿Por qué no?

Artesanías bolivianas en un Mercado de La Paz

En La Paz, Bolivia

*Text adapted from the original, which was published in the American Airlines magazine *Nexos*.

¿Recuerdas?

Since **Capítulo 6** you have been using first the preterite and then the imperfect in appropriate contexts. Do you remember which tense you used to do each of the following?

1. to tell what you did yesterday
2. to tell what you used to do when you were in grade school
3. to explain the situation or condition that caused you to do something
4. to tell what someone did as the result of a situation
5. to talk about the way things used to be
6. to describe an action that was in progress

If you understand these uses of the preterite and the imperfect, the following summary of their uses in **Gramática 3** will be very easy for you.

GRAMÁTICA 3

NARRATING IN THE PAST • USING THE PRETERITE AND THE IMPERFECT: SUMMARY

GRAMÁTICA EN ACCIÓN: LA FIESTA DE ROBERTO

Juan Carlos le cuenta a su hermano Pedro una experiencia que tuvo cuando comenzó sus estudios universitarios. ¿Qué tipo de experiencia fue? ¿Tuviste alguna vez una experiencia similar?

Durante mi segundo año en la universidad, conocí a Roberto en una clase. Pronto nos hicimos muy buenos amigos. Roberto era una persona muy generosa que daba una fiesta en su apartamento todos los viernes. Todos nuestros amigos iban. Había muchas bebidas y comida abundante, y todos hablaban y bailaban hasta muy tarde.

Una noche algunos de los vecinos (*neighbours*) de Roberto llamaron a la policía porque pensaban que nosotros hacíamos demasiado ruido. Llegaron dos policías al apartamento y le dijeron a Roberto que la fiesta era demasiado ruidosa. Todos tuvimos que despedirnos aunque (*even though*) eran solamente las once de la noche.

Aquella noche Roberto aprendió algo importantísimo. Ahora cuando hace una fiesta, siempre invita a sus vecinos.

¿Entendiste?

Locate all of the past tense verbs in the preceding text that do the following.

1. indicate actions
2. indicate conditions or descriptions

When speaking about the past in English, you use different past tense forms, depending on the context: *I wrote letters, I was writing letters, I used to write letters,* and so on. Similarly, you can use either the preterite or the imperfect in many Spanish sentences, depending on the meaning you wish to convey. Often the question is: How do you view the action or state of being?

Preterite	Imperfect
• beginning/end of past action	• habitual/repeated action
• completed action	• progress of a past action
• series of completed actions	• background details
• interrupting action	• interrupted action
• the action on the "stage"	• the backdrop (set-up) of the "stage"

Beginning/End vs. Habitual

Use the preterite to . . .

- tell about the beginning or the end of a past action

El sábado pasado, la fiesta **empezó** a las once. **Terminó** a las cuatro. Juan Carlos **se fue** a las tres.
Last Saturday, the party started at eleven. It ended at four. Juan Carlos left at three.

Use the imperfect to . . .

- talk about the habitual nature of an action (something you always did)

Había una fiesta todos los sábados. Muchas personas **asistían** todas las semanas.
There was a party every Saturday. Many people attended (the party) every week.

Completed vs. Ongoing

Use the preterite to . . .

- express an action that is viewed as completed

La fiesta **duró** tres horas. Mucha gente **vino** a la fiesta.
The party lasted three hours. Many people came to the party.

Use the imperfect to . . .

- tell what was happening when another action took place and to tell about simultaneous events (with **mientras** = *while*)

Yo no **fui** a la fiesta. **Estaba** de vacaciones en Perú.
I didn't go to the party. I was on vacation in Peru.

Mientras mi amigo **bailaba, hablaba** con su novia.
While my friend was dancing, he was talking with his girlfriend.

Series of Completed Actions vs. Background

Use the preterite to . . .

- express a series of completed actions

Durante la fiesta de Navidad, los niños **corrieron, saltaron** y **gritaron.**
During the Christmas party, the kids ran, jumped, and shouted.

Use the imperfect to . . .

- give background details of many kinds: time, location, weather, mood, age, physical and mental characteristics

Todos los niños **eran** pequeños; **tenían** 5 o 6 años. ¡Y todos **esperaban** jugar!
All the kids were small; they were 5 or 6 years old. And all of them hoped to play!

Interrupting vs. Interrupted

The preterite and the imperfect frequently occur in the same sentence. In the first sentence the imperfect tells what was happening when another action—conveyed by the preterite—broke the continuity of the ongoing activity. In the second sentence, the preterite reports the action that took place because of a condition—described by the imperfect—that was in progress or in existence at that time.

1. Miguel **estudiaba** cuando **sonó** el teléfono.
   Miguel was studying when the phone rang.

2. Olivia **comió** tanto porque **tenía** mucha hambre.
   Olivia ate so much because she was very hungry.

Action vs. the Stage (Background)/Conditions/Ongoing

The preterite and imperfect are also used together in the presentation of an event. The preterite narrates the action while the imperfect sets the stage, describes the conditions that caused the action, or emphasizes the continuing nature of a particular action.

Era un día hermoso. **Hacía** mucho sol, pero no **hacía** mucho calor. Como no **tenía** que trabajar en la oficina, **salí** a comprar unas flores. Luego me **puse** una camiseta y pantalones cortos y **decidí** trabajar todo el día en el jardín.
It was a beautiful day. It was very sunny, but it wasn't very hot. Since I didn't have to work at the office, I went out to buy some flowers. Then I put on a T-shirt and shorts and decided to work in the garden all day.

Changes in Meaning

Remember that, when used in the preterite, **querer, poder, saber,** and **conocer,** have English equivalents different from that of the infinitives. (See pages 234–275) In the imperfect, the English equivalents of these verbs do not differ from the infinitive meanings.

Anoche **conocí** a Roberto.
*Last night **I met** Roberto.*

¿Anoche? Yo pensaba que ya lo **conocías**.
*Last night? I thought **you** already **knew** him.*

Words and Expressions That Indicate the Use of Preterite and Imperfect

Certain words and expressions are frequently associated with the preterite, others with the imperfect.

1. Some words often associated with the preterite are:

   ayer, anteayer (*the day before yesterday*), **anoche** (*last night*)
   una vez, dos veces (*twice*)…
   el año pasado, el lunes pasado…
   de repente (*suddenly*)

2. Some words often associated with the imperfect are:

   todos los días, todos los lunes…
   siempre, frecuentemente
   mientras
   de niño/a, de joven

3. Some English equivalents also associated with the imperfect are:

was _____ *-ing, were* _____ *-ing* (in English)
used to, would (when *would* implies *used to* in English)

As you continue to practise with the preterite and imperfect, these expressions can help you determine which tense to use. These words do not *automatically* cue either tense, however. The most important consideration is the meaning that the speaker wishes to convey.

Ayer cenamos temprano.
Yesterday we had dinner early.

Ayer cenábamos cuando Juan llamó.
Yesterday we were having dinner when Juan called.

Jugaba al fútbol **de niño**.
He played/used to play soccer as a child.

Empezó a jugar al fútbol **de niño**.
He began to play soccer as a child.

Práctica

A. Dos historias cortas en Perú.
Completa los siguientes párrafos con la forma correcta del pretérito o imperfecto de los verbos en paréntesis según el contexto. Primero lee los dos párrafos (sin conjugar los infinitivos) para tener una idea general de la historia.

1. Cuando éramos niños, Jorge y yo (1) _____ (vivir) en Perú. Siempre

   (2) _____ (ir) a la playa, a Zorritos, en la costa norte de Perú, para pasar la

   Navidad. Allí mis padres, Jorge y yo casi siempre nos (3) _____ (quedar) en el

   Hotel Arrecife. Un año, mis padres (4) _____ (decidir) quedarse en otro hotel,

   el Continental. No nos (5) _____ (gustar) tanto como el Arrecife porque

   el Continental (6) _____ (estar) lejos de la playa y (7) _____

   (ser) muy pequeño. Por eso, al año siguiente, (8) _____ (volver) al Arrecife

   otra vez.

2. Eran las once de la noche y yo (1) _____ (leer) tranquilamente un libro cuando

   de repente (2) _____ (empezar) a llover muy fuerte. (3) _____

   (Haber) mucho viento y la casa (4) _____ (estar) oscura y llena de ruidos

   extraños. (5) _____ (sentir) mucho miedo. (6) _____ (Poner) mi

   libro sobre la mesa y (7) _____ (decidir) llamar por teléfono a mi hermana.

   ¡Pero el teléfono no (8) _____ (tener) tono! Entonces (9) _____

   (prender) el televisor y todas las luces de la casa y así (10) me _____ (sentir)

   mucho mejor. ¡Odio las tormentas!

B. Más historias: Rubén y Soledad en Bolivia.
Primero lee el siguiente párrafo (sin conjugar los infinitivos) para tener una idea general de la historia. Luego completa el párrafo con la forma apropiada de los infinitivos, en el pretérito o en el imperfecto, según el contexto.

Rubén estaba estudiando cuando Soledad entró en el cuarto. Le (1) _____ (preguntar)

a Rubén si (2) _____ (querer) ir al cine con ella. Rubén le (3) _____

que sí porque se (4) _____ (sentir) un poco aburrido de estudiar. Los dos

(5) _____ (salir) en seguida[a] para el cine. (6) _____ (Ver) una película

[a]en... *right away*

cómica y (7) _____ (reírse) mucho. Luego, como (8) _____ (hacer) frío,

(9) _____ (entrar) en su café favorito, El Gato Negro, y (10) _____

(tomar) chocolate. (11) _____ (Ser) las dos de la mañana cuando por fin

(12) _____ (regresar) a casa. Soledad (13) _____ (acostarse) en seguida

porque (14) _____ (estar) cansada, pero Rubén (15) _____ (empezar)

a estudiar otra vez.

¿Entendiste? Ahora contesta las siguientes preguntas, según el párrafo.

 Una pregunta *no* se contesta siempre con el mismo tiempo verbal de la pregunta. Por ejemplo, si es necesario explicar por qué ocurrió algo, se usa el imperfecto.

1. ¿Qué hacía Rubén cuando Soledad entró?
2. ¿Qué le preguntó Soledad a Rubén?
3. ¿Por qué aceptó Rubén su invitación?
4. ¿Les gustó la película? ¿Cómo se sabe?
5. ¿Por qué tomaron chocolate?
6. ¿Qué hora era cuando regresaron a casa?
7. ¿Qué hicieron cuando llegaron a casa?

C. Un cuento famoso para niños

Paso 1. La siguiente historia está narrada en el presente. Pónla en el pasado, usando los verbos en el pretérito.

La niña abre[1] la puerta y entra[2] en la casa. Ve[3] tres sillas. Se sienta[4] en la primera silla, luego en la segunda, pero no le gusta[5] ninguna. Por eso se sienta[6] en la tercera. Ve[7] tres platos de comida en la mesa y decide[8] comer el más pequeño. Luego, va[9] a la alcoba para descansar un poco. Después de probar[a] las camas grandes, se acuesta[10] en la cama más pequeña y se queda[11] dormida.

[a]*trying*

Vocabulario útil

Había una vez...	+ *imp.* Once upon a time there was...
Un día...	+ *pret.*
el bosque	forest
la casita	little house
huir (*like* construir)	to flee

Paso 2. ¿Reconoces la historia? Es el cuento de Ricitos de Oro y los tres osos (*bears*). Pero el cuento es un poco aburrido tal como está escrito (*as it is written*) en el **Paso 1**. Mejóralo (*Improve it*) con palabras de **Vocabulario útil** y dando detalles y descripciones (usando el imperfecto). También debes terminar el cuento: ¿Qué pasó al final? Cuando termines tu cuento, usa esta expresión: "Y colorín colorado, este cuento se ha terminado".

MODELO: Había una vez una niña que *se llamaba* Ricitos de Oro. Un día la niña *fue*...

D. Repaso: Caperucita Roja

Paso 1. Retell this familiar story, based on the drawings, sentences, and cues that accompany each drawing, using the imperfect or preterite of the red verbs in parentheses. Add as many details as you can. Using context, try to guess the meaning of words that are indicated with ¿ ?. Remember to finish your story with the phrase "Y colorín colorado, este cuento se ha terminado".

Vocabulario útil

abalanzarse (c) sobre	to pounce on	**esconderse**	to hide
avisar	to warn	**huir** (*like* **construir**)	to flee
dispararle	to shoot at (*someone/ something*)	**querer**	to love
		saltar	to jump
enterarse de	to find out about		

1.　　　　　　2.　　　　　　3.　　　　　　4.

1. Érase una vez[a] una niña hermosa que (llamarse[1]) Caperucita Roja. Todos los animales del bosque[b] (ser[2]) sus amigos y Caperucita Roja los (querer[3]) mucho.
2. Un día su mamá le (decir[4]): —Lleva en seguida esta jarrita de miel[c] a casa de tu abuelita. Ten cuidado[d] con el lobo[e] feroz.
3. En el bosque, el lobo (salir[5]) a hablar con la niña. Le (preguntar[6]): —¿Adónde vas, Caperucita? Ella le (contestar[7]) dulcemente[f]: —Voy a casa de mi abuelita.
4. —Pues, si vas por este sendero,[g] vas a llegar antes, le (decir[8]) el malvado[h] lobo. Él (irse[9]) por otro camino más corto.

[a]*¿ ?*　[b]*¿ ?*　[c]*jarrita… jar of honey*　[d]*Ten… Be careful*　[e]*¿ ?*　[f]*sweetly*　[g]*path*　[h]*¿ ?*

5.　　　　　　6.　　　　　　7.　　　　　　8.

5. El lobo (llegar[10]) primero a la casa de la abuelita y (entrar[11]) silenciosamente. La abuelita (tener[12]) mucho miedo. (*Ella:* Saltar[13]) de la cama y (correr[14]) a esconderse.
6. Caperucita Roja (llegar[15]) por fin a la casa de la abuelita. (*Ella:* Encontrar[16]) a su "abuelita", que (estar[17]) en la cama. Le (decir[18]): —¡Qué dientes tan largos tienes! —¡Son para comerte mejor!— le (decir[19]) su "abuelita".
7. Una ardilla[i] del bosque (enterarse[20]) del peligro. Por eso le (avisar[21]) a un cazador.[j]
8. El lobo (saltar[22]) de la cama y (abalanzarse[23]) sobre Caperucita. Ella (salir[24]) de la casa corriendo y pidiendo socorro[k] desesperadamente.

[i]*¿ ?*　[j]*¿ ?*　[k]*help*

9.   10.

9. El cazador (ver[25]) lo que (ocurrir[26]). (*Él:* Dispararle[27]) al lobo y lo (hacer[28]) huir.
10. Caperucita (regresar[29]) a la casa de su abuelita. La (*ella:* abrazar[30]) y (prometer[31]) escuchar siempre los consejos de su mamá.

Paso 2. Hay varias versiones del cuento de Caperucita Roja. La que acabas de leer termina felizmente, pero otras no. Con otros dos compañeros, vuelve a contar la historia, empezando por el dibujo número 7. Inventen un diálogo más largo y creativo entre Caperucita y el lobo y cambien por completo el final del cuento.

Vocabulario útil	
atacar (qu)	to attack
comérselo/la	to eat something up
matar	to kill

E. Repaso: Dos diablitos (*little devils*)

Paso 1. Alberto y Eduardo Suárez son dos niños ecuatorianos que siempre hacen lo que no deben. Lee el mandato que les da su madre en la primera oración de cada par. Luego completa la segunda oración con el mandato opuesto.

MODELO: Alberto, siéntate en la silla. No _____ (sentarte) en el suelo.
No *te sientes* en el suelo.

1. Alberto, no escuches la radio ahora. _____ (Escucharme) a mí.

2. Eduardo, haz tu tarea. No _____ (hacer) eso.

3. Eduardo, no juegues con la pelota dentro de la casa. _____ (Jugar) afuera.

4. Alberto, no cantes en la mesa. _____ (Cantar) después de cenar.

5. Alberto, dame tu almuerzo. No _____ (dárselo) al perro.

6. Eduardo, pon los pies en el suelo. No _____ (ponerlos) en el sofá.

UN POCO DE TODO

VIDEOTECA

Entre amigos

Primera parte
En este capítulo, Miguel, Tané, Rubén y Carina hablan de las celebraciones en sus familias y países de origen y preparan una fiesta de cumpleaños. ¿Qué fiestas crees que celebran estos estudiantes? Teniendo en cuenta lo que sabes sobre ellos, sus países de origen y lo que aprendiste sobre las celebraciones hispanas en este capítulo, escribe algunas ideas en el cuadro a continuación.

	¿Qué fiestas celebran con sus familias?	¿Tuvieron una fiesta de quinceañera?	¿Cuándo se dan los regalos de Navidad en sus países?	¿Cuáles son las fiestas típicas de sus países?
Miguel (México)				
Tané (Cuba)				
Rubén (España)				
Carina (Venezuela)				

Ahora mira la primera parte del video y comprueba si tus ideas son correctas o no. Completa el cuadro con otras ideas. ¿Celebras tú las mismas fiestas que Miguel, Tané, Rubén y Carina? ¿Cuáles son similares y cuáles son diferentes?

Segunda parte

¿Te gustan las fiestas de cumpleaños? ¿Cómo son las fiestas de cumpleaños en Canadá? Teniendo en cuenta lo que sabes sobre Miguel, Tané, Rubén y Carina, ¿qué tipo de fiesta de cumpleaños crees que les gusta? ¿Hay decoraciones en sus fiestas? ¿Qué tipo de comida sirven? Escribe algunas ideas y luego mira la segunda parte del video. ¿Son tus ideas correctas?

¿Entendiste?

A. La fiesta de cumpleaños. Contesta las siguientes preguntas sobre la fiesta que están organizando Miguel, Tané, Rubén y Carina.

1. ¿Qué tipo de decoraciones preparan Miguel y Rubén?
2. ¿Dónde va a ser la fiesta?
3. ¿Para quién es la fiesta?
4. ¿Por qué piensa Rubén en la Navidad mientras prepara las decoraciones con Miguel?
5. ¿Qué hace la gente en España y en México para la Navidad y el Año Nuevo?
6. Describe las dos costumbres diferentes que tienen los españoles y mexicanos para recibir al Año Nuevo.
7. ¿Qué llevan los venezolanos para celebrar la Navidad?
8. ¿Qué hacen los cubanos para celebrar la Navidad?
9. Y ¿cómo celebran la Navidad los canadienses? ¿Qué otra fiesta importante se celebra para la misma fecha? ¿Y cómo se celebra?

B. A inventar: La fiesta de Tané, Miguel, Rubén y Carina

Paso 1. Con un/a compañero/a, imaginen que son uno de los personajes en el video clip (Miguel, Tané, Rubén o Carina). Es el lunes por la mañana y le cuentan a otro amigo que pasó en la fiesta de cumpleaños que organizaron para María. Cuenten lo qué pasó en la fiesta como si fueran (*as if you were*) uno de estos cuatro estudiantes, teniendo en cuenta la personalidad y características de cada uno de ellos. Usen el pretérito y el imperfecto y:

1. describan el lugar donde fue la fiesta (cómo era el lugar, las decoraciones que había, la gente, la música, la comida, etc.);
2. qué hicieron allí (qué hizo cada uno de los personajes, qué comieron y bebieron, etc.);
3. cómo estuvo la fiesta;
4. cómo se sintió María en la fiesta;
5. qué hicieron después de la fiesta.

Paso 2. Presenten su historia a la clase. La clase va a elegir la historia más creativa e interesante.

LECTURA

SOBRE LA LECTURA... El artículo que vas a leer es de *Nuestra Gente,* una revista de la "cultura popular", publicada para hispanohablantes que viven en los Estados Unidos. Incluye artículos sobre el mundo del entretenimiento (*entertainment*), la salud (*health*) y la belleza (*beauty*), el hogar (*home*), la cocina, los días festivos y otros temas de interés general.

REPASO DE ESTRATEGIAS: Using What You Know

In previous chapters of *Puntos de partida,* Canadian Edition, you learned that you can use a variety of prereading strategies to help you understand the meaning of a passage in Spanish. Some of these strategies include:

- guessing meaning from context
- learning to recognize cognates and cognate patterns
- using visual clues
- getting a general idea about content

Using a combination of some or all of these strategies will help you to become a more efficient, successful reader in Spanish.

ANTES DE LEER

Apply as many strategies as possible to the following reading. First, read the title and write two ideas about the text. ¿Cuál es el tema de este texto?

A LEER

¡Época de tradiciones!

Diciembre es un mes muy especial para nosotros los latinos, ¡y lo festejamos a lo grande! Aún cuando ya hemos adoptado[a] las costumbres norteamericanas de colocar un árbol de Navidad en la casa y de esperar la llegada de Santa Claus el 25 de diciembre, nunca faltan en nuestros hogares[b] esos toques[c] especiales que le dan sabor latino a la Navidad y que le dan vida a nuestras tradiciones culturales. Por eso, esta es la ocasión perfecta para inculcar en nuestros hijos el orgullo hacia lo nuestro[d] y darle continuidad a aquellas costumbres que celebrábamos junto a nuestros abuelos y que esperamos que nuestros hijos celebren con sus nietos.

Beatriz Acosta, quien reside en California, aprovecha[e] estas fechas para que sus tres hijos participen en las tradicionales posadas, que emulan el peregrinaje[f] de la Virgen María y San José en busca de albergue.[g] "Para mí, es importante que mis hijos aprendan estas costumbres de nuestra cultura", dice esta inmigrante de origen mexicano.

Y, ¡claro que cada cual sigue sus tradiciones! A las procesiones o visitas que los mexicanos llaman posadas, los puertorriqueños les llaman asaltos navideños o parrandas. Contrario al tema religioso que enfatizan[h] las posadas, las parrandas se caracterizan por ser una visita inesperada de amigos que cantan para continuar la fiesta, y recibir comida y algo de beber. Son actividades alegres y fáciles de organizar entre familiares o amistades.

[a]hemos... *we have adopted* [b]*casas* [c]*touches* [d]*el... pride in what is ours (our heritage)* [e]*takes advantage of* [f]*pilgrimage* [g]*shelter* [h]*emphasize*

Para añadirle[i] un toquecito latino al Año Nuevo, puedes compartir con tus hijos la forma en que se despide en tu país de origen el Año Viejo. Los cubanos, por ejemplo, siguen la tradición española de comer 12 uvas[j] en representación de los 12 meses del año viejo y de los 12 venideros. Otros prefieren agarrar[k] una maleta y darle la vuelta a la cuadra,[l] como lo hacen los mexicanos, con el fin de que el Año Nuevo esté lleno de viajes.

Muchos de nosotros seguimos festejando y no quitamos el árbol navideño hasta el 6 de enero, Día de los Reyes Magos, en que se conmemora la llegada de los tres reyes de Oriente a Belén[m] para ofrecer regalos al Niño Dios.

Lo más lindo es saber que el espíritu navideño se adorna de nuestras tradiciones de origen, colma[n] nuestros corazones[ñ] y se perpetúa con su magia en las nuevas generaciones.

[i]darle [j]grapes [k]to take, grab [l]darle... walk around the block [m]Bethlehem [n]fills [ñ]hearts

DESPUÉS DE LEER

A. ¿Cierto o falso? Indica si las siguientes oraciones son ciertas (C) o falsas (F) y corrige las oraciones falsas.

1. Los hispanos en los Estados Unidos desean cambiar las costumbres   C   F
   y tradiciones de su país de origen.
2. Todos los países hispánicos tienen las mismas costumbres navideñas.   C   F
3. En las casas hispánicas no ponen árboles de Navidad.   C   F
4. Santa Claus es una costumbre de las Navidades hispánicas.   C   F
5. Las posadas conmemoran la llegada de los reyes magos.   C   F
6. Los asaltos navideños puertorriqueños son similares a las   C   F
   posadas mexicanas.
7. En las parrandas, la gente visita la casa de sus amigos o familiares   C   F
   para recibir regalos.
8. Algunas celebraciones hispánicas del Año Nuevo vienen de España.   C   F
9. Los hispanos sólo celebran la Navidad y el Año Nuevo.   C   F
10. A los hispanos les encantan las celebraciones de diciembre.   C   F

B. ¿En qué país? Di en qué país hispánico se observan las siguientes costumbres, según la lectura.

1. Se comen 12 uvas para celebrar el Año Nuevo.
2. Se simula el viaje de la Virgen María y San José.
3. Se va de casa en casa visitando amigos y cantando.

Una representación de los Reyes Magos en la Catedral de la Habana

REDACCIÓN

MI DÍA FESTIVO FAVORITO

En este capítulo, vas a escribir una composición sobre un día festivo favorito, como Acción de Gracias, por ejemplo, que tuviste cuando eras un/a niño/a. Vas a narrar este evento usando el pretérito y el imperfecto.

ANTES DE ESCRIBIR

Usa instrucciones para pensar en tu composición. Tu instructor te puede ayudar con palabras y construcciones nuevas.

Paso 1. Completa las siguientes oraciones. Estás dos serán las primeras líneas de tu composición.

"Mi celebración favorita cuando era un/a niño/a era _____. Mi día favorito festivo ocurrió cuando… (menciona tu edad o un evento)"

Paso 2. Ahora contesta las siguientes preguntas con detalles para incluir en tu narración.

1. ¿Con quién(es) celebraste ese día festivo?
2. ¿Cuáles eran las costumbres y tradiciones que tú y tu familia observaban para festejar esa celebración?
3. ¿Qué ocurrió ese día en particular? (tu día festivo favorito)
   - Describe las decoraciones de la casa.
   - Describe las comidas y bebidas que se sirvieron.
   - Explica si te vestiste de alguna manera especial.
   - Explica por qué ese día es tu favorito; narra los eventos y explica el porque de tu preferencia.

A ESCRIBIR

Por fin, utiliza la información del **Paso 2** para escribir tu composición. Recuerda…

- usar el vocabulario y verbos de este capítulo y de los capítulos anteriores.
- prestar atención a las formas del pretérito y del imperfecto (por ejemplo, mi mamá prepar**ó** un pavo al horno y en la casa **había** un aroma riquísimo. Mis hermanos y yo **teníamos** mucho hambre). Ten cuidado con los acentos en los dos tiempos.
- prestar atención al género y número cuando usas artículos, adjetivos y sustantivos (por ejemplo, **el** pa**vo** estaba delicios**o**).
- usar pronombres de objeto directo (me, te, lo, la, nos, los, las) y de objeto indirecto (me, te, le, nos, les) para evitar la repetición de palabras y ten cuidado cuando uses los dos pronombres juntos.
- prestar atención a las conjugaciones correctas de los verbos (por ejemplo, **Mis padres** me **regalaron** un auto a control remoto.).
- unir tus ideas con conectores como **y, pero, sin embargo, también, además,** etc.

Empieza tu composición de la siguiente forma:

"Mi celebración favorita cuando era un/a niño/a era *la Navidad*. Mi día favorito festivo ocurrió cuando *tenía 10 años… / cuando viajamos a la casa de mis tíos en Québec…*"

DESPUÉS DE ESCRIBIR

Now read your composition, and focus on the following:

- <u>Content</u>: Have you included all the information required?
- <u>Grammar</u>:
  - Articles, possessive adjectives, nouns, and adjectives: Do they agree in gender and number?
  - Verbs: Have you conjugated your verbs correctly?
  - Past tense: Have you written all your verbs in the preterite and the imperfect?
  - Pronouns: Have you used the correct pronouns?
- <u>Connectors</u>: Have you connected your ideas with the suggested connectors and conjunctions?

Correct your text, and write a new, improved version.

Perú, Bolivia y Ecuador

Antes de explorar...

En este capítulo, hablamos de los países andinos: Perú, Bolivia y Ecuador. ¿Qué aprendiste sobre estos países? Con un/a compañero/a, escribe una lista de datos sobre estos tres países.

¡A explorar!

Ahora vamos a aprender más sobre estos tres países. Lee los siguientes textos y piensa en las similitudes y diferencias entre estos tres países y Canadá. Compara los tres países también.

Perú

- Nombre oficial: República del Perú
- Capital: Lima
- Población: más de 28 millones de habitantes
- Perú fue el centro de la civilización inca, la civilización indígena más extensa de América. Parte de esta herencia cultural sigue viviendo entre sus descendientes: los quechuas del Perú, de Bolivia, de Ecuador y de Chile. Para muchos peruanos, el quechua es su primer, y a veces su único, idioma.
- El Lago Titicaca, situado entre Bolivia y el Perú, es el lago más grande de Sudamérica y es la ruta principal de transporte entre estos dos países.
- Cientos de años antes de la llegada de los españoles, la agricultura de los indígenas del Perú ya era muy avanzada. Hace más de 2.000 años, los indígenas ya construían[a] terrazas para hacer sus cultivos en las faldas[b] de los Andes. Muchas de estas terrazas todavía se usan hoy día.
- Uno de los cultivos[c] más importantes de los incas es la papa, que se originó en la región cerca del Lago Titicaca. La papa es una de las pocas plantas que pueden subsistir[d] en altitudes de más de 4.000 metros[e] y en regiones muy frías.

[a]*used to build*   [b]*para... so that they could plant on the slopes*   [c]*crops*   [d]*survive*   [e]*4.000... 13,123 feet*

Bolivia

- Nombre oficial: República de Bolivia
- Capital: La Paz (sede [*seat*] del gobierno), Sucre (capital constitucional)
- Población: casi 9 millones de habitantes
- Lo que hoy es Bolivia formó parte del antiguo imperio inca. Aproximadamente el 60 por ciento de la población boliviana actual es de origen indígena.
- Bolivia, en el centro de Sudamérica y sin acceso al mar,[a] tiene dos regiones principales: las tierras altas[b] y las tierras bajas.[c] La mayoría de la población vive en las tierras altas, donde el aire es poco denso, y tiene serios problemas causados[d] por la exposición[e] al sol.
- A 3.660 metros[f] sobre el nivel[g] del mar, La Paz es la capital más alta del mundo.

[a]*sin... landlocked*   [b]*tierras... highlands*   [c]*tierras... lowlands*   [d]*caused*   [e]*exposure*   [f]*3.660... 12,007 feet*   [g]*level*

Ecuador

- Nombre oficial: República de Ecuador
- Capital: Quito
- Población: más de 13 millones de habitantes
- Ecuador, nombrado[a] así por su ubicación[b] en el ecuador,[c] es un país pequeño con cuatro regiones geográficas: las tierras bajas de la costa (oeste), las tierras altas de los Andes (centro), la selva[d] amazónica (este) y las Islas Galápagos en el Pacífico. Tiene una población indígena numerosa, principalmente quechua, que vive en las tierras altas.

[a]*named* [b]*location* [c]*equator* [d]*jungle*

El Valle Sagrado[a] de los Incas, entre Pisaq y Ollantaytambo, Perú. Este valle tiene el clima y la tierra[b] ideales para vivir, y por eso fue poblado[c] por los incas y después por los españoles. Hoy día se puede visitar varias ruinas del imperio inca, como las de Sacsayhuaman, Pisaq y Moray, además de[d] hermosos[e] pueblos coloniales.

[a]Valle... *Sacred Valley* [b]*soil* [c]*settled* [d]además... *in addition to* [e]*beautiful*

La Plaza de Armas[a] de Lima. Lima, la capital del Perú, se fundó en 1535. La Plaza de Armas es el centro histórico de la zona colonial, donde se construyeron los edificios políticos y religiosos de la ciudad, como el Palacio Nacional,[b] la Catedral y la Municipalidad[c] de Lima.

[a]Plaza... *common name for the main plaza of a city (main square)*
[b]Palacio... *National Palace (common name for the main governmental building of a country, usually found in the capital)* [c]*City Hall*

Machu Picchu. A unos 2.400 metros[a] sobre el nivel del mar, se encuentra la ciudad sagrada de Machu Picchu. Se conoce como "la ciudad perdida[b] de los incas", porque estuvo oculta[c] por cientos de años hasta que Hiram Bingham, un profesor estadounidense de la Universidad de Yale, encontró sus restos[d] en 1911. De hecho,[e] Machu Picchu nunca estuvo perdida. Hay evidencia concreta de que se sabía que existía, aunque[f] Hiram Bingham fue el primero en estudiar las ruinas y publicar lo que descubrió.

[a]2.400... *7,874 feet* [b]*lost* [c]*hidden* [d]*remains* [e]De... *In fact* [f]*although*

La Plaza de Armas de Cuzco. Cuzco fue la capital del imperio inca y su nombre significa "ombligo[a]". Es la ciudad continuamente habitada[b] más antigua de Sudamérica. Después de la conquista[c] de los incas, los españoles construyeron sus edificios sobre la ciudad inca original.

[a]*navel* [b]*inhabited* [c]*defeat*

Miraflores, el distrito más exclusivo de Lima. Además de[a] ser una ciudad histórica con una zona colonial, Lima es una inmensa ciudad con el caos y la variedad de actividades que esto representa. En Miraflores, se encuentra el Centro Comercial Larcomar, con vistas panorámicas del Pacífico y sus playas. Es uno de los centros comerciales más elegantes de Latinoamérica, y sus restaurantes, bares y discotecas ofrecen una vida nocturna animada[b] y divertida.

[a]*Además... Besides* [b]*lively*

El Lago Titicaca en Bolivia. Muchos consideran que el Lago Titicaca es la cuna[a] de la civilización andina. A 3.820 metros[b] sobre el nivel del mar, es el lago navegable más alto del mundo. Mide[c] 80 kilómetros de ancho[d] en algunos lugares y tiene una profundidad[e] máxima de 280 metros.[f]

[a]*cradle* [b]*3.820... 12,532 feet* [c]*It measures* [d]*80... 50 miles wide* [e]*depth* [f]*280... 918 feet*

Un curandero[a] kallawaya en Bolivia. Los curanderos kallawayas viajan largas distancias para llegar a sus pacientes. Su catálogo farmacológico incluye medicinas obtenidas[b] de animales, minerales y plantas, y es uno de los más ricos y considerables del mundo. Los curanderos son hombres, pero las mujeres tejen[c] artículos para los ritos[d] curativos, además de participar en estos ritos.

[a]*healers* [b]*obtained* [c]*knit* [d]*rituals*

Una mujer viste la ropa tradicional boliviana. Muchas mujeres bolivianas todavía llevan la pollera, un tipo de falda de varias capas,[a] y la chola, un sombrero hongo.[b] Estas prendas de ropa, introducidas[c] en Bolivia para occidentalizar[d] a los indígenas, eran populares durante el período colonial.

[a]*layers* [b]*sombrero... bowler hat, derby* [c]*introduced* [d]*westernize*

El mercado de Otavalo, Ecuador. Este mercado se considera el mercado al aire libre[a] más grande del mundo. En este mercado pintoresco, abierto todos los sábados, los otavaleños venden sus tejidos,[b] sombreros, muñecas,[c] joyería[d] y también sus cosechas.[e]

[a]al... *open air* [b]*woven goods* [c]*dolls* [d]*jewelry* [e]*harvested goods*

La Bahía[a] Sullivan en la isla de Santiago, una de las Islas Galápagos. Las Islas Galápagos pertenecen[b] a Ecuador. Son de origen volcánico y se encuentran a unas 960 kilómetros[c] al oeste del continente. Fueron descubiertas[d] en 1535 por el español Tomás de Berlanga. Este archipiélago aislado[e] debe[f] su fama a Charles Darwin, quien estudió las especies únicas[g] de las islas para avanzar sus teorías sobre la evolución.

[a]*Bay* [b]*belong* [c]*960... 596 miles* [d]*discovered*
[e]*isolated* [f]*owes* [g]*unique*

La música, la literatura y el arte de Perú, Bolivia y Ecuador

La música de Perú, Bolivia y Ecuador muestra una gran influencia de las tradiciones andinas. Este tipo de música, aun[a] las composiciones modernas, se toca con instrumentos musicales tradicionales como la zampoña,[b] la quena[c] y el charango, un instrumento de cuerda que se parece a una guitarra pequeña. El sonido único de esta música evoca el misterio y la magia de las culturas andinas. Los varios estilos del *huayno* son una expresión de las tradiciones musicales andinas más típicas. En Perú existe además una tradición muy importante con la música afroperuana que combina instrumentos y sonidos de la música africana, andina y española. La artista más popular de este estilo musical es la peruana Susana Baca, ganadora de varios premios, incluyendo un prestigioso Grammy Latino. Si quieres saber más sobre este tipo de música, visita el sitio web **www.mcgrawhill.ca/olc/knorre.**

"Enero" por Graciela Rodo Boulanger

En la literatura andina, se destaca el peruano Mario Vargas Llosa (1936), uno de los escritores más conocidos de Latinoamérica. Sus obras incluyen temas políticos y controversiales. Por ejemplo, su primera novela, *La ciudad y los perros*, se basa en sus experiencias en un colegio militar y ofrece una crítica seria de las fuerzas armadas en Perú, y su segunda novela, *La casa verde*, está situada en un prostíbulo[d] y cuenta la historia de una chica muy religiosa que se transforma en una prostituta famosa. A través de estos temas, Vargas Llosa critica a la sociedad contemporánea. ¿Leíste alguna obra de este autor? ¿Qué te pareció? ¿De qué otros temas tratan sus obras? ¿Qué tipo de ideas sociales y políticas tiene Vargas Llosa? ¿Qué piensan los peruanos de este autor? Encuentra la respuesta a estas preguntas en el sitio web **www.mcgrawhill.ca/olc/knorre.**

En la pintura y escultura de estos tres países andinos, una de las artistas más destacadas es la boliviana Graciela Rodo Boulanger. El tema principal en la pintura de esta artista son los niños y los eventos de la infancia y su estilo particular con colores vivos y figuras simples la distingue como una de las pintoras más originales de América Latina. Observa el cuadro a la derecha. ¿Cuál es el tema de la pintura? ¿Por qué podemos decir que está relacionado a los niños? ¿Cómo es el estilo del cuadro? Habla de los colores, formas, etc. ¿Te gusta? ¿Por qué? ¿Por qué no?

[a]*even* [b]*Andean pan flute* [c]*Andean (single) reed flute* (Mira la foto en las dos primeras páginas de este capítulo.)
[d]*brothel*

Los peruanos, bolivianos y ecuatorianos en Canadá

Como otros grupos de inmigrantes hispanos en Canadá, los peruanos, bolivianos y ecuatorianos en este país mantienen su cultura y tradiciones vivas a través de organizaciones en la red y de grupos en sitios como Facebook. Algunas de estas organizaciones tienen eventos durante todo el año y clases o grupos de baile que celebran aspectos tradicionales de su cultura. A continuación te presentamos un texto sobre un grupo de bailes folclóricos de la Asociación Cultural Peruana en Calgary. Lee el texto detenidamente y contesta las siguientes preguntas:

1. ¿Cómo se llama el grupo folclórico? ¿Por qué?
2. ¿Quién puede participar en este grupo?
3. ¿Cuáles son los objetivos culturales de este grupo?
4. ¿Qué otros objetivos educativos para los niños tiene este grupo?
5. ¿Te gustaría participar en un grupo de baile tradicional como "Semillitas del Perú"? ¿Por qué? ¿Por qué no?
6. ¿Hay una asociación peruana, boliviana y / o ecuatoriana en tu ciudad?
7. ¿Qué tipo de servicios ofrece? Describe la/s asociación/es en detalle.
8. ¿Hay en estas organizaciones grupos de baile como el que se presenta en el texto? ¿Cómo se llaman?

Semillitas[a] del Perú[*]

La idea de la formación del grupo de baile "Semillitas del Perú" tiene como objetivo desarrollar,[b] promover y reforzar la acción artística y cultural de nuestro folclore peruano en los niños. Para ello fomentamos[c] su respeto, valoración y participación.

Nuestro objetivo principal es la difusión de nuestras manifestaciones culturales a través de[d] la interpretación y ejecución de las distintas danzas[e] de nuestro vasto folclore.

Nuestra misión es transmitir nuestras tradiciones a los niños para que también puedan participar y transmitir su cultura, logrando identificarse[f] con la misma. También fomentamos el compañerismo y la unión entre las familias participantes quienes son de gran apoyo[g] a la continuidad del grupo.

Desde sus comienzos "Semillitas del Perú" se ha presentado[h] en varias actividades como: la Celebración del 28 de Julio, la Fiesta de las Américas, Bienvenidos a Canadá—organizado por el *Centre for Newcomers*—y la Celebración de la Canción Criolla con un gran respaldo[i] del público.

[a]*little seeds* [b]*develop* [c]*encourage, promote* [d]*a... through* [e]*bailes* [f]*being able to identify themselves with* [g]*support* [h]*has acted, performed* [i]*support*

*Text adapted from original at http://www.peruencalgary.com/gente.html.

Proyecto cultural en grupo: Una celebración andina

Para esta actividad vas a trabajar con tres o cuatro compañeros. Ustedes van a organizar una presentación sobre una celebración peruana, boliviana o ecuatoriana para su clase de español.

Paso 1. Con los compañeros en tu grupo,

1. Elijan una de las siguientes celebraciones:
   a. El Carnaval de Cajamarca (Perú)
   b. La Semana Santa en Ayacucho (Perú)
   c. La fiesta de Inti Raymi en Sacsayhuaman (Perú)
   d. El Carnaval de Oruro (Bolivia)
   e. La fiesta del Montubio (Ecuador)
   f. La fiesta de la Mama Negra (Ecuador)
2. Describan qué celebra el festival y cuándo se celebra.
3. Describan las actividades de la gente, la ropa que llevan, la comida y bebida típica de la celebración. Incluyan fotos y mapas.
4. Preparen una presentación con fotos e información escrita y expliquen por qué eligieron ese festival.

En el sitio web **www.mcgrawhill.ca/olc/knorre** van a encontrar información sobre estas celebraciones que pueden usar para preparar su proyecto.

Paso 2. Presenten la información sobre su celebración al resto de la clase. Den la información siguiendo el orden en el **Paso 1.**

EN RESUMEN

Gramática

To review the grammar points presented in this chapter, refer to the indicated grammar presentations.

Gramática 1. Influencing Others (Part 1)—Informal (**Tú** and **ustedes**) Commands

Gramática 2. ¿Por o para?—A Summary of Their Uses

Gramática 3. Narrating in the Past—Using the Preterite and the Imperfect: Summary

Do you know how to give orders to friends, family members, and children in Spanish? How do you tell them what not to do?

Do you know the difference between **por** and **para** and when to use one or the other?

Do you know which tense to use to express habitual or repeated actions? Which tense should be used to express the beginning or end of an action?

Vocabulario

Los días festivos y las fiestas

el anfitrión, la anfitriona	host, hostess
las botanas	appetizers
el deseo	wish
el día festivo	holiday
el / la invitado/a	guest
el pastel de cumpleaños	birthday cake
la sorpresa	surprise
las tapas	appetizers

Repaso: el cumpleaños, el dinero, la fiesta, el pastel, el refresco, el regalo, la tarjeta

cumplir años	to have a birthday
dar una fiesta	to have a party
faltar (a)	to be absent (from), to not attend
gastar	to spend (*money*)
hacer una fiesta	to have a party
pasarlo bien / mal	to have a good/bad time
reunirse (me reúno) (con)	to get together (with)

Repaso: bailar, celebrar, divertirse (me divierto) (i), invitar, regalar

Las emociones y los estados afectivos

el estado afectivo	emotional state
discutir (con / sobre)	to argue (with/about)
enfermarse	to become sick
enojarse (con)	to get angry (with)
llorar	to cry
olvidar(se) (de)	to forget (about)

ponerse + *adj.*	to become, get + *adj.*
portarse bien / mal	to (mis)behave
recordar (recuerdo)	to remember
reír(se) ([me]río)(i)(de)	to laugh (about)
sentirse (me siento) (i)	to feel (*an emotion*)
sonreír(se) (*like* **reír**)	to smile

Repaso: quejarse (de)

Otros sustantivos

el hecho	fact, event
(la) medianoche	midnight

Los adjetivos

avergonzado/a	embarrassed
feliz (*pl.* **felices**)	happy
-ísimo/a	very very

Algunos días festivos

el Día de Año Nuevo	New Year's Day
el Día de los Reyes Magos	Day of the Magi (Three Kings)
la Fiesta de las Luces	Hanukah
la Navidad	Christmas
la Nochebuena	Christmas Eve
la Noche Vieja	New Year's Eve
la Pascua	Easter

Repaso: el cumpleaños

Palabras adicionales

¡Felicitaciones!	Congratulations!
gracias por	thanks for
ser en + *place*	to take place (in/at) (*a place*)
ya	already
por	by
por Dios	for heaven's sake
por ejemplo	for example

por lo menos	at least
por primera / última vez	for the first/last time
por si acaso	just in case
¡Por supuesto!	Of course!
por todas partes	everywhere

Repaso: gracias por, para, por (about; because of; through, in; for), **por eso, por favor, por fin, por la mañana / tarde / noche, por lo general**

Vocabulario personal

Use this space to write down other words and phrases you learn in this chapter.

To access the Instructor Supplements, please go to the Online Learning Centre at
www.mcgrawhill.ca/olc/knorre.

CAPÍTULO 11

La salud en Venezuela

¡Vamos a Venezuela!

En este capítulo, vamos a visitar Venezuela. ¿Viajaste a este país alguna vez? ¿Qué sabes de Venezuela? Escribe tus ideas y luego mira el video en la sección "Panorama cultural" en la red.

Ahora contesta las siguientes preguntas sobre el video. Puedes usar el mapa a continuación como ayuda.

1. ¿Dónde está Venezuela?
2. ¿Cómo es su gente y su clima?
3. ¿Cuál es la capital del país? ¿Cómo es esta ciudad?
4. ¿Cuál es el recurso económico principal de Venezuela?
5. ¿Cómo es su geografía?
6. ¿Qué tipo de atractivos turísticos podemos encontrar en este país?

El Hospital Clínico Universitario de la Ciudad Universitaria en Caracas

Maracaibo

Lago de
Maracaibo

Caracas

Río Orinoco

VENEZUELA

GUYANA

En este capítulo

A comunicarnos
In this chapter, we will learn how to . . .

- talk about health and illnesses
- talk about going to the doctor
- talk about how long you have been doing something and how long ago something happened
- ask people to do things for you

Gramática
- Time expressions with *hace*
- Formal commands
- The subjunctive: Introduction
- The subjunctive: Influence

Cultura
- Venezuela y su gente
- La salud en los países hispanos
- Los venezolanos en Canadá

VOCABULARIO Preparación

En este capítulo vamos a hablar de la salud y las enfermedades. ¿Cuáles son las enfermedades más comunes en Canadá? ¿Qué hace la gente para evitar el contagio? ¿Es fácil ir al médico en Canadá? ¿Cómo es el sistema de salud?

ME SIENTO MUY MAL

Ricardo es un estudiante en la Universidad de Caracas. Hace tres días que no se siente bien y decide ir al médico. ¿Cuál es su problema? ¿Qué síntomas tiene? Lee el siguiente diálogo consultando las secciones de vocabulario en las páginas 383 y 384 y la información en las secciones de **Gramática 1** y **2**.

DOCTOR TORRES: Buenas tardes, Ricardo. ¿Cómo está?

RICARDO: Buenas tardes, Doctor. **Hace tres días que no me siento** bien… **Me duele la cabeza, me canso** facilmente y no **duermo lo suficiente…**

DOCTOR TORRES: Bien. **¿Tuvo fiebre** o **tos** estos días? ¿**Está resfriado**?

RICARDO: No. Sólo **dolor de cabeza, cansancio** y falta de sueño. A veces tengo **dolor de estómago** también.

DOCTOR TORRES: ¿Tiene una dieta sana? **Dígame** la verdad…

RICARDO: Bueno, no. **Hace mucho que no como** bien. Tengo muchísimo trabajo para mis clases y nunca tengo tiempo para cocinar o comprar comida sana. Entonces siempre como hamburguesas, papas fritas, sandwiches de jamón.

DOCTOR TORRES: ¿Y practica algún deporte o **hace ejercicio**?

RICARDO: Antes jugaba al fútbol, pero **hace un año que jugué** mi último partido. Como le dije, tengo mucho trabajo. Mis clases son difíciles…

DOCTOR TORRES: Mire, Ricardo, su problema es el estrés, la falta de ejercicio y la mala dieta. Tiene que cambiar sus hábitos. Usted es muy joven y no debe sentirse así.

RICARDO: ¿Y qué me recomienda?

DOCTOR TORRES: **No trabaje** tanto. **Coma comidas sanas** como verduras, fruta, legumbres y **haga** ejercicio como yoga o Pilates. Son muy buenos para relajarse.

RICARDO: Bueno, voy a tratar de **llevar una vida más sana y tranquila.** Odio sentirme así. Tengo que **cuidarme…**

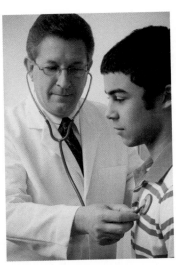

Ricardo en el consultorio del Dr. Torres en Caracas

¿Entendiste?

1. ¿Qué síntomas tiene Ricardo?
2. ¿Qué síntomas no tuvo Ricardo estos días?
3. ¿Qué tipo de vida lleva?
4. ¿Por qué lleva esa vida?
5. ¿Cuál es el diagnóstico del doctor?
6. ¿Qué recomendaciones tiene el doctor para él?
7. ¿Crees que Ricardo va a seguir los consejos del doctor? ¿Por qué? ¿Por qué no?
8. Y tú, ¿qué tipo de vida llevas? ¿Tienes a veces los mismos síntomas que Ricardo?
9. ¿Qué haces para prevenir el estrés de las clases?

Lengua

1. ¿Cómo le dio el doctor sugerencias a Ricardo? Busca ejemplos de una sugerencia positiva y una negativa en el diálogo. ¿Cómo se conjugan estos verbos? ¿Cuál es la diferencia entre estos mandatos y los mandatos informales (con **tú** y **ustedes**)? ¿Puedes pensar en una regla para la conjugación de los verbos (piensa a qué conjugación de los verbos en presente se parecen los mandatos formales, como los que aparecen en el diálogo)?
2. ¿Por qué usa el doctor mandatos formales con Ricardo? ¿Por qué se usan las formas de **usted** en todo el diálogo?

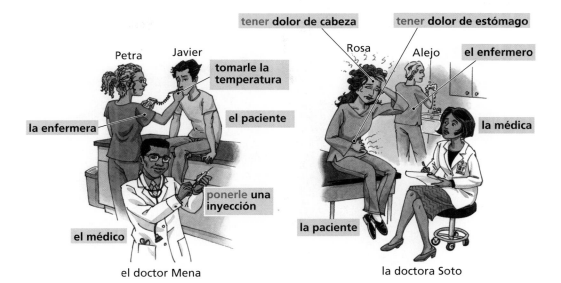

En el consultorio del médico

tener **dolor de cabeza**

tener **dolor de estómago**

Petra   Javier

Rosa   Alejo   **el enfermero**

tomarle la temperatura

el paciente

la médica

la enfermera

ponerle una inyección

la paciente

el médico

el doctor Mena

la doctora Soto

el antibiótico	antibiotic	**guardar cama**	to stay in bed
el dolor	pain, ache	**molestar***	to bother (someone)
el / la farmacéutico/a	pharmacist	**resfriarse (me resfrío)**	to get/to catch a cold
la fiebre	fever	**respirar**	to breathe
la gripe	flu	**sacar (qu)**	to extract
el jarabe	(cough) syrup	**sacar la lengua**	to stick out one's tongue
la medicina	medicine		
la pastilla	pill	**sacarle un diente /**	to extract a
la receta	prescription	**una muela**	tooth/a molar
el resfriado	cold	**sentirse (me siento) (i)**	to feel
la tos	cough	**tener dolor (de muela)**	to have a (tooth) ache
		tener fiebre	to have a fever
cansarse	to get tired	**toser**	to cough
doler (duele)*	to hurt, to ache		
enfermarse	to get sick	**mareado/a**	dizzy; nauseated
estar sano/a	to be healthy	**resfriado/a**	congested, stuffed-up

 ***Doler** and **molestar** are used like **gustar: Me duele** la cabeza.
Me molestan los ojos.

El español camaleón

el resfriado = el catarro, el resfrío   el consultorio = la consulta
la gripe = la gripa   ponerle una inyección = ponerle una vacuna

Use the term **el médico / la médica** to talk about doctors in general. However, when you use the doctor's name, you should use the title **doctor(a): el doctor Gómez, la doctora Velázquez.** (Remember that the definite article is used with titles when speaking about a person.) If you speak directly to a medical doctor, call him or her **Doctor** or **Doctora,** with or without the last name.

La salud y el bienestar

el cerebro

la garganta — Josefa

la boca

los pulmones

el estómago

la cabeza

correr

caminar

Enrique

hacer yoga

el corazón

la rueda de molino

Laura

El cuerpo humano

el diente	(front) tooth
la muela	molar, back tooth
las manos	hands
la nariz	nose
el oído	inner ear
el ojo	eye
la oreja	(outer) ear
los pies	feet
los dedos (del pie)	fingers/toes

Para cuidar la salud

comer comidas sanas	to eat healthy food
cuidarse	to take care of oneself
dejar de + *inf.*	to stop doing something
dormir (duermo) (u) lo suficiente	to get enough sleep
hacer ejercicio	to exercise; to get exercise
hacer	to do . . .
ejercicios aeróbicos	aerobics
Pilates	Pilates
yoga	yoga
llevar gafas / lentes de contacto	to wear glasses/contact lenses
llevar una vida sana / tranquila	to lead a healthy/calm life
practicar (qu) deportes	to practise/to play sports

El español camaleón

Las gafas is used primarily in Spain, and **las lentes de contacto** and **las lentillas** express contact lenses there. **Los lentes** and **los anteojos** are used in Latin America to express glasses, with **los lentes de contacto** used for contact lenses. Other words for **la rueda de molino** are: **la cinta (de andar)** (*Sp., Arg.*), **el caminador** (*Ven.*), and **la caminadora** (*Mex.*).

Práctica

A. Asociaciones

Paso 1. ¿Qué partes del cuerpo humano asocias con las siguientes palabras?

1. un ataque	6. el perfume	11. un beso (*kiss*)
2. pensar	7. los zapatos	12. las gafas
3. la música	8. una flor	13. fumar
4. comer	9. cantar	14. los guantes
5. la digestión	10. el amor	15. la gripe

¡OJO!

A veces hay más de una respuesta posible.

Paso 2. ¿Qué palabras asocias con las siguientes partes del cuerpo? Escribe al menos dos palabras diferentes para cada opción.

1. los ojos	3. el estómago	5. el oído
2. la boca	4. los dientes	6. los pulmones

B. Estudio de palabras.
Completa las siguientes oraciones con una palabra de la misma familia que la palabra en letra roja.

1. Si me resfrío, es cierto que tengo _____.

2. La respiración ocurre cuando alguien _____.

3. Si me _____, estoy enfermo/a. Un(a) _____ me toma la temperatura.

4. Cuando alguien tose, es porque tiene _____.

5. Si me duele el estómago, tengo _____ de estómago.

C. Hablando de la salud.
¿Qué significan para ti las siguientes oraciones?

MODELO: Se debe comer comidas sanas. →
Eso quiere decir (*means*) que es necesario comer muchas verduras, que... También significa que no debemos comer muchos dulces o...

1. Se debe dormir lo suficiente todas las noches.
2. Hay que hacer ejercicio.
3. Es necesario llevar una vida tranquila.
4. En general, uno debe cuidarse mucho.
5. Es importante llevar una vida sana.

Vocabulario útil

Eso quiere decir...

Esto significa que...

También...

D. ¿Cómo vives? ¿Cómo vivías?

Paso 1. Piensa en tu vida actual y explica si haces las siguientes cosas para mantener la salud y el bienestar.

	SÍ	**NO**
1. comer comidas sanas	☐	☐
2. no comer muchos dulces	☐	☐
3. caminar por lo menos dos millas por día	☐	☐
4. correr	☐	☐
5. hacer ejercicios aeróbicos	☐	☐
6. dormir por lo menos ocho horas por día	☐	☐
7. tomar bebidas alcohólicas en moderación	☐	☐
8. no tomar bebidas alcohólicas en absoluto (*at all*)	☐	☐
9. no fumar ni cigarrillos ni puros (*cigars*)	☐	☐
10. llevar ropa adecuada (abrigo, suéter, etcétera) cuando hace frío	☐	☐

Paso 2. ¿Llevas una vida sana? Dile a un/a compañero/a cómo vives usando frases del **Paso 1** y de las secciones de **Vocabulario** en las páginas anteriores. Comparen sus descripciones. ¿Qué tipo de vida llevan ustedes, similar o diferente?

MODELO: Creo que llevo una vida sana porque como comidas sanas. No como muchos dulces, excepto en ciertas ocasiones, como el día de Acción de Gracias…

Paso 3. Ahora modifica tu narración para describir lo que hacías de niño/a. ¿Qué hacías y qué *no* hacías? Organiza las ideas lógicamente.

MODELO: De niño, no llevaba una vida muy sana. Comía muchos dulces. También odiaba comer frutas y verduras…

E. Situaciones. Describe la situación de estas personas. ¿Dónde y con quiénes están? ¿Qué síntomas tienen? ¿Qué van a hacer?

1.   2.   3.

1. Rosa está muy sana. Nunca le duele(n) _____. Nunca tiene _____. Siempre _____.

   Más tarde, ella va a _____.

2. Martín tiene _____. Debe _____. El dentista va a _____. Después, Martín va a _____.

3. A Inés le duele(n) _____. Tiene _____. El médico y la enfermera van a _____.

   Luego, Inés tiene que _____.

Nota comunicativa I

Expresiones y exclamaciones

Hay muchas expresiones para manifestar lo que uno siente en ciertas ocasiones, como en casos de enfermedad, estrés, mala suerte o de muchas presiones. Varían mucho de región a región y de país a país. Estas son algunas de las más universales.

PARA EXPRESAR DOLOR, SORPRESA O COMPASIÓN

¡Ay!	Ouch!	**¡Qué mala suerte!**	What a bummer!
¡Uf!, ¡Uy!	Oops! Oh!		What bad luck!
No puede ser.	Impossible. That can't be.	**¡Cuánto lo siento!**	I'm so sorry!
		¡Qué + *noun*!	What a + *noun*!
¿Qué le vamos a hacer?	What can you do (about it)?	**¡Qué barbaridad / desgracia / desastre / horror!**	
¡No me digas!	No! No way! You're kidding!	**¡Qué + *adjective*!**	How + *adjective*!
		¡Qué maravilloso / terrible / triste!	

PARA DAR ÁNIMO (*to cheer someone up*)

¡Venga! (*Sp.*)	Come on!	**¡No te pongas así!**	Don't be like that!
¡Órale! (*Mex.*)	Come on!		
¡Anímate!	Cheer up!	**¡No es para tanto!**	It's not so bad!
¡Vamos! Arriba ese ánimo. (*Arg.*)	Come on! Cheer up!		It's no big deal!

F. Posibilidades. ¿Qué puedes decir en las siguientes situaciones? Usa las expresiones en **Nota comunicativa I.** Escribe por lo menos dos expresiones diferentes para cada opción.

MODELO: Chocas contra (*You bump against*) el escritorio de otro estudiante y te haces daño en el pie. → ¡Ay! ¡Qué torpe soy!

1. Te duele mucho la cabeza.
2. Le pegas (*hit*) a otra persona sin querer (*by accident*).
3. No recuerdas el nombre de otra persona.
4. Estás muy distraído/a y no miras por dónde caminas.
5. Tu sobrinito de cuatro años llora porque no tiene más dulces.
6. Tu vecino aparece en las noticias porque robó un banco.
7. No puedes viajar a tu casa para Acción de Gracias porque el aeropuerto está cerrado por la nieve.
8. Tu mejor amigo/a está deprimido/a porque tuvo una muy mala nota en un examen.
9. Una vecina tiene una enfermedad muy seria y está en el hospital.
10. La abuela de un amigo ganó 10.000.000 de dólares en la lotería.

Nota comunicativa II

More on Adverbs

You already know the most common Spanish adverbs: words like **bien / mal, mucho / poco, siempre / nunca...**

Adverbs that end in *-ly* in English usually end in **-mente** in Spanish. The suffix **-mente** is added to the feminine singular form of adjectives. Note that the accent mark on the stem word (if there is one) is retained.

Adjective	Adverb	English
rápida	**rápida**mente	*rapidly*
fácil	**fácil**mente	*easily*
paciente	**paciente**mente	*patiently*

G. Entrevista

Paso 1. Modifica las siguientes acciones con un adverbio basado en los adjetivos de **Vocabulario útil.**

Hay más de una opción en algunos casos.

MODELO: esperar → esperar pacientemente

1. dormir
2. trabajar
3. llegar
4. hacer algo
5. relajarse (*to relax*)
6. estudiar
7. empezar algo
8. estar confundido/a

Vocabulario útil

constante	posible
directo/a	puntual
fácil	rápido/a
inmediato/a	total
paciente	tranquilo/a

Paso 2. Ahora, en parejas, túrnense para entrevistarse sobre las frases del **Paso 1.** Deben obtener información interesante y personal de su compañero/a.

MODELO: esperar pacientemente → ¿Sabes esperar pacientemente? ¿A quién esperas pacientemente? ¿Cuándo esperas pacientemente?

Paso 3. Digan a la clase por lo menos un detalle interesante de su compañero/a.

Nota cultural I

La medicina en los países hispanos

Los hispanos pueden **consultar a** otros profesionales en el campo de la salud, además de los médicos, especialmente en relación con enfermedades que no son graves. La gente consulta a los **farmacéuticos** con frecuencia, pues estos son profesionales con un riguroso entrenamiento universitario en **farmacología.** Además, hay **farmacias** en cada barrio, lo cual hace que haya[a] una relación bien establecida entre los farmacéuticos y sus clientes.

En las ciudades y pueblos hispanos siempre hay algunas farmacias abiertas las 24 horas del día. Se establecen **horarios de turnos,** y la farmacia que está abierta a horas en que las otras están cerradas se llama **farmacia de turno** o **de guardia.** Se puede saber cuáles son las farmacias de guardia a través del periódico o simplemente yendo a la farmacia más cercana, donde siempre hay una lista de todas las farmacias.

Otros profesionales al cuidado de la salud muy solicitados son los **practicantes,** que son **enfermeros** o estudiantes de medicina con varios años de estudio, que están capacitados[b] para poner inyecciones o **hacer visitas a domicilio** para tratamientos sencillos.

Finalmente, se debe mencionar la popularidad de **remedios tradicionales,** como la homeopatía. Aunque[c] hay expertos homeópatas con años de entrenamiento, también existe un repertorio popular de **remedios naturales** para enfermedades o molestias[d] cotidianas, conocimientos[e] que se transmiten de generación a generación.

[a]*lo... which creates* [b]*trained* [c]*Although* [d]*nuisances* [e]*knowledge*

1. ¿Entendiste?

1. ¿Qué es una farmacia y qué tipo de servicios ofrece en los países hispanos?
2. ¿Qué se necesita en los países hispanos para ser un farmacéutico?

Una farmacia de guardia en Murcia, España

3. ¿Qué tipo de relación tienen algunas personas con su farmacéutico? ¿Por qué?
4. ¿Cómo sabe la gente qué farmacia está de guardia?
5. ¿Quiénes son los practicantes? ¿Qué tipo de servicios ofrecen?
6. ¿Qué otro tipo de recursos medicinales tiene la gente en los países hispanos?

2. La salud en los países hispanos y en Canadá

Teniendo en cuenta la información en el texto, compara el sistema de salud en los países hispanos y en Canadá. También ofrece información sobre los pasos que una persona tiene que seguir en tu provincia si quiere ver a su médico/a o a un/a médico/a especialista. ¿Están tus compañeros de acuerdo con tu descripción? ¿Tiene toda la clase las mismas ideas?

GRAMÁTICA 1

TELLING HOW LONG SOMETHING HAS BEEN HAPPENING OR HOW LONG AGO SOMETHING HAPPENED • *HACE...* *QUE:* ANOTHER USE OF HACER

GRAMÁTICA EN ACCIÓN: EN EL CONSULTORIO DE LA DRA. MÉNDEZ

La Dra. Méndez es una pediatra en Maracaibo, Venezuela. Hoy está viendo a muchos pacientes. ¿Qué le pasa a la niña en la foto? ¿Está preocupada la mamá de la niña? Anota algunas ideas y luego lee el diálogo.

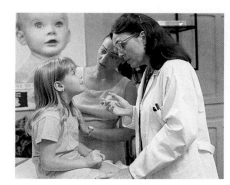

DRA. MÉNDEZ: ¿Cuánto hace que empezó a sentirse mal su hija?

MADRE: Hace dos días que empezó a sentirse muy mal. Estaba resfriada, tosía mucho y se quejaba de que le dolían el cuerpo y la cabeza.

DRA. MÉNDEZ: ¿Y le notó algo de fiebre?

MADRE: Sí. Por la noche le tomé la temperatura y tenía treinta y nueve grados. Pero hace dos horas que no tiene fiebre.

DRA. MÉNDEZ: A ver… Vamos a revisarla…

¿Entendiste?

1. ¿Cuánto hace que la niña empezó a sentirse mal?
2. ¿Qué síntomas tiene?

3. ¿Cuánto tiempo hace que tiene tos?
4. ¿Tiene fiebre ahora?

¿Y tú? ¿Cuánto tiempo hace que… ?

1. estuviste enfermo/a
2. tuviste un resfríado

3. visitaste un consultorio médico
4. haces ejercicio o practicas un deporte

Present: *has been happening*	Past: *ago*
I've been studying Spanish for a year. hace + *time* + que + *verb in present* Hace un año que estudio español.	*I started studying Spanish a year ago.* **hace** + *time* + **que** + *verb in preterite* **Hace** un año **que** empecé a estudiar español. *or* *verb in preterite* + hace + *time* Empecé a estudiar español **hace** un año.

1. In Spanish, the word **hace** is used to express both the period of time that something has been happening or how long ago something happened. As in the preceding past examples, the **hace** + *time* phrase can come before or after the verb. When **hace** + *time* comes after the verb, the word **que** is not used.

hace + *time* + **que** + *present* = *have been -ing for*

$$\left. \begin{array}{l} \text{hace} + time + \textbf{que} + preterite \\ preterite + \textbf{hace} + time \end{array} \right\} = ago$$

 The verb form **hace** in this impersonal time construction never varies. However, the verb that accompanies the expression is always conjugated.

2. Use the question **¿Cuánto tiempo hace que… ?** to ask how long something has been happening or how long ago something happened. The tense of the verb will indicate your meaning. You can answer a question of this kind by just saying the time.

—**¿Cuánto tiempo hace que vives** aquí?
—Dos meses.
—*How long have you been living here?*
—*(For) Two months.*

—**¿Cuánto tiempo hace que te mudaste** aquí?
—Dos meses.
—*How long ago did you move here?*
—*Two months ago.*

Práctica

A. Eventos históricos.
¿Cuánto tiempo hace que pasó lo siguiente? Haz oraciones completas con las palabras indicadas. ¿Sabes todas las respuestas? Los años en que pasaron estos eventos aparecen abajo.

MODELO: el primer hombre **/** llegar a la luna →
Hace más de cuarenta años que el primer hombre llegó a la luna.

1. Cristóbal Colón **/** llegar a América
2. la Segunda Guerra (*War*) Mundial **/** terminar
3. Michael Jackson **/** morir
4. el primer ministro actual **/** ser elegido (*to be elected*)
5. el profesor **/** la profesora de español **/** empezar a enseñar en esta universidad
6. esta universidad **/** ser construida

Los años: MODELO: 1969   1. 1492   2. 1945   3. 2009   4. ¿?   5. ¿?   6. ¿?

B. Información personal

Paso 1. Completa las siguientes oraciones con información personal.

1. Hace _____ que mi familia vive en la provincia de _____.

2. Hace _____ que yo vivo en esta provincia.

3. Hace _____ que saqué una muy buena nota en un examen.

4. Me duché / Me bañé hace _____.

5. Hablé con mi mejor amigo/a hace _____.

6. Hace _____ que practico / hago _____ (deporte o pasatiempo).

Paso 2. Ahora, en parejas, comparen sus oraciones del **Paso 1.** Digan a la clase por lo menos una cosa que tienen en común.

C. Entrevista

Paso 1. Find out from a classmate how long he or she has been . . .

MODELO: acquainted with his/her best friend →
¿Cuánto tiempo hace que conoces a tu mejor amigo/a?

1. living in this city
2. attending this university
3. living in his or her house (apartment, dorm, . . .)
4. studying Spanish
5. driving a car (manejar) / riding a bus or a bike / walking to school
6. using a computer

Paso 2. Now find out how long ago he or she . . .

MODELO: met his/her best friend →
¿Cuánto tiempo hace que conociste a tu mejor amigo/a?

1. last visited his or her parents (grandparents, children, . . .)
2. received a bad grade
3. learned to drive (manejar)
4. handed in his or her last major assignment
5. gave an oral report
6. last arrived late to class

¿Recuerdas?

In **Gramática 2,** you will learn to form formal commands. In Spanish, the formal commands are based on the first person singular of the present tense. Review what you already know about irregular first person present tense forms by giving the **yo** form of the following infinitives.

1. salir
2. tener
3. conocer
4. pedir
5. hacer
6. dormir
7. perder
8. traer

GRAMÁTICA 2

INFLUENCING OTHERS • COMMANDS (PART 2):
FORMAL *USTED* COMMANDS

GRAMÁTICA EN ACCIÓN: INSTRUCCIONES PARA LAVARNOS LAS MANOS

En español, los mandatos se usan con frecuencia cuando se dan instrucciones. Los siguientes verbos aparecen en forma de mandato en las instrucciones para lavarnos bien las manos y prevenir enfermedades que aparecen a continuación. ¿Puedes encontrarlos?

colocar	to put	**aplicar**	to apply/to put
humedecer	to moisten	**refregar**	to scrub

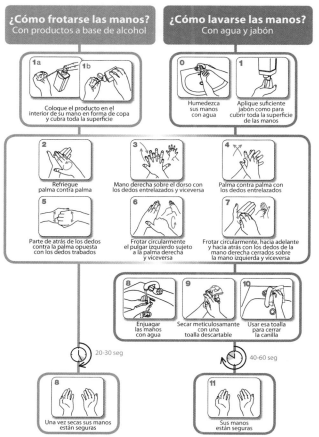

TÉCNICAS SUGERIDAS PARA LA HIGIENE DE LAS MANOS

¿Cómo frotarse las manos?
Con productos a base de alcohol

¿Cómo lavarse las manos?
Con agua y jabón

1a 1b Coloque el producto en el interior de su mano en forma de copa y cubra toda la superficie

0 Humedezca sus manos con agua

1 Aplique suficiente jabón como para cubrir toda la superficie de las manos

2 Refriegue palma contra palma

3 Mano derecha sobre el dorso con los dedos entrelazados y viceversa

4 Palma contra palma con los dedos entrelazados

5 Parte de atrás de los dedos contra la palma opuesta con los dedos trabados

6 Frotar circularmente el pulgar izquierdo sujeto a la palma derecha y viceversa

7 Frotar circularmente, hacia adelante y hacia atrás con los dedos de la mano derecha cerrados sobre la mano izquierda y viceversa

8 Enjuagar las manos con agua

9 Secar meticulosamente con una toalla descartable

10 Usar esa toalla para cerrar la canilla

20-30 seg

40-60 seg

8 Una vez secas sus manos están seguras

11 Sus manos están seguras

La OMS agradece a los Hospitales Universitarios de Ginebra (HUG) y en particular a los miembros del Programa de Control de Infecciones por su participación activa para desarrollar este material. Organización Mundial de la Salud

¿Y tú?

1. Transforma los siguientes verbos en infinitivo que aparecen en las instrucciones en mandatos formales (usted).
   1. enjuagar (*rinse*) (se conjuga como **pagar**)
   2. secar (se conjuga como **buscar**)
   3. usar

2. Escribe dos mandatos formales (usted) más para describir dos acciones que pueden prevenir las enfermedades.

Formal Command Forms (*usted*)

In Spanish, *formal commands* (**los mandatos formales**) are used with people whom you address as **usted** (for example, people whom you don't know well, who are older than you, or with whom you have a formal relationship such as your doctor, your instructors and professors, etc.). Here are some of the basic forms.

	hablar	**comer**	**escribir**	**volver**	**poner**
Ud.	hable	coma	escriba	vuelva	ponga
English	speak	eat	write	come back	put, place

1. Most formal command forms can be derived from the **yo** form of the present tense.

-ar: -o → -e	-er / -ir: -o → -a
hablo → hable	como → coma
	escribo → escriba

2. Formal commands of stem-changing verbs will show the stem change.

piense Ud.
vuelva Ud.
pida Ud.

3. Verbs ending in **-car, -gar,** and **-zar** have a spelling change to preserve the -c-, -g-, and -z- sounds.

c → qu   buscar: **busque** Ud.
g → gu   pagar: **pague** Ud.
z → c   empezar: **empiece** Ud.

4. Verbs that have irregular **yo** forms in the present tense will reflect the irregularity in the **usted** commands.

conocer: **conozco** → **conozca** Ud.
decir: **digo** → **diga** Ud.
hacer: **hago** → **haga** Ud.
oír: **oigo** → **oiga** Ud.
salir: **salgo** → **salga** Ud.
tener: **tengo** → **tenga** Ud.
traer: **traigo** → **traiga** Ud.
venir: **vengo** → **venga** Ud.
ver: **veo** → **vea** Ud.

5. A few verbs have irregular **usted** command forms.

dar → **dé** Ud.
estar → **esté** Ud.
ir → **vaya** Ud.
saber → **sepa** Ud.
ser → **sea** Ud.

Position of Pronouns with Formal Commands (*usted*)

1. Direct object pronouns and reflexive pronouns must follow affirmative commands and be attached to them. In order to maintain the original stress of the verb form, an accent mark is added to the stressed vowel if the original command has two or more syllables.

Pídalo Ud.	*Order it.*
Siéntese, por favor.	*Sit down, please.*

2. Direct object and reflexive pronouns must precede the verb form in negative commands.

No lo pida Ud.	*Don't order it.*
No se siente.	*Don't sit down.*

Práctica

A. ¡Pobre Sr. Casiano!

Paso 1. El Sr. Casiano no se siente (*feel*) bien. Lee la descripción que él da de las cosas que hace.

Trabajo[1] muchísimo —¡me gusta trabajar! En la oficina, soy[2] impaciente y critico[3] bastante[a] a los otros. En mi vida personal, a veces soy[4] un poco impulsivo. Fumo[5] bastante y también bebo[6] cerveza y otras bebidas alcohólicas, a veces sin moderación... Almuerzo[7] y ceno[8] fuerte,[b] y casi nunca desayuno.[9] Por la noche, con frecuencia salgo[10] con los amigos —me gusta ir a las discotecas— y vuelvo[11] tarde a casa.

[a]*a good deal*   [b]*a lot*

Paso 2. ¿Qué *no* debe hacer el Sr. Casiano? Aconséjalo (*Advise him*) y dile lo que no debe hacer con mandatos formales (usted). Usa los verbos indicados en rojo en el **Paso 1** o cualquier (*any*) otro, según los modelos.

MODELOS: trabajo → Sr. Casiano, *no trabaje* tanto.
          soy → Sr. Casiano, *no sea* tan impaciente.

B. Hablando con el médico.

Paso 1. El Sr. Casiano debe adelgazar (*lose weight*). ¿Qué debe o no debe comer y beber? En parejas, imaginen una conversación entre el Sr. Casiano y su médico.

MODELOS: ensalada → E1: ¿Ensalada?   postres → E1: ¿Postres?
          E2: Cóma*la.*   E2: No *los* coma.

1. bebidas alcohólicas
2. frutas frescas
3. verduras
4. refrescos dietéticos
5. pan
6. pollo
7. dulces
8. carne de vaca
9. leche
10. pizza
11. hamburguesas con queso
12. jugo de fruta

Paso 2. Ahora piensen en otras actividades que pueden ayudar al Sr. Casiano a sentirse mejor (por ejemplo, deportes, yoga, actividades de relajación, etc.) y dénle consejos como si fueran su médico. También hablen de las cosas que no debe hacer. **Den por lo menos seis consejos.**

MODELOS: Sr. Casiano, *no beba* tanto.
          Sr. Casiano, *lea* un buen libro y *escuche* música relajante.

C. ¡Esta es tu oportunidad! Hoy tienes la oportunidad de decirles a las siguientes personas lo que tienen que hacer. En parejas, inventen dos o tres mandatos formales (usted) diferentes para cada uno de ellos.

1. al primer ministro / a la primera ministra
2. a algún/a candidato/a político/a o líder (nacional o mundial)
3. al rector / a la rectora (*president*) de la universidad
4. a tu profesor o profesora de español
5. a alguna persona famosa
6. ¿   ?

D. Publicidad. Como se ve en este anuncio de un periódico argentino, en español (como en inglés) los mandatos se usan con frecuencia en los anuncios y en la publicidad en general. En parejas, creen un anuncio publicitario para un lugar de su universidad o de su ciudad, como un restaurante, un estadio, un cine, etcétera. El humor es siempre apreciado por sus compañeros.

ᵃ*grows*   ᵇ*acercarse = to approach, to draw near*

A conversar...

La entrevista con un/a consejero/a de trabajo

Paso 1.

Estudiante A: El / La trabajador/a

Tienes un trabajo y no te gusta. Hace varios meses que buscas un trabajo mejor, pero no puedes encontrarlo. Decides entonces consultar con un/a consejero/a de trabajo. Vas a su oficina y tienes la primera entrevista. Saluda a la persona, contesta todas sus preguntas y provee la siguiente información:

- Dile por qué no te gusta tu trabajo (describe tus emociones—usa el vocabulario del **Capítulo 10**).
- Describe tu trabajo ideal.
- Dile por qué piensas que puedes hacer este trabajo (experiencia, personalidad, educación, etc.).
- Pregúntale si tiene consejos sobre dónde encontrar este tipo de trabajo. Utiliza las formas de Ud.

Estudiante B: El / La consejero/a

Trabajas como consejero/a de trabajo y ofreces ayuda a los estudiantes que están buscando trabajo. Un/a estudiante llega a tu oficina con preguntas. Saluda a la persona y averigua su nombre, edad, experiencia y educación. Pídele que describa su trabajo ideal y pregúntale por qué piensa que puede hacer este trabajo (experiencia, personalidad, educación, etc.). Responde a sus preguntas y dale consejos para encontrar un buen trabajo. Utiliza las formas de Ud. y los mandatos formales (usted).

Paso 2. Cambien (*change*) sus roles y desarrollen (*develop*) otro diálogo con otro/a estudiante.

Nota cultural II

Los estudiantes venezolanos: Trabajo y participación política

La necesidad de dinero es un problema para muchos estudiantes en todas partes del mundo. En Venezuela, como en la mayoría de los países hispanohablantes, el sistema universitario es gratuito. Además, es natural que los estudiantes vivan con sus familias porque la mayoría no estudia en otras ciudades sino que[a] en la universidad más cercana.[b]

Sin embargo, los estudiantes hispanos con frecuencia necesitan un trabajo para pagar sus gastos y ayudar a su familia. Y, así como en este país, hay estudiantes que tienen trabajos de tiempo parcial antes de terminar la escuela secundaria. A continuación se puede leer sobre las experiencias laborales de algunos estudiantes venezolanos durante la época universitaria.

Una joven de Caracas: "Hace desde los dieciséis años que trabajo en una oficina. Así puedo comprar los libros que necesito en la universidad y mi ropa y también puedo colaborar un poquito con la economía familiar."

Un joven de Maracaibo: "Cuando era estudiante universitario, trabajaba como fotógrafo. Sacaba fotos en bodas y otras celebraciones. Era un buen trabajo para un estudiante, porque sólo tenía que trabajar los fines de semana pero casi nunca los días de clase."

Una mujer de San Juan de los Morros: "Cuando estaba en la universidad, les daba clases particulares[c] a niños con problemas de aprendizaje.[d] No trabajaba muchas horas y siempre era por la tarde. Así ganaba dinero suficiente para mis gastos."

Otro aspecto importante de la experiencia estudiantil en Venezuela es la participación política. Como en otros países hispanohablantes, en Venezuela, los estudiantes tienen un rol muy importante en la política y participan activamente en la defensa de sus derechos, de los derechos humanos, como la libertad de expresión, y en las

[a]*but*   [b]*más... nearest*   [c]*private (tutoring)*   [d]*de... learning*

campañas electorales. También organizan manifestaciones en apoyo o protesta[e] a su gobierno. La población estudiantil se considera muy importante en la vida política de los países hispanos.

¿Y cómo es la situación de los estudiantes canadienses? ¿Se parece a la situación venezolana? Compara los dos sistemas educativos, la situación de trabajo de los estudiantes y su participación política en los dos países.

[e]manifestaciones... *demonstrations for and against*

¿Entendiste?

1. ¿Qué necesidad comparten los estudiantes de todo el mundo?
2. ¿Es caro o barato el sistema universitario de los países hispanos?
3. ¿Dónde vive la mayoría de los estudiantes hispanos?
4. ¿Por qué trabajan los estudiantes hispanos?
5. ¿Qué trabajos se describen en estos párrafos?
6. ¿Por qué es importante la población estudiantil en la política de los países hispanos?
7. ¿Qué aspectos de las culturas venezolana e hispana se pueden apreciar en este texto?
8. ¿Trabajas? ¿Qué tipo de trabajo tienes?
9. ¿Crees que es una buena idea que los estudiantes trabajen mientras estudian? ¿Por qué? ¿Por qué no?
10. ¿Qué piensas de la participación política de los estudiantes universitarios? ¿Crees que deben tener un rol activo en la política de un país? ¿Por qué? ¿Por qué no?

Estudiantes venezolanos en Caracas manifestando en contra del gobierno de Hugo Chávez el 3 de octubre de 2009.

¿Recuerdas?

In **Capítulo 10** you learned about the subjunctive mood (**el subjuntivo**). The **Ud.** (formal) and negative **tú** (informal) commands are part of the present subjunctive verb system. Do you remember why the subjunctive is used in Spanish? Try to explain the use of the subjunctive in the following sentences. If you can do that, you already understand the most basic uses of the subjunctive mood, which are presented in this chapter.

1. Quiero **que hagas** más ejercicio.
2. Es importante **que vayas** al médico.
3. Chicos, les pido por favor **que estudien** para el examen.

GRAMÁTICA 3

EXPRESSING SUBJECTIVE ACTIONS OR STATES • PRESENT SUBJUNCTIVE (PART 1): AN INTRODUCTION

GRAMÁTICA EN ACCIÓN: LOS CONSEJOS DE PAPÁ

Graciela es una estudiante de Maracaibo. Está en Caracas con unas amigas y no se siente bien. Llama a su casa y habla con su padre. ¿Qué consejos le da su papá?

Los consejos del papá de Graciela

- **Espero** que no *salgas* a bailar esta noche.
- Te **recomiendo** que *vayas* al médico hoy mismo.
- Es **posible** que *tengas* Gripe A (*H1N1 flu virus*).
- No **quiero** que *te quedes* en Caracas. Vuelve a Maracaibo hoy mismo.

¿Entendiste?

¿Le daría (*would give*) el padre de Graciela los siguientes consejos a su hija?

1. Deseo que te acuestes muy tarde esta noche.
2. Te sugiero que no pierdas el tiempo descansando.
3. Quiero que vayas a la farmacia inmediatamente.
4. Espero que comas sano y te cuides.

Present Subjunctive: An Introduction

1. Except for commands, all the verb forms you have learned so far in *Puntos de partida,* Canadian Edition are part of the *indicative mood* (**el modo indicativo**). In both English and Spanish, the indicative is used to state facts and to ask questions; it objectively expresses actions or states of being that are considered true by the speaker.

2. Both English and Spanish have another verb system called the *subjunctive mood* (**el modo subjuntivo**). The subjunctive is used to express actions or states that are coloured by our desires or opinions, as well as actions or states that are not a reality. These include things that the speaker wants to happen or wants others to do, events to which the speaker reacts emotionally, things that are as yet unknown, and so on. **To sum up: The indicative expresses objective reality. The subjunctive expresses actions or states that are more subjective or conceptual (exist only in one's mind).**

3. Sentences in English and Spanish may be simple or complex.

   a. A simple sentence is one that contains a single verb.

INDICATIVE:

Me gusta llegar temprano a casa.
I like getting home early.

¿**Vienes** a la fiesta?
Are you coming to the party?

SUBJUNCTIVE:

Prefiero que **llegues** temprano a casa.
I prefer that you get home early.

Espero que **vengas** a la fiesta.
I hope (that) you are coming to the party.

Vienes a la fiesta.   Alicia **está** en casa.
You are coming to the party.   *Alicia is at home.*

b. Complex sentences are comprised of two or more *clauses* (**las cláusulas**), each containing a conjugated verb. There are two types of clauses: main (independent) clauses and subordinate (dependent) clauses. *Main clauses* (**Las cláusulas principales**) contain an element that controls the subordinate clause. *Subordinate clauses* (**Las cláusulas subordinadas**) contain an incomplete thought and cannot stand alone. Subordinate clauses require a main clause to form a complete sentence.

c. When the subjects of the clauses in a complex sentence are different, the subjunctive is often used in the subordinate clause in Spanish. Note that subordinate clauses are linked by the conjunction **que,** which is **never** optional (as it is in English).

d. As you know, when there is no change of subject in the sentence, the infinitive follows the conjugated verb and no conjunction is necessary. In this type of sentence, the infinitive functions as the direct object of the conjugated verb.

4. One of the most common uses of the subjunctive is to express influence. This is signaled in the preceding examples by the verb forms **quiere** and **desea.**

COMPLEX SENTENCES:

INDICATIVE		
MAIN (INDEPENDENT) CLAUSE		SUBORDINATE (DEPENDENT) CLAUSE
Ella sabe *She knows*	**que** *(that)*	**vienes** a la fiesta. *you are coming to the party.*
Miguel **piensa** *Miguel thinks*	**que** *(that)*	Alicia **está en casa.** *Alicia is at home.*
SUBJUNCTIVE		
MAIN CLAUSE		SUBORDINATE CLAUSE
Ella quiere *She wants*	**que** *(for)*	**vengas** a la fiesta. *you to come to the party.*
Miguel desea *Miguel wants*	**que** *(for)*	Alicia **esté en casa.** *Alicia to be at home.*

Quiero ir a la fiesta.
I want to go to the party.

Forms of the Present Subjunctive

Many Spanish command forms that you have already learned coincide with some of the subjunctive forms. The **usted / ustedes** command forms are shaded in the following box. What you have learned about forming those commands will help you learn the forms of the present subjunctive.

	hablar	**comer**	**escribir**	**volver**	**decir**
Singular	hable	coma	escriba	vuelva	diga
	hables	comas	escribas	vuelvas	digas
	hable	coma	escriba	vuelva	diga
Plural	hablemos	comamos	escribamos	volvamos	digamos
	habléis	comáis	escribáis	volváis	digáis
	hablen	coman	escriban	vuelvan	digan

1. The personal endings of the present subjunctive are added to the first person singular of the present indicative minus its -**o** ending. The -**ar** verbs add endings with -**e,** and the –**er** / -**ir** verbs add endings with -**a.**

2. -**car, -gar,** and -**zar** verbs have a spelling change in all persons of the present subjunctive to preserve the **c, g,** and **z** sounds.

-ar → -e
-er / -ir → -a

present indicative **yo** stem = present subjunctive stem

-car: c → qu
-gar: g → gu
-zar: z → c

buscar		pagar		empezar	
busque	busquemos	pague	paguemos	empiece	empecemos
busques	busquéis	pagues	paguéis	empieces	empecéis
busque	busquen	pague	paguen	empiece	empiecen

3. Verbs with irregular **yo** forms show the irregularity in all persons of the present subjunctive.

conocer:	**conozca,...**	salir:	**salga,...**
decir:	**diga,...**	tener:	**tenga,...**
hacer:	**haga,...**	traer:	**traiga,...**
oír:	**oiga,...**	venir:	**venga,...**
poner:	**ponga,...**	ver:	**vea,...**

4. A few verbs have irregular present subjunctive forms.

dar:	**dé, des, dé, demos, deis, den**
estar:	**esté,...**
haber (hay):	**haya**
ir:	**vaya,...**
saber:	**sepa,...**
ser:	**sea,...**

5. The **-ar** and **-er** stem-changing verbs follow the stem-changing pattern of the present indicative.

pensar (pienso):	**piense**	**pensemos**
	pienses	**penséis**
	piense	**piensen**
poder (puedo):	**pueda**	**podamos**
	puedas	**podáis**
	pueda	**puedan**

6. The **-ir** stem-changing verbs show a stem change in the four forms that have a change in the present indicative. In addition, however, they show a second stem change in the **nosotros** and **vosotros** forms, the same change that occurs in the present participle (**-ndo**) and in the third person (singular and plural) of the preterite.

-ir stem-changing verbs (**nosotros, vosotros**): o → u, e → i

dormir **(duermo) (u):**	**duerma**	**durmamos**
	duermas	**durmáis**
	duerma	**duerman**

durmiendo / durmió, durmieron

pedir (pido) (i):	**pida**	**pidamos**
	pidas	**pidáis**
	pida	**pidan**

pidiendo / pidió, pidieron

preferir **(prefiero) (i):**	**prefiera**	**prefiramos**
	prefieras	**prefiráis**
	prefiera	**prefieran**

prefiriendo / prefirió, prefirieron

Práctica

A. Tu trabajo actual. Usa frases de la lista de la derecha para completar las oraciones de modo (*in such a way*) que se refieran a tu situación en el trabajo. (Siempre hay más de una respuesta posible.) Si no trabajas ahora, no importa. ¡Inventa una respuesta!

1. El jefe quiere que _____.

2. También espera que _____.

3. Ella insiste en que _____.

4. Prohíbe (He *forbids*) que _____.

5. En el trabajo, es importante que _____.

6. Yo deseo que _____.

7. No me gusta que _____.

8. Es importante que _____.

a. a veces trabajemos los fines de semana
b. todos lleguemos a tiempo
c. hablemos por teléfono con los amigos
d. me den un aumento de sueldo
e. nos paguen más a todos
f. no usemos el *fax* para asuntos (*matters*) personales
g. me den un trabajo de tiempo completo algún día
h. no perdamos tiempo charlando (*chatting*) con los demás
i. escribamos correos electrónicos personales en la oficina
j. nos pongan plazo para hacer el trabajo
k. me den otro proyecto (*project*)
l. ¿ ?

B. ¿Puedes substituir a tu profesor(a) en el salón de clase? Demuéstrale a tu profesor(a) que lo / la conoces bien, haciendo oraciones como las que dice él / ella en clase. Sólo tienes que cambiar el infinitivo a la forma del subjuntivo que corresponda.

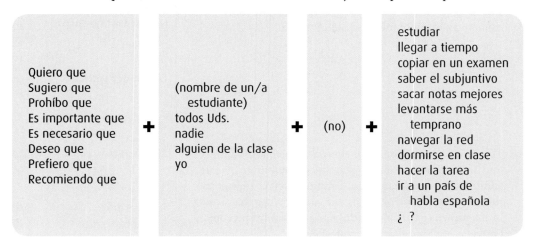

Quiero que
Sugiero que
Prohíbo que
Es importante que
Es necesario que
Deseo que
Prefiero que
Recomiendo que

+

(nombre de un/a estudiante)
todos Uds.
nadie
alguien de la clase
yo

+

(no)

+

estudiar
llegar a tiempo
copiar en un examen
saber el subjuntivo
sacar notas mejores
levantarse más temprano
navegar la red
dormirse en clase
hacer la tarea
ir a un país de habla española
¿ ?

C. Cómo dar una buena fiesta

Paso 1. Haz una lista de las cosas que hay que hacer para dar una fiesta exitosa (*successful*), en tu opinión. Use infinitivos en tu lista.

MODELOS: llamar a sus amigos con anticipación (*ahead of time*) comprar…

Paso 2. En parejas, comparen sus listas del **Paso 1** y hagan una sola lista de por lo menos diez acciones diferentes.

Paso 3. Luego conviertan la lista en una serie de recomendaciones para dar una buena fiesta. Usen las formas del subjuntivo de tus verbos en infinitivo.

MODELO: Recomendamos que llamen a sus amigos con anticipación.

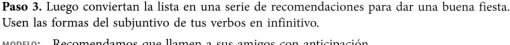

Vocabulario útil
Es necesario / bueno / importante / esencial que…
Recomendamos que… + *subjuntive*
Sugerimos que…

EL ESPAÑOL *EN ACCIÓN*

CONSEJOS PARA BUSCAR PAREJA EN INTERNET

Uno de los aspectos importantes en la vida de los jóvenes de Venezuela y otros países hispanohablantes es el amor. Hoy en día, una de las formas de encontrar una pareja para los hispanos es la red o Internet. A continuación vas a leer un texto publicado en el sitio para los jóvenes hispanos "Buscar pareja en la Web". Este sitio ofrece consejos para la gente que quiere encontrar a una persona especial usando el Internet. Lee el texto y decide si los consejos que se dan te parecen buenos o no. Explica tu opinión. Para leer el texto puedes usar la información en **Gramática 4.**

Qué hacer y qué no hacer al buscar pareja evitando las malas experiencias.[*]

Sugerencia 1.
Lo primero que te **recomendamos es que seas** tú mismo. Antes de formar parte de un sitio para buscar pareja, **es importante que nosotros tengamos** claro que el objetivo final es siempre una cita cara a cara. Por eso, para evitar futuras decepciones en la búsqueda de pareja, **es necesario que seas** completamente honesto/a y **que no inventes** una personalidad y apariencia física falsas. Buscar pareja es divertido, pero no es un juego.

Sugerencia 2.
Como segunda recomendación, **te sugerimos que escribas** un perfil[a] personal con aspectos reales de tu vida: intereses, gustos, conductas habituales.[b] De esta manera, la gente que lo lea no va a tener una falsa impresión de tu persona.

Sugerencia 3.
También **es importante que tengas** un buen apodo o "nickname." Aquí también debes evitar las exageraciones. Por ejemplo, si alguien decide usar el apodo "El Don Juan," muchas mujeres van a pensar que esta persona no quiere establecer una pareja duradera.[c]

Sugerencia 4.
Lo mejor es ser uno mismo para tener más posibilidades de relacionarse y encontrar la pareja o el amigo deseado. Siempre **es necesario que no nos olvidemos** de quiénes somos y qué queremos en nuestra vida.

Sugerencia 5.
Nuestra última recomendación es que uses el lenguaje coloquial en tus conversaciones "online," y **que no hagas** ningún comentario que no te atreverías[d] a decirle cara a cara a otra persona.

Si estás buscando una pareja con fines serios, es fundamental inspirar confianza.[e]

[a]*profile* [b]*conductas... your typical behaviour* [c]*pareja... long-time relationship*
[d]*wouldn't dare* [e]*trust*

[*]Text adapted from the original on http://www.buscar-tu-pareja.com.ar/.

¿Entendiste?

Decide si las siguientes oraciones son ciertas (C) o falsas (F). Corrige las oraciones falsas.

1. Cuando queremos encontrar una persona en Internet, lo más importante es la honestidad.   C   F

2. Buscar una pareja en Internet debe ser una actividad recreativa, como jugar a las cartas.   C   F

3. El perfil que presentamos en Internet no es tan importante como nuestra foto.   C   F

4. Tenemos que escribir un perfil que refleje quienes somos realmente.   C   F

5. Nuestro apodo debe reflejar nuestras intenciones.   C   F

6. Cuando escribimos nuestro perfil, es bueno crear una personalidad y no ser nosotros mismos.   C   F

7. En nuestras interacciones en Internet debemos usar siempre "usted".   C   F

8. Cuando hacemos comentarios, debemos tener cuidado con lo que decimos.   C   F

9. Es muy importante que la gente que lee nuestro perfil pueda confiar en nosotros.   C   F

10. El objetivo final de una relación en Internet es conocer a otra persona cara a cara.   C   F

Ahora te toca a ti...

Una pareja ideal

Con un/a compañero/a, escribe **seis** consejos diferentes más para una persona que quiere encontrar una pareja en la red. Usen tres mandatos informales (**Capítulo 10**) y hagan tres oraciones con las siguientes expresiones: **Es necesario que..., Es importante que..., Te sugerimos que....** Deben usar el modo subjuntivo con estas expresiones, como se ve en el texto (úsenlo como modelo). ¿Por qué? Escriban sus oraciones y piensen en una regla para estas expresiones y el subjuntivo. ¿Qué tipo de idea presentan? ¿Por qué necesitamos el modo subjuntivo y no el indicativo? Puedes consultar las secciones de **Gramática 3** y **4** para hacer esta actividad y contestar estas **preguntas.**

GRAMÁTICA 4

EXPRESSING DESIRES AND REQUESTS • USE OF THE SUBJUNCTIVE (PART 2): INFLUENCE

GRAMÁTICA EN ACCIÓN: ¿QUIÉN DEBE HACERLO?

Los siguientes dibujos ilustran tres escenas de la vida caraqueña. ¿Qué pasa en cada uno de ellos? Describe los dibujos y luego elige la oración que mejor describa cada uno de ellos.

1.   2.   3.

1. Andy y Katie, dos estudiantes canadienses en un programa de español en Caracas.

    _____ a. Quiero aprender las formas del subjuntivo rápidamente.

    b. Quiero que nosotros aprendamos juntos las formas del subjuntivo rápidamente.

2. Jorge y sus padres, Amelia y Carlos.

    _____ a. Insisto en hablar con Jorge inmediatamente.

    b. Insisto en que tú hables con Jorge inmediatamente.

3. Roberto entra en la habitación de su hijo adolescente, Sebastián.

    _____ a. Es necesario arreglar esta habitación.

    b. Es necesario que tú arregles esta habitación.

---

1. So far, you have learned to identify the subjunctive by these features.

    a. appears in a subordinate (dependent) clause
    b. has a different subject from the one in the main (independent) clause
    c. is preceded by **que**

2. In addition, the use of the subjunctive is associated with the presence of a number of concepts or conditions that trigger its use in the subordinate clause. The concept of influence in the main clause is one trigger for the subjunctive in a subordinate clause. When the speaker wants something to happen, he or she tries to influence the behaviour of others, as in these sentences. The verb in the main clause is, of course, in the indicative, because it is a fact that the subject of the sentence wants something.

MAIN (INDEPENDENT) CLAUSE		SUBORDINATE (DEPENDENT) CLAUSE
Yo **quiero**	**que**	tú **pagues** la cuenta.
I want		*you to pay the bill.*
La profesora prefiere	**que**	**los estudiantes no lleguen** tarde.
The professor prefers	*that*	*students don't arrive late.*

3. As we saw in **Gramática 3** and **El español en acción,** **querer** is not the only verb that can express the main subject's desire to influence what someone else thinks or does. There are many other verbs of influence, some very strong and direct, some very soft and polite.

STRONG	SOFT
insistir en	**desear**
mandar (*to order*)	**pedir** (**pido**) (**i**)
permitir (*to permit, allow*)	**preferir** (**prefiero**) (**i**)
prohibir (**prohíbo**)	**recomendar** (**recomiendo**)
	sugerir (**sugiero**) (**i**)

4. An impersonal generalization of influence or volition can also be the main clause that triggers the subjunctive (look for examples in **El español en acción**).

Es necesario que…
Es importante que…
Es urgente que…
Es mejor que…

Práctica

A. Expectativas de la educación. La educación universitaria es muy importante tanto en Venezuela como en este país, especialmente para los padres, estudiantes y profesores. ¿Y qué esperan estas personas del año escolar?

Paso 1. Haz oraciones según las indicaciones para describir las expectativas de los padres, estudiantes y profesores en el año escolar.

En general, en Canadá y Venezuela…

1. todos / profesores / querer / que / estudiantes / llegar / clase / a tiempo
2. nuestro/a profesor(a) de / español / preferir / que / (nosotros) ir / laboratorio de lenguas / frecuentemente
3. profesores / prohibir / que / estudiantes / traer / comida / y / bebidas / clase

4. profesores / insisten en / que / (nosotros) entregar / tarea / a tiempo

5. estudiantes / pedir / que / profesores / no darles / mucho / trabajo

6. también / (ellos) querer / que / haber / más vacaciones

7. padres / insistir en / que / hijos / sacar / buenas / notas

Paso 2. Y tú, ¿qué quieres que hagan los profesores? Inventa otras tres oraciones para indicar tus deseos. Usa tres verbos o expresiones diferentes de la página anterior para expresar tus deseos.

B. El día de la mudanza (*moving*).

Imagina que vives en Caracas y estás casado/a con un/a venezolano/a. Tú, tu esposo/a y tus hijos acaban de llegar, con todas sus cosas, a un nuevo apartamento. ¿Dónde quieren Uds. que se pongan los siguientes muebles? Sigue el modelo. Luego explica por qué quieres que cada cosa esté en el sitio indicado. Empieza la primera oración con frases como: **Queremos que… , Preferimos que… , Es necesario que… , Es mejor que…** Usa el verbo **gustar** en la segunda oración.

 No te olvides de usar la palabra **que.**

MODELO: **LOS MUEBLES**   **LA EXPLICACIÓN**

los trofeos de Julio / la sala   mirarlos todos los días →

Queremos que los trofeos de Julio estén en la sala. ¡Nos gusta mirarlos todos los días!

LOS MUEBLES	LA EXPLICACIÓN
1. la nueva televisión / la sala	ver la tele todos juntos
2. la televisión portátil / la cocina	ver la tele al cocinar (*while cooking*)
3. el estéreo / la alcoba de Julio	oír música mientras estudia
4. el sillón grande / la sala	leer el periódico allí
5. los monopatines (*skateboards*) de los niños / el patio	jugar allí
6. la computadora / la oficina	pagar las cuentas allí
7. el acuario / el dormitorio de Anita	mirar los peces

C. ¿Qué quieres?

Imagina que puedes pedirles cualquier cosa a las personas en tu vida. ¿Qué les pedirías (*would ask*)?

Paso 1. En parejas, hablen de afectar las acciones de otras personas. Para hacer las preguntas y oraciones, combinen palabras de las tres columnas o usen la imaginación. Hagan al menos cinco preguntas y respuestas diferentes para cada persona.

MODELO: E1: ¿Qué quieres que haga tu padre?

E2: Quiero que mi padre me compre una computadora.

| querer
preferir
insistir en
mandar
permitir
prohibir
recomendar | **+** | padre / madre
amigos/as
hermano/a
profesor(a)
novio/a
esposo/a
compañero/a de cuarto | **+** | comprarme... (un coche, rosas, ¿ ?)
visitarme... (mañana, el jueves, ¿ ?)
invitarme... (al cine, a cenar, ¿ ?)
(no) dar tarea... (hoy, mañana, ¿ ?)
ayudarme... (en los quehaceres, a hacer la tarea, ¿ ?)
salir con... (otra persona, mi amigo, ¿ ?)
llamarme... (todos los días, el viernes, ¿ ?)
explicarme... (la gramática, ¿ ?)
¿ ? |

Paso 2. Ahora hablen de las cosas que otras personas quieren, prefieren, permiten, etcétera, que hagan ustedes. Hagan al menos cinco preguntas y respuestas diferentes para cada persona.

MODELO: E1: ¿Qué quieren tus padres que hagas?
E2: Quieren que yo estudie mucho para mis clases.

D. Hablan los expertos en la buena vida.

Paso 1. En parejas, imaginen que son parte de un equipo de expertos en problemas relacionados con la salud, el estrés y la buena vida y que tienen un programa de radio. Como miembros del equipo, lean las siguientes preguntas que les han mandado (*have sent*) los radioyentes (*radio audience*) por correo electrónico y dénles una solución. Hagan por lo menos cuatro sugerencias diferentes para cada situación. Es bueno usar frases como **Le / Te recomendamos / sugerimos que… , Es importante / necesario / urgente que…**

1. Tengo 20 años y soy una joven extremadamente tímida. Por eso no me gusta salir. Prefiero asumir otra personalidad al conectarme en la red. Así me siento contenta por horas. Mi madre dice que esto no es normal y me pide que deje de hacerlo. Ella insiste en que salga con otras jóvenes de mi edad. ¿Qué piensan ustedes?
2. Tengo 45 años. Mi marido es un hombre muy bueno y responsable. Tiene un buen trabajo, y es una persona muy respetada en su compañía. El problema es que solamente piensa en *software* y multimedia. Pasa todo su tiempo libre delante de la computadora o leyendo catálogos y revistas sobre computadoras. Nunca hace ejercicio, toma muchos refrescos y no hace nada divertido. Yo prefiero que él pase más tiempo conmigo. Estoy tan aburrida que estoy pensando en dejarlo (*leave him*). ¿Qué me recomiendan que haga?

Paso 2. Ahora piensen en un problema que se relacione con la salud y / o el estrés que sea similar a los del **Paso 1,** y descríbanlo por escrito (*in writing*). El resto de la clase les va a hacer sugerencias sobre cómo resolverlo.

E. Repaso: De turismo por el Perú. In this activity, you will learn more about

Perú, one of the countries we visited in **Capítulo 10.** Complete the following passage with the correct form of the red words in parentheses, as suggested by context. When two possibilities are given in parentheses, select the correct word. Conjugate the verbs according to the following notations: *comm.* = command, *subj.* = present subjunctive, *pret.* = preterite, *imp.* = imperfect.

¿Te interesa la historia? ¿Te (gusta / gustan[1]) los lugares espirituales? Entonces,[a] (*comm.: tú:* ir[2]) a Machu Picchu. (Es / Está[3]) una ciudad de los incas que (es / está[4]) cerca de Cuzco, Perú. No es fácil llegar allí. (Por / Para[5]) eso (lo / la[6]) llaman "la ciudad perdida[b] de los incas". (*Imp.:* Ser[7]) un lugar que servía de refugio y de vacaciones a los reyes[c] y nobles incas. Después de la llegada de los españoles, esta ciudad (*pret.:* estar[8]) oculta[d] (desde / hasta[9]) 1911, cuando Hiram Bingham, un profesor y explorador estadounidense la (*pret.:* descubrir[10]) y (*pret.:* publicar[11]) los resultados[e] de su investigación.[f]

Pero Machu Picchu no (es / está[12]) el único lugar interesante que se puede visitar en el Perú. Si puedes pasar más de una semana en el país, te recomendamos que (*subj.: tú:* hacer[13]) una excursión por la selva. O (*comm.: tú:* viajar[14]) (al / a el[15]) desierto de Atacama, el lugar más árido (en el / del[16]) mundo. Y también (*comm.: tú:* pasar[17]) unos días en las playas de Mancora y Cabo Blanco. (*Comm.: Tú:* Hacer[18]) un viaje fabuloso que (nunca / siempre[19]) vas a olvidar. Esperamos que (*subj.: tú:* poder[20]) ir con una persona especial para ti. (Sabemos / Conocemos[21]) que el Perú (les / nos[22]) va a fascinar.

[a]*Then* [b]*lost* [c]*kings* [d]*hidden* [e]*results* [f]*research*

¿Entendiste? Las siguientes oraciones son falsas. Corrígelas con información de la lectura.

1. El actual rey del Perú vive en Machu Picchu.
2. Es posible llegar a Machu Picchu fácilmente.
3. Hiram Bingham fue un explorador español.
4. Machu Picchu es el único sitio de interés turístico en el Perú.
5. A los turistas no les gusta mucho viajar en el Perú.

Hiram Bingham (1875–1956)

F. Repaso: La era del ruido

Paso 1. En parejas, estudien con cuidado (*carefully*) la tira cómica de Maitena, una dibujante (*cartoonist*) argentina. Luego contesten las siguientes preguntas.

1. ¿En qué consiste "la era del ruido," según Maitena?
2. ¿Cuáles de los ruidos de la tira cómica son parte de la vida de ustedes?
3. ¿Qué otras cosas hacen ruido en su vida?
4. ¿Contestan ustedes el teléfono cuando suena en la tele?
5. ¿Cuáles son los problemas de salud y estrés que nos puede causar vivir en "la era del ruido"?

Paso 2. Ahora, con otro/a compañero/a imaginen que Uds. están a cargo (*in charge*) del tema del ruido en el Departamento de Salud Pública. Usando **mandatos formales (usted),** hagan una lista de reglas (*rules*) sobre las cosas que se deben o no se deben usar y cuándo y dónde. Piensen en formas de evitar problemas de salud y estrés. Escriban por lo menos seis reglas diferentes.

MODELO: Apague su celular antes de entrar en clase.

Vocabulario útil	
apagar (gu)	to turn off
bajar el volumen	to lower the volume
hablar en voz alta / baja	to speak loudly/softly
poner	to put

[a]*elevators* [b]*gates* [c]*Cashier* [d]*hand dryers* [e]*warm* [f]*gloves* [g]Trepidan... *Drills vibrate*
[h]Retumba... *The printer booms* [i]*is barking* [j]*tied up* [k]*shouts* [l]*televisión* [m]*answer*

UN POCO DE TODO

VIDEOTECA

En contexto

¿Te enfermas con frecuencia? ¿Generalmente cuándo te enfermas? ¿De qué te enfermas? ¿Cuáles son las enfermedades más comunes entre los estudiantes universitarios? En este capítulo, Juan Carlos, el primo peruano de Mariela Castillo, no se siente bien. Juan Carlos es un estudiante como tú. Entonces, ¿qué enfermedad crees que tiene? Escribe algunas ideas y luego mira el video clip en la red. ¿Qué le recomienda el farmacéutico?

¿Entendiste?

A. La visita al médico. Ahora contesta las siguientes preguntas sobre el diálogo entre Juan Carlos y el farmacéutico.

1. ¿Qué síntomas tiene Juan Carlos?
2. ¿Cuándo va a ir o cuándo fue al médico?
3. ¿Qué le diagnosticó el médico a Juan Carlos?
4. ¿Qué tratamiento le dio?
5. ¿Qué otro problema de salud tiene Juan Carlos?
6. ¿Qué le da el farmacéutico?
7. ¿Qué más le recomienda el farmacéutico?
8. ¿Qué va a hacer Juan Carlos después de comprar su medicina?
9. ¿Y qué haces tú cuando te sientes como Juan Carlos?

B. En la farmacia. En este clip, Juan Carlos habla con un farmacéutico sobre su enfermedad y las medicinas que necesita comprar. Imagina que tú necesitas comprar medicinas también.

Paso 1. Lee las preguntas del farmacéutico y elige la mejor respuesta.

1. Muy buenos días. ¿En qué lo puedo atender?
   - ☐ Tengo una cita con el Dr. Ramos.
   - ☐ Creo que tengo gripe. ¿Qué debo tomar?
   - ☐ Llevo una vida tranquila.
   - ☐ Necesito un chequeo.
   - ☐ Voy al dentista porque me duele la muela.

2. ¿Qué otros síntomas tiene?
   - ☐ Sí, me cuido mucho.
   - ☐ Tiene que guardar cama por tres días.
   - ☐ Hago Pilates tres veces por semana.
   - ☐ Toso mucho y tengo fiebre.
   - ☐ Me voy a casa a descansar.

3. Muy bien. Para la tos, le sugiero que tome un jarabe. Pero le recomiendo que visite al médico.
   - ☐ Fui al dentista ayer.
   - ☐ Sí, tengo cita mañana.
   - ☐ Me resfrío mucho en el invierno.
   - ☐ No, no hago mucho ejercicio.
   - ☐ Está en el consultorio.

4. En ese caso, puede empezar a tomar el jarabe y para la fiebre, ¿tiene medicinas en casa?
   - ☐ Sí, tengo un resfriado.
   - ☐ No, no necesito anteojos.
   - ☐ Sí, tengo unas pastillas.
   - ☐ Sí, estoy un poco mareado.
   - ☐ No, no quiero ir al médico.

Paso 2. Ahora tienes que hacer preguntas para cada una de las respuestas en **Paso 1.**

MODELOS: Respuesta: Tengo una cita con el Dr. Ramos
Tú preguntas: ¿Con qué doctor tiene cita?

A conversar...

En el consultorio del médico

You and a classmate will recreate the dialogue that Juan Carlos had with his doctor. One of you will be Juan Carlos, and the other, the doctor. Juan Carlos needs to tell the doctor how he feels, how long he's been feeling that way, etc. The doctor should ask him about other symptoms, and he/she should provide Juan Carlos with a diagnosis and a treatment. Use the information in the video and the structures and vocabulary from this chapter to create the dialogue (remember to use **usted** forms). You can also use the dialogue on page 382 of this chapter as a model.

LECTURA

SOBRE LA LECTURA... Esta lectura es parte de un artículo que se publicó en la revista hispana *Nuestra Gente*. Como quizás (*perhaps*) recuerdas, esta revista presenta artículos de interés sobre una gran variedad de temas: cine, música, cocina y otros.

> **ESTRATEGIA: Guessing the Content of a Passage**

ANTES DE LEER

In previous reading sections, you have learned several different strategies to improve your comprehension of a text. Whenever you can, it's a good idea to utilize as many of these strategies as possible. Of course, not all texts will lend themselves to the application of all strategies. For example, there might be limited visual cues such as photos to help you anticipate what the reading is about. In those instances, what else can you rely on to make predictions about the content? One strategy is to identify the source of the passage (see **Sobre la lectura...** above). And, of course, the title often reveals a great deal about the content of a passage. Take a look at the title of the reading that follows and the accompanying photo. What do you think this article is about?

1. Divorce rates in Spanish-speaking countries
2. The relationship between divorce and stress
3. Advice for reducing stress

If you picked number 3, you were right! The following article offers suggestions and techniques for reducing stress and enjoying a calmer life.

A LEER

Divórciese del estrés

Convivimos tanto con el estrés que hasta parece un miembro de la familia. Lo llevamos al trabajo, a las tiendas, a la lavandería,[a] a veces hasta nos acostamos y amanecemos con él. Pero es un compañero de muchos disfraces.[b] Nos mantiene en movimiento diario, pero aparece como dolor de cabeza, nudos[c] de músculos en el cuello,[d] ratos de olvido, cansancio o enojo.

Cinco pasos hacia una vida más tranquila

¡Corra![e]

O hasta puede decir "¡camine!" si prefiere pues también le servirá.[f] Es decir, si nota que se le viene encima el maldito estrés, póngase los tenis, y ¡a la calle! Una simple caminata o corrida de 20 minutos diarios hace milagros.[g] Hasta los científicos han comprobado[h] que el ejercicio diario —aunque corto— sí reduce sustancialmente los niveles de estrés.

Respire profundamente

Uno de los mejores y más sencillos pasos a tomar para reducir el estrés es cuidar de su respiración, según el Centro Médico Arnot Ogden de Elmira, Nueva York. Cuando le afecta el estrés, su respiración se acorta y es poco profunda debido al efecto que producen los músculos tensos. Cada vez que se sienta tenso, concéntrese unos segundos en su respiración y profundísela. Su corazón se lo agradecerá.[i]

Un spa en su propia casa

Aunque sea un día a la semana —o al mes— aparte[j] una hora —o más— para usted mismo. Prenda una vela[k] de aroma tranquilizante, llene la bañera con un delicioso jabón y tómese un té caliente de manzanilla,[l] vainilla o canela.[m]

Coma de manera saludable

Una buena dieta baja en grasas, alta en fibra y que incluye comer vegetales y frutas diariamente ayuda no sólo al cuerpo sino al estado mental. Cuando ingerimos en exceso comida grasosa y azucarada[n] —los famosos alimentos vacíos de nutrición que suelen aparecer en nuestras cocinas— el cuerpo protesta de diversas formas. Las enfermedades que pueden aparecer a la larga[ñ] como la obesidad, el alto colesterol y enfermedades del corazón son aun otras y muy serias fuentes de estrés.

Convierta estos pasos en una rutina diaria

Poco a poco —¡y sin estresarse!— incorpore estos pasos a la rutina de sus días y noches. No hay que hacerlo de un jalón.[o] Comience al paso que pueda, incrementando gradualmente para que poco a poco se conviertan en algo cotidiano[p] y esperado. Verá[q] que dentro de poco su cara sonriente y tranquila lo dirá todo:[r] ¿Estrés? ¿De qué habla?

Las verduras y las frutas: Una parte importante de una buena dieta

[a]lugar público donde se puede lavar la ropa   [b]*disguises*   [c]*knots*   [d]*neck*   [e]*Run!*   [f]*se… it (walking) will work for you*
[g]*miracles, wonders*   [h]*han… have proven*   [i]*se… will thank you for it*   [j]*set aside*   [k]*candle*   [l]*chamomile*   [m]*cinnamon*
[n]*sweetened, containing sugar*   [ñ]*a… over time*   [o]*de… all at once*   [p]*diario*   [q]*You'll see*   [r]*lo… will say it all*

DESPUÉS DE LEER

A. Consejos. De los siguientes consejos para reducir el estrés, ¿cuáles *no* se mencionan en el artículo?

1. comer bien
2. oír música
3. hacer ejercicio
4. trabajar menos
5. controlar la respiración
6. hacer yoga
7. beber bastante agua
8. pasar tiempo con la familia y los amigos

B. Síntomas y soluciones

Paso 1. Busca tres síntomas del estrés en la lectura.

1. _____

2. _____

3. _____

Paso 2. Ahora haz una lista de posibles soluciones para el estrés. Indica las soluciones que prefieres o que crees que son más efectivas. ¿Puedes añadir (*add*) otras dos soluciones no mencionadas en el artículo? **Utiliza las formas de los mandatos formales (usted) para dar tus soluciones.**

REDACCIÓN

DOS OPCIONES

En este capítulo, vas a elegir uno de los dos temas que se presentan a continuación para escribir tu composición.

TEMA A

El estrés y los estudiantes. Aunque las presiones de la vida moderna nos afectan a todos, sin duda (*doubt*) tienen un impacto tremendo en los estudiantes universitarios. Escríbele una carta al editor o editora del periódico de tu universidad comentando lo que tú crees que causa mayor presión en los estudiantes de tu universidad. En la carta, debes identificar esas causas y las consecuencias que tienen y también sugerir algunas soluciones posibles para combatirlas. Debes usar el subjuntivo y los mandatos formales.

Puedes comenzar tu carta así:

Estimado editor: / Estimada editora:...

TEMA B

Mi última visita al consultorio. En este tema, vas a escribir una narración sobre tu última visita al consultorio de un/a médico/a. Usa las preguntas a continuación para desarrollar tus ideas. Contesta las preguntas añadiendo todos los detalles que puedas.

PÁRRAFO A

1. ¿Cuándo fue la última vez que consultaste con un/a médico/a?
2. ¿Por qué lo hiciste? ¿Cuáles eran tus síntomas? ¿O fue solamente por un chequeo anual? (Describe tus síntomas en detalle.)

PÁRRAFO B

3. En el consultorio, ¿tuviste que esperar mucho tiempo? ¿Por qué? ¿Por qué no? ¿Esperaban también otros pacientes? ¿Qué hiciste mientras esperabas?

4. Cuando entraste por fin en el consultorio, ¿cuánto tiempo duró la consulta? ¿Te recibió bien el / la médico/a? ¿Mostró compasión? ¿humor? ¿preocupación? ¿indiferencia? ¿Cuál fue su diagnóstico?

5. ¿Te recetó alguna medicina? ¿Qué otras recomendaciones te dio? ¿Las seguiste (*did you follow*)? Explica tu respuesta.

PÁRRAFO C

6. ¿Cuándo te mejoraste (*did you get better*) por fin? ¿O cuándo vas a tener otro chequeo anual?

7. ¿Qué haces ahora para mantenerte en buen estado de salud?

ANTES DE ESCRIBIR

Usa las instrucciones dadas en los **Temas A** o **B** para pensar en tu composición y escribe todas las ideas que tengas. Luego trata de relacionar y organizar tus ideas para convertirlas en un texto. Tu instructor/a te puede ayudar con palabras y construcciones nuevas. Para unir los párrafos de tu composición puedes usar las siguientes palabras.

Vocabulario útil

además	besides	**pero**	but
así	thus, so	**por ejemplo**	for example
cuando	when	**por eso**	therefore, for that reason
de vez en cuando	from time to time	**en cambio**	on the other hand
por fin	at last, finally	**es decir**	that is
pues	well; since	**sin embargo**	nevertheless
luego	then, next	**mientras**	while
también	also		

A ESCRIBIR

Utiliza las ideas que desarrollaste en la sección anterior para escribir tu composición. Recuerda…

- usar el vocabulario y verbos de este capítulo y de los capítulos anteriores.
- prestar atención a las formas de tus verbos. Ten cuidado con los acentos en los tiempos (por ejemplo, pretérito e imperfecto).
- prestar atención al género y número cuando usas artículos, adjetivos y sustantivos.
- usar pronombres de objeto directo (me, te, lo, la, nos, los, las) y de objeto indirecto (me, te, le, nos, les) para evitar la repetición de palabras y ten cuidado cuando uses los dos pronombres juntos.
- prestar atención a las conjugaciones correctas de los verbos.
- unir tus ideas con conectores (usa las palabras en **Vocabulario útil**).

DESPUÉS DE ESCRIBIR

Now read your composition, and focus on the following:

- <u>Content</u>: Have you included all the information required?
- <u>Grammar</u>:
  - Articles, possessive adjectives, nouns, and adjectives: Do they agree in gender and number?
  - Verbs: Have you conjugated your verbs correctly? Have you used the right tense and mood (indicative, subjunctive, imperative)?
  - Pronouns: Have you used the correct pronouns?
- <u>Connectors</u>: Have you connected your ideas with the suggested connectors and conjunctions?

Correct your text, and write a new, improved version.

Venezuela

Antes de explorar...

En este capítulo, hablamos de Venezuela. ¿Qué aprendiste sobre este país? Con un/a compañero/a, escribe una lista de datos.

¡A explorar!

Ahora vamos a aprender más sobre Venezuela y su gente. Lee los siguientes textos y piensa en las similitudes y diferencias entre este país y Canadá.

- Nombre oficial: República de Venezuela
- Capital: Caracas
- Población: más de 25 millones de habitantes
- Venezuela es miembro de los Países Megadiversos Afines,[a] y es uno de los países con mayor biodiversidad del mundo.
- El clima venezolano varía entre el clima templado de la región andina y el clima tropical de los llanos[b] y de la costa. El clima es agradable la mayor parte del año.
- Por la variedad de climas, Venezuela le ofrece al turista atracciones diversas, entre ellas: (1) las hermosas playas tropicales de la Isla Margarita y de la costa caribeña; (2) la famosa catarata[c] del Salto Ángel[d] que, siendo dieciséis veces más alta que las cataratas del Niágara, se considera la más alta del mundo; (3) la belleza[e] colonial de Ciudad Bolívar y Coro y (4) la moderna y cosmopolita ciudad de Caracas.
- Venezuela tiene uno de los depósitos petroleros más importantes del mundo, lo que constituye la principal riqueza[f] de su economía.

[a]*Like-Minded Megadiverse Countries* [b]*plains* [c]*waterfall* [d]*Salto... Angel Falls* [e]*beauty* [f]*wealth*

Una refinería de petróleo en la isla de Curaçao. Se descubrieron los primeros yacimientos[a] de petróleo en Venezuela en los años 20. Hoy día Venezuela ocupa el quinto lugar en la lista de países exportadores de petróleo.[b] El petróleo que se extrae frente a[c] las costas del país se refina en las islas de Curaçao y Aruba bajo la supervisión de PDVSA (Petróleos de Venezuela, S.A.[d]).

[a]*deposits* [b]*ocupa... is the fifth largest oil-exporting country*
[c]*se... is extracted off* [d]Sociedad Anónima (*Incorporated*)

El Lago de Maracaibo. El Lago de Maracaibo es el lago más grande de Sudamérica y el único del mundo que se comunica con[a] el mar, a través del[b] Golfo de Venezuela. Se encuentra en el estado occidental[c] de Zulia.

[a]*se... is connected to* [b]*through the* [c]*western*

El Salto Ángel. El Parque Nacional Canaima es un bello ejemplo de la biodiversidad de Venezuela. En los 7.400.000 acres del parque hay tepuyes,ᵃ grandes ríos y la joyaᵇ del parque, el Salto Ángel. Esteᶜ es el salto de caída libreᵈ más alto del mundo.

ᵃ*table-top formations* ᵇ*jewel* ᶜ*The latter* ᵈ*de... free-fall*

La Ciudad Universitaria de Caracas. La Ciudad Universitaria de Caracas es el *campus* principal de la Universidad Central de Venezuela. Fue diseñada porᵃ el arquitecto venezolano Carlos Raúl Villanueva y construida a mediadosᵇ del siglo XX. Todo el *campus* es un hermoso ejemplo del Movimiento Moderno en la arquitectura. Se destaca especialmenteᶜ el Aula Magna,ᵈ que tiene una magnífica acústica.

ᵃ*designed by* ᵇ*construida... built around the middle* ᶜ*Se... Especially noteworthy is* ᵈ*Aula... Main Amphitheater*

Cametro, el metroᵃ de Caracas. Cametro es uno de los mejores ejemplos de transporte público de Latinoamérica. Hay cuatro líneas con unas cuarenta estaciones que llegan a casi todas las zonas de la ciudad. Gracias a la integración de los sistemas, los pasajeros pueden usar los mismos billetes tanto para el metro como para los autobuses.

ᵃ*subway*

La música, la literatura y el arte de Venezuela

La música folclórica típicamente venezolana es el **joropo,** la música del llanero, el *cowboy* venezolano. El instrumento musical representativo del joropo es el arpa llanera.ᵃ Como baile, el joropo es semejante a un vals,ᵇ pero con influencias africanas. Otros géneros importantes en la música de Venezuela son el pop y el rock. Hay varios músicos venezolanos como José Luis Rodríguez, Ricardo Montaner, Franco de Vita y la banda Aditus que son conocidos en toda

Latinoamérica y en otras partes del mundo. Visita el sitio web **www.mcgrawhill.ca/olc/knorre** e investiga qué tipo de canciones cantan dos de estos músicos, cuándo empezaron sus carreras y qué influencias musicales tuvieron.

En la literatura de Venezuela, una de las autoras que se destaca es Laura Antillano (1950-). Esta escritora ha escrito[c] una variedad de obras como novelas, cuentos cortos y poesía. Pero quizás sus trabajos más reconocidos son sus cuentos y novelas para niños y jóvenes. ¿Te gustaría leer uno de sus cuentos para niños? Visita el sitio web **www.mcgrawhill.ca/olc/knorre** y lee el cuento "La vida secreta de la abuela Margarita". ¿Cuál es el tema de este cuento? ¿Te gustó? ¿Conoces otro cuento similar a este?

Cuando hablamos del arte en Venezuela, debemos mencionar a la escultora Marisol Escobar, conocida mundialmente por sus obras de gran tamaño y simbolismo. Su arte se considera moderno y se nota en el mismo la influencia de artistas como Andy Warhol y Roy Lichtenstein. Escobar ha recibido[d] muchos premios importantes y sus esculturas se exhiben en museos importantes como el Museo Metropolitano de Arte en Nueva York. Observa la foto a la izquierda. ¿Cómo son las esculturas de Escobar? Describe los colores y materiales. ¿Qué tema representa esta escultura? ¿Qué otros temas aparecen en sus obras? Visita el sitio web **www.mcgrawhill.ca/olc/knorre** y encuentra la respuesta a esta última pregunta.

La última cena, 1982–84 (wood & mixed media), Marisol (Marisol Escobar) (b. 1930)/Metropolitan Museum of Art, New York, USA/ Photo © Boltin Picture Library/The Bridgeman Art Library International

[a]*type of harp* [b]*waltz* [c]*has written* [d]*has received*

Los venezolanos en Canadá

La comunidad venezolana es muy importante en Canadá y crece cada vez más. Pero, ¿cuántos venezolanos hay en Canadá? Y ¿por qué eligen Canadá como su nuevo país? Lee el siguiente texto, aparecido en el diario "El Nuevo Herald" de Miami y encuentra la respuesta a estas dos preguntas. ¿Qué más puedes saber sobre la comunidad venezolana de Canadá a través de este artículo? Por ejemplo, ¿cuáles son las razones principales por las que emigra la gente? Escribe toda la información posible y luego comparte tus respuestas con el resto de la clase.

Canadá acoge reciente éxodo de venezolanos[*]

En medio de un océano de banderas azul y blanco ondeadas por una multitud de gente que celebraba el espíritu del Día Nacional de Québec la semana pasada, el tricolor amarillo, azul y rojo de sus camisas mostraba un patriotismo distinto.

Era la primera vez que Gustavo y Flor Angulo, junto con su pequeña Andrea, festejaban el Día de Saint-Jean-Baptiste, el santo de la tierra que los recibe desde hace un año, Québec, Canadá. En esa celebración tan importante para sus nuevos anfitriones,[a] la familia Angulo quería manifestar también su identidad nacional más preciada: la venezolana.

[a]*hosts*

*This article is a modified version of the original article published on elnuevoherald.com. It was modified by permission for educational purposes only.

Dos días después, en el parque Angrignon, al sur de Québec, la organización Amitiés Québec-Venezuela reunió a un nutrido[b] grupo de familias provenientes de ese país sudamericano que compartieron, entre comidas típicas y juegos deportivos, recuerdos de un pasado común y consejos para un futuro que los une en su nuevo país, Canadá.

Estas familias venezolanas están encontrando nuevas fronteras más allá del sur[c] de la Florida y del resto de Estados Unidos, donde el sueño de emigrar es ahora una tarea demasiado difícil. Y Canadá está emergiendo como uno de los destinos favoritos.

"La inmigración a Estados Unidos está muy complicada; nos piden la vida y milagros," me dijo Ninoska Soliz, de 50 años, quien ya es ciudadana canadiense. "Los venezolanos están expandiendo sus destinos y Canadá es una opción válida porque es más fácil inmigrar."

Salvador Ponticelli, caraqueño de 32 años y experto en computación, presentó sus credenciales en la Embajada de Canadá, en Caracas, y en un año le aprobaron la visa de trabajo. El joven sentía ansiedad[d] por salir, entre otros motivos, porque "Venezuela no es ahora un país para trabajar en la tecnología."

Según cifras del 2003 de la entidad oficial Estadísticas Canadá, cerca de 9.000 venezolanos están registrados en ese país — una mayoría en las provincias de Ontario y Québec — pero dejan por escrito que la cantidad es mayor. Se estima que la cantidad de venezolanos en Canadá se ha multiplicado desde entonces.

"Hemos visto llegar gente cada semana", afirmó Irene Londoño, presidenta de Amitiés Québec-Venezuela. Las organizaciones venezolano-canadienses han ampliado[e] sus servicios con reuniones de asesoramiento[f] para preparar a los nuevos inmigrantes a encarar[g] los gélidos[h] inviernos, la dificultad principal de estos inmigrantes.

[b]*a large number* [c]fronteras... *frontiers beyond the southern part of the US* [d]sentía... *was anxious to leave* [e]han... *have expanded* [f]*consulting* [g]*to face* [h]*muy, muy frío*

Proyecto cultural en grupo: Más sobre los venezolanos en Canadá

Para esta actividad vas a trabajar con tres o cuatro compañeros. Ustedes van a organizar una presentación sobre los grupos venezolanos en Canadá.

Paso 1. Con los compañeros en tu grupo,

1. Van a visitar varios sitios en la red que pertenecen a grupos de inmigrantes venezolanos en Canadá y van a preparar información sobre:
   a. quiénes son
   b. dónde se encuentran (provincias y ciudades)
   c. qué servicios ofrecen a sus miembros
   d. qué aspectos de su cultura celebran y cómo lo hacen (eventos, comida, bailes, etc.)
   e. otros aspectos de la cultura venezolana que pueden disfrutar todos los canadienses (por ejemplo, restaurantes)

2. Preparen una presentación con, si es posible, fotos e información escrita.

En el sitio web **www.mcgrawhill.ca/olc/knorre** van a encontrar información para preparar su proyecto.

Paso 2. Presenten su reporte a la clase. Den la información siguiendo el orden en el **Paso 1.**

EN RESUMEN

Gramática

To review the grammar points presented in this chapter, refer to the indicated grammar presentations.

Gramática 1. Telling How Long Something Has Been Happening or How Long Ago Something Happened—**Hace… que:** Another Use of **hacer**

Gramática 2. Influencing Others—Commands (Part 2): Formal **usted** Commands

Gramática 3. Expressing Subjective Actions or States—Present Subjunctive (Part 1): An Introduction

Gramática 4. Expressing Desires and Requests—Use of the Subjunctive (Part 2): Influence

You should know how to express it's been sixteen years since you have been doing something or that you did something sixteen years ago.

You should know how to use commands to, for example, order in restaurants or talk to your doctor, and to have someone you don't know well do something for you.

Do you understand how to form the present subjunctive?

You should be able to express what you want or need someone else to do without using a direct command.

Vocabulario

Los verbos

alegrarse (de)	to be happy (about)
dudar	to doubt
esperar	to hope
haber (*inf. of* **hay**)	(there is, there are)
insistir (en)	to insist (on)
mandar	to order
permitir	to permit, to allow
prohibir (prohíbo)	to prohibit, to forbid

Repaso: **desear, pedir (pido) (i), preferir (prefiero) (i), querer, recomendar (recomiendo), sugerir (sugiero) (i)**

La salud y el bienestar

la rueda de molino / la cinta	treadmill

Repaso: **la comida**

cansarse	to get tired
cuidarse	to take care of oneself
dejar de + *inf.*	to stop (*doing something*)
doler (duele)	to hurt, to ache
examinar	to examine
guardar cama	to stay in bed
hacer...	to do . . .
ejercicios aeróbicos	aerobics
Pilates	Pilates
yoga	yoga
llevar una vida sana / tranquila	to lead a healthy/ calm life
molestar	to bother (*someone*)

ponerle una inyección	to give (*someone*) a shot, an injection
resfriarse (me resfrío)	to get/to catch a cold
respirar	to breathe
sacar (qu)	to extract
sacar la lengua	to stick out one's tongue
sacarle un diente / una muela	to extract (*someone's*) tooth/molar
tener dolor de	to have a pain/an ache in
tomarle la temperatura	to take someone's temperature
toser	to cough

Repaso: **caminar, comer, correr, dormir (duermo) (u), enfermarse, hacer ejercicio, llevar (to wear), practicar (qu) deportes, sentirse (me siento) (i)**

Algunas partes del cuerpo

la boca	mouth
la cabeza	head
el cerebro	brain
el corazón	heart
el cuerpo	body
el diente	(front) tooth
el estómago	stomach
la garganta	throat
la muela	molar, back tooth
la nariz	nose
el oído	inner ear
el ojo	eye
la oreja	(outer) ear
los pulmones	lungs

la sangre	blood
las manos	hands
los pies	feet
los dedos (del pie)	finger/toes

Las enfermedades y los tratamientos

el bienestar	well-being
el chequeo	check-up
el consultorio	(medical) office
el dolor (de)	pain, ache (in)
la enfermedad	illness, sickness
la fiebre	fever
las gafas / los anteojos	glasses
la gripe	flu
el jarabe	(cough) syrup
los lentes de contacto	contact lenses
la pastilla	pill
la receta	prescription
el resfriado	cold
la sala de emergencias / urgencia	emergency room
la salud	health
el síntoma	symptom
la tos	cough
el tratamiento	treatment

Cognados: el antibiótico, la medicina, la temperatura

El personal médico

el / la enfermero/a	nurse
el / la farmacéutico/a	pharmacist

Cognado: el / la dentista, el / la paciente

Repaso: el / la médico/a

Los adjetivos

mareado/a	dizzy; nauseated
pasado/a	past, last
resfriado/a	congested, stuffed up
sano/a	healthy

Palabras adicionales

desgraciadamente	unfortunately
dos veces	twice
en seguida	right away
eso quiere decir...	that means . . .
hace + *time* + **que** + *preterite preterite* + **hace** + *time*	
hace + *time* + **que** + *present*	to have been (*doing* something) for (*time*)
-mente	-ly (*adverbial suffix*)

Vocabulario personal

Use this space to write down other words and phrases you learn in this chapter.

To access the Instructor Supplements, please go to the Online Learning Centre at
www.mcgrawhill.ca/olc/knorre.

Glossary of Grammatical Terms

ADJECTIVE   A word that describes a noun or pronoun.

una casa **grande**
*a **big** house*

Ana es **inteligente.**
*Ana is **smart.***

Demonstrative adjective   An adjective that points out a particular noun.

este chico, **esos** libros, **aquellas** personas
***this** boy, **those** books, **those** people (over there)*

Interrogative adjective   An adjective used to form questions.

¿Qué cuaderno?
***Which** notebook?*

¿Cuáles son los carteles que buscas?
***What (Which)** posters are you looking for?*

Possessive adjective (unstressed)   An adjective that indicates possession or a special relationship.

sus coches
***their** cars*

mi hermana
***my** sister*

Possessive adjective (stressed)   An adjective that more emphatically describes possession.

Es **una** amiga **mía.**
*She's **my** friend. / She's a friend **of mine.***

Es **un** coche **suyo.**
*It's **her** car. / It's a car **of hers.***

ADVERB   A word that describes an adjective, a verb, or another adverb.

Roberto es **muy** alto.
*Roberto is **very** tall.*

María escribe **bien.**
*María writes **well.***

Van **demasiado** rápido.
*They are going **too** quickly.*

ARTICLE   A determiner that sets off a noun.
Definite article   An article that indicates a specific noun.

el país
***the** country*

la silla
***the** chair*

las mujeres
***the** women*

Indefinite article   An article that indicates an unspecified noun.

un chico
***a** boy*

una ciudad
***a** city*

unas zanahorias
*(**some**) carrots*

CLAUSE   A construction that contains a subject and a verb.

Main (Independent) clause   A clause that can stand on its own because it expresses a complete thought.

Busco una muchacha.
I'm looking for a girl.

Si yo fuera rica, **me compraría una casa.**
*If I were rich, **I would buy a house.***

Subordinate (Dependent) clause   A clause that cannot stand on its own because it does not express a complete thought.

Busco a la muchacha **que juega al tenis.**
*I'm looking for the girl **who plays tennis.***

Si yo fuera rica, me compraría una casa.
***If I were rich,** I would buy a house.*

COMPARATIVE   The form of adjectives and adverbs used to compare two nouns or actions.

Luis es **menos hablador que** Julián.
*Luis is **less talkative than** Julián.*

Luis corre **más rápido que** Julián.
*Luis runs **faster than** Julián.*

CONJUGATION   The different forms of a verb for a particular tense or mood. A present indicative conjugation (see right column):

(yo) **hablo**	(nosotros/as) **hablamos**
(tú) **hablas**	(vosotros/as) **habláis**
(Ud.) **habla**	(Uds.) **hablan**
(él / ella) **habla**	(ellos/as) **hablan**

I speak	*we speak*
you (fam. sing.) speak	*you (fam. pl.) speak*
you (form. sing.) speak	*you (pl. fam. & form.) speak*
he/she speaks	*they speak*

CONJUNCTION   An expression that connects words, phrases, or clauses.

Cristóbal **y** Diana
*Cristóbal **and** Diana*

Hace frío, **pero** hace buen tiempo.
*It's cold, **but** it's nice out.*

DIRECT OBJECT   The noun or pronoun that receives the action of a verb.

Veo **la caja.**
*I see **the box.***

La veo.
*I see **it.***

GENDER   A grammatical category of words. In Spanish, there are two genders: masculine and feminine.

	MASCULINE	FEMININE
ARTICLES AND NOUNS:	**el** disco compacto	**la** cinta
PRONOUNS:	**él**	**ella**
ADJECTIVES:	bonit**o**, list**o**	bonit**a**, list**a**
PAST PARTICIPLES:	El informe está **escrito.**	La composición está **escrita.**

IMPERATIVE   *See* Mood.

IMPERFECT (*IMPERFECTO*)   In Spanish, a verb tense that expresses a past action with no specific beginning or ending.

Nadábamos con frecuencia.
*We **used to swim** often.*

IMPERSONAL CONSTRUCTION   One that contains a third person singular verb but no specific subject in Spanish. The subject of English impersonal constructions is generally *it*.

Es importante que…
It is important that . . .

Es necesario que…
It is necessary that . . .

INDICATIVE   *See Mood.*

INDIRECT OBJECT   The noun or pronoun that indicates *for who(m)* or *to who(m)* an action is performed. In Spanish, the indirect object pronoun must always be included, even when the indirect object is explicitly stated as a noun.

Marcos **le** da el suéter **a Raquel.** / Marcos **le** da el suéter.
*Marcos gives the sweater **to Raquel.** / Marcos gives **her** the sweater.*

INFINITIVE   The form of a verb introduced in English by *to: to play, to sell, to come.* In Spanish dictionaries, the infinitive form of the verb appears as the main entry.

Luisa va a **comprar** un periódico.
*Luisa is going **to buy** a newspaper.*

MOOD   A set of categories for verbs indicating the attitude of the speaker toward what he or she is saying.

Imperative mood   A verb form expressing a command.

¡**Ten** cuidado!
***Be** careful!*

Indicative mood   A verb form denoting actions or stating considered facts.

Voy a la biblioteca.
***I'm going** to the library.*

Subjunctive mood   A verb form, uncommon in English, used primarily in subordinate clauses after expressions of desire, doubt, or emotion. Spanish constructions with the subjunctive have many possible English equivalents.

Quiero que **vayas** inmediatamente.
*I want you **to go** immediately.*

NOUN   A word that denotes a person, place, thing, or idea. Proper nouns are capitalized names.

abogado, ciudad, periódico, libertad, Luisa
lawyer, city, newspaper, freedom, Luisa

NUMBER

Cardinal number   A number that expresses an amount.

una silla, **tres** estudiantes
***one** chair, **three** students*

Ordinal number   A number that indicates position in a series.

la **primera** silla, el **tercer** estudiante
*the **first** chair, the **third** student*

PAST PARTICIPLE   The form of a verb used in compound tenses (*see* Perfect Tenses). Used with forms of *to have* or *to be* in English and with **ser, estar,** or **haber** in Spanish.

comido, terminado, perdido
eaten, finished, lost

PERFECT TENSES   Compound tenses that combine the auxiliary verb **haber** with a past participle.

Present perfect indicative   This form uses a present indicative form of **haber.** The use of the Spanish present perfect generally parallels that of the English present perfect.

No **he viajado** nunca a México.
*I've never **travelled** to Mexico.*

Past perfect indicative   This form uses **haber** in the imperfect tense to talk about something that had or had not been done before a given time in the past.

Antes de 2008, **no había estudiado** español.
*Before 2008, **I hadn't studied** Spanish.*

Present perfect subjunctive   This form uses the present subjunctive of **haber** to express a present perfect action when the subjunctive is required.

¡Ojalá que Marisa **haya llegado** a su destino!
*I hope (that) Marisa **has arrived** at her destination!*

		SINGULAR	PLURAL
PERSON The form of a pronoun or verb that indicates the person involved in an action.	FIRST PERSON:	*I* / yo	*we* / nosotros/as
	SECOND PERSON:	*you* / tú, Ud.	*you* / vosotros/as, Uds.
	THIRD PERSON:	*he, she* / él, ella	*they* / ellos, ellas

PREPOSITION A word or phrase that specifies the relationship of one word (usually a noun or pronoun) to another. The relationship is usually spatial or temporal.

a la escuela
to school

cerca de la biblioteca
near the library

con él
with him

antes de la medianoche
before midnight

PRETERITE (*PRETÉRITO*) In Spanish, a verb tense that expresses a past action with a specific beginning and ending.

Salí para Roma el jueves.
I left for Rome on Thursday.

PRONOUN A word that refers to a person (I, you) or that is used in place of one or more nouns.

Demonstrative pronoun A pronoun that singles out a particular person, place, thing, or idea.

Aquí están dos libros. **Este** es interesante, pero **ese** es aburrido.
*Here are two books. **This one** is interesting, but **that one** is boring.*

Interrogative pronoun A pronoun used to ask a question.

¿**Quién** es él?　　　　¿**Qué** prefieres?
Who is he?　　　　*What do you prefer?*

Object pronoun A pronoun that replaces a direct object noun or an indirect object noun. Both direct and indirect object pronouns can be used together in the same sentence.

Si **me** llamas más tarde, **te** doy el número de teléfono de David.
*If you call **me** later, I'll give **you** David's phone number.*

Veo a **Alejandro**. **Lo** veo.
*I see **Alejandro**. I see **him**.*

However, when the pronouns **le** or **les** are used with **lo, la, los,** or **las, le** or **les** change to **se.**

Le doy **el libro** a **Juana.**
*I give the book **to Juana.***

Se lo doy (a ella).
*I give **it** to **her**.*

Reflexive pronoun A pronoun that represents the same person as the subject of the verb.

Me miro en el espejo.
*I look at **myself** in the mirror.*

Relative pronoun A pronoun that introduces a dependent clause and denotes a noun already mentioned.

El hombre con **quien** hablaba era mi vecino.
*The man with **whom** I was talking was my neighbour.*

Aquí está el bolígrafo **que** buscas.
*Here is the pen (**that**) you're looking for.*

Subject pronoun A pronoun representing the person, place, thing, or idea performing the action of a verb.

Lucas y Julia juegan al tenis.
***Lucas and Julia** are playing tennis.*

Ellos juegan al tenis.
***They** are playing tennis.*

SUBJECT   The word(s) denoting the person, place, thing, or idea performing an action or existing in a state.

Sara trabaja aquí.
Sara works here.

¡**Buenos Aires** es una ciudad magnífica!
Buenos Aires is a great city!

Mis **libros** y mi **computadora** están allí.
My books and my computer are over there.

SUBJUNCTIVE   *See* Mood.

SUPERLATIVE   The form of adjectives or adverbs used to compare three or more nouns or actions. In English, the superlative is marked by *most, least,* or *-est.*

Escogí **el vestido más caro.**
*I chose **the most expensive** dress.*

Ana es **la persona menos habladora** que conozco.
*Ana is **the least talkative** person I know.*

TENSE   The form of a verb indicating time: present, past, or future.

Raúl **era, es** y siempre **será** mi mejor amigo.
*Raúl **was, is,** and always **will be** my best friend.*

VERB   A word that reports an action or state.

Maribel **llegó.**
*Maribel **arrived.***

La niña **estaba** cansada.
*The child **was** tired.*

Auxiliary verb   A verb in conjuction with a participle to convey distinctions of tense and mood. In Spanish, one auxiliary verb is **haber.**

Han viajado por todas partes del mundo.
*They **have** travelled everywhere in the world.*

Reflexive verb   A verb whose subject and object are the same.

Juan **se corta** la cara cuando **se afeita.**
*Juan **cuts himself** when he **shaves** (**himself**).*

VERBS

A. Regular Verbs: Simple Tenses

Infinitive Present Participle Past Participle	INDICATIVE				SUBJUNCTIVE	IMPERATIVE
	Present	Imperfect	Preterite		Present	
hablar hablando hablado	hablo hablas habla hablamos habláis hablan	hablaba hablabas hablaba hablábamos hablabais hablaban	hablé hablaste habló hablamos hablasteis hablaron		hable hables hable hablemos habléis hablen	habla tú, no hables hable Ud. hablemos hablen
comer comiendo comido	como comes come comemos coméis comen	comía comías comía comíamos comíais comían	comí comiste comió comimos comisteis comieron		coma comas coma comamos comáis coman	come tú, no comas coma Ud. comamos coman
vivir viviendo vivido	vivo vives vive vivimos vivís viven	vivía vivías vivía vivíamos vivíais vivían	viví viviste vivió vivimos vivisteis vivieron		viva vivas viva vivamos viváis vivan	vive tú, no vivas viva Ud. vivamos vivan

B. Irregular Verbs

Infinitive Present Participle Past Participle	INDICATIVE			SUBJUNCTIVE	IMPERATIVE
	Present	Imperfect	Preterite	Present	
andar andando andado	ando andas anda andamos andáis andan	andaba andabas andaba andábamos andabais andaban	anduve anduviste anduvo anduvimos anduvisteis anduvieron	ande andes ande andemos andéis anden	anda tú, no andes ande Ud. andemos anden
caber cabiendo cabido	quepo cabes cabe cabemos cabéis caben	cabía cabías cabía cabíamos cabíais cabían	cupe cupiste cupo cupimos cupisteis cupieron	quepa quepas quepa quepamos quepáis quepan	cabe tú, no quepas quepa Ud. quepamos quepan
caer cayendo caído	caigo caes cae caemos caéis caen	caía caías caía caíamos caíais caían	caí caíste cayó caímos caísteis cayeron	caiga caigas caiga caigamos caigáis caigan	cae tú, no caigas caiga Ud. caigamos caigan
creer creyendo creído	creo crees cree creemos creéis creen	creía creías creía creíamos creíais creían	creí creíste creyó creímos creísteis creyeron	crea creas crea creamos creáis crean	cree tú, no creas crea Ud. creamos crean
dar dando dado	doy das da damos dais dan	daba dabas daba dábamos dabais daban	di diste dio dimos disteis dieron	dé des dé demos deis den	da tú, no des dé Ud. demos den

B. Irregular Verbs (*continued*)

Infinitive Present Participle Past Participle	INDICATIVE			SUBJUNCTIVE	IMPERATIVE
	Present	Imperfect	Preterite	Present	
decir diciendo dicho	digo dices dice decimos decís dicen	decía decías decía decíamos decíais decían	dije dijiste dijo dijimos dijisteis dijeron	diga digas diga digamos digáis digan	di tú, no digas diga Ud. digamos digan
estar estando estado	estoy estás está estamos estáis están	estaba estabas estaba estábamos estabais estaban	estuve estuviste estuvo estuvimos estuvisteis estuvieron	esté estés esté estemos estéis estén	está tú, no estés esté Ud. estemos estén
haber habiendo habido	he has ha hemos habéis han	había habías había habíamos habíais habían	hube hubiste hubo hubimos hubisteis hubieron	haya hayas haya hayamos hayáis hayan	
hacer haciendo hecho	hago haces hace hacemos hacéis hacen	hacía hacías hacía hacíamos hacíais hacían	hice hiciste hizo hicimos hicisteis hicieron	haga hagas haga hagamos hagáis hagan	haz tú, no hagas haga Ud. hagamos hagan
ir yendo ido	voy vas va vamos vais van	iba ibas iba íbamos ibais iban	fui fuiste fue fuimos fuisteis fueron	vaya vayas vaya vayamos vayáis vayan	ve tú, no vayas vaya Ud. vayamos vayan

B. Irregular Verbs (*continued*)

Infinitive Present Participle Past Participle	INDICATIVE			SUBJUNCTIVE	IMPERATIVE
	Present	Imperfect	Preterite	Present	
oír oyendo oído	oigo oyes oye oímos oís oyen	oía oías oía oíamos oíais oían	oí oíste oyó oímos oísteis oyeron	oiga oigas oiga oigamos oigáis oigan	oye tú, no oigas oiga Ud. oigamos oigan
poder pudiendo podido	puedo puedes puede podemos podéis pueden	podía podías podía podíamos podíais podían	pude pudiste pudo pudimos pudisteis pudieron	pueda puedas pueda podamos podáis puedan	
poner poniendo puesto	pongo pones pone ponemos ponéis ponen	ponía ponías ponía poníamos poníais ponían	puse pusiste puso pusimos pusisteis pusieron	ponga pongas ponga pongamos pongáis pongan	pon tú, no pongas ponga Ud. pongamos pongan
querer queriendo querido	quiero quieres quiere queremos queréis quieren	quería querías quería queríamos queríais querían	quise quisiste quiso quisimos quisisteis quisieron	quiera quieras quiera queramos queráis quieran	quiere tú, no quieras quiera Ud. queramos quieran

B. Irregular Verbs (continued)

Infinitive / Present Participle / Past Participle	INDICATIVE Present	Imperfect	Preterite	SUBJUNCTIVE Present	IMPERATIVE
saber, sabiendo, sabido	sé, sabes, sabe, sabemos, sabéis, saben	sabía, sabías, sabía, sabíamos, sabíais, sabían	supe, supiste, supo, supimos, supisteis, supieron	sepa, sepas, sepa, sepamos, sepáis, sepan	sabe tú, no sepas; sepa Ud.; sepamos; sepan
salir, saliendo, salido	salgo, sales, sale, salimos, salís, salen	salía, salías, salía, salíamos, salíais, salían	salí, saliste, salió, salimos, salisteis, salieron	salga, salgas, salga, salgamos, salgáis, salgan	sal tú, no salgas; salga Ud.; salgamos; salgan
ser, siendo, sido	soy, eres, es, somos, sois, son	era, eras, era, éramos, erais, eran	fui, fuiste, fue, fuimos, fuisteis, fueron	sea, seas, sea, seamos, seáis, sean	sé tú, no seas; sea Ud.; seamos; sean
tener, teniendo, tenido	tengo, tienes, tiene, tenemos, tenéis, tienen	tenía, tenías, tenía, teníamos, teníais, tenían	tuve, tuviste, tuvo, tuvimos, tuvisteis, tuvieron	tenga, tengas, tenga, tengamos, tengáis, tengan	ten tú, no tengas; tenga Ud.; tengamos; tengan

B. Irregular Verbs (*continued*)

Infinitive Present Participle Past Participle	INDICATIVE				SUBJUNCTIVE	IMPERATIVE
	Present	Imperfect	Preterite		Present	
traer trayendo traído	traigo traes trae traemos traéis traen	traía traías traía traíamos traíais traían	traje trajiste trajo trajimos trajisteis trajeron		traiga traigas traiga traigamos traigáis traigan	trae tú, no traigas traiga Ud. traigamos traigan
venir viniendo venido	vengo vienes viene venimos venís vienen	venía venías venía veníamos veníais venían	vine viniste vino vinimos vinisteis vinieron		venga vengas venga vengamos vengáis vengan	ven tú, no vengas venga Ud. vengamos vengan
ver viendo visto	veo ves ve vemos veis ven	veía veías veía veíamos veíais veían	vi viste vio vimos visteis vieron		vea veas vea veamos veáis vean	ve tú, no veas vea Ud. veamos vean

C. Stem-Changing and Spelling Change Verbs

Infinitive / Present Participle / Past Participle	INDICATIVE			SUBJUNCTIVE	IMPERATIVE
	Present	**Imperfect**	**Preterite**	**Present**	
pensar (pienso) pensando pensado	pienso piensas piensa pensamos pensáis piensan	pensaba pensabas pensaba pensábamos pensabais pensaban	pensé pensaste pensó pensamos pensasteis pensaron	piense pienses piense pensemos penséis piensen	piensa tú, no pienses piense Ud. pensemos piensen
volver (vuelvo) volviendo vuelto	vuelvo vuelves vuelve volvemos volvéis vuelven	volvía volvías volvía volvíamos volvíais volvían	volví volviste volvió volvimos volvisteis volvieron	vuelva vuelvas vuelva volvamos volváis vuelvan	vuelve tú, no vuelvas vuelva Ud. volvamos vuelvan
dormir (duermo) (u) durmiendo dormido	duermo duermes duerme dormimos dormís duermen	dormía dormías dormía dormíamos dormíais dormían	dormí dormiste durmió dormimos dormisteis durmieron	duerma duermas duerma durmamos durmáis duerman	duerme tú, no duermas duerma Ud. durmamos duerman
sentir (siento) (i) sintiendo sentido	siento sientes siente sentimos sentís sienten	sentía sentías sentía sentíamos sentíais sentían	sentí sentiste sintió sentimos sentisteis sintieron	sienta sientas sienta sintamos sintáis sientan	siente tú, no sientas sienta Ud. sintamos sientan
pedir (pido) (i) pidiendo pedido	pido pides pide pedimos pedís piden	pedía pedías pedía pedíamos pedíais pedían	pedí pediste pidió pedimos pedisteis pidieron	pida pidas pida pidamos pidáis pidan	pide tú, no pidas pida Ud. pidamos pidan

C. Stem-Changing and Spelling Change Verbs (*continued*)

Infinitive Present Participle Past Participle	INDICATIVE			SUBJUNCTIVE	IMPERATIVE
	Present	Imperfect	Preterite	Present	
reír (río) (i) riendo reído	río ríes ríe reímos reís ríen	reía reías reía reíamos reíais reían	reí reíste rio reímos reísteis rieron	ría rías ría riamos riáis rían	ríe tú, no rías ría Ud. riamos rían
seguir (sigo) (i) siguiendo seguido	sigo sigues sigue seguimos seguís siguen	seguía seguías seguía seguíamos seguíais seguían	seguí seguiste siguió seguimos seguisteis siguieron	siga sigas siga sigamos sigáis sigan	sigue tú, no sigas siga Ud. sigamos sigan
construir construyendo construido	construyo construyes construye construimos construís construyen	construía construías construía construíamos construíais construían	construí construiste construyó construimos construisteis construyeron	construya construyas construya construyamos construyáis construyan	construye tú, no construyas construya Ud. construyamos construyan
conducir conduciendo conducido	conduzco conduces conduce conducimos conducís conducen	conducía conducías conducía conducíamos conducíais conducían	conduje condujiste condujo condujimos condujisteis condujeron	conduzca conduzcas conduzca conduzcamos conduzcáis conduzcan	conduce tú, no conduzcas conduzca Ud. conduzcamos conduzcan

VOCABULARIES

This **Spanish-English Vocabulary** contains many of the words that appear in the text, with the following exceptions: (1) most close or identical cognates that do not appear in the chapter vocabulary lists; (2) most conjugated verb forms; (3) diminutives ending in **-ito/a;** (4) absolute superlatives in **-ísimo/a;** and (5) most adverbs ending in **-mente.** Active vocabulary is indicated by the number of the chapter in which a word or given meaning is first listed (1 = **Capítulo 1**); vocabulary that is glossed in the text is not considered to be active vocabulary and is not numbered. Only meanings that are used in the text are given. The **English-Spanish Vocabulary** is based on the chapter lists of active vocabulary.

The gender of nouns is indicated, except for masculine nouns ending in **-o** and feminine nouns ending in **-a.** Spanish words beginning with **ch** and **ll** are found as they would be found in English. The letter **ñ** follows the letter **n: añadir** follows **anuncio,** for example.

There is a new coding system for verbs in *Puntos de partida,* Canadian Edition. Irregular verbs found in the verb charts of the Appendix section (Appendix 3) are set all in colour: **andar.** Verbs with stem changes or spelling changes in the *present tense* show the **yo** form of the present tense in parentheses with the stem-vowel or spelling changes indicated in colour: **sentarse (me siento); conocer (conozco); escoger (escojo); actuar (actúo).** Verbs with stem changes in the third person *preterite* and the *present participle* show the stem vowel (**i** or **u**) in parentheses after the present tense **yo** form: **preferir (prefiero) (i); morirse (me muero) (u).** Verbs with any other spelling changes in the *preterite* show the change in parentheses: **buscar (qu); pagar (gu); empezar (empiezo) (c); averiguar (ü).**

The following abbreviations are used:

adj.	adjective	*interj.*	interjection
adv.	adverb	*inv.*	invariable form
Arg.	Argentina	*L.A.*	Latin America
Bol.	Bolivia	*m.*	masculine
C.A.	Central America	*Mex.*	Mexico
Carib.	Caribbean	*n.*	noun
Ch.	Chile	*obj. (of prep.)*	object (of a preposition)
coll.	colloquial	*pl.*	plural
conj.	conjunction	*poss.*	possessive
def. art.	definite article	*p.p.*	past participle
d.o.	direct object	*prep.*	preposition
f.	feminine	*pron.*	pronoun
fam.	familiar	*refl. pron.*	reflexive pronoun
form.	formal	*s.*	singular
gram.	grammatical term	*sl.*	slang
Guat.	Guatemala	*Sp.*	Spain
ind. art.	indefinite article	*sub. pron.*	subject pronoun
inf.	infinitive	*Uru.*	Uruguay

Spanish–English Vocabulary

A

a to (1); at (*with time*) (1); to the (4); **a base de** based on; **a casa** (with **regresar**) home (2); **a causa de** because of; **a continuación** following, below; **a dieta** (with **estar**) on a diet (7); **a la derecha de** to the right of (6); **a la izquierda de** to the left of (6); **a la(s)...** at . . . (*time of day*) (1); **a la vez** at the same time; **a lo largo de** along; throughout; **a menos que** *conj.* unless; **a menudo** *adv.* often; **a partir de** as of; from (*this moment, date*) on; **a plazos** in installments; **a primera vista** at first sight; **¿a qué hora?** at what time? (1); **a tiempo** on time (8); **a toda velocidad** at full speed; **a través de** across; through; throughout; **a veces** sometimes, at times (3)

abacería grocery store

abajo below, underneath; **echar abajo** to pull down

abalanzarse (c) (sobre) to pounce (on)

abandonar to abandon; to leave

abanicar (qu) to fan

abeja bee

abierto/a (*p.p.* of abrir) open(ed) (6)

abogado/a lawyer

abolicionista *n. m., f.* abolitionist

abolir to abolish

abrazarse (c) to embrace, to hug (11)

abrazo embrace, hug; **dar(se) un abrazo** to give (each other) a hug

abreviar to abbreviate
abrigo coat (4)
abril *m.* April (6)
abrir (*p.p.* abierto) to open (3)
absoluto/a absolute; **en absoluto** at all
abstracto/a abstract
absurdo/a absurd; **es absurdo que...** it's absurd that . . .
abuelo/a grandfather/grandmother (3); *pl.* grandparents (3)
abundante abundant
aburrido/a bored (6); **ser aburrido/a** to be boring (9)
aburrir to bore; **aburrirse** to get bored (9)
abuso abuse
acabar to finish; to run out of; to use up completely; **acabar de + *inf.*** to have just (*done something*) (7); **acabar por *inf.* +** to end up (*doing something*)
academia academy
académico/a *adj.* academic
acaso: por si acaso just in case
acceso access
accidentalmente accidentally
acción *f.* action; **Día (*m.*) de Acción de Gracias** Thanksgiving
acecho/a: estar acecho/a to be lying in wait; to watch, to be on the lookout
aceite *m.* oil (7); **aceite de olive / canola** olive/canola oil; **revisar el aceite** to check the oil
acelerado/a fast, accelerated
acelerar to accelerate, to speed up
acento accent
acentuado/a accentuated
aceptar to accept
acera sidewalk
acerca de *prep.* about, concerning
acercarse (qu) (a) to come near (to); to become more familiar (with)
acertar (acierto) to ascertain
aclarar to clarify
acomodarse (a) to adapt oneself (to)
acompañar to accompany; to go with
acondicionado/a: aire (*m.*) acondicionado air conditioning
aconsejable advisable
aconsejar to advise
acontecimiento event, happening
acorazado/a armoured, steel-plated
acordarse (me acuerdo) (de) to remember
acordeón *m.* accordion
acorralado/a corralled; frightened
acortarse to become, to get shorter
acostarse (me acuesto) to go to bed (5)
acostumbrarse (a) to become accustomed (to), to get used (to)
acre *m.* acre
acreditado/a accredited
acrílico acrylic
acrópolis *f.* acropolis
actitud *f.* attitude
actividad *f.* activity
activo/a active
actor *m.* actor; **actriz** *f.* (*pl.* actrices) actress
actual *adj.* current, present-day
actualidad *f.* present time
actualmente currently, in the present day
actuar (actúo) to act
acuario aquarium; **Acuario** Aquarius

acuático/a: deportes (*m. pl.*) acuáticos water sports
acueducto aqueduct
acuerdo agreement; **de acuerdo** agreed; **de acuerdo con** in accordance with; **(no) estoy de acuerdo** I (don't) agree (3)
aptar to adapt; **adaptarse (a)** to adapt oneself (to)
adecuado/a appropriate
adelante forward; **de ahora en adelante** from now on
adelgazar (c) to lose weight
además *adv.* moreover; **además de** *prep.* besides
adicional additional (1)
adiós good-bye (1)
adivinar to guess
administración *f.* administration (2); **administración de empresas** business administration (2)
admirar to admire
admitir to admit
adoctrinamiento indoctrination
adolescencia adolescence
adolescente *n. m., f.* adolescent
¿adónde? where (to)? (4)
adoptar to adopt
adoquinado/a cobblestoned
adornar to decorate
adorno decoration
adosado/a: casa adosada townhouse
aduana customs; **inspector(a) de aduana** customs agent
adulto/a adult
adverbio adverb
aeróbico/a: hacer ejercicios aeróbicos to do aerobics (11)
aerolínea airline
aeropuerto airport (8)
afectar to affect
afectivo/a emotional (10); **estado afectivo** emotional state (10)
afectuoso/a affectionate
afeitarse to shave oneself (5)
afición *f.* pastime, fun activity, hobby (9)
aficionado/a fan (9); **ser aficionado/a (a)** to be a fan (of) (9)
afirmación *f.* statement
afirmar to affirm, to state
afirmativo/a affirmative
afortunadamente fortunately
africano/a *n., adj.* African
afuera *adv.* outside, outdoors (6)
afueras *n. pl.* outskirts; suburbs
agencia agency (8); **agencia de compra-ventas (de coches)** used car dealership; **agencia de viajes** travel agency (8)
agenda agenda; date book; **agenda digital / electrónica** electronic agenda, PDA
agente *m., f.* agent (8); **agente de viajes** travel agent (8)
ágil agile
agilizar (c) to make more flexible; to speed up
agobiado/a overwhelmed
agosto August (6)
agotador(a) exhausting
agotar to use up
agradecer (agradezco) to thank; to be grateful
agradecido/a grateful

agregar (gu) to add
agresividad *f.* aggressiveness
agresivo/a aggressive
agrícola *adj. m., f.* agricultural
agricultor(a) farmer
agricultura agriculture
agroturismo agrotourism
agua *f.* (*but* el agua) water (7); **agua dulce** fresh water; **agua mineral** mineral water (7); **agua potable** drinkable water; **agua salada** salt water; **huevo pasado por agua** poached egg; **se le hace agua la boca** it makes your mouth water
aguacate *m.* avocado
aguar (ü) to spoil (*a party*)
agujero small hole; piercing
ahí there
ahogar(se) (gu) to drown
ahora now (2); **ahora mismo** right now (6); at once; **de ahora en adelante** from now on
ahorrar to save (*money*)
ahorros: cuenta de ahorros savings account
aire *m.* air; **aire acondicionado** air conditioning; **aire puro** clean air; **al aire libre** outdoors; **contaminación (*f.*) del aire** air pollution
aislamiento isolation
ajedrez *m.* chess (9); **jugar (juego) (gu) al ajedrez** to play chess (9)
al (*contraction of* **a** + **el**) to the (4); **al + *inf.*** upon, while, when + *verb form*; **al aire libre** outdoors; **al alcance** within reach; **al contrario** on the contrary; **al día siguiente** the next day; **al fondo** in the background; **al lado de** *prep.* alongside of (6); beside; next to; **al principio de** at the beginning of; **al revés** backward
alarma alarm
alberca swimming pool (*Mex.*)
albergue *m.* shelter, refuge
alcance *m.* reach; **al alcance** within reach
alcanzar (c) to reach; to achieve
alce *m.* elk; moose
alcoba bedroom (5)
alcohol *m.* alcohol
alcohólico/a *adj.* alcoholic
alegrarse (de) to be happy (about)
alegre happy (6)
alemán *m.* German (*language*) (2)
alemán, alemana *n., adj.* German (3)
Alemania Germany
alergeno allergen
alergia allergy; **tener alergia a** to be allergic to
alérgico/a: ser alérgico/a a to be allergic to
alertar to alert
alerto/a: ojo alerta eagle eye
alfabetizado/a alphabetized
alfombra rug (5)
alfombrado/a carpeted
algo something, anything (4)
algodón *m.* cotton (4); **es de algodón** it's made of cotton (4)
alguien someone, anyone (7); **caerle bien / mal a alguien** to make a good/bad impression on someone
algún, alguno/a some, any (7); **algún día** some day; **algún lugar** some place; **alguna vez** once; ever
alianza alliance
alimento food

aliviar to alleviate
allá over there (4); **más allá** further, farther; **más allá de** beyond
allí there (4)
alma *f.* (*but* **el alma**) soul
almacén *m.* department store (4)
almacenamiento storage
almacenar to store, to save
almohada pillow
almorzar (almuerzo) (c) to have lunch (5)
almuerzo lunch (7)
alojamiento lodging
alojarse to stay (*in a place*)
Alpes *m. pl.* Alps
alpinismo mountain climbing; **practicar (qu) el alpinismo** to mountain climb
alpinista *m., f.* mountain climber
alquilar to rent
alquiler *m.* rent
altar *m.* altar
alternado/a alternate, alternating
alternativa alternative
alto/a tall (3); high; **alto cholesterol** high cholesterol; **en voz alta** aloud; **más alto** louder
altura altitude
alza: en alza upward
ama *f.* (*but* **el ama) de casa** housekeeper
amable kind (3); nice (3)
amado/a *adj.* beloved
amanecer (amanezco) to wake up
amar to love
amarillo/a yellow (4)
Amazonas *m. s.* Amazon (River); **Selva Amazonas** Amazon Jungle
Amazonia Amazon (Basin)
amazónico/a *adj.* Amazonian; **Selva Amazónica** Amazon Jungle
ambicioso/a ambitious
ambiental environmental
ambiente *m.* atmosphere, environment; **medio ambiente** environment (*nature*)
ambos/as both
amenazador(a) threatening
América Central Central America
americano/a American; **fútbol** (*m.*) **americano** football; **jugar (juego) (gu) al fútbol americano** to play football
amigo/a friend (2); **encontrarse (me encuentro) con amigos** to get together with friends
amistad *f.* friendship
amistoso/a friendly
amoblar (amueblo) to furnish
amor *m.* love
ampliar to widen, to broaden
amplio/a wide, broad
amueblado/a furnished
amurallado/a walled
análisis *m. inv.* analysis
analista *m., f.* analyst; **analista de sistemas** systems analyst
analizar (c) to analyze
anaranjado/a orange (4)
ancho/a wide; **de ancho** in width
anciano/a *n.* old person; *adj.* old; ancient
andar to walk; **andar en bicicleta** to ride a bicycle
andino/a *adj.* Andean
anémico/a anemic

anfibio amphibian
anfiteatro amphitheater
anfitrión, anfitriona host(ess) (10)
anglohablante *m., f.* English-speaker
anglosajón, anglosajona *adj.* Anglo Saxon
ángulo angle
anillo ring
animado/a lively; animated; **dibujos animados** cartoons
animal *m.* animal; **animal doméstico** pet; domesticated animal; **animal salvaje** wild animal
animarse to cheer up, to brighten up; **anímate** cheer up
ánimo: dar ánimo to cheer up; **estado de ánimo** state of mind
aniversario anniversary
anoche *adv.* last night (11)
ansiedad *f.* anxiety, worry, nervousness
ante *prep.* before; in front of; **ante todo** above all; first of all
anteayer *adv.* the day before yesterday (11)
antecedente *m.* antecedent
antemano: de antemano beforehand
anterior previous, preceding
antes *adv.* before; **antes de** *prep.* before (5); **antes (de) que** *conj.* before
antibiótico antibiotic (11)
anticipación: con anticipación in advance; ahead of time; **de anticipación** ahead
anticipar to anticipate
anticuado/a antiquated, old-fashioned
antigüedad *f.* antiquity; advanced age
antiguo/a old; ancient; former
antihistamínico antihistamine
antillano/a: Islas Antillanas Antilles Islands
antipático/a unpleasant (3)
antología anthology
antónimo antonym
antropología anthropology
antropólogo/a anthropologist
anudado/a knotted
anunciar to announce (8)
anuncio announcement; advertisement; **anuncios clasificados** classified ads
añadir to add
año year (6); **al año** yearly, per year; **cada año** every year; **cumplir años** to have a birthday; **de los últimos años** in recent years; **el año entrante** next year; **el año pasado** last year; **el año que viene** next year; **el próximo año** next year; **Feliz Año Nuevo** Happy New Year; **por año** yearly, per year; **tener... años** to be . . . years old (3); **los años sesenta, ochenta, etcétera** the sixties, eighties, *and so on*; **todo el año** all year
apagar (gu) to turn off (*lights, appliance*); **apagar las luces** to turn out the lights; **apagarse** to go out (*lights*)
Apalaches: Montes (*m. pl.*) **Apalaches** Appalachian Mountains
aparato appliance (9); **aparato doméstico** home appliance (9); **aparato electrónico** electronic device
aparcamiento parking lot
aparcar (qu) to park
apartamento apartment (2); **edificio de apartamentos** apartment building
apartar to set aside; to separate

aparte *adv.* apart, separately
apellido surname
apenas hardly
apilado/a piled up
apio celery
aplazado/a: pagar (gu) aplazado/a to pay in installments
aplicación *f.* application
apoyo support; help
apreciado/a appreciated
aprender to learn (3); **aprender a** + *inf.* to learn how to (*do something*) (3)
aprendizaje *m.* learning
apretado/a tight
apropiación *f.* appropriation
apropiado/a appropriate
aprovechar de to take advantage of
aproximadamente approximately
apuntar to write down
apuntes *m. pl.* notes (*academic*)
aquel, aquella *adj.* that (*over there*) (4); *pron.* that one (*over there*)
aquello that, that thing (*over there*) (4)
aquellos/as *adj.* those (*over there*) (4); *pron.* those ones (*over there*)
aquí here (2)
árabe *m.* Arabic (*language*); *n. m., f.* Arab
árbol *m.* tree; **árbol de Navidad** Christmas tree
archipiélago archipelago
archivo (computer) file
arco arch
ardilla squirrel
área *f.* (*but* **el área**) area
arena sand
arete *m.* earring (4)
argentino/a *n., adj.* Argentine
argumento argument; plot (*of a play, novel*)
árido/a arid, dry
aristocrático/a aristocratic
arma *f.* (*but* **el arma**) weapon
armario closet (5)
arpa *f.* (*but* **el arpa**) harp
arpista *m., f.* harpist
arqueológico/a archeological
arqueólogo/a archeologist
arquitecto/a architect; **arquitectura** architecture
arrancar (qu) to start up (*a car*)
arreglar to fix; to repair
arroba @ ["at" sign]
arrogante arrogant
arroz *m.* rice (7)
arte *f.* (*but* **el arte**) art (2); **los artes** the arts; **bellas artes** fine arts; **obra de arte** work of art
artesanía arts and crafts; **artesano/a** artisan
artículo article; **artículo definido** *gram.* definite article
artificial: fuegos artificiales fireworks
artista *m., f.* artist; **artístico/a** artistic
arvejas peas (7)
asado/a roast(ed) (7); **lechón** (*m.*) **asado** roast suckling pig; **pollo asado** roast chicken (7)
asalto attack, assault
asamblea assembly
ascendencia ancestry, descent
ascensor *m.* elevator
asegurado/a insured
asegurar to assure
asesinar to murder

asesinato murder; assassination
asesoramiento advice
así thus, so; **así como** as well as; **así que** therefore, consequently, so
asiático/a *adj.* Asian
asiento seat (8); **asiento de ventanilla** window seat
asignar(se) to assign (oneself)
asimilarse to assimilate
asistencia assistance; care
asistente *m., f.* assistant (8); **asistente de vuelo** flight attendant (8); **asistente social** social worker
asistir (a) to attend, to go to (*a class, a function*) (3)
asma *f.* (*but* **el asma**) asthma
asociación *f.* association
asociado/a: estado libre asociado commonwealth
asociar to associate
aspecto aspect; appearance
áspero/a rough
aspiradora vacuum cleaner (9); **pasar la aspiradora** to vacuum (9)
aspirante *m., f.* candidate, applicant
aspirina aspirin
astronauta *m., f.* astronaut
astronomía astronomy
asumir to assume
asunto question, matter
atacar (qu) to attack
atado/a tied up
ataque *m.* **(terrorista)** (terrorist) attack
atención *f.* attention
atender (atiendo) to attend to; to serve
atento/a attentive
Atlántico: (océano) Atlántico Atlantic (Ocean)
atleta *m., f.* athlete
atlético/a athletic
atmósfera atmosphere
atono/a *gram.* unstressed
atracción *f.* attraction
atractivo/a attractive
atraer (*like* **traer**) to attract
atrapar to trap
atrás *adv.* back, backward; behind; **de atrás** backwards
atrasado/a: estar atrasado/a to be late (8)
atrevido/a daring
atropello accident; running over
atroz (*pl.* **atroces**) atrocious, brutal
atún *m.* tuna (7)
audiencia audience
auditorio auditorium
aula *f.* (*but,* **el aula**) classroom
aumentar to increase
aumento increase; raise; **aumento de sueldo** raise (*in salary*)
aun *adv.* even
aún *adv.* still, yet
aunque although
auriculares *m. pl.* headphones
auscultar to listen (*with a stethoscope*)
ausente absent
auténtico/a authentic
autobús *m.* bus (8); **estación** (*f.*) **de autobuses** bus station (8) **ir en autobús** to go/to travel by bus (8); **parada del autobús** bus stop
autoestima self-esteem

automático/a automatic; **cajero automático** ATM; **contestador** (*m.*) **automático** answering machine; **tarjeta de cobro automático** debit card
automóvil *m.* automobile
automovilístico/a *adj.* automobile
autonomía autonomy
autónomo/a autonomous
autopista freeway
autoprueba self-test
autor(a) author
autoridad *f.* authority
autorretrato self-portrait
autostop: hacer autostop to hitchhike
avanzar (c) to advance
avenida avenue
aventura adventure
aventurado/a adventurous
aventurero/a adventurous
aventurismo adventure tourism
aventurista *m., f.* adventure tourist
avergonzado/a embarrassed (10)
averiguar (ü) to find out
avestruz *m.* (*pl.* **avestruces**) ostrich
avión *m.* airplane (8); **billete** (*m.*) **de avión** plane ticket (8); **ir en avión** to go/to travel by plane (8); **volar (vuelo) en avión** to fly, to go by plane (8)
avisar to warn
¡ay! *interj.* ah!; ouch!
ayer yesterday (5); **ayer fue (miércoles)** yesterday was (Wednesday) (5)
ayuda *n.* help (7)
ayudar to help (7)
azteca *n., adj. m., f.* Aztec
azúcar *m.* sugar (7)
azucarado/a sweetened; containing sugar
azul blue (4)

B

baba saliva; **se le cae la baba** he/she is drooling
bachiller *m.* Bachelor's degree
bahía bay
bailar to dance (2); **bailarín, bailarina** dancer; **baile** *m.* dance; **baile de salón** ballroom dance; **salón** (*m.*) **de baile** ballroom
bajado/a lowered
bajar to lower; **bajarse de** to get down, from, off (8)
bajo *prep.* under
bajo/a *adj.* low; short (*in height*) (3); **clase** (*f.*) **baja** lower class; **hablar en voz baja** to speak softly; **planta baja** ground floor
balcón *m.* balcony
baldío/a uncultivated; waste (*land*)
Baleares: Islas Baleares Balearic Islands
ballena whale
ballet *m.* ballet
balneario thermal spa
baloncesto basketball (*Sp.*)
bamba *folkloric dance of Veracruz, Mexico*
banana banana (7)
bancario/a *adj.* bank; **tarjeta bancaria** debit card
banco bank
bandoneón *m.* large concertina
bantú *n., adj. m., f.* Bantu
bañar to bathe; **bañarse** to take a bath (5)

bañera bathtub (5)
baño bathroom (5); **habitación** (*f.*) **con / sin baño** room with(out) bath; **traje** (*m.*) **de baño** bathing suit (4)
bar *m.* bar (9); **ir a un bar** to go to a bar (9)
barato/a inexpensive (4)
barbacoa barbecue (7)
barbaridad *f.*: **¡qué barbaridad!** how awful!
barbarie *f.* barbarity, savagery
barbería barber's shop
barbero/a barber
barco boat, ship (8); **ir en barco** to go/to travel by boat, by ship (8)
barra bar; railing
barrer (el piso) to sweep (the floor) (9)
barrera barrier
barrio neighbourhood
barroco/a Baroque
basar to base; to support (*an opinion*); **basarse en** to base one's ideas, opinions on
base *f.* base, foundation; basis; **a base de** based on
básico/a basic
basílica basilica
basquetbol *m.* basketball (9); **jugar (juego) (gu) al basquetbol** to play basketball
bastante rather, sufficiently; enough
bastar to be enough, sufficient; to suffice
basura trash, garbage (9); **sacar (qu) la basura** to take out the garbage (9)
basurero trashcan
bata robe
batalla battle
batería battery; drum set
batido milkshake
bautizo baptism
beber to drink (3)
bebida drink (5); beverage
beca scholarship
béisbol *m.* baseball (9); **jugar (juego) (gu) al béisbol** to play baseball
beisbolista *m., f.* baseball player
Belén Bethlehem
Bélgica Belgium
bello/a beautiful; **Bella Durmiente** Sleeping Beauty; **bellas artes** *f. pl.* fine arts
beneficiarse (de) to benefit (from)
beneficio benefit
besar(se) to kiss (each other) (11)
beso kiss
biblioteca library (2)
bibliotecario/a librarian (2)
bicicleta (de montaña) (mountain) bike; **andar / montar en bicicleta** to ride a bicycle; **pasear en bicicleta** to ride a bicycle (9)
biculturalismo biculturalism
bien *adv.* well (1); **bien pagado** well paid; **caerle bien a alguien** to make a good impression on someone; **estar bien** to be comfortable (*temperature*) (6); **llevarse bien (con)** to get along well (with); **(muy) bien** fine, (very) well (1); **pasarlo bien** to have a good time (10); **salir bien** to turn, to come out well (5)
bienestar *m.* well-being (11)
bilingüe bilingual
bilingüismo bilingualism
billete bill (*money*); ticket (*Sp.*) (8); **billete de ida / vuelta** one-way/roundtrip ticket (8)

billón *m.* billion
biodiversidad *f.* biodiversity
biografía biography
biología biology
biológicamente biologically
biólogo/a biologist
biosfera biosphere
bisonte *m.* bison
bistec *m.* steak (7)
blanco/a white (4); **espacio en blanco** blank space; **vino blanco** white wine (7)
blando/a bland
blindado/a armour-plated
blog *m.* blog
blusa blouse (4)
boca mouth (11); **se le hace agua la boca** it makes your mouth water
bocina horn; **tocar (qu) la bocina** to honk
boda wedding
bodega grocery store (*Carib.*)
bolero love song
boleto ticket (*L.A.*) (8); **boleto de ida / vuelta** one-way/round-trip ticket (8)
bolígrafo pen (2)
boliviano/a *n., adj. m., f.* Bolivian
bolsa purse (4)
bolsillo pocket
bolso purse
bomba bomb
bombardear to bomb
bombardeo bombing
bonito/a pretty (3)
bono voucher
bordado/a embroidered
boricua *n. adj. inv.* Puerto Rican
bosque *m.* forest; **bosque lluvioso** rainforest; **bosque primario** old growth forest
bota boot (4)
botana appetizer (10)
botella bottle
botica pharmacy
botones *m. inv.* bellhop
boutique *f.* boutique
Brasil Brazil
brasileño/a *n., adj.* Brazilian
bravo/a fierce; brave
bravura ferocity; bravery
brazo arm
breve brief
brillante brilliant, bright
brillantez *f.* brilliance, brightness
británico/a *adj.* British
broche *m.* brooch; clasp
bromear to joke
bronce *m.* bronze
bronquial bronchial
brote *m.* bud, shoot
bruja witch
brujo warlock; magician
bucear to scuba dive; to snorkel
buen, bueno/a *adj.* good (3); **bueno...** well ... (3); **buenas noches** good evening, night (1); **buenas tardes** good afternoon (1); **buenos días** good morning (1); **es bueno que...** it's good that ...; **hace (muy) buen tiempo** it's (very) good weather (6); **lo bueno** the good thing (11); **sacar (qu) buenas notas** to get good grades; **tener buena suerte** to have good luck

bulevar *m.* boulevard
bullicioso/a boisterous
buque *m.* ship, boat; **buque petrolero** oil tanker
busca: en busca de in search of
buscar (qu) to look for (2)
búsqueda search

C

caballero knight; gentleman
caballo horse; **montar a caballo** to ride a horse (9)
cabaña cabin
caber to fit
cabeza head (11); **dolerle (me duele) la cabeza** to have a headache (11); **dolor** (*m.*) **de cabeza** headache
cabina cabin (*on a ship*) (8)
cacique, cacica chief
cada *inv.* each, every (5); **cada vez más** increasingly
cadena channel (*television*); chain
caer to fall; **caerse** to fall down; **caer de la sartén al fuego** to go from the frying pan to the fire; **caerle bien / mal a alguien** to make a good/bad impression on someone; **se le cae la baba** he/she is drooling
café *m.* café; coffee (2); **(de) color café** brown (4); **granos de café** coffee beans
cafeína caffeine
cafetera coffeemaker (9)
cafetería cafeteria (2)
caída fall; **caída libre** free fall
caimán *m.* alligator
caja box; register; cashier window
cajero/a cashier; **cajero automático** ATM
cajón *m.* drawer
calabaza gourd
calcetines *m. pl.* socks (4)
calcheño/a of or pertaining to a Bolivian indigenous group from Potosí
calculadora calculator (2)
calcular to calculate; **máquina de calcular** calculator
cálculo calculus
caldera crater
calefacción *f.* heating
calendario calendar
calentar (caliento) to heat
calidad *f.* quality
calidez *f.* warmth
cálido/a hot
caliente hot (*temperature*) (7)
calificación *f.* grade
calipso Caribbean music of African origin
calle *f.* street
callejero/a *adj.* street
calma calm
calor *m.* heat; **hace (mucho) calor** it's (very) hot (6); **tener (mucho) calor** to be (very) warm, hot (6)
caloría calorie
caluroso/a warm
calzonudo/a timid
cama bed (5); **guardar cama** to stay in bed (11); **hacer la cama** to make the bed (9)
cámara (de vídeo / digital) (video/digital) camera
camarero/a waiter, waitress (7)

camarones *m. pl.* shrimp (7)
cambiar (de) to change; **cambiar de canal** to change channels
cambio change; **en cambio** on the other hand, on the contrary
camello camel
caminante *m., f.* traveller, walker
caminar to walk (9)
caminata walk; **dar / hacer una caminata** to take a walk
camino way; road, street
camioneta station wagon (8); van
camisa shirt (4)
camiseta T-shirt (4)
campamento campground
campana bell
campanario bell tower
campaña campaign; **tienda de campaña** tent (8)
campeonato championship
campesino/a farm worker, peasant
camping *m.* campground (8); **hacer camping** to go camping (8)
campo field; countryside; **campo de fútbol** soccer field
campus *m. inv.* (university) campus
Canadá Canada; **Día** (*m.*) **de Canadá** Canada Day
canadiense *n., adj. m., f.* Canadian
canal *m.* canal; channel; **cambiar de canal** to change channels
cancelar to cancel
cáncer *m.* cancer
canción *f.* song
candidato/a candidate; **postularse a un cargo como candidato** to run for office as a candidate
candombe *m.* Uruguayan drum music of African origins
canola: aceite (*m.*) **de canola** canola oil
cansado/a tired (6)
cansancio fatigue, weariness
cansarse to get tired (11)
cantante *m., f.* singer
cantar to sing (2)
cántaro pitcher, jug; **está lloviendo a cántaros** it's raining heavily
cantidad *f.* quantity
cantinero/a bartender
cañón *m.* cannon
capa layer; cape; **capa de ozono** ozone layer
capacidad *f.* ability
capacitación *f.* training
capacitado/a trained
capaz (*pl.* **capaces**) capable, able
Caperucita Roja Little Red Riding Hood
capital *f.* capital (city) (6)
caprichoso/a capricious
Capricornio Capricorn
capullo bud
cara face; **plantar cara a** to confront
caracola large shell
característica *n.* characteristic
caracterizar (c) to characterize
cardar to comb, to card (*wool*)
cardinal: punto cardinal cardinal direction (6)
cargar (gu) to carry; to load (*a weapon*)
cargo position; post; **estar a cargo (de)** to be in control (of); **postularse a un cargo como candidato** o run for office as a candidate

Caribe *m.* Caribbean; **mar** (*m.*) **Caribe** Caribbean Sea
caribeño/a *n., adj.* Caribbean
cariño affection
cariñoso/a affectionate (6)
Carnaval *m.* Carnival
carne *f.* meat (7)
carnet (*m.*) **de conducer / manejar** driver's license
caro/a expensive (4)
carpintero/a carpenter
carrera career; major (*academic*)
carreta cart
carretera highway
carro (descapotable) (convertible) car
carta letter (3); *pl.* cards (9); **carta de recomendación** letter of recommendation; **jugar (juego) (gu) a las cartas** to play cards; **papel** (*m.*) **para cartas** stationery
cartel *m.* poster
cartera wallet (4); handbag (4)
cartón *m.* cardboard
cartucho cartridge
casa house (3); **casa particular** private home; **en casa** at home (2); **limpiar la casa (entera)** to clean the (entire) house (9); **regresar a casa** to go home (2)
casado/a married (3); **recién casado/a (con)** newlywed (to)
casamiento wedding
casarse (con) to get married to
cascanueces *m. inv.* nutcracker
casero/a *adj.* home
casi almost (3); **casi nunca** almost never (3)
caso case; **en caso de que** *conj.* in case
castaño/a brown
castellano Spanish (language) (*Sp.*)
castigar (gu) to punish
castillo castle
catálogo catalog
catarata waterfall
catarro cold (*health condition*); **catarro nasal** head cold
catastrófico/a catastrophic
catedral *f.* cathedral
categoría category
católico/a *n., adj.* Catholic
catorce fourteen (1)
causa cause; **a causa de** because of
causante causing, originating
causar to cause
cazador(a) hunter
cazar (c) to hunt
CD *m.* CD
CD-ROM *m.* CD-ROM
cebolla onion
celebración *f.* celebration
celebrar to celebrate (6)
célula cell
celular: teléfono celular cell phone
cementerio cemetery
cena dinner, supper (7)
cenar to have (eat) dinner, supper (7)
Cenicienta Cinderella
ceniza ash
censura censorship
centígrado Celsius
central central; **América Central** Central America

céntrico/a central
centro center; downtown (4); **centro comercial** shopping mall (4)
Centroamérica Central America
centroamericano/a *n., adj.* Central American
cepillarse los dientes to brush one's teeth (5)
cerámica pottery
cerca *adv.* near, nearby, close; **cerca de** *prep.* close to (6); **de cerca** up close
cercanía closeness, proximity
cercano/a *adj.* close, near
cerdo pork (7); **chuleta de cerdo** pork chop (7)
cereal *m.* cereal (7)
cerebro brain (11)
cerilla match
cero zero (1)
cerrado/a closed (6)
cerradura lock
cerrajería locksmith's shop
cerrar (cierro) to close (5)
cerro hill
certeza certainty
certificado/a certified
cervantino/a pertaining to (Miguel) Cervantes
cerveza beer
cesina salted aged beef
césped *m.* lawn, grass
ceviche *m.* *raw fish dish*
champán *m.* champagne
champiñones *m. pl.* mushrooms
champú *m.* shampoo
chanclas flip-flops (4)
chaqueta jacket (4)
charango *stringed instrument*
charlar to chat
chele blond (*C.A.*)
cheque *m.* cheque; **cheque de viajero** traveller's cheque; **cobrar un cheque** to cash a cheque; **talonario de cheques** chequebook (*Sp.*)
chequeo checkup (11)
chequera chequebook
chévere cool; **¡qué chévere!** cool!
chico/a boy, girl
chileno/a *n., adj.* Chilean
chimpancé *m.* chimpanzee
chino Chinese (*language*)
chino/a *n., adj.* Chinese
chirimía oboe
chirriar to screech
chirrido squawk, screech
chisme *m.* gossip
chiste *m.* joke (8)
chistoso/a funny
chocar (qu) con / contra to run into, to bump against
chocolate *m.* chocolate; hot chocolate
chofer *m., f.* driver
chola *indigenous woman of Bolivia*
choque *m.* collision; **choque de trenes** train wreck
chubasco rain shower
chuleta (de cerdo) (pork) chop (7)
cibercafé *m.* cybercafé
ciclismo bicycling (9)
ciclo cycle
ciclón *m.* cyclone
ciego/a blind
cielo sky; heaven

cien, ciento one hundred (3); **por ciento** percent
ciencia science (2); **ciencia ficción** science fiction (2); **ciencias naturales** natural sciences (2); **ciencias políticas** political science (2); **ciencias sociales** social sciences (2)
científico/a scientist
cierto/a true; certain; **en cierta medida** in some measure, to some degree; **es cierto que...** it's true that . . .
ciervo deer; stag
cigarrillo cigarette
cilantro cilantro, fresh coriander
cima peak
cinco five (1)
cincuenta fifty (3)
cine *m.* movies (5); movie theater (5)
cineasta *m., f.* film director
cinta tape
cinturón *m.* belt (4)
circulación *f.* traffic
circular to circulate
círculo circle
circunstancia circumstance
ciruelo plum tree
cisne *m.* swan
cita date (7); appointment (11)
citado/a quoted; summoned; **estar citado/a con** to have an appointment with
ciudad *f.* city (3)
ciudadanía citizenship
ciudadano/a citizen
cívico/a civic
civil civil; **estado civil** marital status
civilización *f.* civilization
claro/a clear
clase *f.* class (*of students*) (2); class, course (*academic*) (2); **clase baja** lower class; **clase particular** private class; **clase turística** tourist class (8); **compañero/a de clase** classmate (2); **primera clase** first class (8); **sala de clase** classroom; **salón** (*m.*) **de clase** classroom (2)
clásico/a classic(al)
clasificado/a classified; **anuncios clasificados** classified ads **clasificar (qu)** to classify
claustrofobia claustrophobia
cláusula *gram.* clause
clavadista *m., f.* diver
claxon *m.* horn; **tocar (qu) el claxon** to honk
cliente/a client (5)
clima *m.* climate (6)
climático/a climatic
climatología climatology
clínica clinic
clínico/a clinical
club *m.* club
cobrar to charge; to cash (*a cheque*); to charge (*someone for an item or service*); **cobrar un cheque** to cash a cheque
cobro: tarjeta de cobro automático debit card
coche *m.* car (3); **agencia de compraventas de coches** used car dealership; **coche de lujo** luxury car; **coche deportivo** sports car; **coche descapotable** convertible car
cochera garage; carport
cocina kitchen (5); cuisine (7)
cocinar to cook (7)
cocinero/a cook; chef
coco coconut

cocodrilo crocodile
cocotero coconut palm
código code
cognado cognate
coincidencia coincidence
coincidir to coincide
cola line (*of people*) (8); **hacer cola** to stand in line (8)
colección *f.* collection
coleccionar to collect
colega *m., f.* colleague
colesterol *m.* cholesterol
colgar (cuelgo) (gu) to hang
collar *m.* necklace
colmar to fill up, to fill to the brim
colocar (qu) to place
colombiano/a *n., adj.* Colombian
colonia colony
colonizador(a) colonizer
colonizar (c) to colonize
colono/a settler
color *m.* colour (4); **color kaki** khaki; **(de) color café** brown (4); **de color violeta** violet; **¿De qué color es?** What colour is it?
colorear to colour
colorido/a colourful
columna column
combatir to fight, to combat
combinación *f.* combination
combinar to combine
comedia comedy
comediante *m., f.* comedian
comedor *m.* dining room (5)
comentar to comment on; to discuss
comentario comment
comenzar (comienzo) (c) to begin; **comenzar a + *inf.*** to begin + *inf.*
comer to eat (3); **comer comidas sanas** to eat healthy food
comercial: centro comercial shopping mall (4)
comercio business, commerce
comestibles *m. pl.* foodstuff, groceries (7)
cómico/a *n.* comedian; *adj.* funny
comida food (7); meal (7); **comida rápida** fast food; **comer comidas sanas** to eat healthy food
como like, as; **así como** as well as; **tal como** just as; **tan... como** as . . . as (6); **tan pronto como** as soon as; **tanto como** as much as (6); **tanto/a(s)... como** as much/many . . . as (6)
¿cómo? how?; what? (1); **¿cómo es usted?** what are you (*form. s.*) like? (1); **¿cómo está(s)?** how are you? (1); **¿cómo se llama usted?** what is your (*form. s.*) name? (1); **¿cómo se llega a... ?** how do you get to . . . ?; **¿cómo te llamas?** what is your (*fam. s.*) name? (1)
cómoda bureau (5); dresser (5)
cómodo/a comfortable (4)
compacto: disco compacto compact disc (CD)
compañero/a companion; friend; **compañero/a de clase** classmate (2); **compañero/a de cuarto** roommate (2); **compañero de trabajo** co-worker; **compañero/a de viaje** travelling companion
compañía company
comparación *f.* comparison; **en comparación con** in comparison with
comparar to compare

compartir to share
compatibilizar (c) to make compatible
competencia competition
competición *f.* competition
complacer (complazco) to please
complejo/a complex
complemento directo *gram.* direct object; **complemento indirecto** *gram.* indirect object
completar to complete, to finish
completo/a complete; full, no vacancy; **de tiempo completo** full-time; **pensión** (*f.*) **completa** full room and board; **por completo** completely; **trabajo de tiempo completo** full-time work
complicado/a complicated
componer (*like* **poner**) (*p.p.* **compuesto**) to compose
composición *f.* composition
compositor(a) composer
compra: hacer la compra to go shopping
comprar to buy (2)
compras: de compras shopping (4); **ir de compras** to go shopping (4)
compra-ventas: agencia de compraventas de coches used car dealership
comprender to understand (3)
comprensión *f.* understanding; comprehension
comprensivo/a understanding
comprimido/a compressed
compromiso commitment
compuesto/a (*p.p. of* **componer**) composed
computación *f.* computer science (2)
computadora computer (2); **computadora portátil** laptop; **disco de computadora** computer disc; **escribir a computadora** to key in (to type)
común common, usual, ordinary; **tener en común** to have in common
comunicación *f.* communication; *pl.* **medios de comunicación** mass media
comunicarse (qu) (con) to communicate (with)
comunicativo/a communicative; **nota comunicativa** note about communication
comunidad *f.* community
comunión *f.* communion; **primera communion** first communion
comunitario/a *adj.* community
con with (2); **con anticipación** in advance; ahead of time; **con cheque** with a/by cheque **con cuidado** carefully; **con frecuencia** frequently (2); **con permiso** excuse me (1); **¿con qué frecuencia?** how often, frequently? (3); **con rapidez** quickly; **con relación a** regarding; **con respecto a** with regard to, with respect to; **con (tal) de que** provided (that)
concedido/a conceded; granted
concentración *f.* concentration
concentrarse to concentrate
concepto concept
concertar (concierto) to arrange; to agree upon
concesionario/a concessionary
conciencia conscience, moral awareness
concierto concert (9); **ir a un concierto** to go to a concert (9)
concluir (*like* **construir**) to conclude
conclusión *f.* conclusion
concordar (concuerdo) (con) to agree (with); to reconcile

concurrir to concur
concurso contest
condición *f.* condition
condicional *m. gram.* conditional
conducir to drive; **licencia de conducir** driver's license; **carnet** (*m.*) **de conducir** driver's license
conductor(a) driver
conectarse (a) to connect (to)
conexión *f.* connection
conferencia lecture
confiabilidad *f.* reliability
confianza trust
confiar (confío) to trust
configurado/a configured
confirmación *f.* confirmation
confirmar to confirm
confitería candy store
conflicto conflict
confundido/a confused
congelado/a frozen (6); very cold (6)
congelador *m.* freezer (9)
conjugar (gu) *gram.* to conjugate
conjunción *f. gram.* conjunction
conjunto group
conmemorarse to commemorate
conmigo with me (6)
conocer (conozco) to know, to be acquainted with (7); **conocerse** to meet
conocido/a known, famous
conocimiento knowledge
conquistador(a) conqueror
conquistar to conquer
consciente conscious, aware
conscripto draftee
consecuencia consequence
conseguir (*like* **seguir**) to get, to obtain (10); **conseguir + *inf.*** to succeed in (*doing something*) (10)
consejero/a advisor (2)
consejo (piece of) advice (7); **dar consejos** to give advice
conservación *f.* conservation
conservar to save, to conserve; **conserver energía** to conserve energy
considerar to consider
consigo with themselves
consistir en to consist of
consolidarse to consolidate
constante *adj.* constant
constitución *f.* constitution
constitucional constitutional
constituir (*like* **construir**) to constitute
construcción *f.* construction
construir to build, to construct
cónsul *m.* consul
consulta consultation
consultar to consult
consultorio (medical) office (11)
consumidor(a) consumer
consumir to consume
contable *m., f.* accountant
contacto contact; **lentes** (*m. pl.*) **de contacto** contact lenses (11); **mantenerse** (*like* **tener**) **en contacto** to stay in touch; **ponerse en contacto con** to get in touch with
contado cash **pagar (gu) al contado** to pay in cash
contador(a) accountant

contaminación f. **(de aire)** (air) pollution; **hay (mucha) contaminación** there's (a lot of) pollution (6)

contaminante m. pollutant

contaminar to pollute

contar (cuento) to tell, to narrate (8); **contra con** to count on

contemplar to contemplate

contener (like **tener**) to contain

contento/a content, happy (6)

contestador (m.) **automático** answering machine

contestar to answer (7)

contexto context

contigo with you (fam., s.) (6)

continente m. continent

continuación f. continuation; **a continuación** following, below

continuamente continually

continuar (continúo) to continue (6)

continuidad f. continuity

contorno perimeter

contra against; **chocar (qu) con / contra** to run into, bump against; **dares contra** to run into, to bump against

contrabando contraband

contraer (like **traer**) **matrimonio** to get married

contrario/a opposite; **al contrario** on the contrary; **lo contrario** the opposite

contraste m. contrast

contratar to hire

contrato contract

contribución f. contribution

contribuir (like **construir**) to contribute

control m. control; **control remoto** remote control; **pasar por el control de seguridad** to go through security (check) (8)

controlar to control

convencer (convenzo) to convince

conveniente convenient

conversación f. conversation

conversar to converse

convertir (convierto) (i) to change, to convert; **convertirse en** to turn into

convivencia living together, cohabitation

convivir to live together

cónyuge m., f. spouse

cooperativo/a cooperative

copa glass; drink (alcoholic); **Copa Mundial** World Cup; **tomar una copa** to have a drink

copia copy; **hacer copia** to copy

copiar to copy; to cheat

coraje m. courage

corazón m. heart (11)

corbata necktie (4)

cordillera mountain range

Corea Korea

coro choir

corona wreath

correcto/a correct

correo mail; **correo electrónico** e-mail; **oficina de correos** post office

correr to run; to jog (9)

corresponder to correspond

correspondiente m., f. correspondent **corrida** run; **corrida de toros** bullfight **corriente: cuenta corriente** chequing account; **estar al corriente** to be up-to-date

cortar to cut

corte m. cut; **corte** (m.) **de pelo** haircut; f. court (of law)

cortés m., f. courteous, polite

cortesía courtesy

cortina curtain

corto/a short (in length) (3); **pantalones** (m. pl.) **cortos** shorts

cosa thing (5)

cosecha harvest

cosechar to harvest

cosmopolita adj. m., f. cosmopolitan

costa coast

costar (cuesto) to cost; **¿Cuánto cuesta(n)?** How much does it (do they) cost? (4)

costarricense n., adj. m., f. Costa Rican

costero/a coastal

costilla rib

costo cost

costumbre f. custom

cotidiano/a everyday, daily

cráter m. crater

creación f. creation

creador(a) creator

crear to create

creatividad f. creativity

creativo/a creative

crecer (crezco) to grow

creciente growing

crecimiento growth

crédito credit; **tarjeta de crédito** credit card (7)

creencia belief

creer (en) to think; to believe (in) (3)

crema cream

Creta Crete

criada maid

criatura child

crimen m. crime

cristianismo Christianity

cristiano/a Christian

crítico/a n. critic; adj. critical

crucero cruise (ship) (8)

crudo crude (oil)

cruz f. (pl. **cruces**) cross; **Día** (m.) **de la Cruz** Day of the Cross

cruzar (c) to cross; **cruzar la frontera** to cross the border

cuaderno notebook (2)

cuadra (city) block

cuadrado/a squared

cuadro painting; **de cuadros** plaid (4)

¿cuál(es)? what? (2); which? (2); **¿Cuál es la fecha de hoy?** What is today's date? (6)

cualidad f. quality

cualquier adj. any

cualquiera pron. anyone; either

cuán adv. however much

cuando when; **de vez en cuando** once in a while

¿cuándo? when? (2)

cuanto: en cuanto conj. as soon as; **en cuanto a** regarding

¿cuánto/a? how much? (2); **¿cuánto cuesta(n)?** how much does it (do they) cost? (4); **¿cuánto es?** how much is it? (4); **¿cuánto tiempo hace que… ?** how long has it been since . . . ?

¿cuántos/as? how many? (2); **¿A cuántos estamos?** What's today's date?

cuarenta forty (3)

cuarto n. room (2); one-fourth; quarter (of an hour); **compañero/a de cuarto** roommate (2); **menos cuarto** a quarter to (hour) (1); **servicio de cuartos** room service; **y cuarto** a quarter after (hour) (1)

cuarto/a adj. fourth

cuatro four (1)

cuatrocientos/as four hundred (4)

cubano/a n., adj. Cuban

cubanoamericano/a n., adj. Cuban American

cubierto/a (p.p. of **cubrir**) covered

cubiertos pl. cutlery

cubo cube

cubrir (p.p. **cubierto**) to cover

cucaracha cockroach

cuchara spoon

cucharada spoonful

cuenta account; check, bill (7); **cuenta corriente** chequing account; **cuenta de ahorros** savings account; **estado de cuentas** bank statement; **tomar en cuenta** to take into account

cuento story

cuerda cord; string

cuero leather (4); **es de cuero** it's (made of) leather (4)

cuerpo body (11)

cuervo crow

cuestión f. question, issue

cueva cave

cuidado care; interj. careful!; **con cuidado** carefully; **tener cuidado** to be careful

cuidarse to take care of oneself (11)

culinario/a culinary

cultivación f. cultivation, raising (of crops)

cultivar to cultivate

cultivo cultivation, raising (of crops)

culto cult

cultura culture

cumbia Colombian folk dance now popular throughout Latin America

cumpleaños m. inv. birthday (6); **feliz cumpleaños** happy birthday; **tarjeta de cumpleaños** birthday card; **pastel** (m.) **de cumpleaños** birthday cake (10); **tarta de cumpleaños** birthday cake

cumplir años to have a birthday (10)

cuñado/a brother-in-law, sister-in-law

cupo quota, share

cura priest

curandero/a healer

curar to cure

curioso/a curious

currículum m. résumé

cursar to study (at a university)

cursiva: letra cursiva italics

curso course

curva curve

cuyo/a whose

D

dama lady

danza dance; **danza güegüense** traditional dance of Nicaragua

daño harm; **hacerse daño en** to hurt one's (body part)

dar to give (8); **dar ánimo** to cheer up; **dar(se) un abrazo** to give (each other) a hug; **dar un paseo** to take a walk (9); **dar consejos** to give advice; **dar una fiesta** to give/to throw a party (10); **dar una caminata** to take a walk; **darle una vuelta a** to go around (something); **dares con / contra** to run into, to bump against; **darse la mano** to shake hands (11)

datos *pl.* data

de *prep.* of (1); from (1); **de acuerdo** agreed; **de acuerdo con** in accordance with; **de ahora en adelante** from now on; **de antemano** beforehand; **de anticipación** ahead; **de atrás** backwards; **de cerca** up close; **(de) color café** brown (4); **de color violeta** violet; **de compras** shopping (4); **de cuadros** plaid (4); **de doble vía** two-way; **de guardia** on-call; **de habla española** Spanish speaking; **de ida** one-way (8); **de ida y vuelta** round-trip (8); **de joven** as a youth (9); **de la mañana** in the morning, a.m. (1); **de la noche** in the evening, p.m. (1); **de la tarde** in the afternoon, p.m. (1); **de largo** in length; **de los últimos años** in recent years; **de lunares** polka-dot (4); **de manera que** *conj.* so that, in such a way that; **de moda** in style; **de modo que** in such a way that; **de nada** you're welcome (1); **de niño/a** as a child (9); **de primera** first-class; **de rayas** striped (4); **de repente** suddenly (11); **¿De qué color es?** What colour is it?; **¿de quién?** whose? (3); **de tiempo completo / parcial** full-/part-time; **de todo** everything (4); **de todas formas** anyway (4); **de última** trendy (hot) (4); **de vacaciones** on vacation (8); **de vez en cuando** once in a while; **de viaje** on a trip (8)

debajo (de) *prep.* below (6)

deber *n.* responsibility; obligation

deber *v. + inf.* should, must, ought to (*do something*) (3)

debido a due to; because of

débil weak

debilitamiento weakening

década decade

decena ten; *pl.* tens

decidir to decide

décimo/a tenth

decir to say (8); to tell (8); **eso quiere decir...** that means . . . (11)

decisión *f.* decision

declaración *f.* statement

declarar(se) to declare

decoración *f.* decoration

decorar to decorate

decorativo/a decorative

dedicar (qu) to dedicate

dedo (de la mano) finger; **dedo del pie** toe

defensa defense

definición *f.* definition

definido/a defined; **artículo definido** *gram.* definite article

definir to define

deforestación *f.* deforestation

deforestado/a deforested

dejar to leave; to let, to allow; to quit; **dejar de + inf.** to stop (*doing something*) (11); **dejar (en)** to leave behind (in [*a place*]) (9)

del (*contraction of* **de + el**) of the, from the (3)

delante de in front of (6); in the presence of

delegación *f.* delegation

deleitarse to enjoy oneself, to delight in

delgado/a thin (3)

deliberado/a deliberate

delicado/a delicate

delicioso/a delicious

delito crime

demanda demand

demás: los / las demás the rest, others

demasiado *adv.* too (9)

demasiado/a *adj.* too many; too much

democracia democracy

demócrata *m., f.* Democrat

democrático/a democratic

demonio devil, demon

demora delay (8)

demostración *f.* march, demonstration

demostrar (demuestro) to demonstrate, to show

demostrativo *gram.* demonstrative

denso/a dense

dental: pasta dental toothpaste

dentífrico/a: pasta dentífrica toothpaste

dentista *m., f.* dentist

dentro inside; **dentro de** inside; within, in (*time*)

denuncia report; denunciation

deparar to provide

departamento department; apartment

depender (de) to depend (on)

dependiente/a clerk (2)

deporte *m.* sport (9); **deportes acuáticos** water sports; **hacer un deporte** to play, to do a sport; **practicar (qu) un deporte** to play, to practise a sport

deportivo/a *adj.* sporting, sport-related (9); **club (m.) deportivo** sports club; **coche (m.) deportivo** sports car; **evento deportivo** sporting event; **reportero/a deportivo/a** sports reporter

depositar to deposit

depósito deposit

derecha *n.* right side; **a la derecha** to the right (6)

derecho law (*profession*); right; **tener derecho a** to have the right to; **(todo) derecho** straight ahead

derivarse (de) to derive (from)

derrotar to defeat

desafío challenge

desafortunadamente unfortunately

desahogado/a relieved

desaparecer (desaparezco) to disappear

desarraigado/a uprooted

desarrollar to develop

desarrollo development

desastre *m.* disaster

desastroso/a disastrous

desayunar to have (to eat) breakfast (7); **desayuno** breakfast (7)

descansar to rest (5)

descapotable: carro / coche (m.) descapotable convertible (car)

descargar (gu) to download

descendiente *m., f.* descendent

descifrar to decipher, to figure out

descompuesto/a (*p.p. of* **descomponer**) broken

desconocido/a unknown

descortés impolite

describir (*p.p.* **descrito**) to describe

descripción *f.* description

descriptivo/a descriptive

descubanizado/a less Cuban

descubierto/a (*p.p. of* **descubrir**) discovered

descubrimiento discovery

descubrir (*p.p.* **descubierto**) to discover

descuidado/a careless

desde *prep.* from; since; **desde entonces** since then; **desde que** *conj.* since

desear to want (2)

desecho waste (*product*)

deseo wish (10)

desequilibrio imbalance

desértico/a *adj.* desert

desesperadamente desperately

desfile *m.* parade

desgracia disgrace

desgraciadamente unfortunately (11)

desierto desert

desierto/a deserted

designado/a designated

desigualdad *f.* inequality

desilusión *f.* disillusion

desinflado/a: llanta desinflada flat tire

desnudo/a nude

desocupado/a vacant, unoccupied

desordenado/a messy (6)

despedirse (de) (*like* **pedir**) to say good-bye (to) (10)

despensa pantry

desperdiciar to waste

despertador *m.* alarm clock

despertar(se) (me despierto) (*p.p.* **despierto**) to wake up (5)

despierto/a (*p.p. of* **despertar**) awake

desprivilegiado/a without privilege

después *adv.* after; later, then; **después de** *prep.* after (5); **después de que** *conj.* after

destacar (qu) to emphasize; to stand out; **destacarse** to distinguish oneself

desterrado/a exiled

destino destiny; destination

destreza skill

destrucción *f.* destruction

destructivo/a destructive

destructor(a) destructive

destruido/a destroyed

destruir (*like* **construir**) to destroy

desventaja disadvantage

detalle *m.* detail

detective *m., f.* detective

detener (*like* **tener**) to detain

detenido/a detained

determinado/a determined

determinar to determine

detestar to detest

detrás de *prep.* behind (6)

deuda debt

devoción *f.* devotion

devolver (*like* **volver**) to return (*something*)

día *m.* day (2); **al día siguiente** the next day; **algún día** some day; **buenos días** good morning (1); **Día de Acción de Gracias** Thanksgiving; **Día de la Cruz** Day of the Cross; **Día de la Independencia** Independence Day; **Día de la Madre** Mother's Day; **Día de la Raza** Columbus Day (Hispanic Awareness Day); **Día de los Difuntos** Day of the Dead; **Día de los Enamorados** Valentine's Day; **Día de los Inocentes** April Fool's Day; **Día de los Muertos**

Day of the Dead; **Día de los Reyes Magos** Day of the Magi (Three Kings); **Día de San Patricio** St. Patrick's Day; **Día de San Valentín** St. Valentine's Day; **Día de Todos los Santos** All Saints Day; **Día del Año Nuevo** New Year's Day; **Día del Canadá** Canada Day; **día feriado** holiday; **día festivo** holiday (10); **estar al día** to be up to date; **hoy en día** nowadays; **¿Qué día es hoy?** What day is today? (5); **todo el día** all day; **todos los días** everyday (2)

diablo devil
diagrama *m.* diagram
dialecto dialect
diálogo dialogue
diamante *m.* diamond
diámetro diameter
diario/a daily (5); **rutina diaria** daily routine (5)
dibujante *m., f.* sketch artist
dibujar to draw
dibujo drawing; **dibujos animados** cartoons
diccionario dictionary (2)
diciembre *m.* December (6)
dictador(a) dictator
dictadura dictatorship
dictar to dictate
diecinueve nineteen (1)
dieciocho eighteen (1)
dieciséis sixteen (1)
diecisiete seventeen (1)
diente *m.* tooth (11); **cepillarse los dientes** to brush one's teeth (5); **pasta de dientes** toothpaste; **sacarle (qu) un diente** to pull a tooth (11)
dieta diet (7); **estar a dieta** to be on a diet (7)
dietético/a *adj.* diet
diez ten (1)
diferencia difference
diferente different
difícil hard, difficult (6)
dificultad *f.* difficulty
difunto/a deceased; **Día** (*m.*) **de los Difuntos** Day of the Dead
digital digital; **agenda digital** electronic agenda, PDA; **cámara digital** digital camera; **edición** (*f*). **digital** digital edition; **impresión** (*f*). **digital** digital printing
dilema *m.* dilemma
Dinamarca Denmark
dinero money (2); **sacar (qu) (dinero)** to withdraw (money)
dios *m. s.* god; **Dios** God; **por Dios** for heaven's sake
diosa goddess
diplomático/a diplomatic
diptongo *gram.* diphthong
dique *m.* dike
dirección *f.* address (7); direction
directo/a direct; **complemento directo** *gram.* directo object
director(a) director; conductor
disciplina discipline
disco: disco compacto compact disc (CD); **disco de computadora** computer disc; **disco duro** hard drive
discoteca discotheque (9); **ir a una discoteca** to go to a discotheque (9)
discriminación *f.* discrimination
disculpa apology, excuse; **pedir disculpas** to apologize

disculpar to excuse, to pardon; **discúlpeme** pardon me; I'm sorry
discutir (sobre) (con) to argue (about) (with) (10)
diseñador(a) designer
diseñar to design
diseño design
disfraz *m.* (*pl.* **disfraces**) disguise
disfrutar to enjoy
disminuir (*like* **construir**) to diminish
disolver (disuelvo) (*p.p.* **disuelto**) to dissolve
disparar shoot at (*someone/something*)
disponer (*like* **poner**) to be available
disponible available
disputar to dispute
distancia distance; **llamada a larga distancia** long-distance call
distante distant
distinguir (distingo) to distinguish
distinto/a distinct, different
distracción *f.* distraction
distraer (*like* **traer**) to distract
distraído/a absent-minded, distracted
distribución *f.* distribution
distrito district
disuelto/a (*p.p. of* **disolver**) dissolved
diversidad *f.* diversity
diversificar (qu) to diversify
diversión *f.* diversion (9)
diverso/a diverse
divertido/a fun (9); **ser divertido** to be fun (9)
divertir (divierto) (i) to entertain; **divertirse** to have a good time, to enjoy oneself (5)
dividir to divide
división *f.* division
divorciado/a divorced
divorciarse (de) to get divorced from
divorcio divorce
divulgar (gu) to make known
doblar to turn
doble double; **de doble vía** two-way; **habitación** (*f.*) **doble** double room
doce twelve (1)
dócil docile
doctor(a) doctor
doctorado doctorate
documento document
dólar *m.* dollar
doler (duele) to hurt, to ache (11); **doler(le) la cabeza / el estómago** to have a headache/stomachache
dolor *m.* (**de**) pain, ache (in) (11); **dolor de cabeza** headache; **tener dolor de** to have a pain in (11); **tener dolor de cabeza / muela** to have a headache/toothache
doméstico/a domestic; **animal** (*m.*) **doméstico** pet; domesticated animal; **aparato doméstico** home appliance (9); **quehacer** (*m.*) **doméstico** household chore (9)
domicilio home, residence
dominación *f.* domination
domingo Sunday (5)
dominicano/a Dominican
don *m.* title of respect used with a man's first name
donde where
¿dónde? where? (1)
dondequiera wherever

doña title of respect used with a woman's first name
dorado/a golden
dormir (duermo) (u) to sleep (5); **dormer la siesta** to take a nap (5); **dormir lo suficiente** to sleep enough (11); **dormirse** to fall asleep (5)
dormitorio bedroom
dos two (1); **dos veces** twice (11)
doscientos two hundred (4)
drama *m.* drama
dramático/a dramatic
dramaturgo/a playwright
drástico/a drastic
droga drug
dromedario dromedary (camel)
ducha shower
ducharse to shower (5)
duda doubt; **no hay duda** there is no doubt; **sin duda** without a doubt
dudar to doubt
dudoso/a doubtful
dueño/a owner (7); landlord/lady
dulces *m.* candy, sweets (7); *adj.* sweet; **agua** (*f. but* **el agua**) **dulce** fresh water
dulzura sweetness
dúo duo
durante during (5)
durar to last
durmiente: Bella Durmiente Sleeping Beauty
duro/a hard, firm; **disco duro** hard drive; **huevo duro** hard-boiled egg
DVD *m.* DVD; **lector** (*m.*) **de DVD** DVD player
DVD-ROM *m.* DVD-ROM

E

e and (*used instead of* **y** *before words beginning with stressed* **i** *or* **hi**, *except* **hie-**)
echar to throw; **echar abajo** to pull down; **echarse una siesta** to take a nap
ecología ecology
ecológico/a ecological
economía economy; *s.* economics (2)
económico/a economic
economizar (c) to economize
ecosistema *m.* ecosystem
ecoturismo ecotourism
ecoturista *m., f.* ecotourist
ecuatoriano/a Ecuadorian
edad *f.* age; **Edad Media** Middle Ages
edición *f.* edition; **edición digital** online edition
edificio building (2); **edificio de apartamentos** apartment building
editar to edit
editor(a) editor
educación *f.* education
educador(a) educator
educativo/a educational
efectivo cash; **en efectivo** in cash; **pagar (gu) en efectivo** to pay with cash
efecto effect
eficiencia efficiency
eficiente efficient
Egipto Egypt
egoísta *m., f.* selfish
ejecutivo/a executive
ejemplificar (qu) to exemplify
ejemplo example; **por ejemplo** for example

ejercicio exercise (5); **hacer ejercicio** to exercise (5); **hacer ejercicios aeróbicos** to do aerobics (11)

ejército army

el *def. art. m. s.* the; **el primero de** the first of (*month*) (6)

él *sub. pron.* he (2)

elástico/a flexible

elección *f.* election

electricidad *f.* electricity

electricista *m., f.* electrician

electrónica *n.* electronic equipment

electrónico/a electronic; **correo electrónico** e-mail; **agenda electrónica** electronic agenda, PDA; **aparato electrónico** electronic device

elefante *m.* elephant

elegancia elegance

elegante elegant

elegir (elijo) to elect

elemento element

eliminar to eliminate

ella *sub. pron.* she (2); *obj. (of prep.)* her

ellos/as *sub. pron.* they (2); *obj. (of prep.)* them

e-mail *m.* e-mail

embargo: sin embargo nevertheless (6)

embarque: tarjeta de embarque boarding pass

embotellamiento de tráfico traffic jam

embriagado/a intoxicated, drunk

emergencia emergency; **sala de emergencias** emergency room (11)

emigrante *m., f.* emigrant

emigrar to emigrate

emisario (radio, television) station

emisión *f.* emission; programming

emoción *f.* emotion (10)

emocional emotional

emocionante exciting

empanada *turnover pie or pastry*

empapelado/a (wall) papered

emparejar to pair

empezar (empiezo) (c) to begin (5); **empezar a** + *inf.* to begin to (*do something*) (5)

empleado/a employee

emplear to employ

empleo (bien / mal pagado) (well/poorly paying) job

empresa business, corporation; company; **administración** (*f.*) **de empresas** business administration (2)

empresario/a businessman/businesswoman

emular to emulate

en in (1); on (1); at (1); **en absolute** at all; **en alza** upward; **en cambio** on the other hand, on the contrary; **en casa** at home (2); **en caso de que** *conj.* in case; **en cierta medida** in some measure, to some degree; **en comparación con** in comparison with; **en cuanto** as soon as; **en efectivo** in cash; **en este momento** right now; **en exceso** excessively; **en fin** in short; **en general** in general; **en la actualidad** currently, right now (9); **en lugar de** in place of; **en onda** in style; **en punto** on the dot (1); **en resumen** in summary; **en seguida** right away (11); **en torno a** around; **en vez de** instead of; **en vivo** live; **en voz alta** aloud

enamorado/a (de) in love (with); **Día** (*m.*) **de los Enamorados** Valentine's Day

enamorarse (de) to fall in love (with)

encabezado/a por headed by

encalado/a whitewashed

encantado/a pleased to meet you (1)

encantador(a) enchanting, delightful

encantar to like very much, to love (8)

encarar to confront, to face up to

encargado/a in charge

encender (enciendo) to turn on (*appliance*); to light; **encender la luz** to turn on the light

encerrado/a shut, locked up

enchufar to plug in

encima de *prep.* on top of (6); in addition to

encontrar (encuentro) to find (10); **encontrarse (con)** to meet (*someone somewhere*) (11); **encontrarse con amigos** to get together with friends

encuesta survey

encuestar to survey

endémico/a endemic

energético/a energetic **energía** energy; **conservar energía** to conserve energy; **energía elétrica / nuclear / solar** electric/nuclear/solar energy

enérgico/a energetic

enero January (6)

enfadar to anger; **enfadarse** to get, to become mad

enfático/a emphatic

enfatizar (c) to emphasize

enfermarse to get sick (10)

enfermedad *f.* illness (11)

enfermero/a nurse (11)

enfermo/a sick (6); **estar enfermo** to be sick

enfilado/a in a row

enfoque *m.* focus

enfrente de *prep.* in front of

engordar to gain weight

enmascarado/a masked

enojado/a angry, mad

enojarse (con) to get angry (at) (10)

enorme enormous

enriquecer (enriquezco) to enrich

enrollado/a rolled

ensalada salad (7)

ensayar to rehearse

ensayo essay

enseñanza teaching

enseñar to teach (2); **enseñar a** + *inf.* to teach to (*do something*)

entender (entiendo) to understand (5)

enterarse (de) to find out (about)

entero/a entire (9); **limpiar la casa entera** to clean the entire house (9)

entonces then, next; **desde entonces** since then

entrada entrance; ticket

entrante: el año entrante next year

entrar (en / a) to enter

entre *prep.* between (6); among

entreabierto/a half-open, ajar

entregar (gu) to hand in (8)

entremeses *m. pl.* hors d'œuvres

entrenador(a) trainer, coach

entrenamiento training, practice

entrenar to practise, to train (9)

entrevista interview

entrevistador(a) interviewer

entrevistar to interview

entusiasmar to enthuse

enviar (envío) to send

epifanía epiphany

época era, time (*period*) (9)

equilibradamente in a balanced way

equilibrar to balance

equilibrio balance

equipado/a equipped

equipaje *m.* luggage, baggage (8); **facturar el equipaje** to check baggage (8)

equipo team (9); equipment; **equipo fotográfico** photography equipment

equivalente *m.* equivalent

equivocarse (qu) (de) to be wrong, to make a mistake (about)

érase una vez once upon a time

eres you (*fam. s.*) are (1)

errante errant; wandering

errar to make a mistake, to err

erróneamente erroneously **es** he/she is, you (*form. s.*) are (1)

error *m.* error

erupción *f.* eruption

escala stop; **hacer escalas** to make stops (8)

escalado/a climbed

escalador(a) climber

escalón *m.* step

escándalo scandal

escaparate *m.* store (display) window

escaparse to escape

escasez (*pl.* **escaseces**) lack; shortage

escena scene

escenario setting

esclavitud *f.* slavery

esclavo/a slave

esclusa lock, sluice

escoger (escojo) to choose

esconder(se) to hide

escopeta rifle

escribir (*p.p.* **escrito**) to write (3); **escribir a computadora** to key in (to type)

escrito/a (*p.p. of* **escribir**) written; **informe** (*m.*) **escrito** written report

escritor(a) writer

escritorio desk (to) (2)

escritura writing

escuchar to listen (to) (2)

escuela school (9); **escuela primaria** elementary school; **escuela secundaria** high school; **escuela superior** high school; **maestro/a de escuela** schoolteacher

esculpir to sculpt

escultor(a) sculptor

escultura sculpture

ese, esa *pron.* that one; *adj.* that (4)

esencial essential

esfuerzo effort

eso that (4); **eso quiere decir ...** that means . . . (11)

esos/as *pron.* those ones; *adj.* those (4)

espacial space; **nave** (*f.*) **espacial** space ship; **transbordador** (*m.*) **especial** space shuttle

espacio space; **espacio en blanco** blank space

espacioso/a spacious

espalda back

espantoso/a frightening

español *m.* Spanish (*language*) (2)

español(a) *n.* Spaniard; *adj.* Spanish (3); **de habla española** Spanish speaking

espárragos *m. pl.* asparagus (7)
espasmo spasm
especial special
especialidad *f.* specialty
especialista *m., f.* specialist
especialización *f.* specialization; major (*academic*)
especializarse (c) (en) to major (in)
especialmente especially
especie *f.* species; **especie en peligro de extinción** endangered species
específico/a specific
espectacular spectacular
espectáculo show
espectador(a) spectator
especular to speculate
espejo mirror
espera wait; **llamada en espera** call-waiting; **sala de espera** waiting room (8)
esperanza hope
esperar to wait (for) (7); to expect (7); to hope
espíritu *m.* spirit
espiritual spiritual
espléndido/a splendid
espontáneo/a spontaneous
esposo/a husband/wife (3); spouse
esqueleto skeleton
esquí *m.* skiing; **estación** (*f.*) **de esquí** ski resort
esquiar (esquío) to ski (9)
esquina corner
esta noche tonight (6)
establecer (establezco) to establish
estación *f.* season (6); station (8); **estación de autobuses / del tren** bus/train station (8); **estación de esquí** ski resort; **estación de gasolina** gas station; **estación de metro** subway station; **estación de radio** radio station
estacionamiento parking lot; parking spot
estacionar to park
estadía stay (*in a place*)
estadio stadium
estadística statistic
estado state (3); **estado afectivo** emotional state (10); **estado civil** marital status; **estado de ánimo** state of mind;
estado de cuentas bank statement; **estado libre asociado** commonwealth; **estado mental** mental state
estadounidense *n., adj.* of the United States of America (3)
estampilla stamp
estancia stay (*in a hotel*)
estanco tobacco stand/shop
estanque *m.* pond
estante *m.* bookshelf (5)
estar to be (2); **¿A cuántos estamos? / ¿En qué fecha estamos?** What's today's date?; **estar a cargo (de)** to be in control (of); **estar a dieta** to be on a diet (7); **estar al corriente** to be up to date; **estar al día** to be up-to-date; **estar al tanto** to be up-to-date; **estar atrasado/a** to be late; **estar bien** to be well (6); **estar de vacaciones** to be on vacation (8); **estar en rebaja** to be on sale; **estar en un lío** to be in trouble, a problem; **estar enfermo** to be sick; **está** he/she/it is; you (*form. s.*) are; **está lloviendo a cántaros** it's raining heavily; **está (muy) nublado** it's (very) cloudy (6);

(no) estar seguro/a (de) to be (un)sure (of); **(no) estoy de acuerdo** I (don't) agree (3)
estatal *adj.* state
estatua statue
estatus *m.* status
este *m.* east (6)
este, esta *pron.* this one; *adj.* this (3); **esta noche** tonight (6); **en este momento** right now
estela stone column with carvings
estéreo stereo
estereofónico/a *adj.* stereo
estereotipado/a stereotyped
estereotipo stereotype
estilo style
estimado/a esteemed
estimulante *m.* stimulant
estimular to stimulate
estímulo stimulus
esto this (3)
estofado/a stewed
estómago stomach (11); **dolerle (me duele) el estómago** to have a stomachache
estos/as *pron.* these ones; *adj.* these (3)
estoy de acuerdo I agree (3)
estrategia strategy
estratégico/a strategic
estrecho strait; **Estrecho de Magallanes** Strait of Magellan
estrecho/a narrow
estrella star; **hotel de 2 (3, 4, 5) estrellas** two- (three-, four-, five-) star hotel
estrés *m.* stress; **estresado/a** stressed
estructura structure
estudiante *m., f.* student (2)
estudiantil *adj.* student
estudiar to study (2)
estudio study
estudioso/a studious
estufa oven; stove (9); **limpiar la estufa** to clean the oven
estupendo/a stupendous
etapa stage, phase
etcétera etcetera
étnico/a ethnic
Europa Europe
europeo/a European
evaluar (evalúo) to evaluate
evento event; **evento deportivo** sporting event
evidencia evidence
evitar to avoid
evocar (qu) to evoke
evolución *f.* evolution
exacto/a exact
exagerado/a exaggerated
examen *m.* exam, test (4)
examinar to examine (11)
exceder to exceed
excelencia excellence
excelente excellent
excepto except
exceso excess; **en exceso** excessively
exclamación *f.* exclamation
exclusivo/a exclusive
excursión *f.* excursion
excusa excuse
exhibición *f.* exhibition
exigente demanding
exigir (exijo) to demand
exilio exile

existir to exist
éxito success; **tener éxito** to be successful
exitoso/a successful
exorcizar (c) to exorcize
exótico/a exotic
expandible expandable
expansión *f.* expansion
expansivo/a expansive
expendedor(a) retail
experiencia experience
experimentar to experiment
experimento experiment
experto/a expert
explicación *f.* explanation
explicar (qu) to explain (8)
exploración *f.* exploration
explorador(a) explorer
explorar to explore
explosión *f.* explosion
explotación *f.* exploitation
explotado/a exploited
explotar to exploit
exponer (*like* **poner**) (*p.p.* **expuesto**) to display; to propose
exportador(a) *adj.* exporting
exportar to export
exposición *f.* exposition
expresar to express
expresión *f.* **(de cortesía)** expression (of courtesy) (1)
expuesto/a (*p.p. of* **exponer**) proposed
expulsar to expulse
expulsión *f.* expulsion
exquisito/a exquisite
extender (extiendo) to extend
extensión *f.* extension
extenso/a extensive
extinción *f.* extinction; **especie** (*f.*) **en peligro de extinción** endangered species
extraer (*like* **traer**) to extract
extranjero abroad
extranjero/a *n.* foreigner (2); *adj.* foreign; **lenguas extranjeras** foreign languages (2)
extraño/a strange; **Es extraño que...** It's strange that . . . ; **¡Qué extraño que... !** How strange that . . . !
extraordinario/a extraordinary
extravagante extravagant
extremo/a extreme
extroversión *f.* extroversion
extrovertido/a extroverted
exuberancia exuberance
exuberante exuberant

F

fábrica factory
fabricación *f.* manufacture
fabricar (qu) to manufacture
fabuloso/a fabulous
fachada facade
fácil easy (6)
facilidad *f.* ease
facilitar to facilitate
factible feasible
factor *m.* factor
factoría factory
factura bill
facturar to check (*baggage*) (8); **facturar el equipaje** to check baggage (8)

Fahrenheit: grados Fahrenheit degrees Fahrenheit
falda skirt (4)
fallar to "crash" (*computer*)
falsificado/a falsified
falso/a false
falta lack; absence
faltar (a) to be absent (from), not attend (10)
fama fame
familia family (3); **familia monoparental** single-parent family
familiar *n. m.* relation, member of the family; *adj.* pertaining to a family
famoso/a famous
fantasía fantasy
fantástico/a fantastic
farmacéutico/a pharmacist (11)
farmacia pharmacy
farmacología pharmacology
farmacológico/a pharmacological
fascinante fascinating
fascinar to fascinate
fatal *sl.* bad, awful
favor *m.* favour; **favor de** + *inf.* please (*do something*); **por favor** please (1); **me hace el favor de...** if you would do me the favour of . . .
favorecer (favorezco) to favour
favorito/a favourite
fax *m.* fax
fe *f.* faith
febrero February (6)
fecha date (6); **¿Cuál es la fecha de hoy?** What's today's date? (6); **¿En qué fecha estamos?** What's today's date?
fecha tope deadline; **¿Qué fecha es hoy?** What's today's date? (6)
¡Felicitaciones! *interj.* Congratulations! (10)
feliz (*pl.* **felices**) happy (10); **felicísimo/a** very happy; **Feliz Año Nuevo** Happy New Year; **feliz cumpleaños** happy birthday; **Feliz Navidad** Merry Christmas
femenino/a feminine
feminidad *f.* femininity
fénix *m.* phoenix
fenomenal phenomenal
fenómeno phenomenon
feo/a ugly (3)
feria fair
feriado: día (*m.*) **feriado** holiday
feroz (*pl.* **feroces**) ferocious
festejar to celebrate
festival *m.* festival
festividad *f.* festivity
festivo: día (*m.*) **festivo** holiday (10)
fibra fiber
ficción *f.* fiction; **ciencia ficción** science fiction
fiebre *f.* fever (11); **tener fiebre** to have a fever
fiel faithful (3)
fiesta party (2); **fiesta de sorpresa** surprise party; **hacer / dar una fiesta** to have/to give/to throw a party (10)
figura figure
fijar to set; **fijarse (en)** to take note (of), to pay attention (to)
fijo/a fixed, set (4); **precio fijo** fixed, set price (4)
fila line, row; **en fila** in single file
Filipinas: Islas Filipinas Philippines

filipino/a Philippine
filme *m.* movie; film
filosofía philosophy (2)
fin *m.* end; **en fin** in short; **fin de semana** weekend (2); **por fin** at last (5)
final *n. m.* end; *adj.* final
finalmente finally
financiación *f.* financing
financiamiento financing
financiero/a financial
finanza finance
finca farm
finlandés, finlandesa *n., adj.* Finnish
Finlandia Finland
firma signature
física physics (2)
físico/a physical
flabiol *m.* traditional flute-like instrument of Catalonia
flaco/a thin
flamenco music of Andalusia and southern Spain
flan *m.* (baked) custard (7)
flauta flute
flexibilidad *f.* flexibility
flexible flexible
flor *f.* flower (8)
florecer (florezco) to flourish; to bloom
florido/a flowering
flota fleet
folclórico/a folkloric
folleto brochure
fomentar to encourage, to promote
fondo fund; bottom; **al fondo** in the background
fontanero/a plumber
forestal *adj.* forest
forma form; shape; **de todas formas** anyway
formar to form
formulario form (*to fill out*)
fortaleza fort
fortificación *f.* fortification
fósforo match
foto(grafía) photo(graph) (8); photography; **sacar (qu) fotos** to take pictures (8)
fotográfico/a photographic; **equipo fotográfico** photography equipment
fotógrafo/a photographer
frágil fragile
fragmento fragment
francés *m.* French (*language*) (2)
francés, francesa *n.* French person; *adj.* French
Francia France
franco/a frank, open
frase *f.* sentence; phrase
frecuencia frequency (2); **con frecuencia** frequently (2); **¿con qué frecuencia?** how often, frequently?
frecuente frequently
fregar (friego) (gu) to clean; **fregar los platos** to do the dishes
freír (*like* **reír**) (*p.p.* **frito**) to fry
frenar to brake
frenos brakes
frente a facing, opposite
fresa strawberry
fresco/a fresh (7); cool (*weather*); **hace fresco** it's cool (*weather*) (6)
frialdad *f.* coldness

frigidez *f.* (*pl.* **frigideces**) frigidity
frigorífico/a refrigerator
frijoles *m. pl.* beans (7)
frío cold(ness); *adj.* cold; **hace (mucho) frío** it's (very) cold (*weather*) (6); **tener (mucho) frío** to be (very) cold (6)
frisbee: jugar (juego) (gu) al frisbee to play Frisbee
frito/a (*p.p. of* **freír**) fried (7); **papas / patatas fritas** French fries (7); **pollo frito** fried chicken
frontera border; **cruzar (c) la frontera** to cross the border
fructuoso/a fructiferous
fruta fruit (7); **jugo de fruta** fruit juice (7)
frutal *adj.* fruit
fue sin querer I didn't mean it
fuego fire; **fuegos artificiales** fireworks; **caer de la sarten al fuego** to go from the frying pan to the fire
fuente *f.* source; fountain
fuera *adv.* outside
fuerte strong; heavy (*meal*)
fuerza strength
fumador(a) smoker; **sala de fumadores** smoking area (8)
fumar to smoke (8); **sala de fumar / fumadores** smoking area (8)
función *f.* function
funcionar to work, to function; to run (*machines*)
fundado/a founded
furioso/a furious (6)
fusión *f.* fusion
fútbol *m.* soccer (9); **fútbol Americano** football (9); **campo de fútbol** soccer field; **partido de fútbol** soccer game; **jugar (juego) (gu) al fútbol** to play soccer; **jugar (juego) (gu) al fútbol americano** to play football
futbolista *m., f.* soccer player
futuro *n.* future
futuro/a *adj.* future

G

gabardina gabardine
gabinete *m.* cabinet
gadget *m.* gadget
gafas glasses (11)
gaita bagpipe
gajo branch
Galápagos: Islas Galápagos Galapagos Islands
galla gal (*sl. ch.*)
galleta cookie (7)
gallina hen
gallinero chicken house
gallo rooster; guy (*sl. Ch.*); **misa del gallo** midnight mass
gamba shrimp
gana desire; wish; **tener ganas de** + *inf.* to feel like (*doing something*) (4)
ganado cattle
ganador(a) winner
ganar to win (9); to earn
gancho hook
ganga bargains (4); **¡Qué ganga!** What a bargain!
garaje *m.* garage (5); **limpiar el garaje** to clean the garage
garantía guarantee

garantizar (c) to guarantee
garganta throat (11)
garífunas Black Caribs (*descendents of Carib indigenous people and African slaves in Honduras*)
gas *m.* gas (*not for cars*)
gaseosa soft drink
gasolina gasoline; **estación** (*f.*) **de gasolina** gas station
gasolinera gas station
gastar (dinero) to spend (*money*) (10); to use (*gasoline*)
gasto expense
gastronómico/a gastronomic
gatear to crawl
gato/a cat (3)
gaucho Argentine cowboy
gemelo/a twin
general general; **en general** in general; **por lo general** in general (5)
género genre
generoso/a generous
génesis *f.* genesis
genio genius
gente *f. s.* people
geografía geography
geográfico/a geographic
geología geology
geoturismo geotourism
gerente *m., f.* manager
gerundio *gram.* gerund
gesto gesture
gigante *m.* giant
gigantesco/a gigantic
gimnasio gym(nasium)
gira tour
glaciación *f.* glaciation
glaciar glacial
globo balloon
gobernar to govern
gobierno government
golf *m.* golf (9); **jugar (juego) (gu) al golf** to play golf
gordo/a fat (3)
gorila *m.* gorilla
gorra hat; cap (4)
gorro hat
gozo joy
GPS: sistema (*m.*) **GPS** GPS
grabadora (tape) recorder/player
grabar to record; to tape
gracia grace
gracias thank you (1); **gracias por** thank you for (10); **muchas gracias** thank you very much (1); **Día** (*m.*) **de Acción de Gracias** Thanksgiving
grado grade level (*in school*) (9)
gradualmente gradually
graduarse (me gradúo) (en) to graduate (from)
gráfico *n.* graph
gráfico/a *adj.* graphic
gramática grammar
gramaticalmente grammatically
gran, grande big, large (3); great (3); **pantalla grande** big screen (monitor)
granito granite
granja farm
grano grain; **granos de café** coffee beans
grasa fat

grasoso/a greasy; fatty
gratis *inv.* free (*of charge*)
gratuito/a free (*of charge*)
grave serious
Grecia Greece
gremio guild
gripe *f.* flu (11)
gris gray (4)
gritar to shout
grotesco/a grotesque
grúa crane; tow truck
grupo group
guagua bus (*Carib.*)
guancasco dance of the Lenca indigenous group of Honduras
guante *m.* glove
guaraní *m.* indigenous language of South America
guardar to save (*a place*) (8); to keep; to save (*documents*); **guardarcama** to stay in bed (11); **guardar en secreto** to keep as a secret; **guardar un puesto** to save a place (in line) (8)
guardia: de guardia on-call
guatemalteco/a *n., adj.* Guatemalan
gubernamental governmental
güegüense: danza güegüense traditional dance of Nicaragua
güero/a blond(e) (*Mex.*)
guerra war
guerrero/a warrior
gueto ghetto
guía guide book; **guía telefónica** telephone book; *m., f.* guide (*person*)
guión *f.* script
guisantes *m.* peas (*Sp.*)
guitarra guitar
guitarrista *m., f.* guitarist
gustar to be pleasing (8); **me gustaría... muchísimo** I would (really) like . . . an awful lot (8); **¿le gusta... ?** do you (*form. s.*) like . . . ? (1); **¿te gusta... ?** do you (*fam. s.*) like . . . ? (1); **no, no me gusta...** no, I don't like . . . (1); **sí, me gusta...** yes, I like . . . (1)
gusto like, preference, taste (1); **mucho gusto** pleased to meet you (1)

H

haber infinitive form of **hay**; **hay** there is/are (1); **hay (mucha) contaminación** there's (a lot of) pollution (6); **no hay** there is/are not (1); **hay que + inf.** it's necessary to (*do something*); **no hay de que** you're welcome (1); **no hay duda** there is no doubt
habilidad *f.* ability, skill
habitable habitable
habitación *f.* room; **habitación con / sin baño** room with(out) bath; **habitación individual / doble** single/double room
habitado/a inhabited
habitante *m., f.* inhabitant
habitar to inhabit
hábito habit
habla *f.* (*but* **el habla**) speech; **de habla española** Spanish speaking
hablar to speak (2); to talk (2); **hablar en voz baja** to speak softly; **hablar por teléfono** to talk on the phone (2)
hacer (*p.p.* hecho) to do; to make; hacerse to become; **hace + *period of time* + que +**

present tense to have been (*doing something*) for (*a period of time*); hace + *time* ago; **hace (muy) buen / mal tiempo** it's (very) good/bad weather (6); **hace fresco** it's cool (*weather*) (6); **hace (mucho) frío / calor** it's (very) cold/hot (*weather*) (6); **hace (mucho) sol** it's (very) sunny (6); **hace (mucho) viento** it's (very) windy (6); **hacer autostop** to hitchhike; **hacer *camping* to go camping** (8); **hacer cola** to stand in line (8); **hacer copia** to copy; **hacer deporte** to play, do a sport; **hacer ejercicio** to exercise (5); **hacer ejercicios aeróbicos** to do aerobics (11); **hacer escalas** to make stops (8); **hacer la cama** to make the bed (9); **hacer la compra** to go shopping; **hacer la(s) maleta(s)** to pack one's suitcase(s) (8); **hacer Pilates** to do Pilates (11); **hacer planes para** to make plans to (9); **hacer reserva** to make a reservation; **hacer un *picnic*** to go on a picnic (9); **hacer un viaje** to take a trip (5); **hacer una caminata** to take a walk; **hacer una fiesta** to have a party (10); **hacer una pregunta** to ask a question; **hacer una reservación** to make a reservation; **hacer surfing** to surf; **hacer yoga** to do yoga; **hacerse daño** to hurt oneself; **hacerse daño en** to hurt one's (*body part*); **me hace el favor de...** if you would do me the favour of . . . ; **¿qué tiempo hace hoy?** what's the weather like today? (6); **se le hace agua la boca** it makes your mouth water
hacia toward
Haití Haiti
hambre *f.* (***but* el hambre**) hunger; tener **(mucha) hambre** to be (very) hungry (7)
hamburguesa hamburger (7)
hasta *adv.* until; even; ***prep.*** until (5);
hasta luego see you later (1); **hasta mañana** see you tomorrow (1); **hasta pronto** see you soon; **hasta que *conj.*** until
hay there is/there are (1); **no hay** there isn't/there aren't (1); **¿hay ... ?** is/are there . . . ?; **hay que + inf.** it's necessary to (***do something***)
hecho *n.* fact, event (10)
hecho/a (*p.p. of* hacer) made; done
hectárea land measure equal to 2.5 acres
heladera freezer
helado ice cream (7)
helado/a frozen
heliconia flowering tropical plant
hemisferio hemisphere
heredar to inherit
herencia inheritance
hermanastro/a stepbrother/stepsister
hermano/a brother/sister (3); **medio/a hermano/a** half-brother/half-sister
hermoso/a beautiful
héroe *m.* hero
herramienta tool
híbrido/a hybrid
hidroeléctrico/a hydroelectric
hidrógeno hydrogen
hielo ice
hierro iron
higiénico/a hygienic
higuera fig tree
hijastro/a stepson/stepdaughter
hijo/a son/daughter (3); *m. pl.* children (3)
himno hymn, anthem
hipopótamo hippopotamus

hipoteca mortgage
hispánico/a Hispanic
hispano/a Hispanic
hispanocanadiense *n., adj. m., f.* Hispanic-Canadian
hispanohablante *adj. m., f.* Spanish speaking
histamina histamine
historia history (2); story
histórico/a historic
hockey *m.* hockey (9)
hogar *m.* home; hearth
hoja leaf
¡hola! hi! (1)
Holanda Holland
holgadamente comfortably, easily
hombre *m.* man (2); **hombre de negocios** businessman
homenaje *m.* homage
homeópata *inv.* homeopathic
homeopatía homeopathy
homogéneo/a homogeneous
hondo/a deep
hondureño/a *n., adj.* Honduran
hongo mushroom; toadstool; fungus; **sombrero hongo** bowler hat, derby
honor *m.* honour
honrado/a honest; honourable
hora hour; time; **¿a qué hora?** at what time? (1); **es hora de** + *inf.* it's time to (*do something*); **¿qué hora es?** what time is it? (1)
horario schedule
horno oven (9); **horno de microondas** microwave oven (9)
horóscopo horoscope
horror *m.* horror
hortaliza vegetable
hospedarse to stay (*in a place*)
hospicio hospice
hospital *m.* hospital
hospitalario/a hospitable
hotel *m.* (de lujo) (luxury) hotel; **hotel de 2 (3, 4, 5) estrellas** two-(three-, four-, five-) star hotel
hotelero/a *adj.* hotel
hoy today (1); **hoy (en) día** nowadays; **¿Cuál es la fecha de hoy?** What's today's date? (6); **¿Qué día es hoy?** What day is today?; **¿Qué fecha es hoy?** What's today's date? (6)
huayno *traditional folk tune, ballad* (Arg., Bol., Ch., Peru)
huelga strike
huerto orchard
hueso bone
huésped(a) (hotel) guest
huevo egg (7); **huevo duro** hard-boiled egg; **huevo tibio / pasado por agua** poached egg
huir (*like* construir) to flee
humanidad *f.* humanity; *pl.* humanities (3)
humano/a human (11); **ser** (*m.*)
humano human being
humilde humble
humor *m.* humour

ibérico/a *adj.* Iberian
icono icon
ida: de ida one-way (8); **de ida y vuelta** round-trip (8)
idealista *m., f.* idealistic

idéntico/a identical
identidad *f.* identity
identificación *f.* identification; **tarjeta de identificación** identification card
identificado/a identified; **objeto volante no identificado (OVNI)** unidentified flying object (UFO)
identificar (qu) to identify
idioma *m.* language
iglesia church
igual equal, same
igualdad *f.* equality
igualmente likewise, same here (1)
ilegal illegal
ilícito/a illicit
imagen *f.* image
imaginación *f.* imagination
imaginar(se) to imagine
imitar to imitate
impaciente impatient
impedir (*like* pedir) to impede
imperfecto *gram.* imperfect
imperio empire
imperiosamente imperiously
impermeable *m.* raincoat (4)
impertinente impertinent
imponente imposing; majestic
importado/a imported
importancia importance
importante important
importar to matter, to be important
imposible impossible; **es imposible que...** it's impossible that . . .
imposición *f.* imposition
imprescindible essential, indispensable
impresión *f.* impression; **impression digital** digital printing
impresionante impressive
impresora printer
imprimir to print
improbable unlikely; **es improbable que...** it's unlikely that . . .
improvisación *f.* improvisation
impuesto tax
impulsivo/a impulsive
impulso impulse
inalámbrico/a wireless
inaugurado/a inaugurated
inca *n. m., f.* Inca; *adj. m., f.* Incan
incendio fire
incidente *m.* incident
incluir (*like* construir) to include
incomodar to inconvenience; to make uncomfortable
incómodo/a uncomfortable
incompleto/a incomplete
inconcebible inconceivable
incontrolablemente uncontrollably
incorporar to incorporate, to include
incorrecto/a incorrect
increíble incredible; **es increíble que...** it's incredible that . . .
incrementar to increase
inculcar (qu) to instill
indefinido/a: artículo indefinido *gram.* indefinite article
independencia independence; **Día** (*m.*) **de la Independencia** Independence Day
independiente independent

independizarse (c) to become independent
indicación *f.* instruction; direction
indicar (qu) to indicate
indicativo *gram.* indicative
índice *m.* index
indígena *n. m., f.* indigenous person; *adj. m., f.* indigenous
indigenista pertaining to indigenous topics and themes
indio/a *n., adj.* Indian
indirecto/a indirect; **complemento indirecto** *gram.* indirect object
individual: habitación (*f.*) **individual** single room
individuo *n.* individual
individuo/a *adj.* individual
indoctrinar to indoctrinate
industria industry
industrializado/a industrialized
inesperado/a unexpected
infancia infancy
infantil *adj.* child, children's
inferior lower
infinitivo *gram.* infinitive
inflexibilidad *f.* inflexibility
inflexible unyielding
influencia influence
influir (*like* construir) (en) to influence
influjo influx
influyente influential
información *f.* information
informar to inform
informática computer science
informativo/a informative
informe *m.* (oral / escrito) (oral/written) report
ingeniería engineering
ingeniero/a engineer
ingerir (ingiero) (i) to ingest
Inglaterra England
inglés *m.* English (*language*) (2)
inglés, inglesa *n.* English person; *adj.* English (3)
ingrediente *m.* ingredient
ingresar to deposit (*money*); to pay money into
ingreso income; revenue
iniciar to begin, to initiate
inicio beginning
inmediato/a immediate
inmenso/a immense
inmigración *f.* immigration
inmigrante *m., f.* immigrant
inmigrar to immigrate
inmunológico/a: sistema (*m.*)
inmunológico immune system
innecesario/a unnecessary
inocente innocent; **Día** (*m.*) **de los Inocentes** April Fool's Day
inquilino/a tenant
inscribir(se) (*p.p.* inscrito) (en) to sign up, to register (for)
inscrito/a (*p.p. of* inscribir) registered
insistir (en) + *inf.* to insist (on) (*doing something*)
insoportable unbearable
inspección *f.* inspection
inspector(a) inspector; **inspector(a) de aduana** customs agent

instalación *f.* installation
instalar to install
institución *f.* institution
instituto institute
instrumento instrument
integración *f.* integration
intelectual intellectual
inteligencia intelligence
inteligente intelligent (3)
intención *f.* intention
intencionadamente intentionally
intensivo/a intensive
intenso/a intense
intercambiar to exchange
interés *m.* interest
interesante interesting
interesar to interest (*someone*) (8)
internacional international
Internet *m.* Internet; **tarjeta Internet móvil** wireless Internet card
interno/a internal
interpretación *f.* interpretation
interpretado/a interpreted
interpretar to interpret
interrogativo/a *gram.* interrogative (1)
íntimamente intimately
intranquilidad *f.* uneasiness, restlessness
introducción *f.* introduction
introducir (*like* **producir**) to introduce
introversión *f.* introversion
introvertido/a introverted
inundación *f.* flood
inusual unusual
invadir to invade
invasión *f.* invasion
inventar to invent
inventario inventory
invertir (invierto) (i) to invest
investigación *f.* investigation
investigar (gu) to investigate
invierno winter (6)
invitación *f.* invitation
invitado/a guest (10)
invitar to invite (7)
inyección *f.* injection (11); **ponerle una inyección** to give (*someone*) a shot, an injection (11)
iPod *m.* iPod
ir to go; **ir a** + *inf.* to be going to (*do something*) (4); **ir a un bar** to go to a bar (9); **ir a un concierto** to go to a concert (9); **ir a una discoteca** to go to a discotheque (9); **ir al cine** to go to the movies; **ir al mar** to go to the sea(side); **ir al teatro** to go to the theater (9); **ir de compras** to go shopping (4); **ir de mal en peor** to go from bad to worse; **ir de safari** to go on safari; **ir de vacaciones a...** to go on vacation to . . . (8); **ir en autobus / avión / barco / tren** to go/to travel by bus/plane/boat/train (8); **irse** to leave
Irlanda Ireland
irresponsable irresponsible
-ísimo *adv.* very very (10)
-ísmo/a *adj.* very very (10)
isla island (6); **isla desértica** deserted island; **Islas Antillanas** Antilles Islands; **Islas Baleares** Balearic Islands; **Isla de Pascua** Easter Island; **Islas Filipinas** Philippine Islands; **Islas Galápagos** Galapagos Islands

Italia Italy
italiano Italian (*language*) (2)
italiano/a *n., adj.* Italian
itinerario itinerary
izquierda *n.* left-hand side; **a la izquierda (de)** to the left (of) (6); **levantarse con el pie izquierdo** to get up on the wrong side of the bed

J

jabón *m.* soap
jaguar *m.* jaguar
jalón *m.:* **de un jalón** all at once
jamás never (7); not ever
jamón *m.* ham (7)
Japón Japan
japonés *m.* Japanese (*language*)
jarabe *m.* (cough) syrup (11)
jardín *m.* garden; yard (5)
jarrita small jar
jeans *m. pl.* jeans (4)
jefe/a boss
jeroglífico/a hieroglyphic
jersey *m.* sweater
jesuita *m., f.* Jesuit
jirafa giraffe
jornada laboral work day
joropo *folkloric music of Venezuela*
joven *n. m., f.* youth; *adj.* young (3); **de joven** as a youth (9)
joya jewel
joyería jewelry store
jubilarse to retire
judío/a *n.* Jewish person; *adj.* Jewish;
juego game; **Juegos Olímpicos** Olympic Games
jueves *m. inv.* Thursday (5)
jugador(a) player (9)
jugar (juego) (gu) a / al to play (*a game, sport*) (5); **jugar a la lotería** to play the lottery; **jugar a las cartas** to play cards; **jugar a los videojuegos** to play video games; **jugar al ajedrez** to play chess (9) ; **jugar al basquetbol** to play basketball; **jugar al béisbol** to play baseball; **jugar al frisbee** to play Frisbee; **jugar al fútbol** to play soccer; **jugar al fútbol americano** to play football; **jugar al golf** to play golf; **jugar al voleibol** to play volleyball
jugo (de fruta) (fruit) juice (7)
juguete *m.* toy
julio July (6)
jungla jungle
junio June (6)
junto a near, next to
juntos/as together (8)
jurar to swear (*promise, oath*)
justificar (qu) to justify
justo/a fair
juventud *f.* youth
juzgar (gu) to judge

K

kaki: color (*m.*) **kaki** khaki
kallawaya *Bolivian healers*
kilo(gramo) kilo(gram)
kilómetro kilometre
kiosco kiosk

L

la *def. art. f. s.* the; *d.o. f. s.* you (*form.*); her, it
laboral *adj.* labour; **jornada laboral** work day

laboratorio laboratory
lado side; **al lado de** *prep.* alongside of (6); beside; next to; **por otro lado** on the other hand; **por un lado** on the one hand
ladrar to bark
ladrón, ladrona thief
lago lake
lágrima tear
lamentar to regret; to feel sorry
lámpara lamp (5)
lana wool (4); **es de lana** it's (made of) wool (4)
langosta lobster (7)
lapicero pen
lápiz *m.* (*pl.* **lápices**) pencil (2)
largo *n.:* **de largo** in length
largo/a long (3); **a lo largo de** along; throughout; **llamada a larga distancia** long-distance call
laríngeo/a laryngeal
lástima shame; **es una lástima** it's a shame; **¡Qué lástima que... !** What a shame that . . . !
lastimarse to injure oneself
latín *m.* Latin (*language*)
latino/a *adj.* Latin
Latinoamérica Latin America
latinoamericano/a Latin American
lavabo (bathroom) sink (5)
lavadora washing machine (9)
lavanda lavender
lavandería laundromat
lavaplatos *m. inv.* dishwasher (9)
lavar to wash (9); **lavar los platos** to wash dishes (9); **lavar la ropa** to wash clothes, to do laundry (9); **lavar las ventanas** to wash windows (9); **lavarse** to wash (oneself); **lavarse las manos** to wash one's hands
le *i.o. pron.* to him/her/you (*form. s.*); **¿le gusta...?** do you (*form. s.*) like . . . ? (1)
leal loyal
lección *f.* lesson
leche *f.* milk (7)
lechón (*m.*) **asado** roast suckling pig
lechuga lettuce (7)
lector(a) reader; **lector** (*m.*) **de DVD** DVD player
lectura reading
leer (*like* **creer**) to read (3)
legalizar (c) to legalize
legumbre *f.* vegetable
lejos de *prep.* far from (6)
lempira *currency of Honduras*
lenca *indigenous people of Honduras and El Salvador*
lengua language (2); tongue (11); **lenguas extranjeras** foreign languages (2); **sacar (qu) la lengua** to stick out one's tongue (11)
lente *m.* lens (11); **lentes de contacto** contact lenses (11); **llevar lentes de contacto** to wear contact lenses
leña firewood
león *m.* lion
letanía litany
letra lyrics (*song*) (7); letter (*alphabet*);
letra cursiva *s.* italics
letrero sign
levantar to raise, to lift; **levantar la mano** to raise one's hand; **levantarse** to get up (5); to stand up (5); **levantarse con el pie izquierdo** to get up on the wrong side of bed

ley *f.* law
leyenda legend
libertad *f.* liberty, freedom
libra pound
libre free; **al aire libre** outdoors; **caída libre** free fall; **estado libre asociado** commonwealth; **ratos libres** spare (free) time (9); **tiempo libre** free time
librería bookstore (2)
libro (de texto) (text)book (2)
licencia license; **licencia de conducir / manejar** driver's license
licenciatura Bachelor's degree
líder *m., f.* leader
liga league
ligero/a light (*not heavy*) (7)
lima lime
limitado/a limited
limitar(se) to limit (oneself)
límite *m.* limit; **límite de velocidad** speed limit
limón *m.* lemon
limonada lemonade
limonero lemon tree
limpiar to clean (9); **limpiar la casa (entera)** to clean the (entire) house (9); **limpiar el garaje** to clean the garage;
limpiar en seco to dry clean; **limpiar la estufa** to clean the oven
limpio/a clean (6)
lindo/a pretty, lovely
línea line; **patinar en línea** to inline skate (9); **línea de teléfono** telephone line
lío problem; trouble; **lío de tráfico** traffic jam; **estar en un lío** to be in trouble, to have a problem
liquidación *f.* liquidation
líquido liquid
lírico/a lyrical
Lisboa Lisbon
lista list
listo/a smart, clever (3); ready
literario/a literary
literatura literature
llamada (telephone) call; **llamada a larga distancia** long-distance call; **llamada en espera** call-waiting
llamar to call (7); **¿Cómo se llama usted?** What is your (*form. s.*) name? (1); **¿Cómo te llamas?** What is your (*fam. s.*) name? (1); **llamarse** to be called (5); **me llamo...** my name is . . . (1)
llanero/a person of the plains
llanos plain, prairie
llanta (**llanta desinflada**) (flat) tire
llanto weeping, crying
llave *f.* key (5)
llegada arrival (8)
llegar (gu) to arrive (3); **llegar a ser** to become; **llegar a tiempo** to arrive on time; **¿cómo se llega a...?** how do you get to . . . ?
llenar to fill (up); to fill out (*a form*)
lleno/a full
llevar to wear (4); to carry (4); to take (4); to lead; **llevar gafas** to wear glasses; **llevar lentes de contacto** to wear contact lenses; **llevar puesto/a** to have on; **llevar una vida saludable** to lead a healthy life; **llevar una vida sana / tranquila** to lead a healthy/calm

life (11); **llevarse bien / mal (con)** to get along well/poorly (with)
llorar to cry (10)
lloroso/a teary
llover (llueve) to rain (6); **está lloviendo a cántaros** it's raining hard; **llueve** it's raining (6)
lluvia rain
lluvioso/a *adj.* rainy; rain; **bosque** (*m.*) **lluvioso** rainforest
lo *d.o. m.s.* you (*form.*); him, it; **lo bueno / lo malo** the good/bad thing (11); **lo contrario** the opposite; **lo mismo** the same thing; **lo que** what, that which (5); **¡lo siento (mucho)!** I'm (very) sorry!; **lo suficiente** enough (11)
lobo/a wolf
localidad *f.* ticket (*to a movie, play*)
localización *f.* location
localizar (c) to locate
loco/a crazy (6)
lógica logic
lógico/a logical
lograr to achieve
loma hill
Londres London
longaniza sausage
loro parrot
los *def. art. m. pl.* the; *d.o. m. pl.* you (*form. pl.*); them; **los años sesenta, ochenta, etcétera** the sixties, eighties, *and so on*; **los / las demás** the others, the rest; **los lunes, martes, etcétera** on Mondays, Tuesdays, *and so on* (5)
lotería lottery; **billete** (*m.*) **de lotería** lottery ticket; **ganar la lotería** to win the lottery; **jugar (juego) (gu) a la lotería** to play the lottery
lubricar (qu) to lubricate
lucha fight, struggle
luchar to fight
luego then, afterward, next (5); **hasta luego** see you later (1)
lugar *m.* place (2); **algún lugar** some place; **en lugar de** in place of; **ningún lugar** nowhere; **tener lugar** to take place
lujo luxury; **coche** (*m.*) **de lujo** luxury car; **hotel** (*m.*) **de lujo** luxury hotel
lujoso/a luxurious
lumbre *f.* fire; light
luna moon; **luna de miel** honeymoon
lunar: de lunares polka-dot (4)
lunes *m. inv.* Monday (5); **el lunes...** Monday . . . (5); **los lunes** on Mondays (5)
lustroso/a shiny
Luxemburgo Luxembourg
luz *f.* (*pl.* **luces**) light; electricity; **apagar (gu) las luces** to turn out the lights; **encender (enciendo) la luz** to turn on the lights

M

macho male
madera wood
maderero/a *adj.* pertaining to wood
madrastra stepmother
madre *f.* mother (3); **Día** (*m.*) **de la Madre** Mother's Day
madrugada dawn
madurez *f.* maturity
maestro/a schoolteacher; **maestro/a de escuela** schoolteacher; **obra maestra** masterpiece

Magallanes: Estrecho de Magallanes Strait of Magellan
magia magic
magnífico/a magnificent
magno/a great
mago wizard; **Mago de Oz** Wizard of Oz; **Día** (*m.*) **de los Reyes Magos** Day of the Magi (Three Kings)
mahones *m. pl.* jeans (*Carib.*)
maíz *m.* (*pl.* **maíces**) corn
mal *adv.* poorly (2); badly
mal *n.* evil; illness, sickness; **mal pagado** poorly paid; **caerle mal a alguien** to make a bad impression on someone; **ir de mal en peor** to go from bad to worse; **llevarse mal (con)** to get along poorly (with); **pasarlo mal** to have a bad time (10); **portarse mal** to misbehave (5); **salir mal** to turn out badly (5); **sentirse (me siento) (i) mal** to feel badly; to feel bad/unwell/ill
mal, malo/a *adj.* bad (3); **hace (muy) mal tiempo** it's (very) bad weather (6); **lo malo** the bad thing, news (11); **¡Qué mala suerte!** What bad luck!; **sacar (qu) malas notas** to get bad grades; **tener mala suerte** to have bad luck
maldito/a accursed, awful
malestar *m.* malaise
maleta suitcase (8); **hacer la(s) maleta(s)** to pack one's suitcase(s) (8)
maletero porter (8)
maletín *m.* briefcase; small suitcase
maleza bramble, weed
malteada milkshake
malvado/a evil
mamá mother, mom (3)
mami mom, mommy
mamífero/a mammal
mancha stain
mandar to send (8); to order (*someone to do something*)
mandato command (7)
manejar to drive; to operate (*machines*); to manage; **licencia de manejar** driver's license
manera way, manner; **de manera que** *conj.* so that, in such a way that
manicura manicure
manifestación *f.* demonstration, march
manifestar (manifiesto) to manifest; to demonstrate
mano *f.* hand (11); **darse la mano** to shake hands (11); **dedo de la mano** finger; **hecho/a a mano** handmade; **lavarse las manos** to wash one's hands; **levantar la mano** to raise one's hand
manso/a peaceful; gentle
manta blanket
mantener (*like* **tener**) to maintain, to keep; **mantener la paz** to maintain peace; **mantenerse en contacto** to stay in touch
mantequilla butter (7)
manzana apple (7)
manzanilla chamomile
mapa *m.* map
mañana *n.* morning; *adv.* tomorrow (1); **de la mañana** in the morning, a.m. (1); **hasta mañana** see you tomorrow (1); **pasado mañana** the day after tomorrow (5)
máquina machine; **máquina de calcular** calculator

mar *m.* sea (8); **mar Caribe** Caribbean Sea; **mar Mediterráneo** Mediterranean Sea; **ir al mar** to go to the sea(side)

maratón *m.* marathon

maravilla wonder, marvel

maravilloso/a wonderful, marvelous

marca brand

marcar (qu) to mark

mareado/a dizzy (11)

marido husband

marihuana marijuana

marimba *musical percussive instrument*

marino/a *adj.* marine

mariscos *pl.* shellfish

marítimo/a maritime; sea, marine

marroquí Moroccan

Marruecos Morocco

martes *m. inv.* Tuesday (5)

Martinica Martinique

marzo March (6)

más more (2); **más allá** further, farther; **más allá de** beyond; **más alto** louder; **más... que** more . . . than (6); **cada vez más** increasingly

máscara mask

mascota pet (3)

masculino/a masculine

masoquista *m., f.* masochist

matar to kill

matemáticas mathematics (2)

materia (school) subject (2)

material *m.* material (*of which something is made*) (4)

materialista *m., f.* materialist

matorral *m.* scrub; thicket

matriarcado matriarchy

matrícula tuition (2)

matricularse to enroll, to register

matrimonio marriage; married couple; **contraer** (*like* **traer**) **matrimonio** to get married

máximo/a maximum

maya *n., adj. m., f.* Mayan

mayo May (6)

mayor older (6); oldest; greater; greatest

mayoría majority

me *d.o.* me; *i.o.* to/for me; *re.. pron.* myself; **me llamo...** my name is . . . (1);

me gustaría... muchísimo I would (really) like . . . an awful lot (8); **me (te, le...)**

molesta que... it bothers me (you, him . . .) that; **me (te, le...) sorprende que...** it surprises me (you, him . . .) that; **no, no me gusta...** no, I don't like . . . (1); **sí, me gusta...** yes, I like . . . (1)

mecánico/a *n.* mechanic; *adj.* mechanical

medalla metal

mediano/a medium

medianoche *f.* midnight (10)

mediante *adv.* by means of; through

medias stockings (4)

medicina medicine (11)

médico/a doctor (3)

medida measure; **en cierta medida** in some measure; to some degree

medio *n.* medium; means; **medio ambiente** environment (*nature*); **medios de comunicación** mass media; **medio de transporte** means of transportation (8); **por medio de** by means of

medio/a *adj.* half; middle; average; **Edad** (*f.*) **Media** Middle Ages; **media hermana** half-sister; **medio hermano** halfbrother; **Oriente** (*m.*) **Medio** Middle East

medioambiental environmental

mediodía *m.* noon

mediterráneo/a Mediterranean; **mar** (*m.*) **Mediterráneo** Mediterranean Sea

megapíxel *m.* megapixel

mejilla cheek

mejor better (6); best (6)

mejorar to improve

memoria memory

mencionar to mention

menor *m.* minor; *adj.* younger (6); youngest; less; least

menos less; least; minus; **a menos que** *conj.* unless; **menos cuarto (quince)** a quarter (fifteen minutes) to (*hour*) (1); **menos... que** less . . . than (6); **por lo menos** at least

mensaje *m.* message; **mensaje telefónico** phone message

mensual monthly

mensualidad *f.* monthly installment

menta mint

mental: estado mental mental state

mente *f.* mind

-mente -ly (*adverbial suffix*)

mentira lie

menú *m.* menu (7)

menudo: a menudo *adv.* often

mercadillo flea market

mercado market(place) (4)

merced *f.* mercy

merecer (merezco) to deserve

merendar (meriendo) to have a snack (7)

merengue *m.* *dance from the Dominican Republic*

merienda snack (7)

mermelada jam

mes *m.* month (6)

mesa table (2); **poner la mesa** to set the table (9); **quitar la mesa** to clear the table (9)

mesabanco desk

meseta plateau

mesita end table (5)

mesoamericano/a Meso-American

metáfora metaphor

meteorológico/a meteorological

método method (11); **método Pilates** Pilates method (11)

metro subway; **estación** (*f.*) **del metro** subway station

metrópoli *f.* metropolis

metropolitano/a metropolitan

mexicano/a *n., adj.* Mexican (3)

mexicoamericano *n., adj.* Mexican American

mexica *pre-Columbian culture of Mexico* (*original name of the Aztecs*)

mezcla mix

mezclar to mix

mí *obj. of prep.* me (6)

mi(s) *poss. adj.* my (3)

microondas: horno de microondas microwave oven (9)

miedo fear; **tener miedo (de)** to be afraid (of) (4)

miel *f.* honey; **luna de miel** honeymoon

miembro member

mientras while (9); *conj.* **mientras que** while

miércoles *m. inv.* Wednesday (5)

migratorio/a migratory

mil *m.* thousand, one thousand (4)

militar: servicio militar military service

milla mile

millón *m.* million (4); **un millón de** one million of (4)

mineral mineral; **agua** (*f. but* **el agua**)

mineral mineral water

minifalda mini-skirt

mínimo/a minimum

ministerio ministry

ministro/a: primer ministro / primera ministra prime minister

minuto minute

mío/a(s) *poss. adj.* my; *poss. pron* (of) mine

mirar to look at, to watch (3); **mirar la televisión** to watch television (3)

misa mass; **misa del gallo** midnight mass

misión *f.* mission

misionero/a missionary

mismo *adv.* same; **ahora mismo** right now (6); at once

mismo/a *adj.* same (6); self; **lo mismo** the same thing

misterio mystery

misterioso/a mysterious

mitología mythology

mochila backpack (2)

moda fashion; style; **de moda** in style; **de última moda** trendy (hot) (4)

modelo model

módem *m.* modem

moderación *f.* moderation

modernismo modernism

moderno/a modern

modesto/a modest

modificar (qu) to modify

modo way, matter; mode; *gram.* mood; **de modo que** in such a way that

mogote *m.* knoll; mound

mola *traditional textile art form made by the Kuna people of Panama and Colombia*

molestar to bother (11); to annoy; **me (te, le...)**

molesta que it bothers me (you, him . . .) that

molestia bother, annoyance

molesto/a annoyed (6)

molido/a *adj.* ground

molino: rueda de molino treadmill (11)

momento moment; **en este momento** right now

monarquía monarchy

monasterio monastery

moneda coin; currency

monedero coin purse

monitor *m.* monitor

monolítico/a monolithic

monoparental: familia monoparental single-parent family

monopatín *m.* skateboard

monstruo monster

montaña mountain (8); **bicicleta de montaña** mountain bike

montañoso/a mountainous

montar to ride (9); **montar a caballo** to ride a horse (9); **montar en bicicleta** to ride a bicycle

monte *m.:* **montes Apalaches** Appalachian
Mountains
montón *m.:* **un montón** a lot
monumento monument
morado/a purple (4)
moreno/a brunet(te) (3)
morir(se) (muero) (u) (*p.p.* **muerto**) to
die (10)
moro/a *n.* Moor; *adj.* Moorish
morro knoll; hill
mosaico mosaic
mostaza mustard
mostrar (muestro) to show (8)
motivo motive
moto(cicleta) motorcycle; moped
motor *m.* motor
móvil mobile; **tarjeta Internet móvil**
wireless Internet card; **teléfono móvil**
cell phone
movimiento movement
mozo bellhop
muchacho/a boy, girl
muchísimo an awful lot (8); **me gustaría...
muchísimo** I would (really) like . . . an awful
lot (8)
mucho *adv.* a lot, much (2); **¡Lo siento mucho!**
I'm very sorry!
mucho/a *adj.* a lot (of) (3); *pl.* many (3);
muchas gracias thank you very much (1);
mucho gusto pleased to meet you (1)
mudanza *n.* move
mudarse to move
mueble *m.* piece of furniture; *pl.* furniture
(5); **sacudir los muebles** to dust the
furniture (9)
muela molar, back tooth (11); **sacarle (qu)
una muela** to pull a tooth (11); **tener dolor de
muela** to have a toothache
muerte *f.* death
muerto/a (*p.p. of* **morir**) *n., adj.* dead; **Día** (*m.*)
de los Muertos Day of the Dead
muestra sample; sign
muisca *pre-Columbian culture of central
Colombia*
mujer *f.* woman (2); wife; **mujer de negocios**
businesswoman; **mujer policía** policewoman;
mujer soldado female soldier
mulato/a mulatto
multinacional multinational
múltiple multiple
mundial *adj.* world; **Copa Mundial** World Cup
mundo world (6)
municipalidad *f.* municipality
muñeca doll
mural *m.* mural
muralla city wall
murciélago bat
muro wall
musa muse
músculo muscle
museo museum (9); **visitar un museo** to visit
a museum (9)
música music; **música ranchera** *traditional
music of Mexico sung by mariachis*
músico/a musician
musulmán, muslumana *adj.* Moslem
mutuamente mutually
muy very (2); **muy bien** fine, very well (1);
muy buenas good afternoon/evening (1)

N

nacer (nazco) to be born
nacimiento birth
nación *f.* nation; **Naciones Unidas** United
Nations
nacional national
nacionalidad *f.* nationality (3)
nacionalismo nationalism
nada nothing, not anything (7); **de nada**
you're welcome (1); **para nada** at all
nadar to swim (8)
nadie no one, nobody, not anybody (7)
nana *term of endearment for a grandmother*
naranja orange (7)
naranjo orange tree
nariz *f.* nose (11)
narración *f.* narration
narrado/a narrated
narrador(a) narrator
nasal: catarro nasal head cold
natación *f.* swimming (9)
natal *adj.* native
nativo/a native
natural natural (2); **ciencias naturales** natural
sciences (2); **recurso natural** natural resource
naturaleza nature
naturismo naturism
nave *f.* ship; **nave espacial** spaceship
navegable navigable
navegar (gu) to sail; to navigate; **navegar la
Red** to surf the Internet
Navidad *f.* Christmas (10); **árbol** (*m.*) **de
Navidad** Christmas tree; **Feliz Navidad** Merry
Christmas
navideño/a *adj.* Christmas
necesario/a necessary (3)
necesidad *f.* necessity
necesitar to need (2)
negación *f.* negation
negar (niego) (gu) to deny; **negarse** to refuse
negativo/a negative
negocio business; **hombre** (*m.*) / **mujer** (*f.*)
de negocios businessman/woman
negro/a black (4)
neoclásico/a Neoclassical
neoyorquino/a *adj.* pertaining to New York
nervioso/a nervous (6)
neutro/a neutral
nevar (nieva) to snow (6); **nieva** it's
snowing (6)
nevera refrigerator
ni neither; nor; not even; **ni... ni...** neither . . .
nor . . .
nicaragüense *n., adj.* Nicaraguan
nido nest
nieto/a grandson/granddaughter (3); *pl.*
grandchildren
ningún, ninguna no, none, not any (7);
ningún lugar nowhere
niñero/a baby-sitter (9)
niñez *f.* childhood (9)
niño/a small child (3); boy/girl (3); **de
niño/a** as a child (9)
nitidez *f.* clarity
nitrógeno nitrogen
nivel *m.* level
no no (1); not; **¿no?** right? (4); **no hay** there
isn't/aren't (1); **no hay de qué** you're welcome

(1); **no hay duda** there is no doubt; **no, no me
gusta...** no, I don't like . . . (1)
noche *f.* night (1); **buenas noches** good evening, night (1); **de la noche** p.m. (1); **esta
noche** tonight (6); **Noche Vieja** New Year's Eve
(10); **por la noche** in the evening, at night (2)
Nochebuena Christmas Eve (10)
noctámbulo/a *adj.* night
nocturno/a nocturnal
nombrar to name
nombre *m.* name (7)
norma rule, regulation
normalidad *f.* normality
noroeste *m.* northwest
norte *m.* north (6)
Norteamérica North America
norteamericano/a *n., adj.* North American
norteño/a northern
Noruega Norway
nos *d.o. pron.* us; *i.o. pron.* to/for us; *re . . .
pron.* ourselves; **nos vemos** see you around (1)
nosotros/as *sub. pron.* we; *obj. (of prep.)* us
nota grade (in a course); note; **nota
comunicativa** note about communication;
sacar (qu) buenas / malas notas to get
good/bad grades
notar to note, notice
noticia piece of news; *pl.* news
noticiero newscast
novecientos/as nine hundred (4)
novela novel
novelista *m., f.* novelist
noveno/a ninth
noventa ninety (3)
noviazgo engagement
noviembre *m.* November (6)
novio/a boyfriend/girlfriend (6); fiancé(e);
groom, bride; **vestido de novia** wedding gown
nublado/a cloudy (6); **está (muy) nublado**
it's (very) cloudy (6)
nuboso/a cloudy
nuclear: energía nuclear nuclear energy
nuera daughter-in-law
nuestro/a(s) *poss. adj.* our (3); *poss. pron.*
ours, of ours
nueve nine (1)
nuevo/a new (3); **Día** (*m.*) **del Año
Nuevo** New Year's Day; **Feliz Año Nuevo** Happy
New Year
número number (1); **número de teléfono**
phone number; **número ordinal** *gram.* ordinal
number
numeroso/a numerous
nunca never, not ever (3); **casi nunca** almost
never (3)
nutrición *f.* nutrition

O

o or (2)
ó or (*between two numbers* [*digits*])
obedecer (obedezco) to obey
obelisco obelisk
obertura overture
obesidad *f.* obesity
obispo bishop
objetivo *n.* objective
objeto object (2); **objeto volante no
identificado (OVNI)** unidentified flying
object (UFO)

obligación *f.* obligation
obligatorio/a obligatory, compulsory
obra work; **obra de arte** work of art; **obra de teatro** play (*theatrical*); **obra maestra** masterpiece
obrero/a worker, labourer
observación *f.* observation
observar to observe
observatorio observatory
obstáculo obstacle
obtener (*like* **tener**) to get, to obtain
obvio/a obvious
ocarina *ancient flute-like instrument*
ocasión *f.* occasion
occidental western
occidentalizar (c) to westernize
océano ocean (8); **océano Pacífico** Pacific Ocean
ochenta eighty (3)
ocho eight (1)
ochocientos/as eight hundred (4)
ocio leisure time
octavo/a eighth
octubre *m.* October (6)
oculto/a hidden
ocupación *f.* occupation
ocupado/a busy (6)
ocupar to occupy
ocurrir to occur
odiar to hate (8)
odio *n.* hate
oeste *m.* west (6)
oferta offer
oficial official
oficina office (2); **oficina de correos** post office
oficio trade (*profession*)
ofrecer (ofrezco) to offer (8)
oído inner ear (11)
oír to hear (5)
ojalá (que) I hope, I wish (that)
ojo eye (11); **ojo alerta** eagle eye; *interj.*
¡ojo! watch out!
ola wave
olímpico/a: Juegos Olímpicos Olympic Games
oliva olive; **aceite** (*m.*) **de oliva** olive oil
olmeca *n., adj. m., f.* Olmec
olvidadizo/a forgetful
olvidar(se) (de) to forget (about) (10)
olvido forgetfulness; oblivion
ombligo navel
ómnibus *m.* bus
once eleven (1)
onda wave; **¿qué onda?** what's new/happening?; **en onda** in style
ONU *f.* **(Organización** [*f.*] **de Naciones Unidas)** U.N. (United Nations)
opción *f.* option
opcional optional
ópera opera
operación *f.* operation
operar to operate
opinar to think; to have, to express an opinion
opinión *f.* opinion
oponerse (a) (*like* **poner**) to oppose
oportunidad *f.* opportunity
oposición *f.* opposition
optar (por) to opt (for)
optimista *m., f.* optimistic
opuesto/a opposite
oración *f.* sentence

oral oral; **informe** (*m.*) **oral** oral report; **patrimonio oral** oral history
orden *f.* order; **poner en orden** to put in order
ordenado/a neat (6)
ordenador *m.* computer (*Sp.*)
ordinal: número ordinal *gram.* ordinal number
oreja (outer) ear (11)
orgánico/a organic
organismo organism
organización *f.* organization; **Organización de Naciones Unidas (ONU)** United Nations (U.N.)
organizar (c) to organize
orgullo pride
oriental eastern
oriente *m.* east; **Oriente Medio** Middle East
origen *m.* origin
originar(se) to originate
originario/a originating; native
orinar to urinate
orisha *m., f.* *spiritual beings in Yoruba mythology*
oriundo/a native
oro gold (4); **es de oro** it's (made of) gold (4); **Ricitos de Oro** Goldilocks
orquesta orchestra
ortiga nettle
os *d.o. pron.* you (*fam. pl.*); *i.o. pron.* to/for you (*fam. pl.*)
oscuro/a dark
oso bear
ostra oyster
otavaleño/a of or pertaining to Otavalo (Ecuador)
otoño autumn (6)
otorgar (gu) to grant
otro/a other, another (3); **otra vez** again; **por otra parte / otro lado** on the other hand
oveja sheep
OVNI (objeto volante no identificado) UFO (unidentified flying object)
Oz: Mago de Oz Wizard of Oz
ozono: capa de ozono ozone layer

P

paciencia patience
paciente *n. m., f.* patient (11); *adj.* patient
Pacífico: (océano) Pacífico Pacific (Ocean)
padrastro godfather
padre *m.* father (3); *pl.* parents (3)
paella *Spanish dish made with rice, shellfish, and often chicken, and flavoured with saffron*
pagado: bien / mal pagado well-/poorly paid
pagar (gu) to pay (2); **pagar al contado** to pay in cash; **pagar aplazado/a** to pay in installments; **pagar / en efectivo** to pay in cash
página page
país *m.* country (3)
paisaje *m.* landscape
pájaro bird (3)
Pakistán Pakistan
pakistaní *m., f.* Pakistani
palabra word (1)
palacio palace
palma palm tree
palmera palm tree
palmiche *m.* royal palm tree
palo stick
paloma pigeon; dove

pampa plain (*geography, Arg.*)
pan (*m.*) bread (7); **pan tostado** toast (7)
panameño/a *n., adj.* Panamanian
panamericano/a Pan-American
pandereta tambourine
pandilla gang
panorámico/a panoramic
pantalla screen; **pantalla grande** big screen; **pantalla plana** flat screen; **pantalla táctil** touch screen
pantalones *m., pl.* pants (4); **pantalones cortos** shorts
papá *m.* dad (3)
papa potato (7); **papas fritas** French fries (7)
papel *m.* paper (2); role (*in a play*); **papel para cartas** stationery; **papelería** stationery store
paquete *m.* package
par *m.* pair; **un par de veces** a couple of times
para *prep.* (intended) for (3); in order to (3); **para** + *inf.* in order to (*do something*); **para nada** at all; **para que** *conj.* so that
parabrisas *m. inv.* windshield
paracaidismo skydiving
parada stop; **hacer paradas** to make stops (8); **parada del autobus** bus stop
paraguayo/a *n., adj.* Paraguayan
paraíso paradise
parar to stop
parcial: de tiempo parcial part-time
pardo brown
parecer (parezco) to seem
pared *f.* wall (5); **pintar las paredes** to paint the walls (9)
pareja (married) couple; partner
paréntesis *m. inv.* parentheses
pariente *m., f.* relative (3)
parlamentario/a parliamentary
paro strike
párpado eyelid
parque *m.* park
párrafo paragraph
parranda party
parroquial parrochial
parte *f.* part (5); **por otra parte** on the other hand; **por parte de** on behalf of; **por todas partes** everywhere
participación *f.* participation
participante *m., f.* participant
participio pasado *gram.* past participle
particular particular, private; **casa particular** private home; **clase** (*f.*) **particular** private class
partida: punto de partida starting point
partido game, match (*sports*) (9)
partir: a partir de... as of . . . ; from (*point in time*) on
pasado/a *adj.* last (11); past (11); **el año pasado** last year; **huevo pasado por agua** poached egg; **pasado mañana** the day after tomorrow (5)
pasado *n.* past
pasado mañana the day after tomorrow (5)
pasaje *m.* passage; ticket; fare, price (*of a transportation ticket*) (8)
pasajero/a passenger (8)
pasaporte *m.* passport (8)
pasar to happen (6); to pass; to spend (*time*) (6); **pasar la aspiradora** to vacuum (9); **pasar las vacaciones en...** to spend one's vacation in . . . (8); **pasar por (el control de) seguridad**

to go through security (8); **pasarlo bien / mal** to have a good/bad time (10)

pasatiempo pastime (9)

Pascua Easter (10); **Pascua Judía** Passover; **Isla de Pascua** Easter Island

pasear to take a walk, to stroll; to go for a ride; **pasear en bicicleta** to ride a bicycle (9)

paseo walk, stroll (9); **dar un paseo** to take a walk (9)

pasillo hallway (8)

pasión f. passion

paso step

pasta pasta; paste; **pasta dental** toothpaste; **pasta dentrífica / de dientes** toothpaste

pastar to pasture

pastel m. cake (7); pie (7); **pastel de cumpleaños** birthday cake (10)

pastelería pastry shop

pastelito small pastry

pastilla pill (11)

pastor(a) pastor

patata potato (7); **patatas fritas** French fries (7)

patín m. skate

patinar to skate (9); **patinar en línea** to inline skate (9)

patio patio; yard (5)

patojo/a guy/gal (sl. Guat.)

Patricio: Día (m.) **de San Patricio** St. Patrick's Day

patrimonio patrimony; **patrimonio oral** oral history

patrón, patrona adj. patron; boss

pavimentado/a paved

pavo real peacock

pavo turkey (7)

paz f. (pl. **paces**) peace; **mantener** (like **tener**) **la paz** to maintain peace; **vivir en paz** to live in peace

PDA m. PDA

pedir (pido) (i) to ask for (5); to order (in a restaurant) (5); **pedir disculpas** to apologize; **pedir prestado/a** to borrow

pegar (gu) to hit (9); **pegarse con / contra / en** to run, to bump into

peinarse to comb one's hair (5)

pelado/a peeled

pelear to fight (9)

película movie (5); film; **ir a ver una película** to go to the movies; **rollo de película** roll of film

peligro danger; **especie** (f.) **en peligro de extinción** endangered species

peligroso/a dangerous

pelo hair; **corte** (m.) **de pelo** haircut; **tomarle el pelo** to pull someone's leg

pelota ball

peluquero/a hairstylist

pendiente m. earring

penicilina penicillin

península peninsula

pensar (pienso) (en) to think (about) (5); **pensar + inf.** to intend/to plan to (do something) (5)

penúltimo/a next-to-last

peor worse (6); **ir de mal en peor** to go from bad to worse

pepino cucumber

pequeño/a small (3)

percibir to perceive

perder (pierdo) to lose (5); to miss (a function) (5)

pérdida loss

perdón pardon me, excuse me (1)

perdonar to forgive

peregrinaje m. pilgrimage

perejil m. parsley

perezoso/a lazy (3)

perfecto/a lazy

perfil m. profile

perfume m. perfume

periódico newspaper (3)

periodista m., f. journalist

período period (of time)

perla pearl

permanecer (permanezco) to remain, to stay

permanente permanent

permiso permission; permit; **con permiso** excuse me (1)

permitir to permit, to allow

pero but

perpetuo/a perpetual

perro dog (3)

perseguir (like **seguir**) to chase; to pursue

persianas (window) shades, blinds

persona person (2)

personalidad f. personality

personalmente personally

perspectiva perspective

persuasivo/a persuasive

pertenecer (pertenezco) a to belong to

perturbar to bother, to perturb

peruano/a n., adj. Peruvian

pesado/a heavy; difficult; boring (9)

pesar to weigh; **a pesar de** in spite of

pescado fish (cooked) (7)

pesimista m., f. pessimistic

peso weight; **tener exceso de peso** to be overweight

pesticida pesticide

petróleo petroleum, oil

petrolero/a adj. petroleum; oil; **buque** (m.) **petrolero** oil tanker

petrolífera adj. oil-bearing

pez m. (pl. **peces**) fish

picado/a chopped

picadura sting

picante hot, spicy (7)

picazón m. itch; stinging

Picis m. Pisces

picnic m.: **hacer un picnic** to go on a picnic (9)

pie m. foot; **a pie** on foot; **dedo del pie** toe; **levantarse con el pie izquierdo** to get up on the wrong side of the bed)

pierna leg

Pilates m. inv.: **(método) Pilates** Pilates (method) (11); **hacer Pilates** to do Pilates (11)

píldora pill

pileta bathroom sink

piloto pilot

pimienta pepper (7)

pingüino penguin

pino pine

pintar to paint (9); **pintar las paredes** to paint the walls (9)

pintor(a) painter

pintoresco/a picturesque

pintura paint; painting (general); painting (piece of art)

pirámide f. pyramid

pirata m., f. pirate

Pirineos Pyrenees

pisar to step on, to tread on

piscina swimming pool (5)

piscolabis m. snack

piso floor (of a building); apartment; **barrer el piso** to sweep the floor (9); **primer / segundo piso** first/second floor

pizarra chalkboard (2)

pizzería pizza parlour

placer m. pleasure

plan m. plan (9); **hacer planes** (para) to make plans to (9)

planchar to iron (9)

planeación f. plan

planeta m. planet

plano m. map; blueprint

plano/a flat; **pantalla plana** flat screen; **tarifa plana** flat rate

planta plant; floor (of a building); **planta baja** ground floor

plantación f. plantation

plantar cara a to confront

plástico n. plastic

plata n. silver (4)

plataforma platform

platería silversmithing

plato dish (plate) (5); dish (7); course (7); **fregar (friego) (gu) los platos** to do the dishes; **lavar los platos** to wash dishes (9)

playa beach (6)

plazo deadline; **a plazos** in installments; **poner plazo** to set a deadline

plena narrative musical form from the coasts of Puerto Rico

plomero/a plumber

pluma pen

pluscuamperfecto gram. pluperfect (tense)

población f. population

poblado/a populated

pobre n. m., f. poor person; adj. poor (3)

pobreza poverty

poco adv. little (4); **dentro de poco** in a little while; **poco a poco** little by little; **un poco (de)** a little bit (of) (2)

poco/a adj. little, few (4)

poder n. m. power

poder to be able to, can (4)

poderoso/a powerful

poema m. poem

poemario collection of poetry

poesía poetry; **recital** (m.) **de poesía** poetry reading

poeta m., f. poet

poético/a poetic

polen m. pollen

policía m., f. police officer; f. police (force); **mujer** (f.) **policía** policewoman

policial adj. police

poliomielitis f. polio

política politics

político/a n. politician; adj. political; **ciencias políticas** political science (2)

pollera type of skirt made of various layers

pollo chicken (7); **pollo asado** roast chicken (7); **pollo frito** fried chicken

polvillo fine dust

polvo dust; **quitar el polvo** to dust

pomposo/a pompous

poner (*p.p.* **puesto**) to put, to place (5); **poner la mesa** to set the table (9); **poner plazo** to set a deadline; **ponerle una inyección** to give (someone) a shot, injection (11); **ponerle una vacuna** to give (someone) a vaccination; **ponerse** to put on (*clothing*) (5); **ponerse +** *adj.* to get, to become + *adj.* (10); **ponerse en contacto con** to get in touch with
pontificio/a pontifical
popularidad *f.* popularity
por *prep.* about (6); because of (6); by; for (8); through (8); during; along; by way of; **gracias por** thanks for (10); **por año** yearly, per year; **por ciento** percent; **por completo** completely; **por Dios** for heaven's sake; **por ejemplo** for example; **por eso** therefore (3); **por favor** please (1); **por fin** at last (5); **por la mañana** in the morning (2); **por la noche** in the evening, at night (2); **por la tarde** in the afternoon (2); **por lo general** in general (5); **por lo menos** at least; **por medio de** by means of; **por otra parte** on the other hand; **por otro lado** on the other hand; **por primera vez** for the first time; **¿por qué?** why? (3); **por si acaso** just in case; **¡por supuesto!** of course!; **por todas partes** everywhere; **por última vez** for the last time; **por un lado** on the one hand
porcentaje *m.* percentage
porción *f.* portion
porque because (3)
portada entryway
portarse (bien / mal) to behave well/badly (10)
portátil portable; **computadora portátil** laptop; **radio portátil** (portable) radio (*apparatus*); **televisor** (*m.*) **portátil** portable television
portavoz *m.* (*pl.* **portavoces**) spokesperson
porteño/a *resident of Buenos Aires*
portero/a building manager; doorman
portugués *m.* Portuguese (*language*)
portugués, portuguesa *n., adj.* Portuguese
posada inn; *pl. December celebration of Mexico that re-enacts the travels of Joseph and Mary*
posesión *f.* possession
posesivo/a possessive
posibilidad *f.* possibility
posible possible (3); **es posible que...** it's possible that . . .
posición *f.* position
positivo/a positive
postal: tarjeta postal postcard (8)
postre *m.* dessert (7)
postularse (a un cargo como candidato) to run (*for office as a candidate*)
potable: agua (*f. but* **el agua**) **potable** drinkable water
potencial *m.* potential
potosino/a *of or pertaining to San Luis Potosí* (*Mexico*)
pozo well
práctica practice
practicar (qu) to practise (2); **practicar el alpinismo** to mountain climb; **practicar un deporte** to play, to practise a sport
práctico/a practical
pradera prairie
preadolescencia preadolescence
precio (fijo) (fixed) price (4)

precioso/a precious
precipicio precipice
precipitado/a hasty
precisamente precisely
precolombino/a pre-Columbian
predicción *f.* prediction
preescolar *m., f.* preschooler
preferencia preference (1)
preferible preferable; **es preferable que...** it's preferable that . . .
preferir (prefiero) (i) to prefer (4)
pregunta question (5); **hacer una pregunta** to ask a question (5)
preguntar to ask (*a question*) (7)
prehispánico/a pre-Hispanic
prejuicio prejudice
prematuro/a premature
premio award; prize
prenda article of clothing
prender to turn on (*lights or an appliance*)
prensa press (media)
prensado/a pressed
preocupación *f.* worry
preocupado/a worried (6)
preocupante worrisome
preparación *f.* preparation
preparar to prepare (7)
preparativo preparation
preposición *f. gram.* preposition
presa capture
presencia presence
presentación *f.* presentation
presentar to present; to introduce
presente *m.* present (*time*); *gram* present tense
preservación *f.* preservation
presidencia presidency
presidencial presidential
presidente/a president
presión *f.* pressure; **sufrir (muchas) presiones** to be under (a lot of) stress
prestado/a: pedir prestado/a to borrow
préstamo loan
prestar to loan (8)
prestigio prestige
presupuesto budget
pretérito *gram.* preterite (*tense*)
primario/a primary; **bosque** (*m.*) **primario** old-growth forest; **escuela primaria** elementary school
primavera spring (6)
primer, primero/a *adj.* first (5); **a primera vista** at first sight; **de primera** first-class; **primera clase** first class (8); **primera comunión** first communion; **el primero de** the first of (*month*) (6); **primer ministro / primera ministra** prime minister; **primer piso** first floor; **por primera vez** for the first time
primero *adj.* first (5)
primo/a cousin (3)
principal main, principle
príncipe *m.* prince
principio beginning; **a principios de** at the beginning of; **al principio** in the beginning, at first; **al principio de** at the beginning of **prisa** hurry (4); **tener prisa** to be in a hurry (4)
prisionero/a prisoner
privado/a private
privilegio privilege
probabilidad *f.* probability

probable probable; **es probable que...** it's probable, likely that . . .
probar (pruebo) to try, to taste
problema *m.* problem
procesión *f.* procession
proceso process
procurar to procure
producción *f.* production
producir (*like* **conducir**) to produce
producto product
profesión *f.* profession
profesor(a) professor (2)
profundidad *f.* depth
profundizar (c) to deepen
profundo/a deep
programa *m.* program
programación *f.* programming
programador(a) programmer
progresista *m., adj.* progressive
progresivo *gram.* progressive
prohibir (prohíbo) to prohibit
prolífico/a prolific
promedio average
prometer to promise (8)
pronombre *m. gram.* pronoun (2); **pronombre personal** personal pronoun (2)
pronominal *adj.* pronoun
pronto soon; **hasta pronto** see you soon; **tan pronto como** as soon as
pronunciación *f.* pronunciation
pronunciar to pronounce
propiedad *f.* property
propina tip
propio/a *adj.* own
proponer (*like* **poner**) to propose
proporcionar to provide
propósito purpose
prórroga extension
próspero/a prosperous
protagonista *m., f.* protagonist
protección *f.* protection
proteger (protejo) to protect
proteína protein
protesta protest
protestar to protest
proveer (*like* **ver**) to provide
provenir (*like* **venir**) to come from
proverbio proverb
providencia providence
provincia province
provocar (qu) to provoke
provocativo/a provocative
proximidad *f.* proximity
próximo/a next (5); **el próximo año** next year; **el próximo martes** next Tuesday (5)
proyección *f.* projection
proyecto project
prudente *m., adj.* prudent
prueba quiz; test
psicología psychology
psíquico/a psychic
publicación *f.* publication
publicar (qu) to publish
publicidad *f.* publicity
publicitario: anuncio publicitario commercial, ad
público/a public
pueblo town
puente *m.* bridge

puerco pig
puerta door (2)
puerto port (8)
puertorriqueño/a *n., adj.* Puerto Rican
pues *conj.* since, because, for; *adv.* then, well, all right
puesto job; position; place (*in line*) (8); **guardar (un puesto)** to save (*a place*) [in line] (8)
puesto/a (*p.p. of* **poner**): **llevar puesto/a** to have on
pulgada inch
pulgar *m.* thumb
pulmón *m.* lung (11)
pulóver *m.* sweater (*Arg.*)
pulpería grocery store (*C.A.*)
punta point, tip
punto point; **en punto** on the dot (*time*) (1); **punto cardinal** cardinal direction (6); **punto de partida** starting point, point of departure; **punto de vista** point of view
puntual punctual
purista *m., f.* purist
puro *n.* cigar
puro/a pure; **aire** (*m.*) **puro** clean air
púrpura purple
purpúreo/a purple

Q

que that (3); which; who (3); **así que** therefore, consequently, so; **hasta que** *conj.* until; **hay que** + **inf.** it's necessary to (*do something*); **lo que** what, that which (5); **más... que** more . . . than (6); **menos... que** less . . . than (6)
¿qué? what? (1); which? (1); **¿por qué?** why? **¿Qué día es hoy?** What day is today? (5); **¿Qué fecha es hoy?** What's today's date? (6); **¿Qué hora es?** What time is it? (1); **¿Qué onda?** What's new?/What's happening?; **¿Qué tal?** How are you? (1); **¡qué... !** **¿Qué tiempo hace?** What's the weather like? (6)
¡qué... ! what . . . !; **¡qué** + *adj.*! how . . . +*adj.*!; **¡Qué barbaridad!** How awful!; **¡Qué chévere!** Cool!; **¡Qué extraño que... !** How strange that . . . !; **¡Qué ganga!** What a bargain; **¡Qué lástima que... !** What a shame that . . . !; **¡Qué mala suerte!** What bad luck!; **¡Qué torpe!** How clumsy!
quebrar(se) (**[me] quiebro**) to break
quechua *m.* Quechua (*indigenous South American language*)
quedar to remain, to be left; to be situated; **quedarse** to stay, to remain (*in a place*) (6)
quehacer *m.* chore; **quehacer doméstico** household chore (9)
quejarse (de) to complain (about) (8)
quemar to burn
quena *South American panpipe*
querer to want (4); **quererse** to love each other (11); to be fond of each other (11); **eso quiere decir...** that means . . . (11); **fue sin querer** it was unintentional
querido/a dear (6)
queso cheese (7)
quien(es) who, whom
¿quién(es)? who? (2); whom? (2); **¿de quién?** whose? (3)
quijongo *instrument consisting of a single-string bow with a gourd resonator*
química chemistry (2)

quince fifteen (1); **menos quince** fifteen till (*the hour*) (1); **y quince** fifteen past (*the hour*) (1)
quinceañera *young woman's fifteenth birthday party*
quinientos/as five hundred (4)
quinta country house
quinto/a fifth
quiosco kiosk
quitar to remove; **quitar la mesa** to clear the table (9); **quitar el polvo** to dust; **quitarse** to take off (*clothing*) (5)
quizá(s) perhaps

R

rabia rage
rabino/a rabbi
radical *m. gram.* stem
radio *m.* radius; **radio (portátil)** (portable) radio (*apparatus*); *f.* radio (*medium*); **estación** (*f.*) **de radio** radio station
radioyente *m., f.* radio listener; *m., pl.* radio audience
raíz *f.* (*pl.* **raíces**) root
rama branch
rana frog
ranchero/a *adj.* ranch; **música ranchera** *traditional music of Mexico sung by mariachis*
rancho ranch
rapidez *f.* speed; **con rapidez** quickly
rápido *adv.* quickly
rápido/a fast; **comida rápida** fast food
rascacielos *m. inv.* skyscraper
rato *n.* while, short time; **ratos libres** spare (free) time (9)
ratón *m.* mouse
raya: de rayas striped (4)
raza race; **Día** (*m.*) **de la Raza** Columbus Day (Hispanic Awareness Day)
razón *f.* reason; **no tener razon** to be wrong (4); **tener razón** to be right (4)
reacción *f.* reaction
reaccionar to react
real real; royal; **pavo real** peacock
realidad *f.* reality
realista *m., f.* realist; *adj.* realistic
realizar (c) to achieve, to attain
reanudar to renew
rebaja sale, reduction (4); **estar en rebaja** to be on sale
rebajar to lower
rebelde *n. m., f.* rebel; *adj.* rebellious
rebelión *f.* rebellion
recado written note
recámara bedroom
recepción *f.* reception; front desk
recepcionista *m., f.* receptionist
receptor *m.* receptor
receta recipe (7); prescription (11)
recetar to prescribe
recibir to receive (3)
recibo receipt
reciclaje *m.* recycling (2)
reciclar to recycle
recién *adv.* newly, recently; **recién casado/a (con)** newlywed (to)
reciente recent
recíproco/a reciprocal
recital *m.* **de poesía** poetry reading
reclinado/a reclined

recoger (recojo) to collect; to pick up
recomendable recommendable
recomendación *f.* recommendation; **carta de recomendación** letter of recommendation
recomendar (recomiendo) to recommend (8)
reconocer (reconozco) to recognize
reconquista reconquest
recordar (recuerdo) to remember (10)
recorrer to cross; to go through
recortar to cut out
recorte *m.* clipping
recreo recess
recto/a straight
rector(a) university president
recubanizar (c) to become Cuban again
recuerdo memory; souvenir
recuperación *f.* recuperation
recuperar to recuperate
recurso resource; **recurso natural** natural resource
red *f.* Internet; Net; **navegar (gu) la Red** to surf the Internet
redacción *f.* editing
redecorado/a redecorated
redondo/a round
reducción *f.* reduction
reducir (*like* **conducir**) to reduce
reencarnación *f.* reincarnation
referencia reference
referirse (refiero) (i) (a) to refer (to)
refinar to refine
refinería refinery
reflejar to reflect
reflejo reflection
reflexivo/a reflexive
refrán *m.* saying, proverb
refresco soft drink (7)
refrigerador *m.* refrigerator (9)
refrigerar to refrigerate
refugiarse to take refuge
refugio refuge
regalar to give as a gift (8)
regalo gift (3)
regatear to barter (4)
región *f.* region
registrar to search, to examine
regla rule
regordete, regordeta full; plump
regresar to return (*to a place*) (2); **regresar a casa** to go home (2)
regulador (*m.*) **termómetro** thermostat
regular so-so, OK (1)
reina queen
reino kingdom
reír(se) de to laugh (at) (10)
relación *f.* relation; relationship; **con relación a** regarding
relacionarse con to be related to
relajante relaxing
relajarse to relax
relativo/a relative
religión *f.* religion
religioso/a religious
rellenar to fill
relleno/a full, filled
reloj *m.* watch (4)
remedio remedy
remolcar (qu) to tow
remoto/a remote; **control** (*m.*) **remoto** remote control

renombrado/a renowned
renovar to renovate
renunciar (a) to resign (from)
reparar to repair
repaso review
repente: de repente suddenly (11)
repetición *f.* repetition
repetir (repito) (i) to repeat
repetitivo/a repetitive
repique: tambor (*m.*) **repique** *typical drum of Uruguay (used in Candombe music)*
réplica replica
reportaje *m.* report
reportero/a journalist; **reportero/a deportivo/a** sports reporter
repostería confectioner's shop, cake shop
represa dam
representación *f.* representation
representante *n. m., f.* representative
representativo/a *adj.* representative
república republic
republicano/a Republican
requerir (requiero) (i) to require
requisito requirement
res *f.* beast, animal
reserva reserve; reservation (*Sp.*); **hacer reserva** to make a reservation
reservación *f.* reservation; **hacer una reservación** to make a reservation
resfriado *n.* cold (*illness*) (11)
resfriado/a *adj.* congested, stuffed up (11)
resfriarse (me resfrío) to get/to catch a cold (11)
residencia dormitory (2)
residencial residential
residente *m., f.* resident
resignado/a resigned
resistir to resist
resolver (resuelvo) (*p.p.* **resuelto**) to resolve
respectivo/a respective
respecto: (con) respecto a with regard to, with respect to
respetar to respect
respeto respect
respiración *f.* breath
respirar to breathe (11)
responder to respond
responsabilidad *f.* responsibility
responsabilizar (c) to make responsible (for)
responsable responsible
respuesta answer (6)
restaurado/a restored
restaurante *m.* restaurant (5)
resto rest; *pl.* remains
restricción *f.* restriction
resucitar to resuscitate
resuelto/a (*p.p. of* **resolver**) resolved
resultar to result
resumen *m.* summary; **en resumen** in summary
retirarse to retire
retrato portrait
retumbar to resound, to thunder
reunión *f.* reunion
reunirse (me reúno) (con) to get together (with) (10)
reverenciado/a revered
revés: al revés backward
revisar to check; **revisar el aceite** to check the oil
revista magazine (3)

revolución *f.* revolution
revolucionario/a revolutionary
revolver (*like* **volver**) to revolve
rey *m.* king; **Día** (*m.*) **de los Reyes Magos** Day of the Magi (Three Kings)
rezar (c) to pray
Ricitos de Oro Goldilocks
rico/a rich (3); delicious (7)
ridículo ridiculous
riesgoso/a risky
rima rhyme
rincón *m.* corner
rinoceronte *m.* rhinoceros
río river
riqueza wealth
risa laughter
ritmo rhythm
robar to rob, to steal
robo theft
robot *m.* robot
rocoso/a rocky
rodaja slice
rodear to surround
rojo/a red (4); **Caperucita Roja** Little Red Riding Hood
rollo de película roll of film
Roma Rome
romano/a *n., adj.* Roman
romántico/a romantic
romper(se) (*p.p.* **roto**) to break; **romper con** to break up with
rondalla *group of serenaders or minstrels*
ropa clothes, clothing (4); **ropa interior** underwear (4); **planchar la ropa** to iron clothing (9)
ropero armoire
rosa rose
rosado/a pink (4)
roto/a (*p.p. of* **romper**) broken
rotulador *m.* felt-tipped pen
rubio/a blond(e) (3)
rueda wheel, tire; **rueda de molino** treadmill (11)
ruido noise (5)
ruidoso/a noisy
ruina ruin
ruptura rupture
ruso Russian (*language*)
ruso/a *n., adj.* Russian
rutina routine; **rutina diaria** daily routine (5)
rutinario/a *adj.* routine

S

sábado Saturday (5)
sábana sheet
saber to know (7); **saber + inf.** to know how to (*do something*) (7)
sabiduría wisdom
sabor *m.* taste; flavour
sabroso/a tasty
sacar (qu) to withdraw, take out (*money*); to take (*photos*) (8); to get (*grades*); to extract; **sacar buenas / malas notas** to get good/bad grades; **sacar dinero** to withdraw money; **sacar fotos** to take pictures (8); **sacar la basura** to take out the garbage (9); **sacar la lengua** to stick out one's tongue (11); **sacar un diente / una muela** to pull a tooth (11)
sacerdote *m.* priest

sacrificio sacrifice
sacudir los muebles to dust the furniture (9)
safari: ir de safari to go on safari
Sagitario Sagittarius
sagrado/a sacred
sal *f.* salt (7)
sala room; living room (5); **sala de clase** classroom; **sala de emergencias / urgencia** emergency room (11); **sala de espera** waiting room (8); **sala de fumar / fumadores** smoking area (8)
salado/a: agua (*f. but* **el agua**) **salada** saltwater
salar *m.* salt mine
salario pay, wages
salchicha sausage (7)
salida departure (8)
salir (de) to leave (*a place*) (5); **salir bien / mal** to turn/to come out well/badly (5); **salir con** to go out with (5); **salir de vacaciones** to leave on vacation (8); **salir para** to leave for (*a place*) (5)
salmón *m.* salmon (7)
salón *m.* room; **salón de baile** ballroom; **salón de clase** classroom (2); **baile** (*m.*) **de salón** ballroom dance
salsa sauce; salsa (*music*)
salto waterfall
salud *f.* health (11)
saludable healthy; **llevar una vida saludable** to lead a healthy life
saludarse to greet each other (11)
saludo greeting (1)
salvadoreño/a *n., adj.* Salvadoran
salvaje: animal (*m.*) **salvaje** wild animal
san, santo/a *n.* saint; **Día** (*m.*) **de San Patricio** St. Patrick's Day; **Día** (*m.*) **de San Valentín** St. Valentine's Day; **Día** (*m.*) **de Todos los Santos** All Saints Day
sandalias sandals (4)
sándwich *m.* sandwich (7)
sangre *f.* blood (11)
sanitario/a sanitary
sano/a healthy (11); **comer comidas sanas** to eat healthy food; **llevar una vida sana** to lead a healthy life (11)
santo/a holy; **Semana Santa** Holy Week
sardana *traditional dance of the region of Catalonia, Spain*
sartén *f.* skillet; **caer de la sartén al fuego** to go from the frying pan to the fire
satélite *m.* satellite
satisfacción *f.* satisfaction
satisfacer (*like* **hacer**) to satisfy
satisfactorio/a satisfactory
Saudita: Arabia Saudita Saudi Arabia
sazonador(a) *adj.* seasoning
secadora clothes dryer (9)
sección *f.* section
seco/a dry; **seco; limpiar en seco** to dry clean
secretario/a secretary (2)
secreto secret; **guardar en secreto** to keep as a secret
sector *m.* sector
secuencia sequence
secundario/a secondary; **escuela secundaria** high school
sed *f.* thirst; **tener (mucha) sed** to be (very) thirsty (7)

seda silk (4); **es de seda** it's (made of) silk (4)

seguida: en seguida right away (11)

seguir (sigo) (i) to keep on going; to continue (6)

según according to (3)

segundo n. second (*time*)

segundo/a second; **segundo piso** second floor

seguridad f. security; **pasar por (el control de) seguridad** to go through security (8)

seguro/a adj. sure, certain (6); **es seguro que...** it's a sure thing that . . . ; **(no) estar seguro/a (de)** to be (un)sure (of)

seguro/a n. insurance; **seguro social** social security

seis six (1)

seiscientos/as six hundred (4)

selección f. selection

seleccionar to select

sellado/a sealed

sello stamp (*Sp.*)

selva jungle; **selva tropical** tropical jungle; **Selva Amazonas** Amazon Jungle; **Selva Amazónica** Amazon Jungle

semáforo traffic signal

semana week (5); **día** (*m.*) **de semana** weekday; **fin** (*m.*) **de semana** weekend (2); la **semana que viene** next week (5); **Semana Santa** Holy Week; **una vez a la semana** once a week (3)

semejante similar

semejanza similarity

semestre m. semester

semiabierto/a partially open

semilla seed

semillero nursery; hot-bed

senador(a) senator

sencillo/a simple

senda path

sendero path

sensación f. sensation

sensible sensitive

sentado/a seated, sitting

sentarse (me siento) to sit down (5)

sentencia judgment, verdict, sentence

sentido meaning; sense

sentimental sentimental

sentimiento feeling

sentir (siento) (i) to regret; to feel sorry; **¡Lo siento (mucho)!** I'm (very) sorry!; **sentirse** to feel (*an emotion*) (10); **sentirse mal** to feel badly; to feel ill

señor (Sr.) m. man; Mr.; sir (1)

señora (Sra.) woman; Mrs.; ma'am (1)

señorita (Srta.) young woman; Miss; Ms. (1)

separación f. separation

separado/a separate

separar to separate; **separarse (de)** to separate (from)

septiembre m. September (6)

séptimo/a seventh

ser (*m.*) **humano** human being

ser to be (3); **ser +** *profession* to be a/an (*profession*); **ser aburrido/a** to be boring (9); **ser aficionado/a (a)** to be a fan (of) (9); **ser alérgico/a (a)** to be allergic (to); **ser divertido/a** to be fun (9); **ser en +** *place* to take place in/at (*a place*) (10); **¿Cuál es la fecha de hoy?** What is today's date? (6); **¿cuánto es?** how mucho is it? (4); **¿De qué color es?** What colour is it? (4); **¿Qué hora es?**

What time is it? (1); **es** he/she/it is (1); **eres** you (*fam. s.*) are (1); **es de algodón / cuero / lana / oro / plata / seda** it's (made of) cotton/ leather/wool/gold/silver/silk (4); **es absurdo que...** it's absurd that . . . ; **es cierto que...** it's true that . . . ; **es de...** it is made of . . . ; **es extraño que...** it's strange that . . . ; **es hora de +** *inf.* it's time to (*do something*); **es(im) posible que...** it's impossible that . . . ; **es improbable que...** it's unlikely that . . . ; **es increíble que...** it's incredible that . . . ; **es la una** it's one o'clock (1); **es preferible que...** it's preferable that . . . ; **es seguro que...** it's a sure thing that . . . ; **es terrible que...** it's terrible that . . . ; **es urgente que...** it's urgent that . . . ; **es una lástima que...** it's a shame that . . . ; **ayer fue (miércoles...)** yesterday was (Wednesday . . .) (5); **fue sin querer** it was unintentional; **llegar (gu) a ser** to become; **son las...** it's . . . o'clock (1); **soy** I am (1)

serie f. series

serio/a serious

servicio service; **servicio de cuartos** room service; **servicio military** military service; **servicios públicos** public services

servilleta napkin

servir (sirvo) (i) to serve (5)

sesenta sixty (3)

sesión f. session

setecientos/as seven hundred (4)

setenta seventy (3)

severo/a severe

sevillano/a n. person from Seville; adj. of/ from Seville

sevillista n. person from Seville; adj. of/from Seville

sexo sex

sexto/a sixth

si if (3); **por si acaso** just in case

sí yes (1); **sí, me gusta...** yes, I like . . . (1)

sicoanálisis m. inv. psychoanalysis

sicología psychology (2)

sicólogo/a psychologist

siempre always (3)

sierra mountain

siesta nap (5); **dormir (duermo) (u) la siesta** to take a nap (5); **echarse una siesta** to take a nap

siete seven (1)

siglo century

significado meaning

significar (qu) to mean

signo sign

siguiente adj. following (5)

sílaba syllable

silencio silence

silenciosamente silently

silla chair (2)

sillón m. armchair (5)

silvestre wild (*of plants*)

simbólico/a symbolic

símbolo symbol

simpático/a nice, likeable (3)

simular to simulate

sin without (5); **sin duda** without a doubt; **sin embargo** nevertheless (6); **sin hogar** homeless; **fue sin querer** it was unintentional

sinceridad f. sincerity

sincero/a sincere

sino but (rather); **sino que** conj. but (rather)

sinónimo synonym

sintético/a synthetic

síntoma m. symptom (11)

siquiatra m., f. psychiatrist

sistema m. system; **sistema GPS** GPS; **sistema inmunológico** immune system; **sistema solar** solar system; **analista** (*m., f.*) **de sistemas** systems analyst

sitio place, location; room (*space*); **sitio web** website

situación f. situation; **situación de urgencia** emergency

situado/a situated

sobre n. m. envelope; prep. on; on top of; over; about; **sobre todo** especially; above all

sobrepoblación f. overpopulation

sobreponer (*like* **poner**) to superimpose

sobrino/a nephew/niece (3)

social social; **seguro social** social security; **asistente** (*m., f.*) **social** social worker; **trabajador(a) social** social worker

sociedad f. society

sociología sociology (2)

socorro help, aid

sofá m. sofa (5)

sofisticado/a sophisticated

software m. software

sol m. sun; **hace (mucho) sol** it's (very) sunny (6); **tomar el sol** to sunbathe (8)

solamente only

solar solar; **energía solar** solar energy; **sistema** (*m.*) **solar** solar system

solas: a solas alone

soldado/a soldier; **mujer** (*f.*) **soldado** female soldier

soleado/a sunny

soledad f. solitude

soler (suelo) + *inf.* to be in the habit/to be accustomed to (*doing something*)

solicitado/a requested

solicitar to request; to apply for

sólo adv. only (2)

solo/a adj. alone (5); single

soltero/a single, unmarried (3)

solución f. solution

solucionar to solve

sombrero hat (4); **sombrero hongo** bowler hat, derby

sonar (sueno) to ring (9); to sound (9)

sonido sound

sonreír(se) (*like* **reír**) to smile (10)

soñar (sueño) (con) to dream (about)

sopa soup (7)

sopera soup tureen

sorprender to surprise; **me (te, le...)**

sorprende que... it surprises me (you, him . . .) that

sorpresa surprise (10); **fiesta de sorpresa** surprise party

sostener (*like* **tener**) to sustain

soy I am (1); **yo soy de** I am from (1) **su(s)** poss. adj. his, her, its, your (*form. s.*); their, your (*form. pl.*) (3)

subir (a) to climb; to go up (8); to get in/on (*a vehicle*) (8); to take, to carry up

subjuntivo/a gram. subjunctive

submarino submarine

subordinado/a gram. subordinate

subrayar to underline
substancialmente substantially
subtítulo subtitle
suburbios slums
suceso happening
sucio/a dirty (6)
sudadera sweatshirt (4)
Sudáfrica South Africa
Sudamérica South America
sudamericano/a *n., adj.* South American
Suecia Sweden
suegro/a father-in-law/mother-in-law
sueldo salary; **aumento de sueldo** raise
 (*in salary*)
suelo floor
sueño dream; **tener sueño** to be tired (4);
 viaje (*m.*) **de sueños** dream trip
suerte *f.* luck; **¡Qué mala suerte!** What bad
 luck!; **tener buena / mala suerte** to have
 good/bad luck
suéter *m.* sweater (4)
suficiente enough, sufficient; **dormir**
 (duermo) (u) lo suficiente to sleep enough
 (11); **lo suficiente** enough (11)
sufijo *gram.* suffix
sufrir to suffer; **sufrir (muchas) presiones** to
 be under (a lot of) stress
sugerencia suggestion
sugerir (sugiero) (i) to suggest (10)
Suiza Switzerland
sujeto subject
sultán *m.* sultan
suma sum
Superhombre *m.* Superman
superior higher; **escuela superior** high school
superlativo *n. gram.* superlative
supermercado supermarket
supervisar to supervise
supervisión *f.* supervision
supervisor(a) supervisor
supuesto: ¡Por supuesto! Of course!
sur *m.* south (6)
sureño/a southern
surfing: hacer surfing to surf
surgir (surjo) to arise
suroeste *m.* southwest
surrealista *adj. m., f.* surrealistic
suscripción *f.* subscription
suspender to suspend
sustancia substance
sustantivo *gram.* noun (2)
sustituir (*like* **construir**) to substitute
SUV *m.* SUV
suyo/a(s) *poss. adj.* your (*form.*); his, her, its,
 their; *poss. pron.* (of) your, yours (*form.*); (of)
 his, her, its, their; (of) theirs

T

tabacalero/a *adj.* pertaining to tobacco
tabaco tobacco
tabla table, chart
tablero chalkboard
tabú *f.* taboo
táctil: pantalla táctil touch screen
Tailandia Thailand
taíno *pre-Columbian culture of the Caribbean*
tal such, such a; **con tal (de) que** *conj.* provided
 (that); **¿Qué tal?** How are you (doing)? (1); **tal**
 como just as; **tal vez** perhaps

taladro drill
talento talent
talentoso/a talented
tallado/a carved
taller *m.* (repair) shop
talonario de cheques chequebook (*Sp.*)
tamal *m.* tamale; **tamalada** *get-together to*
 make and eat tamales (often as a family)
tamaño size
también also (1)
tambor *m.* drum; **tambor repique** *typical*
 drum of Uruguay (used in Candombe music)
tampoco neither, not either (7)
tan *adv.* so; as; **tan... como** as . . . as (6); **tan**
 pronto como as soon as
tango *dance of Argentina*
tanque *m.* tank
tanto *adv.* so much; **tanto como** as much as (6)
tanto/a *adj.* as much, so much; such a; *pl.* so
 many; as many; **tanto/a(s)... como** as much/
 many . . . as (6)
tanto: estar al tanto to be up to date
tapa appetizer (*Sp.*) (10)
tarde *adv.* late (2)
tarde *n., f.* afternoon (1); **buenas tardes** good
 afternoon (1); **de la tarde** in the afternoon (1);
 por la tarde in the afternoon (2); *adv.* late
tarea homework (5); chore
tarifa plana flat rate
tarjeta card (7); **tarjeta bancaria** debit card;
 tarjeta de cobro automático debit card;
 tarjeta de crédito credit card (7); **tarjeta**
 de cumpleaños birthday card; **tarjeta de**
 embarque boarding pass; **tarjeta de**
 identificación identification card; **tarjeta**
 Internet móvil wireless Internet card;
 tarjeta postal postcard (8)
tarta (de cumpleaños) (birthday) cake
tatuaje *m.* tattoo
Tauro Taurus
taxi *m.* taxi
taza cup
te *d.o. pron. s.* you (*fam.*); *i.o. pron. s.* to/for
 you (*fam.*); *re.. pron. s.* yourself (*fam.*); **¿Cómo**
 te llamas? What's your (*fam.*) name? (1); **¿Te**
 gusta...? Do you (*fam.*) like . . . ? (1)
té *m.* tea (7)
teatral theatrical; **obra teatral** play
teatro theater (9); **ir al teatro** to go to the
 theater (9); **obra de teatro** play
techo roof; ceiling
teclado keyboard
técnico/a *n.* technician; *adj.* technical
tecnológico/a technological
tejedor(a) weaver
tejer to weave; **tejidos** woven goods
tela cloth
telaraña spider web
tele *f.* T.V.
telefonear to call on the telephone
telefónico/a *adj.* telephone; **guía telefónica**
 telephone book; **llamada telefónica** phone
 call; **mensaje** *m.* **telefónico** phone message;
 número de teléfono phone number
teléfono (celular / móvil) (cellular) telephone;
 hablar por teléfono to talk on the phone (2)
telegrama *m.* telegram
telenovela soap opera
televidente *m., f.* television viewer

televisión *f.* television (3); **mirar la televisión**
 to watch television (3)
televisor *m.* television set
tema *m.* subject, topic
temer to fear
temperatura temperature (11); **tomarle**
 la temperatura to take someone's
 temperature (11)
templo temple
temprano *adv.* early
temprano/a *adj.* early
tendencia tendency
tender (tiendo) a to tend to, to be inclined to;
 tender la cama to make the bed
tengo I have (3)
tener to have (4); **tener alergia a** to be
 allergic to; **tener... años** to be . . . years old
 (3); **tener buena suerte** to have good luck;
 tener (mucho) calor / frío to be (very) warm,
 hot/cold (6); **tener cuidado** to be careful; **tener**
 derecho a to have the right to; **tener dolor**
 de to have a pain in (11); **tener en común** to
 have in common; **tener exceso de peso** to be
 overweight; **tener éxito** to be successful; **tener**
 fiebre to have a fever; **tener ganas de +** *inf.* to
 feel like (*doing something*) (4); **tener (mucha)**
 hambre / sed to be (very) hungry/thirsty (7);
 tener la culpa to be guilty; **tener lugar** to take
 place; **tener miedo (de)** to be afraid (of) (4);
 tener que + *inf.* to have to (*do something*)
 (4); **(no) tener razón** to be right (wrong) (4);
 tener sueño to be tired (4)
tenis *m.* tennis (9); **jugar (juego) (gu) al**
 tenis to play tennis; **zapatos de tennis** tennis
 shoes (4)
tensión *f.* tension
tenso/a tense
tentación *f.* temptation
tentempié *m.* snack
teoría theory
tepui *m.* flat mountain top
tequila *m.* tequila
terapia therapy
tercer, tercero/a *adj.* third
tercio *n.* third
termal thermal
térmico/a thermal
terminación *f.* ending
terminar to end
término term
termómetro: regulador (*m.*) **de termómetro**
 thermostat
termostato thermostat
terraza terrace
terremoto earthquake
terrestre terrestrial
terrible terrible; **es terrible que...** it's terrible
 that . . .
territorio territory
terrorismo terrorism
terrorista *n., adj. m., f.* terrorist; **ataque** (*m.*)
 terrorista terrorist attack
tesoro treasure
testigo *m., f.* witness
testimonio testimony
texto text; **libro de texto** textbook
ti *obj.* (*of prep.*) you (*fam. s.*) (6)
tibio: huevo tibio por agua poached egg
tiburón *m.* shark

tiempo time (6); weather (6); *gram.* tense; **a tiempo** on time (8); **¿Cuánto tiempo hace que... ?** How long has it been since . . . ?; **de tiempo complete / parcial** full-time/part-time; **hace (muy) buen / mal tiempo** it's (very) good/bad weather (6); **llegar (gu) a tiempo** to arrive on time; **pasar tiempo (con)** to spend time (with); **¿Qué tiempo hace hoy?** What's the weather like today? (6); **tiempo libre** free time

tienda shop, store (4); **tienda de acampar** tent; **tienda (de campaña)** tent (8)

tiene he/she has, you (*form. s.*) have (3)

tienes you (*fam. s.*) have (3)

tierra land; Earth (*planet*); soil

tigre *m.* tiger

timbre *m.* stamp (*Sp.*); doorbell

tímido/a shy

tinto/a: vino tinto red wine (7)

tío/a uncle/aunt (3); *pl.* aunts and uncles

típico/a typical

tipo type coll. character, person, guy, dude

tira cómica comic strip

tirar to throw

tiritar to chatter (*teeth*)

títere *m.* puppet

titular to (en)title

título title

toalla towel

toallero towel rack

tocar (qu) to touch; to play (*a musical instrument*) (2); **tocar el claxon** to honk; **tocarle a uno** to be someone's turn to (*do something*) (9)

todavía yet; still (6)

todo *adv.* entirely, completely; **de todo** everything (4)

todo/a *n.* whole; all, everything; *adj.* all (3); every (3); each; *pl.* everybody, all; **a toda velocidad** at full speed; **ante todo** above all; first of all; **de todas formas** anyway; **Día** (*m.*) **de Todos los Santos** All Saints' Day; **por todas partes** everywhere; **sobre todo** especially; above all; **todo derecho** straight ahead; **todo el año** all year; **todo el día** all day; **todos los días** everyday (8) **venden de todo** they sell (have) everything

todoterreno/a all-terrain

tolerante tolerant

tolteca *n., adj. m., f.* Toltec

tomar to take (2); to drink (2); **tomar el sol** to sunbathe (8); **tomar en cuenta** to take into account; **tomar una copa** to have a drink; **tomarle el pelo** to pull someone's leg; **tomarle la temperature** to take someone's temperature (11)

tomate *m.* tomato (7)

tonelada ton

tono tone

tonto/a silly, foolish (3)

tope: fecha tope deadline

toque *m.* touch

torcido/a twisted

torneo tournament

torno: en torno a around

torpe clumsy; **¡Qué torpe!** How clumsy!

torre *f.* tower

tortilla potato omelette (*Sp.*); *thin unleavened cornmeal or flour pancake* (Mex.)

tortuga turtle

tos *f.* cough (11)

toser to cough (11)

tostado/a toasted (7); **pan** (*m.*) **tostado** toast (7)

tostadora toaster (9)

total: en total as a whole

tóxico/a toxic

trabajador(a) worker; **trabajador(a) social** social worker; *adj.* hard-working (3)

trabajar to work (2)

trabajo job, work; report; (piece of) work; **compañero(a) de trabajo** co-worker; **trabajo de tiempo complete / parcial** full-time / part-time job

trabalenguas *m. inv.* tongue twister

tractor *m.* tractor

tradición *f.* tradition

tradicional traditional

traducir (*like* **conducir**) to translate

traductor(a) translator

traer to bring (5)

traficar (qu) en drogas to traffic in/to deal drugs/to sell drugs on a large scale

tráfico traffic; **embotellamiento / lío de tráfico** traffic jam

tragedia tragedy

trágico/a tragic

trago drink (*alcoholic*)

traje *m.* suit (4); **traje de baño** bathing suit (4)

tranquilidad *f.* quiet, calm

tranquilizante calming, quieting

tranquilizar (c) to calm

tranquilo/a calm, quiet (11); **llevar una vida tranquila** to lead a quiet life (11)

transbordador (*m.*) **espacial** space shuttle

transición *f.* transition

tránsito traffic

transmitir to transmit

transportar to transport

transporte *m.* (*means of*) transportation (8); **transporte público** public transportation; **medio de transporte** means of transportation (8)

tras *prep.* after

trasladarse to move

tratado treaty

tratamiento treatment (11)

tratar to treat; to deal with (*a subject*); **se trata de** it's a question of; **tratar de** + *inf.* to try to (*do something*)

través: a través de across; through; throughout

travesía prank, joke

travieso/a mischievous

trece thirteen (1)

treinta thirty (1); **y treinta** half-past/30 minutes past (*the hour*) (1)

tremendo/a tremendous

tren *m.* train (8); **choque** (*m.*) **de trenes** train wreck; **ir en tren** to go/to travel by train (8)

trepidar to shake; to vibrate

tres three (1)

trescientos/as three hundred (4)

tribu *f.* tribe

trimestre *m.* trimester

triste sad (6)

triunfar to triumph

triunfo triumph, victory

trofeo trophy

tropical tropical; **selva tropical** tropical jungle

trópicos tropics

tropiezo mistake

trozo piece

trucha trout

tú *sub. pron.* you (*fam. s.*) (2); **¿y tú?** and you (*fam. s.*)? (1)

tu(s) *poss. adj.* your (*fam. s.*) (3)

tubería plumbing

tumba tomb

tumbar to knock down

túnel *m.* tunnel

turbio/a turbulent

turismo tourism

turista *n. m., f.* tourist

turístico/a *adj.* tourist; **clase** (*f.*)

turística tourist class (8)

turnarse to take turns

turno turn

tuyo/a(s) *poss. adj.* your (*fam. s.*); *poss. pron.* of yours (*fam. s.*)

txistu *m.* flute-type instrument of the Basque region

U

u or (*used instead of* **o** *before words beginning with* **o** *or* **ho**)

ubicación *f.* placement; location

ubicar (qu) to locate

último/a last, final; latest; **de los últimos años** in recent years; **de última moda** trendy (hot) (4); **por última vez** for the last time

umbral *m.* threshold; sill

un, uno/a one (1); *ind. art.* a, an; **un poco (de)** a little bit (of) (2); **una vez** once; **una vez a la semana** once a week (2)

unánimemente unanimously

único/a *adj.* only; unique

unidad *f.* unit

unido/a united; **Estados Unidos** United States; **Naciones** (*f.*) **Unidas** United Nations

unión *f.* union

unir to join (together); to unite

universidad *f.* university (2)

universitario/a (of the) university

unívoco/a univocal, of one voice; unambiguous

unos/as *ind. art.* some, a few

urbanización *f.* urbanization

urbano/a urban

urgencia: situación (*f.*) **de urgencia** emergency; **sala de urgencia** emergency room (11)

urgente urgent; **es urgente que...** it's urgent that . . .

uruguayo/a *n., adj.* Uruguayan

usar to use (4); to wear (4)

uso use

usted (Ud., Vd.) *sub. pron.* you (*form. s.*) (2); *obj.* (*of prep.*) you (*form. s.*); **¿Cómo se llama usted?** What's your (*form. s.*) name? (1); **¿y usted?** and you (*form. s.*)? (1)

ustedes (Uds., Vds.) *sub. pron.* you (*form. pl.*) (2); *obj.* (*of prep.*) you (*form. pl.*)

usuario/a user

útil useful

utilización *f.* use, utilization

utilizar (c) to use, to utilize

uva grape

¡Uy! *interj.* Oops!

V

vaca cow
vacaciones *f. pl.* vacation; **de vacaciones** on vacation (8); **estar de vacaciones** to be on vacation (8); **ir de vacaciones a...** to go on vacation to . . . (8); **pasar las vacaciones en...** to spend one's vacation in . . . (8); **salir de vacaciones** to leave on vacation (8); **tomar unas vacaciones** to take a vacation (8); **vacaciones de primavera** spring break
vacío/a empty
vacuna vaccine; **ponerle una vacuna** to give/ to administer a vaccination
vainilla vanilla
valenciano/a *of or pertaining to Valencia, Spain*
Valentín: Día (*m.*) **de San Valentín** St. Valentine's Day
válido/a valid
valiente brave
valija valise, suitcase
valle *m.* valley
vallenato *folk music of Colombia*
valor *m.* value; courage, bravery
vals *m.* waltz
vaquero/a cowboy/cowgirl
variación *f.* variation
variar (varío) to vary
variedad *f.* variety
varios/as several
vasco/a *n., adj.* Basque
vaso glass
vecindad *f.* neighbourhood
vecino/a *n.* neighbour; *adj.* neighbouring
vegetal *adj.* vegetable
vegetariano/a vegetarian
vehículo vehicle
veinte twenty (1)
veinticinco twenty-five (1)
veinticuatro twenty-four (1)
veintidós twenty-two (1)
veintinueve twenty-nine (1)
veintiocho twenty-eight (1)
veintiséis twenty-six (1)
veintitrés twenty-three (1)
veintiún, veintiuno/a twenty-one (1)
vejez *f.* old age
vela candle
velludo/a hairy
velocidad *f.* speed; **a toda velocidad** at full speed; **límite** (*m.*) **de velocidad** speed limit
vendedor(a) salesperson
vender to sell (3); **venden de todo** they sell (have) everything
venerar to venerate
venezolano/a *n., adj.* Venezuelan
venganza revenge
venidero/a coming, approaching
venir to come (4); **el año que viene** next year; **la semana que viene** next week (5); **venga** come on
venta sale
ventaja advantage
ventana window (2); **lavar las ventanas** to wash windows
ventanilla small window (*on a plane*) (8); **asiento de ventanilla** window seat

verano summer (6)
verbo *gram.* verb (1)
verdad *f.* truth; **¿verdad?** right? (4)
verdadero/a true; real
verde green (4)
verdura vegetable (7)
verificar (qu) to verify
versión *f.* version
verso verse; line of a poem
verter (vierto) to spill; to shed (*a tear*)
vestíbulo vestibule
vestido dress (4); **vestido de novia** wedding gown
vestir (visto) (i) to dress; **vestirse** to get dressed (5)
veterinario/a veterinarian
vez *f.* (*pl.* **veces**) time; **a veces** sometimes, at times (3); **a la vez** at the same time; **alguna vez** once; ever; **cada vez más** increasingly; **de vez en cuando** once in a while; **dos veces** twice (11); **en vez de** instead of; **érase una vez** once upon a time; **otra vez** again; **por primera / última vez** for the first/last time; **tal vez** perhaps; **un par de veces** a couple of times; **una vez** once (3); **una vez a la semana** once a week (3) **vía** roadway; **de doble vía** two-way
viajar to travel (8); **viajar al / en el extranjero** to travel abroad
viaje *m.* trip (5); **viaje de sueños** dream trip; **agencia de viajes** travel agency (8); **agente** (*m., f.*) **de viajes** travel agent (8); **compañero/a de viaje** travelling companion; **de viaje** on a trip (8); **hacer un viaje** to take a trip (5) **viajero/a** *n., adj.* traveller; **cheque** (*m.*) **de viajero** traveller's cheque
vicepresidente/a vice president
víctima *f.* victim
vida life (11); **llevar una vida saludable / sana** to lead a healthy life (11)
vídeo video; **cámara de vídeo** video camera
videocasetera videocassette recorder (VCR)
videoclub *m.* video club
videojuego videogame; **jugar (juego) (gu) a videojuegos** to play videogames
vidrio glass
viejo/a *n.* old person; *adj.* old (3); **Noche** (*f.*) **Vieja** New Year's Eve (10)
viento wind; **hace (mucho) viento** it's (very) windy (6)
viernes *m. inv.* Friday (5)
vietnamita *n., adj.* Vietnamese
vigilancia vigilance
villancico Christmas carol
vino (blanco, tinto) (white, red) wine (7)
viñedo vineyard
violencia violence
violento/a violent
violeta: de color violeta violet
violín *m.* violin
virgen *n. f.* virgin
visado visa
visión *f.* vision
visita visit
visitante *m., f.* visitor
visitar to visit (9); **visitar un museo** to visit a museum (9)
víspera eve
vista view; sight; **a primera vista** at first sight; **punto de vista** point of view

visto/a (*p.p. of* **ver**) seen
viudo/a widower/widow
vivienda housing
vivir to live (3); **vivir en paz** to live in peace
vivo/a alive; **en vivo** live
vocabulario vocabulary
vocación *f.* vocation
vocal *n. f.* vowel
volante: objeto volante no identificado (OVNI) unidentified flying object (UFO)
volar (vuelo) to fly; **volar en avión** to fly, to go by plane (8)
volcán *m.* volcano
volcánico/a volcanic
voleibol *m.* volleyball (9); **jugar (juego) (gu) al voleibol** to play volleyball
volumen *m.* volume
voluntad *f.* will; choice, decision
voluntario/a *n.* volunteer
volver (vuelvo) (*p.p.* **vuelto)** to return (*to a place*) (5); **volver a + *inf.*** to (*do something*) again (5)
vos *subj. pron.* you (*fam. s. Arg., Uru., C.A.*); *obj. (of prep.)* you (*fam. s. Arg., Uru., C.A.*)
vosotros/as *subj. pron.* you (*fam. pl. Sp.*) (2); *obj. (of prep.)* you (*fam. pl. Sp.*)
votante *m., f.* voter
votar to vote
voz *f.* (*pl.* **voces**) voice; **en voz alta** aloud; **hablar en voz baja** to speak softly
vuelo flight (8); **asistente** (*m., f.*) **de vuelo** flight attendant (8)
vuelta: de ida y vuelta round-trip (8); **billete** (*m.*) **/ boleto de ida y vuelta** round-trip ticket (8); **darle una vuelta a** to go around (something); **darse la vuelta** to turn oneself around; **de vuelta** returned
vuestro/a *poss. adj.* your (*fam. pl. Sp.*) (3); *poss. pron.* your, of yours (*fam. pl. Sp.*)
vulpeja vixen

W

web *m.* web; **sitio web** website

Y

y and (1); **y cuarto** a quarter (fifteen minutes) after (*the hour*) (1); **y media (treinta)** half past/30 minutes past (*the hour*) (2); **¿y tú?** and you (*fam. s.*)? (1); **¿y usted?** and you (*form. s.*)? (2)
ya already (10); **ya no** no longer; **ya que** since
yerno son-in-law
yo *sub. pron.* I (2); **yo soy (de)** I am (from) (1)
yoga *m.* yoga (11); **hacer yoga** to do yoga (11)
yogur *m.* yogurt (7)
York: Nueva York New York
yoruba *n., adj.* of or pertaining to the Yoruba, a West African ethnic group

Z

zampona *South American panpipe*
zanahoria carrot (7)
zapatería shoe store
zapatos shoes (4); **zapatos de tenis** tennis shoes (4)
zócalo central plaza (*Mex.*)
zona zone, area
zoológico zoo
zumo juice (*Sp.*)

ver (*p.p.* **visto**) to see (5); **a ver** let's see; **ir a ver una película** to go to the movies; **nos vemos** see you around (1)

VOCABULARIES

English–Spanish Vocabulary

A

able: to be able **poder** (4)
about **por** (6)
abroad **en el extranjero** *exp.*
absence **falta**
absent: to be absent (from) **faltar (a)** (10)
absentminded **distraído/a**
accelerated **acelerado/a**
according to **según** (3)
account **cuenta;** chequing account **cuenta corriente;** savings account **cuenta de ahorros**
accountant **contador(a)**
ache *v.* **doler (duele)** (11); *n.* **dolor** *m.* (11)
acquainted: to be acquainted with **conocer (conozco)** (7)
actor **actor** *m.*
actress **actriz** *f.* (*pl.* **actrices**)
additional **adicional** (1)
address **dirección** *f.* (7)
adjective **adjetivo** *gram.* (3)
administration: business administration **administración** (*f.*) **de empresas** (2)
adolescence **adolescencia**
advice (piece of) **consejo** (7)
advisor **consejero/a** (2)
aerobic: to do aerobics **hacer ejercicios aeróbicos** (11)
affectionate **cariñoso/a** (6)
afraid: to be afraid (of) **tener miedo (de)** (4)
after *prep.* **después de** (5); *conj.* **después (de) que**
afternoon **tarde** *f.* (2); good afternoon **buenas tardes** (1); (*a time*) in the afternoon **de la tarde** (1); in the afternoon **por la tarde** (2)
afterward **luego** (5)
age: old age **vejez** *f.*
agency: travel agency **agencia de viajes** (8)
agent: travel agent **agente** (*m., f.*) **de viajes** (8)
ago **hace** + time
agree: I (don't) agree **(no) estoy de acuerdo** (3)
ahead of time **con anticipación;** straight ahead **todo derecho**
air **aire** *m.*
airplane **avión** *m.* (8)
airport **aeropuerto** (8)
alarm clock **despertador** *m.*
all **todo(s)/a(s)** *adj.* (3); all terrain **todoterreno** *inv.*
allow **permitir**
almost: almost never **casi nunca** (3)
alone **solo/a** *adj.* (5)
alongside of **al lado de** *prep.* (6)
already **ya** (10)
also **también** (1)
always **siempre** (3)
American (*from the United States*) **estadounidense** (3)
among **entre** *prep.* (6)
amusement **diversión** *f.*, **pasatiempo** (9)

analyst: systems analyst **analista** (*m., f.*) **de sistemas**
and **y** (1); and you? **¿y tú?** fam., **¿y usted?** form. (1)
angry **furioso/a** (6); to get angry (1) **enojarse (con)** (10)
animal **animal** *m.*; domesticated animal **animal doméstico;** wild animal **animal salvaje**
announce **anunciar** (8)
annoyed **molesto/a** (6)
another **otro/a** (3)
answer *v.* **contestar** (7); *n.* **respuesta** (6)
answering machine **contestador** (*m.*) **automático**
antibiotic **antibiótico** (11)
any **algún, alguno/a** (7)
anyone **alguien** (7)
anything **algo** (4)
apartment **apartamento** (2); apartment building **edificio de apartamentos**
apologize **pedir disculpas**
apple **manzana** (7)
appliance: home appliance **aparato doméstico** (9)
appointment **cita** (11)
April **abril** *m.* (6)
architect **arquitecto/a**
architecture **arquitectura**
area **zona**
argue (about) (with) **discutir (sobre) (con)** (10)
arm **brazo**
armchair **sillón** *m.* (5)
army **ejército**
arrival **llegada** (8)
arrive **llegar (gu)** (3)
art **arte** *m.* (*gen f. in pl*) (2); fine arts **las bellas artes** work of art **obra de arte**
artist **artista** *m., f.*
arts and crafts **artesanía**
as. . . as **tan... como** (6); as much/many as **tanto/a... como** (6); as soon as **tan pronto como** *conj.*; **en cuanto** *conj.*
ashamed **avergonzado/a** (10)
ask: to ask for **pedir** (5); to ask (a question) **hacer una pregunta** (5); **preguntar** (7)
asparagus **espárragos** *pl.* (7)
assassination **asesinato**
astronaut **astronauta** *m., f.*
at **en** (1); **a** (*with time*) (1); at . . . (hour) **a la(s)...** (1); at home **en casa** (2); at last **por fin** (5); at least **por lo menos;** at night **de la noche** (1); **por la noche** (2); at the beginning of **al principio de;** at times **a veces** (3)
ATM **cajero automático**
attack: terrorist attack **ataque** (*m.*) **terrorista**
attend (*a function*) **asistir (a)** (3)
attendant: flight attendant **asistente** (*m., f.*) **de vuelo** (8)

attract **atraer** (*like* **traer**)
August **agosto** (6)
aunt **tía** (3)
automatic teller machine **cajero automático**
autumn **otoño** (6)
avenue **avenida**
avoid **evitar**
away: right away **en seguida** (11)
awful: an awful lot **muchísimo** (8)

B

baby-sitter **niñero/a** (9)
backpack **mochila** (2)
bad **mal** adv. (2); **mal, malo/a** *adj.* (3); it's bad weather **hace mal tiempo** (6); the bad thing, news **lo malo** (11)
baggage **equipaje** *m.* (8)
ballet **ballet** *m.*
banana **banana** (7)
bank **banco;** (bank) cheque **cheque** *m.*
bar **bar** *m.* (9)
barbeque **barbacoa** (7)
bargain *n.* **ganga** (4); *v.* **regatear** (4)
baseball **béisbol** *m.* (9)
basketball **basquetbol** *m.* (9)
bath: to take a bath **bañarse** (5)
bathing suit **traje** (*m.*) **de baño** (4)
bathroom **baño** (5)
bathtub **bañera** (5)
battery **batería**
be **estar** (2); **ser** (3); to be (feel) (very) warm, hot **tener (mucho) calor** (6); to be (very) hungry **tener (mucha) hambre** (7); to be . . . years old **tener... años** (3); to be a fan (of) **ser aficionado/a (a)** (9); to be able **poder** (4); to be afraid (of) **tener miedo (de)** (4); to be boring **ser aburrido/a** (9); to be (very) cold **tener (mucho) frío** (6); to be comfortable (*temperature*) **estar bien** (6); to be flexible **ser flexible;** to be fun **ser divertido/a** (9); to be in a hurry **tener prisa** (4); to be late **estar atrasado/a** (8); to be lucky/unlucky **tener buena / mala suerte;** to be on a diet **estar a dieta** (7); to be right **tener razón** (4); to be sleepy **tener sueño** (4); to be (very) thirsty **tener (mucha) sed** (7); to be wrong **no tener razón** (4); to be wrong (about) **equivocarse (qu) (de);** to take place in/at (*place*) **ser en +** *place* (10)
beach **playa** (6)
bean **frijol** *m.* (7)
beautiful **bello/a**
because **porque** (3) because of **por** (6)
become + *adj.* **ponerse +** *adj.* (10)
bed **cama** (5); to make the bed **hacer la cama** (9); to stay in bed **guardar cama** (11)
bedroom **alcoba** (5)
beer **cerveza** (7)
before *conj.* **antes (de) que;** *prep.* **antes de** (5)

begin **empezar (empiezo) (c)** (5); to
begin to (*do something*) **empezar a + inf.** (5)
beginning: at the beginning of **al principio de**
behave well/badly **portarse bien / mal** (10)
behind **detrás de** *prep.* (6)
believe (in) **creer (en)** (3)
below **debajo de** *prep.* (6)
belt **cinturón** *m.* (4)
best **mejor** (6)
better **mejor** (6)
between **entre** *prep.* (6)
beverage **bebida** (5)
bicycle **bicicleta;** (mountain) bicycle **bicicleta (de montaña);** to ride a bicycle **pasear en bicicleta** (9)
bicycling **ciclismo** (9)
big **gran, grande** (3)
bill (*for service*) **cuenta** (7); **factura** (*money*) **billete**
bird **pájaro** (3)
birthday **cumpleaños** *m. inv.* (6);
birthday cake **pastel** (*m.*) **de cumpleaños** (10); to have a birthday **cumplir años** (10)
black **negro/a** (4)
blog **blog** *m.* (6)
blond(e) **rubio/a** *n., adj.* (3)
blood **sangre** *f.* (11)
blouse **blusa** (4)
blue **azul** (4)
boat **barco** (8)
body **cuerpo** (11)
book **libro** (2); textbook **libro de texto** (2)
bomb **bomba**
bookshelf **estante** *m.* (5)
bookstore **librería** (2)
boot **bota** (4)
border **frontera**
bore **aburrir**
bored **aburrido/a** (6); to be bored **ser aburrido/a** (9); to bore **aburrir** to get bored **aburrirse** (9)
boring **pesado/a;** to be boring **ser aburrido/a** (9)
born: to be born **nacer (nazco)**
borrow **pedir prestado/a**
boss **jefe/a**
bother: it bothers me (you, him, . . .) that **me (te, le...) molesta que**
boy **niño** (3)
boyfriend **novio** (6)
brain **cerebro** (11)
brakes **frenos**
bread **pan** *m.* (7)
break **romperse** (*p.p.* **roto/a**); to break up (with) **romper (con)**
breakfast **desayuno** (5); to have breakfast **desayunar** (7)
breathe **respirar** (11)
bride **novia**
bring **traer** (5)
brother **hermano** (3)
brown **(de) color café** (4)
brunet(te) **moreno/a** *n., adj.* (3)
brush one's teeth **cepillarse los dientes** (5)
budget **presupuesto**
build **construir**
building **edificio** *n.* (2); building manager/ superintendent **portero/a**
bull **toro**

bump into, against **pegarse (gu) en / con / contra; chocar (qu) con / contra**
bureau (*furniture*) **cómoda** (5)
bus **autobús** *m.* (8); bus station **estación** (*f.*) **de autobuses** (8); bus stop **parada del autobús**
business **empresa;** business administration **administración** (*f.*) **de empresas** (2)
businessperson **hombre** (*m.*) / **mujer** (*f.*) **de negocios**
busy **ocupado/a** (6)
but **pero** *conj.* (1)
butter **mantequilla** (7)
buy **comprar** (2)
by **por** *prep.;* in the morning (afternoon, evening) **por la mañana (tarde, noche)** (2); by cheque **con cheque**

C

cabin **cabina** (*on a ship*) (8)
café **café** *m.*
cafeteria **cafetería** (2)
cake **pastel** *m.* (7); birthday cake **pastel de cumpleaños** (10)
calculator **calculadora** (2)
calendar **calendario**
call *v.* **llamar** (7); to be called **llamarse** (5)
calm **tranquilo/a** (11)
camera **cámera;** digital/video **cámera digital / de vídeo**
campground *camping* *m.* (8)
camping: to go camping **hacer *camping*** (8)
campus **campus** *m.*
can **poder** *v.* (4)
candidate (*for a job*) **aspirante** *m., f.;* (*political*) **candidato/a**
candy **dulces** *m. pl.* (7)
cap **gorra** (4)
capital city **capital** *f.* (6)
car **coche** *m.* (3); convertible car **carro / coche descapotable**
card: credit card **tarjeta de crédito** (7); debit card **tarjeta bancaria;** identification card **tarjeta de identificación;** postcard **tarjeta (postal)** (8) to play cards **jugar (juego) (gu) a las cartas** (9)
cardinal directions **puntos cardinales** (6)
carrot **zanahoria** (7)
carry **llevar** (4)
case in case **en caso de que;** just in case **por si acaso**
cash (*a cheque*) **cobrar;** *n.* **el efectivo;** in cash **en efectivo**
cashier **cajero/a** cashier window **caja**
cat **gato/a** (3)
catch a cold **resfriarse (me resfrío)** (11)
CD **disco compacto, CD** *m.*
CD-ROM **CD-ROM** *m.* celebrate **celebrar** (6)
cellular telephone **teléfono celular**
ceramics **cerámicas**
cereal **cereal** *m.* (7)
certain **seguro/a** *adj.* (6); **cierto/a;** it's certain that **es cierto que**
chair **silla** (2); armchair **sillón** *m.* (5)
chalkboard **pizarra** (2)
change *v.* **cambiar (de)**
channel **canal** *m.*
charge (*to an account*) **cargar (gu);** (*someone for an item or service*) **cobrar**

checkup **chequeo** (11)
cheese **queso** (7)
chef **cocinero/a**
chemistry **química** (2)
cheque (*bank*) **cheque** *m.;* by cheque **con cheque;** to check (*the oil*) **revisar (el aceite);** to check baggage **facturar el equipaje** (8)
chequing account **cuenta corriente**
chess **ajedrez** *m.* (9); to play chess **jugar (juego) (gu) al ajedrez** (9)
chicken (roast) **pollo (asado)** (7)
chief **jefe/a**
child **niño/a** (3); as a child **de niño/a** (9)
childhood **niñez** *f.* (*pl.* **niñeces**) (9)
children **hijos** *m. pl.* (3)
chop: pork chop **chuleta de cerdo** (7)
chore: household chore **quehacer** (*m.*) **doméstico**
Christmas Eve **Nochebuena** *f.* (10)
Christmas **Navidad** *f.* (10)
citizen **ciudadano/a**
city **ciudad** *f.* (3)
civic **cívico/a**
class **clase** *f.* (2); first class **primera clase** (8); tourist class **clase turística** (8)
classmate compa **ñero/a de clase** (2)
classroom **salón** (*m.*) **de clase** (2)
clean *adj.* **limpio/a** (6)
clean: to clean the (whole) house **limpiar la casa (entera)** (9)
clear the table **quitar la mesa** (9)
clerk **dependiente/a** (2)
clever **listo/a** (3)
client **cliente/a** (2)
climate **clima** *m.* (6)
close **cerrar (cierro)** (5)
close to *prep.* **cerca de** (6)
closed **cerrado/a** (6)
closet **armario** (5)
clothes dryer **secadora** (9)
clothing **ropa** (4); to wear (*clothing*) **llevar, usar** (4)
cloudy: it's (very) cloudy, overcast **está (muy) nublado** (6)
clumsy **torpe**
coffee **café** *m.* (2)
coffee pot **cafetera** *f.* (9)
coin **moneda** *f.*
cold (*illness*) **resfriado** *m.* (11); it's (very) cold (*weather*) **hace (mucho) frío** (6); to be (very) cold **tener (mucho) frío** (6); very cold, frozen **congelado/a** (6)
collect **recoger (recojo)**
collision **choque** *m.*
colour **color** *m.* (4)
comb one's hair **peinarse** (5)
come **venir** (4)
comedy **comedia**
comfortable **cómodo/a** (4); to be comfortable (*temperature*) **estar bien** (6)
command **mandato** (7)
communicate (with) **comunicarse (qu) (con)**
communication (*major*) **comunicaciones** *f.* (2); means of communication **medios de comunicación**
community **comunidad** *f.*
compact disc **disco compacto**
comparison **comparación** *f.* (6)

complain (about) **quejarse (de)** (10)

composer **compositor(a)**

computer **computadora** *f.* (*L.A.*) (2); **ordenador** *m.* (*Sp.:*); computer disc **disco de computadora;** computer file **archivo** *m.;* computer science **computación** *f.* (2) concert **concierto** *m.* (9); to go to a concert **ir a un concierto** (9)

confirm **confirmar**

congested **resfriado/a** (11)

congratulations **felicitaciones** *f. pl.* (10)

conserve **conservar**

contact lenses **lentes** (*m. pl.*) **de contacto** (11)

content *adj.* **contento/a** (6)

continue continuar (**continúo**) (6); **seguir**

control: remote control **control** (*m.*) **remoto**

convertible (*car*) **carro / coche descapotable**

cook *v.* **cocinar** (7); *n.* **cocinero/a**

cookie **galleta** (7)

cool: it's cool (*weather*) **hace fresco** (6)

copy **copia;** to copy **copiar, hacer una copia**

corner (street) **esquina** *f.*

corporation **empresa** *f.*

cotton **algodón** *m.* (4) it is made of cotton **es de algodón** (4)

cough **tos** *f.* (11); to cough **toser** (11);

cough syrup **jarabe** *m.* (11)

country **país** *m.* (3)

country(side) **campo** *m.*

couple (married) **pareja** *f.*

course (*of a meal*) **plato** *m.* (7); of course **por supuesto**

courtesy: greetings and expressions of courtesy **saludos y expresiones** (*f.*) **de cortesía** (1)

cousin **primo/a** (3)

cover **cubrir** (*pp.* **cubierto/a**)

cow **vaca** *f.*

crash (*computer*) **fallar;** *n.* **choque** *m.*

crazy **loco/a** (6)

create **crear**

credit card **tarjeta de crédito** *f.* (7)

crime **delito** *m.*

cross **cruzar (c)**

cruise(ship) **crucero** *m.* (8)

cry **llorar** (10)

cuisine **cocina** *f.* (7)

cup **taza**

currently **en la actualidad** (9)

custard: baked custard **flan** *m.* (7)

customs **aduana** *s.*

D

dad **papá** *m.* (3)

daily routine **rutina diaria** (5)

dance **baile** *m.;* **danza;** to dance **bailar** (2)

dancer **bailarín, bailarina**

date (*calendar*) **fecha** (6); (*social*) **cita;** what's today's date? **¿cuál es la fecha de hoy?, ¿qué fecha es hoy?** (6)

daughter **hija** (3)

day **día** *m.* (2); what day is today? **¿qué día es hoy?** (5); the day after tomorrow **pasado mañana** (5); the day before yesterday **anteayer** (11); every day **todos los días** (2)

deadline **plazo**

dear **querido/a** *n., adj.* (6)

death **muerte** *f.*

debit card **tarjeta bancaria**

December **diciembre** *m.* (6)

delay *n.* **demora** (8)

delighted **encantado/a** (1)

demonstration **demonstración** *f.*

dense **denso/a**

dentist **dentista** *m., f.*

deny **negar (niego) (gu)**

department store **almacén** *m.* (4)

departure **salida** (8)

deposit **depositar**

desk **escritorio** (2)

dessert **postre** *m.* (7)

destroy **destruir** (*like* **construir**)

develop **desarrollar**

dictator **dictador(a)**

dictatorship **dictadura**

dictionary **diccionario** (2)

die **morirse (me muero) (u)** (*p.p.* **muerto/a**) (10)

diet: to be on a diet **estar a dieta** (7)

difficult **difícil** (6); **pesado/a** (9)

digital camera **cámara digital**

dining room **comedor** *m.* (5)

dinner **cena** (7); to have dinner **cenar** (7)

directions: cardinal directions **puntos cardinales** (6)

director **director(a)**

dirty **sucio/a** (6)

disaster **desastre** *m.*

disc: compact disc **disco compacto, CD** *m.;* computer disc **disco de computadora**

disco: to go to a disco **ir a una discoteca** (9)

discover **descubrir** (*p.p.* **descubierto**)

discrimination **discriminación** *f.*

dish (*plate*) **plato** (5); (*course*) **plato** (7)

dishwasher **lavaplatos** *m. inv.* (9)

divorce **divorcio**

divorced **divorciado/a;** to get divorced (from) **divorciarse (de)**

dizzy **mareado/a** (11)

do **hacer** (5); to do aerobics **hacer ejercicios aeróbicos** (11); to do exercise **hacer ejercicio** (5) (*do something*) again **volver** a + *inf.* (5); to do well/poorly **salir bien / mal** (5)

doctor (medical) **médico/a** (3)

dog **perro/a** (3)

domesticated animal **animal** (*m.*) **doméstico**

door **puerta** (2)

doorman **portero/a**

dormitory **residencia** (2)

double: double room **habitación** (*f.*) **doble**

doubt **dudar**

downtown **centro** (4)

drama **drama** *m.*

draw **dibujar;** draw, attract **atraer** (*like* **traer**)

dress **vestido** (4)

dressed: to get dressed **vestirse (me visto) (i)** (5)

dresser (*furniture*) **cómoda** (5)

drink **bebida** (5); **copa, trago** (*alcoholic*); to drink **tomar** (2); **beber** (3)

drive (*a vehicle*) **conducir; manejar**

driver **conductor(a);** driver's license **licencia de manejar / conducir**

dryer (clothes) **secadora** (9)

during **durante** (5); **por** (5)

dust the furniture **sacudir los muebles** (9)

DVD **DVD-ROM** *m.*

DVD player **lector** (*m.*) **de DVD**

E

e-mail **correo electrónico, e-mail**

each **cada** *inv.* (5)

ear (inner) **oído** (11); (outer) **oreja** (11)

early **temprano** *adv.* (2)

earn **ganar**

earring **arete** *m.* (4)

east **este** *m.* (6)

Easter **Pascua** (10)

easy **fácil** (6)

eat **comer** (3); eat breakfast **desayunar** (7); eat dinner, supper **cenar** (7)

economics **economía** (2)

economize **economizar (c)**

egg **huevo** (7)

eight **ocho** (1)

eight hundred **ochocientos/as** (4)

eighteen **dieciocho** (1)

eighth **octavo/a** *adj.*

eighty **ochenta** (3)

electric **eléctrico/a**

electrician **electricista** *m., f.*

electricity **luz** *f.* (*pl.* **luces**)

electronic equipment **electrónica**

elephant **elefante** *m.*

eleven **once** (1)

embrace **abrazarse (c)** (11)

embarrassed **avergonzado/a** (10)

emergency room **sala de emergencias / urgencia** (11)

emotion **emoción** *f.* (10)

emotional state **estado afectivo** (10)

energy **energía**

engagement **noviazgo**

engineer **ingeniero/a**

English (*language*) **inglés** *m.* (2); *n., adj.* **inglés, inglesa** (3)

enjoy oneself, have a good time **divertirse (me divierto) (i)** (5)

enough **bastante** *adv.;* **lo suficiente** (11)

entertainment **diversión** *f.* (9)

envelope **sobre** *m.*

environment **medio ambiente**

equality **igualdad** *f.*

equipment **equipo** (9)

era **época** (9)

eruption **erupción** *f.*

evening: good evening **buenas tardes** (1); evening **muy buenas** (1); in the afternoon, evening **de la tarde** (1); in the evening **por la tarde** (2)

event **acontecimiento, evento; hecho** (10)

every **cada** *inv.* (5); **todo(s)/a(s)** *adj.* (3); every day **todos los días** (2)

everything **de todo** (1)

everywhere **por todas partes**

exactly, on the dot (*time*) **en punto** (1)

exam **examen** *m.* (4)

examine **examinar** (11); **registrar**

excuse me **con permiso, perdón** (1); **discúlpeme**

exercise **ejercicio** (5); to exercise **hacer ejercicio** (5)

expect **esperar** (7)

expense **gasto**

expensive **caro/a** (4)

explain **explicar (qu)** (8)

expressions: greetings and expressions of courtesy **saludos y expresiones** (*f.*) **de cortesía** (1)

F

extract **sacar (qu)** (11); extract a tooth/molar **sacar un diente / una muela** (11)
eye **ojo** (11)
eyeglasses **gafas** (11)

fact **hecho** *n.* (10)
factory **fábrica**
faithful **fiel** (3)
fall (*season*) **otoño** (6)
fall *v.* **caer;** to fall asleep **dormirse** (5); to fall down **caerse;** to fall in love (with) **enamorarse (de)**
family **familia** (3)
fan: to be a fan (of) **ser aficionado/a (a)** (9)
far from **lejos de** *prep.* (6)
fare (*transportation*) **pasaje** m.(8)
farm **finca;** farm worker **campesino/a**
farmer **agricultor(a)**
fascinate **fascinar**
fast **acelerado/a**
fat **gordo/a** (3)
father **papá** *m.,* **padre** *m.* (3)
fax **fax** *m.*
fear: to fear **temer**
February **febrero** (6)
feel to feel (an emotion) **sentirse** (10); to feel like (*doing something*) **tener ganas de +** *inf.* (4); to feel sorry **sentir, lamentar**
female soldier **mujer** (*f.*) **soldado**
fever **fiebre** *f.* (11); have a fever **tener fiebre** (11)
fiance(e) **novio/a**
field (*agricultural*) **campo**
fifteen **quince** (1); a quarter (fifteen minutes) to (*the hour*) **menos cuarto / quince** (1); a quarter (fifteen minutes) past (*the hour*) **y cuarto / quince** (1)
fifth **quinto/a** *adj.*
fifty **cincuenta** (3)
fight n. **lucha;** *v.* **luchar, pelear** (9)
file: computer file **archivo**
fill (up) **llenar**
finally **por fin** (5)
find **encontrar (encuentro)** (10); to find out (about) **enterarse (de)**
fine **muy bien** (1)
finger **dedo (de la mano)**
finish **acabar**
first adv. **primero** (5); **primer, primero/a** *adj.;* at first sight **a primera vista;** first of (month) **el primero de (mes)** (6); first class **primera clase** (8)
fish (*cooked*) **pescado** (7); (*animal*) **pez** *m.* (*pl.* **peces**)
five **cinco** (1)
five hundred **quinientos/as** (4)
fix **arreglar**
fixed price **precio fijo** (4)
flat: flat tire **llanta desinflada;** flat screen **pantalla grande**
flexible **flexible**
flight **vuelo** (8); flight attendant **asistente** (*m., f.*) **de vuelo** (8)
flip-flops **chanclas** (4)
floor (*of a building*) **piso;** ground floor **planta baja;** second floor **primer piso;** third floor **segundo piso** to sweep the floor **barrer el piso** (9)

flower **flor** *f.* (8)
flu **gripe** *f.* (11)
fly **volar (vuelo) en avión** (8)
folkloric **folclórico/a**
following *adj.* **siguiente** (5)
fond: be fond of each other **quererse** (11)
food **comida** (7)
foolish **tonto/a** (3)
foot **pie** *m.*
football **fútbol** (*m.*) **americano** (9)
for **por** *prep.* (8); **para** *prep.* (3); for example **por ejemplo;** for that reason **por eso** (3) for heaven's sake **por Dios;** for the first/last time **por primera / última vez** for (a period of time) **hace... que;** for what purpose? **¿para qué?**
forbid **prohibir (prohíbo)**
foreign languages **lenguas extranjeras** (2)
foreigner **extranjero/a** *n.* (2)
forest **bosque** *m.*
forget (about) **olvidarse (de)** (10)
form (*to .ll out*) **formulario**
forty **cuarenta** (3)
four **cuatro** (1)
four hundred **cuatrocientos/as** (4)
fourteen **catorce** (1)
fourth **cuarto/a** *adj.*
freeway **autopista**
freezer **congelador** *m.* (9)
French (*language*) **francés** *n. m.* (2); (French fried) potato **papa / patata (frita)** (7)
frequently **con frecuencia** (2)
fresh **fresco/a** (7)
Friday **viernes** *m. inv.* (5)
fried **frito/a** (7); **papa / patata frita** French fried potato (7)
friend **amigo/a** (2)
friendly **amistoso/a**
friendship **amistad** *f.*
from **de** (1); from the **del** (*contraction of* **de + el**) (3)
front desk **recepción** *f.*
front: in front of **delante de** *prep.* (6)
frozen; very cold **congelado/a** (6)
fruit **fruta** (7); **jugo de fruta** fruit juice (7)
full, no vacancy **completo/a**
full-time **de tiempo completo;** fulltime job **trabajo de tiempo completo**
fun: to be fun **ser divertido/a** (9)
function **funcionar**
furious **furioso/a** (6)
furniture **muebles** *m. pl.* (5); to dust the furniture **sacudir los muebles** (9)

G

game **partido** (9)
garage **garaje** *m.* (5)
garbage **basura** (9)
garden **jardín** *m.* (5)
gas **gas** *m.*
gas station **estación** *f.* **de gasolina, gasolinera**
gasoline **gasolina**
generally **por lo general** (5)
German (*language*) **alemán** *m.* (2); **alemán, alemana** *n., adj.* (3)
get **sacar (qu); obtener** (*like* **tener**) to get along well/poorly (with) **llevarse bien / mal (con);** to get down (from) **bajarse (de)** (8); to get good/bad grades **sacar (qu) buenas /**

malas notas; to get off (of) **bajarse (de)** (8); to get (on/in) (*a vehicle*) **subir (a)** (8); to get tired **cansarse** (11) to get together (with) **reunirse (me reúno) (con)** (10); to get up **levantarse** (5); to get up on the wrong side of the bed **levantarse con el pie izquierdo;** to get, obtain **conseguir** (*like* **seguir**) (10) to get (a job) **conseguir** (*like* **seguir**)
gift **regalo** (3)
girl **niña** (3)
girlfriend **novia** (6)
give **dar** (8); to give (*as a gift*) **regular** (8); to give (someone) a shot, injection **poner(le)** (*irreg.*) **una inyección** (11); to give/to throw a party **dar / hacer una fiesta** (10)
go **ir** (4); to be going to (*do something*) **ir a +** *inf.* (4); to go (to) (*a function*) **asistir (a)** (3); to go by (train/ airplane/bus/boat) **ir en (tren / avión / autobus / barco)** (8); to go home **regresar a casa** (2); to go shopping **ir de compras** (4); to go out with **salir con** (5); to go through security (check) **pasar por el control de la seguridad** (8); to go to bed **acostarse (me acuesto)** (5); to go up **subir** (8)
gold **oro** (4); it is made of gold **es de oro** (4)
golf **golf** *m.* (9)
gorilla **gorila** *m.*
good **buen, bueno/a** *adj.* (3); good afternoon **buenas tardes** (1); good morning **buenos días** (1); good night **buenas noches** (1); the good thing, news **lo bueno** (11)
good-bye **adiós** (1)
good-looking **guapo/a** (3)
government **gobierno**
grade (in a course) **nota;** (level) **grado** (9)
graduate (from) **graduarse (me gradúo) (en)**
granddaughter **nieta** (3)
grandfather **abuelo** (3)
grandmother **abuela** (3)
grandparents **abuelos** *pl.* (3)
grandson **nieto** (3)
gray **gris** (4)
great **gran, grande** (3)
green pea **arveja** (7)
green **verde** (4)
greet each other **saludarse** (11)
greeting: greetings and expressions of courtesy **saludos y expresiones de cortesía** (1)
groceries **comestibles** *m.* (7)
groom **novio**
ground floor **planta baja**
grow **crecer (crezco)**
guest **invitado/a** *n.* (10); (at a hotel) **huésped(a)**
guide **guía** *m., f.*

H

hairstylist **peluquero(a)**
half-past (*the hour*) **y media / treinta** (1)
ham **jamón** *m.* (7)
hamburger **hamburguesa** (7)
hand **mano** *f.*
hand in **entregar (gu)**
handbag **cartera** (4)
handsome **guapo/a** (3)
happen **pasar** (6)
happening **acontecimiento, evento**

happy **alegre** (6); **feliz** (*pl.* **felices**) (10); **contento/a** (6); to be happy (about) **alegrarse (de)**
hard **difícil** (6)
hard drive **disco duro**
hardworking **trabajador(a)** (3)
hat **sombrero** (4)
hate **odiar** (8)
have **tener** (4); **haber** (*inf. of* **hay** there is/are) *auxiliary*; to have a good/bad time **pasarlo bien / mal** (10); to have been (*doing something*) for (*a period of time*) **hace** + *period of time* + **que** + *present tense*; to have breakfast **desayunar** (7); to have dinner, supper **cenar** (7); to have lunch **almorzar (almuerzo) (c)** (7); to have a snack **merendar (meriendo)** (7); to have to (do something) **tener que** + *inf.* (4) to have just (*done something*) **acabar de** + *inf.* (7)
he **él** (2); he is **es** (1)
head **cabeza** (11)
health **salud** *f.* (11)
healthy **sano/a** (11)
hear **oír** (5)
heart **corazón** *m.* (11)
heat **calor** *m.* (6); **gas** *m.*
heating **calefacción** *f.*
hello **¡hola!** (1)
help n. **ayuda** (7); v. **ayudar** (7)
her *poss.* **su(s)** (3); hers, (of) her **suyo/a**
here **aquí** (2)
highway **carretera**
his *poss.* **su(s)** (3); his **suyo/a**
history **historia** (2)
hit **pegar (gu)** (9)
hobby **pasatiempo, afición** *f.* (9)
hockey **hockey** *m.* (9)
holiday **día** (*m.*) **festivo** (10)
home **casa** (3); at home **en casa** (2)
homework **tarea** (5)
honeymoon **luna de miel**
honk **tocar (qu)**
hope **esperanza;** to hope **esperar;** I hope, (that) **ojalá (que)**
horn (*car*) **bocina**
hors d'œuvres **botanas, tapas** (10)
horse **caballo** (9); to ride a horse **montar a caballo** (9)
host **anfitrión** *m.* (10)
hostess **anfitriona** (10)
hot dog **salchicha** (7)
hot: (spicey) **picante** (7); (temperature) **caliente** (7); (trendy) **de (última) moda** (4); to be (feel) (very) hot **tener (mucho) calor** (6); it's (very) hot **hace (mucho) calor** (6)
hotel **hotel** *m.*; luxury hotel **hotel de lujo** two (three, four, five) star hotel **hotel de 2 (3, 4, 5) estrellas**
hotel guest **huésped(a)**
hour: (1) what time? **¿a qué hora?** (1); What time is it? **¿Qué hora es?** (1)
house **casa** (3)
household chore **quehacer** (*m.*) **doméstico** (9)
housing **vivienda**
housekeeper **ama** *f.* (*but* **el ama**) de casa
how + *adj.* **¡qué** + *adj!*
how? what? **¿cómo?** (1); How are you doing? **¿Qué tal?** (1); How are you? **¿Cómo está(s)?** (1); how many? **¿cuántos/as?** (2); How much

does it/do they cost? **¿Cuánto cuesta (n)?** (4); How do you get to . . . **¿Cómo se llega a... ?** How often? **¿Con qué frecuencia?** (3); how much? **¿cuánto?** (2)
human **humano/a** (11)
humanities **humanidades** *f. pl.* (2)
hungry: to be (very) hungry **tener (mucha) hambre** (7)
hurry: to be in a hurry **tener prisa** (4)
hurt **doler (duelo)** (11)
hurt oneself **hacerse daño**
husband **esposo** (3); **marido**
hybrid **híbrido/a**

I

I **yo** (2); I am **soy** (1); I am from **soy de** (1); I didn't mean it **fue sin querer;** I'm sorry **discúlpeme;** I'm (very) sorry **lo siento (mucho);** I'm called **me llamo** (1); I hope (that) **ojalá (que)**
ice cream **helado** (7)
identification card **tarjeta de identificación**
if **si** (3)
improbable: it's improbable that . . . **es improbable que...**
in **en** (1); (*the morning, evening, etc.*) **por** *prep.* (2); in case **en caso de que;** in cash **en efectivo;** in order to **para** *prep.* (3)
incredible: it's incredible **es increíble**
inequality **desigualdad** *f.*
inexpensive **barato/a** (4)
infancy **infancia**
inflexible **inflexible**
inform **informar**
injection: to give (some one) an injection **poner**le una inyección *f.* (11)
insist (on) **insistir (en)**
inspector **inspector(a)**
install **instalar**
installment: to pay in installments **pagar (gu) a plazos**
intelligent **inteligente** (3)
intend **pensar (pienso)** (5)
intended for **para** (3)
Internet **Internet** *m.*, **red** *f.*
interest **interesar** (8); n. **interés** *m.*
interview **entrevista**
interviewer **entrevistador/a**
interrogative **interrogativo/a** (1)
invite **invitar** (7)
iPod ***iPod*** *m.*
iron clothes **planchar la ropa** (9)
island **isla** (6)
Italian (*language*) **italiano** *m.* (2)
its *poss.* **su(s)** (3)

J

jacket **chaqueta** (4)
January **enero** (6)
jeans ***jeans*** *m. pl.* (4)
job **empleo; trabajo;** fulltime/part-time job **trabajo de tiempo completo / parcial**
joke **chiste** *m.* (8)
journalist **periodista** *m., f.*
juice: (fruit) juice **jugo (de fruta)** (7)
July **julio** (6)
June **junio** (6)
just in case **por si acaso**

K

keep (*documents*) **guardar; mantener** (*like* **tener**); to keep on going **seguir (sigo) (i)**
key **llave** *n. f.* (5); key in **escribir a computadora**
kill **matar**
kind *adj.* **amable** (3)
king **rey** *m.*
kiosk **quiosco**
kiss each other **besarse** (11)
kitchen **cocina** (5)
know **conocer (conozco)** (7); to know (how) **saber** (7)

L

labourer **obrero/a**
lack **falta**
lady **señora (Sra.)** (1)
lake **lago**
lamp **lámpara** (5)
landlady **dueña**
landlord **dueño**
language **lengua** (2); foreign languages **lenguas extranjeras** (2)
large **gran, grande** (3)
last **último/a;** last night **anoche** (11); to last **durar**
late **tarde** *adv.* (2); to be late **estar atrasado/a** (8)
later: see you later **hasta luego** (1)
latest: the latest style **de última moda** (4)
laugh (about) **reír(se) (de)** (10)
law **ley** *f.*
lawyer **abogado/a**
lazy **perezoso/a** (3)
lead a healthy/calm life **llevar una vida sana / tranquila** (11)
learn **aprender** (3); to learn (about) **enterarse (de);** to learn how (*to do something*) **aprender a** + *inf.* (3)
least **menos** (6); at least **por lo menos** (10)
leather **cuero** (4); it is made of leather **es de cuero** (4)
leave (from) **salir (de)** (5); (for) **salir para** (5); (behind) (in [*a place*]) **dejar (en)** (9) left: to the left (of) **a la izquierda (de)** (6); to be left **quedar(se)**
leg **pierna**
lend **prestar** (8)
lenses: contact lenses **lentes** (*m. pl.*) **de contacto** (11)
less: less . . . than **menos... que** (6)
letter **carta** (3)
lettuce **lechuga** (7)
librarian **bibliotecario/a** (2)
library **biblioteca** (2)
license **licencia;** driver's license **licencia de manejar / conducir**
lie **mentira**
life **vida** (11); to lead a healthy/calm life **llevar una vida sana / tranquila** (11)
light **luz** *f.* (*pl.* **luces**); *adj.* light (not heavy) **ligero/a** (7)
like **gusto** (1); **gustar** (8); do you (*form.*) like . . . ? **¿le gusta... ?** (1); do you (fam.) like . . . ? **¿te gusta... ?** (1); I (don't) like . . . **(no) me gusta(n)...** (1); I would like . . . **me gustaría...** (8); to like very much **encantar** (8)

likeable **simpático/a** (3)
likely: it's likely that . . . **es probable que...**
likewise igualmente **(1)**
limit: speed limit **límite** (*m.*) **de velocidad** *f.*
line **cola** (8); to stand in line **hacer cola** (8)
listen (to) **escuchar** (2)
literature **literatura** (2)
little, few **poco/a** *adj.* (4); little **poco** *adv.* (2);
a little bit (of) **un poco (de)** (2)
live **vivir** (3); to live a healthy life **llevar una
vida sana / tranquila** (11)
loan **préstamo**
lobster **langosta** (7)
lodging **alojamiento**
long **largo/a** (3)
look at **mirar** (3); to look for **buscar (qu)** (2)
lose **perder (pierdo)** (5)
lot: a lot *adv.* **mucho** (2); a lot (of) **mucho/a** (3);
an awful lot **muchísimo** (8)
love **amar; encantar** (8); **quererse;** *n.* **amor**
m.; in love (with) **enamorado/a (de)**; to fall
in love (with) **enamorarse (de)**
luck **suerte** *f.*
lucky: to be lucky **tener suerte**
luggage **equipaje** *m.* (8)
lunch **almuerzo** (7); to have lunch **almorzar
(almuerzo) (c)** (5)
lung **pulmón** *m.* (11)
luxury *n.* **lujo;** luxury hotel **hotel** (*m.*) **de lujo**
-ly *adv.* ending **-mente**
lyrics (song) **letra** *s.* (7)

M

machine: answering machine **contestador** (*m.*)
automático
magazine **revista** (3)
maid **criada**
mail **correo;** e-mail **correo electrónico**
maintain **mantener** (*like* **tener**)
make **hacer** (5); to make a mistake (about)
equivocarse (qu); to make plans to (*do something*) **hacer planes para + *inf.*** (9); to make
stops **hacer escalas / paradas** (8); to make
the bed **hacer la cama** (9)
mall: shopping mall **centro comercial** (4)
man **hombre** *m.* (2); **señor (Sr.)** *m.* (1);
business man **hombre de negocios**
manager **gerente** *m., f.*
many **muchos/as** (3); how many?
¿cuántos/as? (2)
march **demonstración** *f.*
March **marzo** (6)
market(place) **mercado** (4)
marriage **matrimonio**
married **casado/a** (3); married couple **pareja**
marry (someone) **casarse (con)**
masterpiece **obra maestra**
match (*for lighting things*) **fósforo**
material **material** *n. m.* (4)
mathematics **matemáticas** *pl.* (2)
May **mayo** (6)
me *d.o., i.o.* **me;** *obj.* (*of prep.*) **mí** (6)
meal **comida** (7)
means: that means **eso quiere decir** (11)
means: means of communication **medios de
comunicación;** means of transportation
medios de transporte *m.* (8), transporte
meat **carne** *f.* (7)
mechanic **mecánico/a**

medical **médico/a** (3); medical office
consultorio (11)
medicine **medicina** (11)
meet (a person) **conocerse (conozco)**
(*someone somewhere*) **encontrarse
(encuentro) (con)** (11)
memory **memoria**
menu **menú** *m.* (7)
message **mensaje**
messy **desordenado/a** (6)
metro stop **estación** (*f.*) **del metro**
Mexican **mexicano/a** *n., adj.* (3)
microwave oven **horno de microondas** (9)
middle age **madurez** *f.*
midnight **medianoche** *f.* (10)
military service **servicio militar**
milk **leche** *f.* (7)
milkshake **batido**
million **millón** (*m.*) **(de)** (4)
mineral water **agua** (*f., but* **el agua**)
mineral (7)
miss (*a function, bus, plane, etc.*) **perder
(pierdo)** (5)
Miss **señorita (Srta.)** (1)
mistake: to make a mistake (about) **equivocarse
(qu) (de)**
modem **módem** *m.*
modern **moderno/a**
molar **muela** (11)
mom **mamá** (3)
Monday **lunes** *m. inv.* (5)
money **dinero** (2)
month **mes** *m.* (6)
moped **moto(cicleta)** *f.*
more **más** *adv.* (2); more . . . than (6)
más... que
morning in the morning **de la mañana** (1); in
the morning **por la mañana** (2); good morning
buenos días (1)
mother **mamá, madre** *f.* (3)
motorcycle **moto(cicleta)** *f.*
mountain **montaña** *f.* **(8)**
mouse **ratón** *m.*
mouth **boca** (11)
movie **película** (5); movies **cine** *m. s.* (5);
movie theater **cine** *m.* (5)
Mr. **señor (Sr.)** *m.* (1)
Mrs. **señora (Sra.)** (1)
much **mucho** *adv.* (2); How much does it/do
they cost? **¿Cuánto cuesta(n)?** (4); too much
demasiado *adv.* (9)
museum: to visit a museum **visitar un
museo** (9)
mushroom **champiñón** *m.* (7)
music **música**
musician **músico/a** *n. m., f.*
must (*do something*) **deber + *inf.*** (3)
my *poss.* **mi(s);** (3); my, (of) mine *poss.*
mío/a(s)

N

name **nombre** m. (7)
named What's your (*form.*) name? **¿Cómo se
llama usted?** (1); What's your (*fam.*) name?
¿Cómo te llamas? (1); My name is . . . **Me
llamo...** (1)
nap: to take a nap **dormir (5) la siesta** (5)
nationality **nacionalidad** *f.* (3)
natural resources **recursos naturales**

nature **naturaleza**
nauseated **mareado/a** (11)
neat **ordenado/a** (6)
necessary **necesario/a** (3); it is necessary to
(*do something*) **hay que + *inf.***
need *v.* **necesitar** (2)
neighbour **vecino/a**
neighbourhood **barrio, vecindad** *f.*
neither, not either **tampoco** (7)
nephew **sobrino** (3)
nervous **nervioso/a** (6)
Net: to surf the Net **navegar (gu) la red**
never **nunca** (3); **jamás** (7); almost never
casi nunca (3)
new **nuevo/a** (3); New Year's Eve **Noche** (*f.*)
Vieja (10)
news **noticias** *pl.*; news media **prensa**
newscast **noticiero**
newspaper **periódico** (3)
next *adv.* **luego** (5); *adj.* **próximo/a** (5); next
to **al lado de** *prep.* (6); next week **la semana
que viene** (5)
nice **amable** (3), **simpático/a** (3)
niece **sobrina** (3)
night: at night **de la noche** (1); **por la noche**
(2); good night **buenas noches** (1); last night
anoche (11), tonight **esta noche** (6)
nine **nueve** (1)
nine hundred **novecientos/as** (4)
nineteen **diecinueve** (1)
ninety **noventa** (3)
ninth **noveno/a**
no, not **no** (1)
nobody, not anybody, no one **nadie** (7)
noise **ruido** (5)
none, not any **ningún, ninguno/a** (7)
north **norte** *m.* (6)
nose **nariz** *f.* (11)
not ever **nunca, jamás** (7)
notes (*academic*) **apuntes** *m.*
notebook **cuaderno** (2)
nothing, not anything **nada** (7)
noun **sustantivo** *gram.* (2)
November **noviembre** *m.* (6)
now **ahora** (2)
nowadays **hoy (en) día**
nuclear **nuclear**
number **número** (1)
nurse **enfermero/a** (11)

O

obey **obedecer (obedezco)**
object **objeto** (2)
obligation **deber** *m.*
obtain **obtener** (*like* **tener**)
ocean **océano** (8)
October **octubre** *m.* (6)
of **de** *prep.* (1); of the **del** (*contraction of*
de + el) (3); of course **por supuesto**
off: to turn off **apagar (gu)**
offer *v.* **ofrecer (ofrezco)** (8)
office **oficina** (2); doctor's office **consultorio**
(11); political office **cargo;** post office **oficina
de correos**
oil **aceite** *m.* (7)
OK **regular** *adj.* (1)
old **viejo/a** *adj.* (3); old age **vejez** *f.*
older **mayor** (6)
on **en** (1); on top of **encima de** *prep.* (6)

once a week **una vez a la semana** (3)
one **uno** (1)
one hundred **cien, ciento** (3)
one thousand **mil** (4)
one-way (*ticket*) **de ida** (8)
only **sólo** *adv.* (2)
open **abierto/a** (6); to open **abrir**
  (*p.p.* **abierto/a**) (3)
opera **ópera**
operate (*a machine*) **manejar**
or **o** (1)
oral report **informe oral**
orange (*colour*) **anaranjado/a** *adj.* (4); orange
  (*fruit*) **naranja** (7)
orchestra **orquesta**
order (*in a restaurant*) **pedir** (5); (*someone to*
  do something) **mandar**
other **otro/a** (3); others **los / las demás**
ought to (*do something*) **deber** + *inf.* (3)
our *poss.* **nuestro/a(s)** (3); our, of us
  nuestro/a(s)
outdoors **afuera** *adv.* (6)
outskirts **afueras** *n. pl.*
oven: microwave oven **horno de microondas** (9)
overcoat **abrigo** (4)
owner **dueño/a** (7)
ozone layer **capa de ozono**

P

pace **ritmo**
pack one's suitcases **hacer las maletas** (8)
package **paquete** *m.*
pain **dolor** (*m.*) (**de**) (11); to have a pain (in)
  tener dolor (de) (11)
paint (the walls) **pintar (las paredes)** (9)
painter **pintor(a)**
painting **cuadro, pintura**
pair **par** *m.* (4)
pants **pantalones** *m.* (4)
paper **papel** *m.* (2)
pardon me **con permiso, perdón** (1);
  discúlpeme
parents **padres** *m. pl.* (3)
park **estacionar**
parking place/lot **estacionamiento**
part **parte** *f.* (5)
partner (*married*) **pareja**
part-time **de tiempo parcial**; part-time job
  trabajo de tiempo parcial
party **fiesta** (2); to have a party **dar / hacer**
  una fiesta (10)
pass through security (check) **pasar por el**
  control de la seguridad (8)
passenger **pasajero/a** *n.* (8)
passport **pasaporte** *m.*
past *adj.* **pasado/a** (11)
pastime **pasatiempo** (9)
pastry (small) **pastelito**; pastry shop **pastelería**
patio **patio** (5)
pay **salario**; *v.* **pagar (gu)** (2); to pay cash
  pagar en efectivo; to pay in installments
  pagar a plazos
pea: green pea **arveja** (7)
peace **paz** *f.* (*pl.* **paces**)
peasant **campesino/a**
pen **bolígrafo** (2)
pencil **lápiz** *m.* (*pl.* **lápices**) (2)
people **gente** *f. s.*
pepper **pimienta** (7)

permit **permitir**
person **persona** (2)
pet **mascota** (3)
pharmacist **farmacéutico/a** (11)
pharmacy **farmacia** (11)
phase **etapa**
philosophy **filosofía** (2)
phone: to talk on the phone **hablar por**
  teléfono (2)
photo(graph) **foto(grafía)** *f.* (8)
photographer **fotógrafo/a**
photography **fotografía**
photos: to take photos **sacar (qu) fotos** *f. pl.* (8)
physics **física** (2)
pick up **recoger (recojo)**
picnic: to have a picnic **hacer un picnic** (9)
pie **pastel** *m.* (7)
Pilates (el método) **Pilates** (11); to do
  Pilates **hacer (el método) Pilates** (11)
pill **pastilla** (11)
pillow **almohada**
pink **rosado/a** (4)
place (*in line*) **puesto** (8); to place **poner** (5)
plaid **de cuadros** (4)
plans: to make plans to (*do something*) **hacer**
  planes para + *inf.* (9)
plate **plato** (7)
play (dramatic) **obra de teatro**
play (*a game, sport*) **jugar (juego) (a, al)**
  (gu) (5); to play chess **jugar al ajedrez** (9);
  to play cards **jugar a las cartas** (9); to play
  (*a musical instrument*) **tocar (qu)** (2)
player **jugador(a)** (9)
playwright **dramaturgo/a**
please **por favor** (1); pleased to meet you
  encantado/a, mucho gusto (1)
pleasing: to be pleasing **gustar** (8)
plumber **plomero/a**
poet **poeta** *m., f.*
police officer **policía** *m., f.*
policy **política**
politician **político/a**
politics **política** *s.*
polka dot **de lunares** (4)
pollute **contaminar**
pollution: there's (lots of) pollution **hay (mucha)**
  contaminación *f.* (6)
political office **cargo**
poor **pobre** (3)
poorly **mal** *adv.* (2)
population **población** *f.*
pork chop **chuleta de cerdo** (7)
port **porto** (8)
porter **maletero** (8)
possible **posible** (3)
post office **oficina de correos**
postcard **tarjeta postal** (8)
potato **papa** (*L.A.*), **patata** (*Sp.*) (7); French
  fried potato **papa / patata frita** (7)
pottery **cerámica**
practise **entrenar** (9); **practicar (qu)** (2)
prefer **preferir (prefiero) (i)** (4)
preference **preferencia** (1)
prepare **preparar** (7)
prescription **receta** (11)
present (*gift*) **regalo** *n.* (3)
press *n.* **prensa**
pressure: to be under (a lot of) pressure **sufrir**
  (muchas) presiones *f. pl.*

pretty **bonito/a** (3)
price **precio** (4); fixed, set price **precio fijo** (4);
  (*transportation*) **pasaje** *m.* (8)
print **imprimir**
printer **impresora**
probable: its probable that . . . **es probable que...**
profession **profesión** *f.*
professor **profesor(a)** (2)
programmer **programador(a)**
prohibit **prohibir (prohíbo)**
promise *v.* **prometer** (8)
pronoun: personal pronoun **pronombre** (*m.*)
  personal (2)
protect **proteger (protejo)**
provided (that) **con tal (de) que**
psychiatrist **siquiatra** *m., f.*
psychologist **sicólogo/a**
psychology **sicología** (2)
public **público/a** *adj.*
pure **puro/a**
purple **morado/a** (4)
purse **bolsa** (4)
put **poner** (5); to put on (*clothing*) **ponerse** (5)

Q

quarter after (*hour*) **y cuarto / quince** (1);
  quarter til **menos cuarto / quince** (1)
queen **reina**
question **pregunta** (5); (*matter*) **cuestión** *f.*;
  to ask (a question) **hacer una pregunta** (5);
  preguntar (7)
quit **dejar**; (*doing something*)
  dejar de + *inf.* (11)
quiz **prueba**

R

radio **radio** *m.* (*set*); portable radio **radio portátil**
rain **llover (llueve)** (6); it's raining **llueve** (6)
raincoat **impermeable** *m.* (4)
raise **aumento**
rather **bastante** *adv.*
read **leer** (*like* **creer**) (3)
reason: for that reason **por eso** (3)
receive **recibir** (3)
recently married to **recién casado a / con**
recipe **receta** (7)
recommend **recomendar (recomiendo)** (8)
record **grabar**
recorder (tape) **grabadora**
recycle **reciclar**
red **rojo/a** (4); red wine **vino tinto** (7)
reduction **rebaja** (4)
refrigerator **refrigerador** *m.* (9)
regret **sentir, lamentar**
relationship **relación**
relative **pariente** *m., f.* (3)
remain (*in a place*) **quedar(se)** (6); (*be left*)
  quedar
remember **recordar (recuerdo)** (10);
  acordarse (me acuerdo) (de)
remote control **control** (*m.*) **remoto**
rent **alquiler** *m.*; to rent **alquilar**
renter **inquilino/a**
repair **arreglar, reparar**; (repair) shop **taller** *m.*
report **informe, trabajo**
reporter **reportero/a**
reservation **reservación** *f.*
resign (from) **renunciar (a)**
resolve **resolver** (*like* **volver**) (*p.p.* **resuelto/a**)

resource **recurso;** natural resources **recursos naturales**
responsibility **responsabilidad** *f.*, **deber** *m.*
rest **descansar** (5)
restaurant **restaurante** *m.* (5)
résumé **currículum** *m.*
retire **jubilarse**
return (*to a place*) **regresar** (2); to return home **regresar a casa** (2); **volver** (*p.p.* **vuelto/a**) (5); (*something*) **devolver** (*like* **volver**) (*pp.* **devuelto/a**)
rhythm **ritmo**
rice **arroz** *m.* (*pl.* **arroces**) (7)
rich (*wealthy*) (*tasty*) **rico/a** (3); (7)
ride: ride a bicycle **pasear en bicicleta** (9); to ride, a horse **montar a caballo** (9)
right (*legal*) **derecho** *n.*; right? **¿no?, ¿verdad?** (4); right away **en seguida** (11); right now **ahora mismo** (6), **en la actualidad** (9) to the right (of) **a la derecha (de)** (6) to be right **tener razón** (4)
ring **sonar (suena)** (9)
river **río**
roadway **vía**
roasted **asado/a** (7)
role **papel** *m.*
roller skates **patines** *m. pl.*
rollerblade *v.* **patinar en línea** (9)
room **cuarto** (2); room (*in a hotel*) **habitación** *f.*; classroom **salón** (*m.*) **de clase** (2) double room **habitación** (*f.*) **doble;** emergency room **sala de emergencias / urgencia** (11); living room **sala** (5); room service **servicio de curators;** room with(out) bath/shower **habitación** (*f.*) **con / sin baño / ducha;** single room **habitación** (*f.*) **individual;** waiting room **sala de espera** (8)
roommate **compañero/a de cuarto** (2)
round-trip ticket **billete** (*m.*) **/ boleto de ida y vuelta** (8)
route **vía**
routine: daily routine **rutina diaria** (5)
rug **alfombra** (5)
ruin *n.* **ruina**
run **correr** (9); (*machines*) **funcionar;** to run into/against **pegarse (gu) en / con / contra, chocar (qu) (con / contra);** to run out (of) **acabar;** to run for political office **postularse a un cargo como candidato**

S

sad **triste** (6)
salad **ensalada** (7)
salary **sueldo**
sale **rebaja** (4)
salesperson **vendedor(a)**
salmon **salmón** *m.* (7)
same **mismo/a** (6); same here **igualmente** (1)
sandal **sandalia** (4)
sandwich **sándwich** *m.* (7)
Saturday **sábado** (5)
sausage **salchicha** (7)
save **conservar;** (*documents*) **almacenar;** (*money*) **ahorrar;** (*a place*) **guardar un puesto** (8)
savings **ahorros** *pl.*; savings account **cuenta de ahorros**
say **decir** (8); to say good-bye (to) **despedirse** (*like* **pedir**) **(de)** (10)
schedule **horario**

school **escuela** (9)
schoolteacher **maestro/a (de escuela)**
science **ciencia** (2); computer science **computación** *f.* (2); natural/political/social sciences **ciencias naturales / políticas / sociales** (2)
screen **pantalla;** flat/big screen **pantalla plana / grande**
script **guión** *m.*
sculpt **esculpir**
sculptor **escultor(a)**
sculpture **escultura**
sea **mar** *m.* (8)
seafood **mariscos** *pl.* (7)
seaport **puerto** (8)
search **registrar**
season **estación** *f.* (6)
seat **asiento** (8)
second **segundo/a** *adj.*
secretary **secretario/a** (2)
security check **control** (*m.*) **de la seguridad** (8)
see **ver** (5); see you around **nos vemos** (1); see you later **hasta luego** (1); see you tomorrow **hasta mañana** (1)
sell **vender** (3)
send **mandar** (8)
sentimental **sentimental**
separate (from) *v.* **separarse (de)**
separation **separación** *f.*
September **septiembre** *m.* (6)
serve **servir (sirvo) (i)** (5)
service: military service **servicio militar**
set price **precio fijo** (4)
set the table **poner la mesa** (9)
seven **siete** (1)
seven hundred **setecientos/as** (4)
seventeen **diecisiete** (1)
seventh **séptimo/a** *adj.*
seventy **setenta** (3)
shake hands **darse la mano** (11)
shame **lástima;** it is a shame **es una lástima;** What a shame that . . . ! **¡Qué lástima que... !**
shampoo **champú** *m.*
share **compartir**
shave oneself **afeitarse** (5)
she **ella** (2); she is **es** (1)
sheet **sábana**
shellfish **marisco** (7)
ship **barco** (8); cruise ship **crucero** (8)
shirt **camisa** (4)
shoe **zapato** (4); tennis shoe **zapato de tenis** (4)
shop (repair) **taller** *m.*
shopping **de compras** (4); shopping mall **centro comercial** (4); to go shopping **ir de compras** (4)
short (*in height*) **bajo/a** (3); (*in length*) **corto/a** (3)
shot: to give (someone) a shot **ponerle una inyección** *f.* (11)
should (*do something*) **deber + inf.** (3)
show **mostrar (muestro)** (8); *n.* **espectáculo**
shower: room with attached shower **habitación** (*f.*) **con ducha;** to take a shower **ducharse** (5)
shrimp **camarón** *m.* (7)
sick **enfermo/a** *adj.* (6); to get sick **enfermarse** (10)
sickness **enfermedad** *f.* (11)
sidewalk **acera**
sight: at first sight **a primera vista**
silk **seda** (4); it is made of silk **es de seda** (4)
silly **tonto/a** (3)

silver **plata** (4); it is made of silver **es de plata** (4)
sing **cantar** (2)
singer **cantante** *m., f.*
single (*not married*) **soltero/a** (3); single room **habitación** (*f.*) **individual**
sink (*bathroom*) **lavabo** (5)
sir **señor (Sr.)** *m.* (1)
sister **hermana** (3)
sit down **sentarse (me siento)** (5)
six **seis** (1)
six hundred **seiscientos/as** (4)
sixteen **dieciséis** (1)
sixth **sexto/a** *adj.*
sixty **sesenta** (3)
skate **patinar** (9); skates **patines** *m.*
skateboard **monopatín** *m.*
ski **esquiar (esquío)** (9)
skirt **falda** (4)
skyscraper **rascacielos** *m. s.*
sleep **dormir** (5)
sleepy: to be sleepy **tener sueño** (4)
slender **delgado/a** (3)
small **pequeño/a** (3); small window (*on a plane*) **ventanilla** (8)
smart **listo/a** (3)
smile **sonreír (se)** (*like* **reír**) (10)
smoke **fumar** (8)
smoking area **sala de fumar / de fumadores** (8)
snow **nevar (nieva)** (6); it's snowing **nieva** (6)
so: so-so **regular** (1); so that **para que**
soap **jabón** *m.*
soccer **fútbol** *m.* (9)
social worker **trabajador(a) social**
sociology **sociología** (2)
sock **calcetín** *m.* (4)
sofa **sofá** *m.* (5)
soft drink **refresco** (7)
solar **solar**
soldier **soldado;** female soldier **mujer** (*f.*) **soldado**
solve **resolver** (*like* **volver**) (*p.p.* **resuelto/a**)
some **algún, alguno/a** (7)
someone **alguien** (7)
something **algo** (4)
sometimes **a veces** (3)
son **hijo** (3)
song **canción** *f.*
soon: as soon as **tan pronto como;** *conj.* **en cuanto**
sorry: I'm (very) sorry. **Lo siento (mucho).**
sound *v.* **sonar (sueno)** (9)
soup **sopa** (7)
south **sur** *m.* (6)
Spanish (*language*) **español** *m.* (2); **español(a)** *n., adj.* Spanish speaking **hispanohablante** (3)
speak **hablar** (2)
species **especie** *f.*; endangered species **especie en peligro de extinción**
speed: speed limit **límite** (*m.*) **de velocidad**
spend (*money*) **gastar** (10); (*time*) **pasar** (6)
spicey **picante** (7)
sport **deporte** *m.* (9)
sports *adj.* **deportivo/a** (9)
spring **primavera** (6)
stage **escenario;** (*phase*) **etapa**
stamp **estampilla** (*postage*)
stand in line **hacer cola** (8); to stand up **levantarse** (5)
start up (*a car*) **arrancar (qu)**

state **estado** (3)

station **estación** *f.* (8); bus station **estación de autobuses** (8); gas station **estación de gasolina, gasolinera;** train station **estación del tren** (8); station wagon **camioneta** (8)

stationery **papel** (*m.*) **para cartas;** stationery store **papelería**

stay *n.* (*in a hotel*) **estancia;** to stay (*in a place*) **quedar(se)** (6), **alojarse;** to stay in bed **guardar cama** (11)

steak **bistec** *m.* (7)

stereo **estéreo**

stick out one's tongue **sacar (qu) la lengua** (11)

still **todavía** (6)

stockings **medias** *pl.* (4)

stomach **estómago** (11)

stop **parar;** (*doing something*) **dejar de** + *inf.* (11); to make stops **hacer escalas / paradas** (8); bus stop **parada del autobús**

store **tienda** (4); to store (*documents*) **almacenar**

stove **estufa** (9)

straight ahead **todo derecho**

strange **raro/a** (10); **extraño/a;** it's strange **es extraño**

street **calle** *f.*

stress **estrés** *m.*

stressed out **estresado/a**

strike (*labour*) **huelga**

striped **de rayas** (3)

student **estudiante** *m., f.* (2); student *adj.,* of students **estudiantil**

study **estudiar** (2)

stuffed: stuffed up **resfriado/a** (11)

style: latest style **de (última) moda** (4)

subject (*school*) **materia** (2)

suburb **afueras** *pl.*

subway stop **estación** (*f.*) **del metro**

succeed in (*doing something*) **conseguir** (*like* **seguir**) + *inf.* (10)

suddenly **de repente** (11)

suffer **sufrir**

sufficiently **bastante** *adv.*

sugar **azúcar** *m.* (7)

suggest **sugerir (sugiero) (i)** (10)

suit **traje** *m.* (4); bathing suit **traje de baño** (4)

suitcase **maleta** (8); to pack one's suitcases **hacer las maletas** (8)

summer **verano** (6)

sunny: it's (very) sunny **hace (mucho) sol** (6); sunbathe **tomar el sol** (8)

Sunday **domingo** (5)

supper **cena** (7); to have (to eat) supper **cenar** (7)

sure **seguro/a** *adj.* (6); it's a sure thing that **es seguro que**

surf the Net **navegar (gu) la red**

surprise **sorpresa** (10) it surprises me (you, him, . . .) **me (te, le,...) sorprende**

sweater **suéter** *m.* (4)

sweatshirt **sudadera** (4)

sweep (vacuum) **pasar la aspiradora** (9); to sweep (the floor) **barrer (el piso)** (9)

sweets **dulces** *m. pl.* (7)

swim **nadar** (8)

swimming **natación** *f.* (9); swimming pool **piscina** (5)

symptom **síntoma** *m.* (11)

systems analyst **analista** (*m., f.*) **de sistemas**

T

T-shirt **camiseta** (4)

table **mesa** (2); table (end) **mesita** (5)

take **tomar** (2); **llevar** (4); to take (photos) **sacar (qu) (fotos)** (8); to take a nap **dormir la siesta** (5); to take a trip **hacer un viaje** (5); to take care of oneself **cuidar(se)** (11); to take leave (of) **despedirse** (*like* **pedir**) **(de)** (10); to take off (*clothing*) **quitarse** (*la ropa*) (5); to take out (*withdraw money*) **sacar (qu) dinero;** to take out the trash **sacar (qu) la basura** (9); to take place in **ser en** (10); to take someone's temperature **tomarle la temperatura** (11)

talk **hablar** (2); to talk on the phone **hablar por teléfono** (2)

tall **alto/a** (3)

tank **tanque** *m.*

tape **cinta;** to tape **grabar;** tape recorder/player **grabadora**

tea **té** *m.* (7)

teach **enseñar** (2)

technician **técnico/a** *n.*

telephone **teléfono** (2); cell phone/mobile telephone **teléfono celular / móvil**

television (set) **televisión** (3); to watch television **mirar la televisión** (3)

tell **decir** (8); **contar (cuento)** (8)

teller **cajero/a;** automatic teller machine **cajero automático**

temperature **temperatura** (11); to take someone's temperature **tomarle la temperatura** (11)

ten **diez** (1)

tenant **inquilino/a**

tennis **tenis** *m. s.* (9); tennis shoes **zapatos de tenis** (4)

tent **tienda de campaña** (8)

tenth **décimo/a**

terrible: it's terrible that . . . **es terrible que...**

terrorism **terrorismo**

terrorist **terrorista** *m., f.;* terrorist attack **ataque** (*m.*) **terrorista**

test **examen** *m.* (4); **prueba**

textbook **libro de texto** (2)

thank you **gracias** (1); thank you very much **muchas gracias** (1); thanks for **gracias por** (10)

that **que** (3); that which **lo que** (5); that *adj.,* that one *pron.* **ese, esa** (4); that *adj.,* that one *pron.* (*over there*) **aquel, aquella** (4); that *pron.* **eso** (4); that *pron.* (*over there*) **aquello** (4); *conj.* **que** (3) that means **eso quiere decir** (11)

theater: to go to the theater **ir al teatro** (9)

their *poss.* **sus** (3) their, of them **suyo/a**

then **luego** (5)

there is (not), there are (not) **(no) hay** (1); **haber**

there: (over) there **allí** (4); way over there **allá** (4)

therefore **por eso** (3)

these *adj.,* these (ones) *pron.* **estos/as** (3)

they **ellos/as** (2)

thin **delgado/a** (3)

thing **cosa** (5)

think **creer** (3); to think (*about*) **pensar (en)** (5)

third **tercer, tercero/a** *adj.*

thirsty: to be (very) thirsty **tener (mucha) sed** (7)

thirteen **trece** (1)

thirty **treinta** (1); thirty, half-past (*the hour*) **y media, y treinta** (1)

this *adj.,* this one *pron.* **este, esta** (3); this *pron.* **esto** (3)

those *adj.,* those (ones) *pron.* **esos/as** (4); those *adj.* (*over there*), those (ones) *pron.* (*over there*) **aquellos/as** (4)

three **tres** (1)

three hundred **trescientos/as** (4)

throat **garganta** (11)

through **por** *prep.* (8)

Thursday **jueves** *m. inv.* (5)

ticket **boleto, billete** *m.* (8); one-way ticket **billete** (*m.*) / **boleto de ida;** round-trip ticket **billete** (*m.*) / **boleto de ida y vuelta** (8)

tie **corbata** (4)

time: What time is it? **¿Qué hora es?** (1); (*period*) **época** (9); ahead of time **con anticipación;** on time **a tiempo** (8); spare time **ratos** (*pl.*) **libres** (9); full/part-time job **trabajo de tiempo completo / parcial**

tip (*to an employee*) **propina**

tire *n.* **llanta;** flat tire **llanta desinflada**

tired **cansado/a** (6)

to the **al** (*contraction of* **a** + **el**) (4)

toast **pan** *m.* **tostado** (7)

toasted **tostado/a** (7)

toaster **tostadora** (9)

tobacco stand/shop **estanco**

today **hoy** (1); What's today's date? **¿Cuál es la fecha de hoy?, ¿Qué fecha es hoy?** (6)

toe **dedo del pie**

together **juntos/as** (8)

tomato **tomate** *m.* (7)

tomorrow **mañana** *adv.* (1); see you tomorrow **hasta mañana** (1); day after tomorrow **pasado mañana** (5)

tongue **lengua;** to stick out one's tongue **sacar (qu) la lengua** (11)

tonight **esta noche** (6)

too **también** (1) too much **demasiado** *adv.* (9)

tooth **diente** *m.* (11) back tooth, molar **muela** (11)

toothpaste **pasta dental**

tourist **turístico/a** *adj.* (8); tourist class **clase** (*f.*) **turística** (8)

towel **toalla**

trade **oficio**

traffic **tráfico, tránsito;** traffic signal **semáforo**

train **tren** *m.* (8); train station **estación** (*f.*) **del tren** (8); to go by train **ir en tren** (8); to train **entrenar** (8)

translator **traductor(a)**

transportation: means of transportation **medió de transporte** *m.* (8); **transporte** *m.*

trash: to take out the trash **sacar (qu) la basura** (9)

travel **viajar** (8); travel agency **agencia de viajes** (8); travel agent **agente** (*m. f.*) **de viajes** (8); traveller **viajero/a;** travelling **de viaje** (8)

treadmill **rueda de molino** (11)

treatment **tratamiento** (11)

tree **árbol** *m.*

trendy **es de última moda, está de moda** (4)

trip **viaje** *m.* (8); on a trip **de viaje** (8); round-trip ticket **billete** (*m.*) / **boleto de ida y vuelta** (8); to take a trip **hacer un viaje** (5); dream trip **viaje de sueños**

try to (*do something*) **tratar de** + *inf.*

Tuesday **martes** *m. inv.* (5)

tuition **matrícula** (2)

tuna **atún** *m.* (7)

turkey **pavo** (7)

turn **doblar;** to turn in **entregar (gu)** (8); to turn off **apágar (gu);** to be someone's turn **tocarle (qu) a uno** (9); to turn out well/badly **salir bien / mal** (5)

twelve **doce** (1)

twenty **veinte** (1)

twice **dos veces** (11)

two **dos** (1)

two-way **de doble vía**

two hundred **doscientos/as** (4)

type **escribir** (*p.p.* **escrito/a**) **a computadora**

U

ugly **feo/a** (3)

unbelievable **increíble**

uncle **tío** (3)

understand **comprender** (3); **entender (entiendo)** (5)

underwear **ropa interior** (4)

unfortunately **desgraciadamente** (11)

unlucky: to be unlucky **tener mala suerte**

unintentional: it was unintentional **fue sin querer**

university **universidad** *f.* (2); (of the) university **universitario/a;** university campus **campus** *m.*

unless **a menos que**

unlikely: it's unlikely that . . . **es improbable que...**

unoccupied **desocupado/a**

unpleasant **antipático/a** (3)

until **hasta** *prep.* (5); **hasta que** *conj.;* until (see you) tomorrow **hasta mañana** (1) until (see you) later **hasta luego** (1)

urgent **urgente;** it's urgent that **es urgente que** (5)

us **nos** *d.o.;* *i.o.* to/for us; *re..* *pron.* ourselves; **nos vemos** see you around (1)

U.S. *adj.* **estadounidense** (3)

use **usar** (4); **gastar** (10)

V

vacant **desocupado/a**

vacation: to be on vacation **estar de vacaciones** (8); to go on vacation **ir de vacaciones** (8); to spend one's vacation in . . . **pasar las vacaciones en...** (8); to leave on vacation **salir de vacaciones** (8); to take a vacation **tomar unas vacaciones** (8)

vacuum cleaner **aspiradora** (9); to vacuum **pasar la aspiradora** (9)

vegetable **verdura** (7)

vehicle **vehículo**

verb **verbo** *gram.* (1)

very **muy** (2); very very **-ísimo/a** (10);

very well **muy bien** (1)

veterinarian **veterinario/a**

victim **víctima**

video cámera **cámara de vídeo**

videocassette recorder (VCR) **videocasetera**

view **vista**

violence **violencia**

visit a museum **visitar un museo** (9)

volleyball **voleibol** *m.* (9)

vote **votar**

W

wages **salario**

wait (for) **esperar** (7)

waiter **camarero** (7); waitress **camarera** (7)

waiting room **sala de espera** (8)

wake up **despertarse (me despierto)** (5)

walk **caminar** (9); to take a walk **dar un paseo** (9)

wall **pared** *f.* (5)

wallet **cartera** (4)

want **desear** (2); **querer** (4)

war **guerra**

warm: to be (feel) (very) warm, hot **tener (mucho) calor** (6)

wash: to wash (the windows, the dishes, clothes) **lavar (las ventanas, los platos, la ropa)** (9)

washing machine **lavadora** (9)

watch **reloj** *m.* (4); to watch **mirar** (3); to watch television **mirar la television** (3)

water **agua** *f.* (*but* **el agua**) (7); mineral water **agua mineral** (7)

we **nosotros/as** (2)

wear (*clothing*) **llevar, usar** (4)

weather **tiempo** (6); it's good/bad weather **hace buen / mal tiempo** (6); What's the weather like? **¿Qué tiempo hace?** (6)

weave **tejer**

wedding **boda**

Wednesday **miércoles** *m. inv.* (5)

week **semana** (5); next week **la semana que viene** (5); once a week **una vez a la semana** (3); weekday **día** (*m.*) **de la semana** (5); weekend **fin** (*m.*) **de semana** (2)

welcome: you're welcome **de nada, no hay de qué** (1)

well **bien** *adv.* (1); well . . . *interj.* **bueno...** (3); well paid **bien pagado**

well-being **bienestar** *m.* (11)

west **oeste** *m.* (6)

whale **ballena**

what **lo que** (5)

what . . . ! **¡qué... !;** What a shame! **¡Qué lástima!**

what? **¿qué?** (1), **¿cuál(es)?** (2); What are you like? **¿Cómo es usted?** (1); What's the date today? **¿Cuál es la fecha de hoy?, ¿Qué fecha es hoy?** (6); What time is it? **¿Qué hora es?** (1); At what time? **¿A qué hora?** (1); What's your name? **¿Cómo te llamas?, ¿Cómo se llama usted?** (1); What for? **¿Para qué?**

when? **¿cuándo?** (2)

where? **¿dónde?** (1); where (to)? **¿adónde?** (4); Where are you from? **¿De dónde eres / es Ud.?** (1)

which **que** (3); that which **lo que** (5)

which? **¿qué?** (1); **¿cuál(es)?** (2)

while **mientras** *conj.* (9)

white **blanco/a** (4); white wine **vino blanco** (7)

who **que** (3)

who? whom? **¿quién(es)?** (2)

whole **entero/a** (9); to clean the whole house **limpiar la casa entera** (9)

whose? **¿de quién?** (3)

why? **¿por qué?** (3)

widow **viuda;** widower **viudo**

wife **esposa** (3); **mujer** *f.*

wild animal **animal** (*m.*) **salvaje**

win **ganar** (9)

windy: it's (very) windy **hace (mucho) viento** (6)

window **ventana** (2); small window (on a plane) **ventanilla** (8)

windshield **parabrisas** *m. inv.*

wine (white, red) **vino (blanco, tinto)** (7)

winter **invierno** (6)

wish **deseo** (10); **esperanza**

with **con** (2) with me conmigo (6); with you (*fam.*) **contigo** (6)

without **sin** (5)

witness **testigo** *m., f.*

woman **señora (Sra.)** (1); **mujer** *f.* (2); business woman **mujer de negocios** woman soldier **mujer soldado**

wool **lana** (4); it is made of wool **es de lana** (4)

word **palabra** (1)

work (labour) **trabajo;** (of art) **obra (de arte);** *n.* **trabajo;** to work **trabajar** (2); (*machine*) **funcionar**

worker **obrero/a;** farm worker **campesino/a;** social worker **trabajador(a) social**

working: hardworking **trabajador(a)** (3)

world **mundo** (8)

worried **preocupado/a** (6)

worse **peor** (6)

woven goods **tejidos**

write **escribir** (*p.p.* **escrito/a**) (3)

writer **escritor(a)**

written **escrito/a** *p.p.;* written report informe (*m.*) escrito

wrong: to be wrong **no tener razón** (4); to be wrong (about) **equivocarse (qu) (de)**

Y

yard **patio** (5)

year **año** (6); (*in school*) **grado** (9); to be . . . years old **tener... años** (3)

yellow **amarillo/a** (4)

yes **sí** (1)

yesterday **ayer** (5); the day before yesterday **anteayer** (11)

yet **todavía** (6)

yoga *m.* (11); to do yoga **hacer yoga** (11)

yogurt **yogur** *m.* (7)

you *sub. pron.* **tú** *fam. s.* (2); **usted (Ud.)** *form. s.* (2); **vosotros/as** (*fam. pl., Sp.*) (2); **ustedes (Uds.)** *pl.* (2); *d.o.* **te, os, lo / la, los, las;** to/for you *i.o.* **te, os, le, les;** *obj.* (*of prep.*) **ti** (6), **Ud., Uds., vosotros/as** you (*fam.*) are **eres** (1); you (*form.*) are **es** (1)

you're welcome **de nada, no hay de qué** (1)

young woman **señorita (Srta.)** (1)

younger **menor** (6)

your *poss.* **tu(s)** *fam.* (3); **su(s)** *form.* (3); **vuestro/a(s)** *fam. pl. Sp.* (3); (of) yours **tuyo/a(s), suyo/a(s), vuestro/a(s)**

young *adj.* **joven** (3)

youth **juventud** *f.;* as a youth **de joven** (9)

Z

zero **cero** (1)

zone **zona**

Grateful acknowledgment is made for use of the following:

Photographs: *Pages 2–3 main* © Odyssey Productions/Robert Frerck; *2 inset* Jeremy Woodhouse/Getty Images; *3 top* © Odyssey Productions/Robert Frerck; *4 middle* Ryan McVay/Getty Images; *4 bottom* PhotoAlto/Alamy; *5* Permission from US 8e p. 4 middle; *18* Superstock; *24 top* © Pictor/Image State; *middle* © SuperStock; *bottom* © Ulrike Welsch; *25* © Peter Menzel; *30–31 main* Tom 2006/http://commons.wikimedia.org/wiki/File:View_of_Guanajuato_from_hill.jpg; *32* Digital Vision; *35 left* © Ken Welsh/age fotostock; *right* Regis Lachaume, 2006; *44 top* La Universidad de Guadalajara/Sam916/http://commons.wikimedia.org/wiki/File:Old_University_of_Guadalajara.jpg; *61* © Ulrike Welsch; *64 middle left* © Geostock/Getty Images; *middle right* © BrandX Pictures/Punchstock; *bottom left* © Scott Sady/LatinFocus.com; *bottom right* © Royalty-Free/Corbis; *65 top* © Adalberto Rios Szalay/SextoSol/Getty Images; *bottom* Paul Pihichyn/CPimages; *68–69 main* © Melba Photo Agency/Punchstock; *86* © Melba Photo Agency/Punchstock; *101 middle left* Brand X Pictures/Punchstock; *middle right* Brand X Pictures/Punchstock; *bottom right* S. Marg Eric/Latino Focus.com; *102 top left* © S. Marg Eric/LatinFocus.com; *top right* © S. Marg Eric/LatinFocus.com; *middle left* LatinFocus.com; *middle right* © David Huskins/LatinFocus.com; *bottom left* © Tomas Stargardter/LatinFocus.com; *103 top right* © Tomas Stargardter/LatinFocus.com; *middle left* © Tomas Stargardter/LatinFocus.com; *bottom right* Used with permission of Hector Perlera; *108–109 main* De Agostini/Getty Images; *123 middle* Julien Gomba/Flickr; *132 middle right* © Sergio Pitamitz/Alamy; *132 bottom* © Andrew Campion/LatinFocus.com; *133 top* Neil Beer/Getty Image; *133 middle* © Alberio Lopera/Reuters/Corbis; *133 bottom* © Fernando Botero, Couresty, Marlborough Gallery, New York; *134 logo and photo* Used with the permission of The Canadian Colombian Children's Organization; *138–139 main* S. Pearce/PhotoLink/Getty Images; *140* © Allan Danahar/Getty Images; *148 top* © Ric Ergenbright; *148 bottom* Photo by Adam Jones adamjones.freeservers.com; *160* DAJ/Getty Images; *172 middle* Royalty-Free/Corbis; *172 bottom* PhotoLink/Photodisc/Getty Images; *173 top right* LatinFocus.com; *173 middle left* Ryan McVay/Getty Images; *174 top* The Granger Collection; *175 top right* Cylla von Tiedemann; *175 middle* Kornell/Wikimedia Commons Email:cornel.p.alin@gmail.com; *180–181 main* © Jane Johnson; *187* © AFP/Getty Images; *193 bottom right* © Alamy; *197* Permission from US 8e p. 250; *204 top* Royalty-Free/Corbis; *204 bottom* © Pictor/ImageState; *205* © Ulrike Welsch; *209* © Alamy; *213* © 2007 Frans Lanting/www.lanting.com; *217 top right* © LatinFocus.com; *217 middle left* © Jane Johnson; *217 middle right* © Creatas/PunchStock; *217 bottom left* © Tomas Stargardter/Latinfocus.com; *218 top left* Permission from US 8e p. 224; *218 top right* © Jimmy Dorantes/LatinFocus.com; *218 bottom left* © 1998 Copyright IMS Communications Ltd./Capstone Design; *218 bottom right* © Jose Angel Murillo/LatinFocus.com; *219* © Christie's Images/CORBIS; *224–225 main* © Aldo Sessa/Getty Images; *226 middle left* © Michel Setboun/Getty Images; *226 middle right* © FoodPix; *232 top right* © Jimmy Dorantes/LatinFocus.com; *232 middle right* Permission from US 8e; *236 middle right* © Flat Earth Images; *236 bottom left* © Etcheverry Collection/Alamy; *253* © Arlen Gargagliano; *257 middle right* Brand X Pictures/PunchStock; *257 middle left* © Alex O'Campo/LatinFocus.com; *257 bottom right* Permission from US 8e p. 465; *258 top left* Royalty-Free/Corbis; *258 middle right* © Stonek/LatinFocus.com; *258 middle left* © Stonek/LatinFocus.com; *258 bottom right* © Stonek/LatinFocus.com; *259 top left* © Pablo Abuliak/LatinFocus.com; *259 middle right* © Pablo Abuliak/LatinFocus.com; *261* Permission from US 8e p. 443; *264–265 main* Adalberto Rios Szalay/Sexto Sol/Getty Images; *272* © Michael J. Doolittle/The Image Works; *273* © Stuart Cohen; *274* Permission from US 8e p. 239; *278 left* © Henri Conodul/Iconotec.com; *278 right* © Henri Conodul/Iconotec.com; *283* LatinFocus.com; *295 middle right* © Jon Anderson/LatinFocus.com; *295 middle left* © Jon Anderson/LatinFocus.com; *295 bottom right* © Michele/LatinFocus.com; *296 top left* © Jon Anderson/LatinFocus.com; *296 middle right* Garcia/LatinFocus.com; *296 middle left* Adalberto Rios Szalay/Sexto Sol/Getty Images; *296 bottom right* LatinFocus.com; *297 top right* LatinFocus.com; *297 top left* © James Quine/LatinFocus.com; *297 middle right* © Ulrike Welsch; *297 bottom left* © David Macias/LatinFocus.com; *297 bottom right* © Mark Bacon/LatinFocus.com; *298 top left* © Mark Bacon/LatinFocus.com; *298 middle right* © Mark Bacon/LatinFocus.com; *304–305 main* Eric Depagne/wikimedia commons; *306* © Brand X Pictures/PunchStock; *309* AP Photo/Fernando Llano; *320* adaptado/Andrés David Aparicio Alonso http://en.wikipedia.org/wiki/File:Condorito.jpg; *324* AP Photo/Marcelo Casacuberta; *328* Ulrike Welsch; *330 middle left* Digital Vision/PunchStock; *330 bottom right* Royalty-Free/Corbis; *331 top right* © Digital Vision; *331 middle left* © Lulu Dorantes/LatinFocus.com; *331 middle right* © Digital Vision; *332* Used with permission of SODRAC, Photo taken by Mattaart.com; *333* AP Photo/Roberto Candia; *336–337 main* © Hidea Haga/The Image Works; *343* © Jack Kurtz/The Image Works; *359 bottom left* © Nevada Wier/Corbis; *369 bottom left* © Melanie Stetson Freeman/The Christian Science Monitor via Getty Images; *369* C Squared Studios/Getty Images; *373 top right* Glen Allison/Getty Images; *373 middle left* Brand X Pictures/PunchStock; *373 bottom* Digital Vision/PunchStock; *374 top right* Digital Vision/PunchStock; *374 top right* © Jimmy Dorantes/LatinFocus.com; *374 middle left* © LatinFocus.com; *374 bottom right* © LatinFocus.com; *374 bottom left* © Jimmy Dorantes/LatinFocus.com; *375 top left* © Jimmy Dorantes/LatinFocus.com; *375 top right* PhotoLink/Getty Images; *375 middle right* Enero—© Graciela Rodo Boulanger; *376 bottom left* Used with permission of Peru en Calgary © CorbisRF/Corbis; *376 bottom right* © Bob Krist/Corbis; *380–381 main* © Rolf Becker; *382* © Stewart Cohen/Vstock/Getty Images; *388* © Peter Horree/Alamy; *389* © Marty Granger; *396 top right* © AFP/Getty Images; *396 middle right* AP Photo/Ariana Cubillos; *406 top right* © Bettmann/Corbis; *409* © Ulrike Welsch; *412 bottom right* © Ivonne Barreto/LatinFocus.com; *412 bottom left* © LatinFocus.com; *413 top right* © LatinFocus.com; *413 middle left* © Art Rothfuss/LatinFocus.com; *413 bottom right* Royalty-Free/Corbis; *414* Credit: Last Supper, 1982–84 (wood & mixed

Realia: *Page 12* adapted from: Statistics Canada. "The Latin American Population in Canada, by Province and Territory, 2001"; *13* Ansa International; *27* source: http://www.elmundolatinonews.ca/; *38* Used with permission of Capilano College; *43–44* Universidad de las Americas en Puebla and Universidad de las Americas en Puebla; *44 bottom* © 2010. Universidad Iberoamericana, A.C. México; *45* Permission from US 8e p. 35; *75 phone book listing* Permission from US 8e p. 63; *92* © 1987 Carmen Lomas Garza; Photo credit: Wolfgang Dietze; collection of Leonila Ramirez, don Ramon's Restaurant; *154* Used with the permission of Grupo INTENSO; *166* Paper catalogue from a store in Rosario, Argentina; *176* Agregado de Educación/Education, http://www.educacion.es/exterior/ca/es/home/index.shtml; *184* Weather report. Panama City. Modified from original at http://www.hidromet.com.pa/sp/diarioFrm.htm. Downloaded; *193 top* Used with permission of El nacional; *200* David Sebastian Ojeda, Buenos Aires, artepiero@hotmail.com; *230* Recipe used by permission of Nestlé USA; *241* Used with permission of COTO grocery store in Argentina; *260* © Joaquín S. Lavado (Quino)/Caminito S.A.S.; *300* CUBA: Arte e historia desde 1868 hasta nuestros días. The Montréal Museum of Fine Arts. Del 31 de enero al 8 de junio de 2008. Foto: The Montréal Museum of Fine Arts, Jean-François Brière. Exposición producida por el Montréal Museum of Fine Arts en colaboración con el Museo Nacional de Bellas Artes y la Fototeca de Cuba en La Habana; *321* Permission from US 8e p. 307; *308* Tiempo que dedican a sus aficiones Cambio 16; *344* Adapted from Una muñeca para el Día de Reyes by Esmeralda Santiago, illustrated by Enrique O. Sanchez. Text copyright © 2005 by Esmeralda Santiago, illustrations copyright © 2005 by Enrique Sanchez. Reprinted by permission of Scholastic Inc.; *352* Permission from US 8e p. 393; *358* Permission from US 8e p. 371; *391* Used with permission of World Health Organization; *394* Permission from US 8e p. 223; *406 bottom left* Permission from US 8e p. 405.

Illustrations: *front endpapers* © Mapping Specialists; *14, 116, 120 and 267* © Leanne Franson

Literature: *44* used by permission of UNESCO; *97* La familia afectada por la migración en Centroamérica. Source: text adapted from the original on http://www.mujereshoy.com/secciones/2016.shtml used with permission of ISIS International. "http://www.isis.cl"; *105* www.RevistaDebate.ca; *130 Ropa inteligente en Europa* © Clarín Contenidos; *134* Used with the permission of The Canadian Colombian Children's Organization; *175* Text adapted from the original at http://www.flamenco-world.com/noticias/ecanad17032004.htm; *204* Courtesy of the Panama Canal Authority; *220 top* Texto 1. Text adapted from original on http://www.radiolaprimerisima.com/noticias/resumen/45157; *220 middle* Texto 2. Text adapted from original on: http://mensual.prensa.com/mensual/contenido/2009/05/20/hoy/negocos/1791314.asp; *220 bottom* Texto 3. Text adapted from original on http://www.elfinancierocr.com/ef_archivo/2009/mayo/10/negocios1953976.html; *260* © Joaquín S. Lavado (Quino)/Caminito S.A.S.; *300* Es una publicación de Editorial Rio Negro S.A. Todos los derechos reservados. Copyright 2008; *319–320* El siguiente texto, publicado por "Memoria Chilena, Portal de la cultura de Chile", sitio web de la Biblioteca Nacional de Chile, te cuenta la historia de esta caricatura; *344–345* Adapted from *Una muñeca para el Día de Reyes* by Esmeralda Santiago, illustrated by Enrique O. Sanchez. Text copyright © 2005 by Esmeralda Santiago, illustrations copyright © 2005 by Enrique Sanchez. Reprinted by permission of Scholastic Inc.; *359* Text adapted from the original, which was published in the American Airlines magazine *Nexos*; *376* Used with permission of Peru en Calgary; *401* Source: text adapted from the original on http://www.buscar-tu-pareja.com.ar/; *414* © El Nuevo Herald, 2005.

In this index cultural notes and vocabulary topic groups are listed by individual topics as well as under those headings.

A

a
+ **el**, 124
+ **ir** + **a** + infinitive, 124
+ noun or pronoun, for clarification, 243
+ pronouns objects of prepositions, 317
+ stem-changing verbs, 157
before interrogative words, 275, 279
with **gustar**, 243
with some stem-changing verbs, 157
with **tener**, 279
absolute superlative (**-ísimo**), 248, 346
acabar de + infinitive, 281
academic subjects (*vocabulary*), 36
accent marks, 81
adjectives
agreement, 77
common (list), 77
definition, 76
demonstrative, 78
derivative adjectives, recognizing, 327
with **estar**, 191–192
gender, 77
listed, 80
of nationality, 77, 80
number, 77
placement, 78
plural, 77
possessive unstressed, 87
with **ser**, 77
singular, 77
superlative, forms of, 346
See also Appendix 1
¿adónde?, 321
adverbs
agreement, 122
definition, 122
gender, 122
-mente, 387
number, 122
plural, 122
sequence of events, 286
singular, 122
age, expressing, 74
ago (with **hace**), 389
agreement
of adjectives, 77
of adverbs, 122
agreement or disagreement, expressing, 126
al, 124
alphabet, Spanish, 8
apocopation
buen, 78, 206
gran, 78
mal, 78
primer, 185
appliances and household routines (*vocabulary*),
142–143
Argentina, 256, 257, 259, 394
articles
definite, 40–41, 146, 185
See also Appendix 1

definition, 40
indefinite, 40–41
with nouns, 40–41
plural forms, 41, 45
singular forms, 40–41, 45
See also Appendix 1
artists
Lomas Garza, Carmen, *Tamalada*, 92
Perlera Guillén, Hector, *The Village*, 103
-ar verbs, 49–51, 162, 298, 311, 348, 392
See also Appendix 2; *names of tenses
and parts of speech*

B

bañarse, 285
to be, 189
bedroom (*vocabulary*), 46
being emphatic, 346
Benedetti, Mario, "Pasatiempo" (poema), 324
Bolivia, 359, 372, 374, 375
Botero, Fernando, 133
buen(o/a), 78, 206
buscar, 50

C

caer (*irregular*). *See* Appendix 2
Canada, 26
Argentineans in, 260–261
Bolivians in, 376
Central Americans in, 104
Chileans in, 332–333
Colombians in, 134–135
Costa Ricans in, 220
Cuban art in, 300
Dominicans in, 299–300
Ecuadorians in, 376
Latin American population in, 12
Mexicans in, 65
Panamanians in, 220
Paraguayans in, 260–261
Peruvians in, 376
Puerto Ricans in, 299–300
Spaniards in, 174–176
Uruguayans in, 260–261
Venezuelans in, 414–415
capital cities of South America, 189
cardinal directions, 188
cardinal numbers, 28
dates, 185
cardinal points, 188
celebrations, 343
Central Americans, famous, 104–105
ch, pronunciation of, 8n
Chile, 306, 319–320, 330–332
chuletas de cerdo Maggi (recipe), 230
cien(to), 74, 116–117
classroom expressions (*vocabulary*),
14–15, 28
clauses
dependent (subordinate), 398
independent (main), 398
See also Appendix 1

clothing
Colombian designer, 135
colours, 112
definite articles with, 286
in the Hispanic world, 116, 123
ropa inteligente en Europa, 130
sizes, 115
clothing (*vocabulary*), 111–112
cognates, 9, 96, 168
Colombia, 132–133
colours (*vocabulary*), 112
comer, 91
commands
formal, with **Ud.** and **Uds.**, 392–393
informal
with **tú** and **ustedes**, 347–349
with **vosotros/as**, 350
oír, for attention, 153
communication strategies
adverbs, 387
age, expressing, 74
being emphatic, 346
cognates, 9
estar, 50
explaining your reasons, 85
expressing contradictions and
(dis)agreement, 126
expressing likes and dislikes, 243, 244
food-related phrases, 229
gerunds with other verbs, 162
greetings and polite expressions, 5
interrogative words, 37
more on nationalities, 80
mucho and **poco**, 122
other uses of **se**, 273
past progressive, 314
pronouns as objects of prepositions, 188
sequence expressions, 286
subjunctive mood, 354
talking about what you have just
done, 281
telling how frequently you do things, 93
time of day, expressing, 20, 53
vosotros commands, 350
¿cómo?, 321
comparisons, 204–207
of adverbs, 205
of equality, 206
of inequality, 205–206
of nouns, 206
of verbs, 206
See also Appendix 1; superlative
conjugation, 49
See also Appendix 1
conjunctions. *See* Appendix 1
connecting words, 96, 411
conocer (*irregular*), 275
construir. *See* Appendix 2
contractions
al, 124
del, 83, 124
Costa Rica, 182, 187, 216, 217

¿cuál?, 322
  versus **¿qué?**, 37, 322
¿cuándo?, 321
¿cuántos/as?, 73, 78
Cuba, 278, 294, 296–297, 298, 343
cultural notes
  Argentina, 256, 257, 259, 394
  Bolivia, 359, 372, 374, 375
  capital cities of South America, 189
  celebrations, 343
  Chile, 306, 319–320, 330–332
  chuletas de cerdo Maggi (recipe), 230
  clothing in the Hispanic world,
        116, 123
  Colombia, 132–133
  Colombia, clothing in, 116, 123
  Costa Rica, 182, 187, 216, 217
  Cuba, 278, 294, 296–297, 298, 343, 369
  difficult moments, 386
  Dominican Republic, 294, 295–296, 298
  Ecuador, 373, 375
  El Salvador, 100, 102, 103
  families, 71–72
  food in the Hispanic world, 231–232, 253
  Granada, Spain, 160
  graphic design ad, 154
  Guatemala, 100, 101, 103
  health and modern life, 409
  Hispanic last names, 73
  Hispanic universities, 35, 61
  los hispanos en Canadá, 26
  holidays and celebrations, 343
  Honduras, 100, 102, 103
  houses in the Hispanic world, 142, 148
  Inca culture, 405
  Latin American population in Canada, 12
  El mate: una tradición compartida, 236
  Los mayas en el siglo XXI, 86
  medicine in Hispanic countries, 388
  Mexico, 64–65, 369
  music, 173, 175, 219, 259, 261, 298, 331,
        375, 413–414
  Muslim historical architecture, 160
  new tourism in the Hispanic world, 272
  Nicaragua, 101, 102–103
  "Noctámbulos," 327–328
  Panama, 216, 218
  Panama Canal, 204
  Paraguay, 257, 259
  Peru, 372, 375, 383–384
  phrases for wishing luck or cheering
        up, 386
  Pre-Columbian, 65, 86, 405
  Puerto Rico, 283, 295, 297–298, 299
  Salsa de mango y lima (recipe), 253
  Santo Domingo, 295, 296
  Southern Cone, 256
  Spain, 160, 172–174, 175
  Spanish around the world, 11–12
  sports, 329
  Uruguay, 256, 258, 259
  Venezuela, 395–396, 412–414

D

dar, 127, 199
  See also Appendix 2
dates, 185
days of the week, 145–146

de
  + **el**, 124
  after superlative, 346
  comparison, with number, 206
  with **salir**, 152, 153
  with **ser**, 190
decimals, 116–117
decir (*irreg.*), 127, 233
  See also Appendix 2
¿de dónde?, 321
definite articles
  with dates, 185
  with days of the week, 146
  definition, 40
  forms of, 40–41
  items of clothing with, 286
  with personal titles, 42
del, 124
demonstrative adjectives, 78
¿de quién?, 321
difficult moments, 386
directions (*vocabulary*), 144
direct object pronouns, 280
  placement, 127
direct objects, definition, 279
  See also Appendix 1
doctor's office (*vocabulary*), 383
doler, 383
Dominican Republic, 294, 295–296, 298
¿dónde?, 321
dormir (*irregular*). *See* Appendix 2
double object pronouns, 316–317

E

e → ei, 156–157
e → i, 156–157
Ecuador, 373, 375
el, 40–41, 185
El Salvador, 100, 102, 103
emotions (*vocabulary*), 345, 346
-er verbs, 90–92, 162, 348, 392, 398
  See also Appendix 2; *names of tenses
        and parts of speech*
escribir, 392, 398
escuchar, 50
español camaleón, 6, 36, 112, 143, 183,
        228, 269, 272, 308, 383
estar (*irregular*), 50
  with adjectives, 191–192
  + past progressive, 312, 314
  + present progressive (**-ndo**), 161–162
  preterite, 233
  ser versus, 190–192
  summary of uses, 191
  See also Appendix 2
este, esto, 78
Estrategia (*reading strategies*)
  connecting words, a reminder about
        cognates, 96
  forming a general idea about
        content, 212
  guessing meaning from context, 23, 60
  guessing the content of a passage, 408
  identifying the source of a passage, 291
  recognizing cognate patterns, 168
  recognizing derivative adjectives, 327
  using what you know, 368
  words with multiple meanings, 252

F

families (*vocabulary*), 71–72
feminine nouns, 40–41
food (*vocabulary*), 227–228, 236, 253
food in the Hispanic world, 231–232, 253
formal commands, with **Ud.** and **Uds.**, 392–393
  position of pronoun, 393
fútbol, 18

G

García Márquez, Gabriel, 133
gender
  of adjectives, 77
  of adverbs, 122
  of nouns, 16, 40–41
  of pronouns, 48–49
  See also Appendix 1
generalizations (impersonal expressions), 83, 403
geography of the Hispanic world, 24–25
gerundios, 162
gerunds, with other verbs, 162
Granada, Spain, 160
gran(de), 78
greetings, 4–5, 6, 28
Guatemala, 100, 101, 103
gustar, 18, 243–244
  verbs like, 244, 383
gustaría, 244

H

haber, 17, 233
  See also Appendix 2
hablar, 49
hace + time period + **que**, 389
hacer, 152, 183, 199, 389
  idioms, 152
  with period of time, 389
  with weather expressions, 183
  See also Appendix 2
hay, 17
health and physical well-being, 383, 384, 409
Hispanic last names, 73
Hispanic universities, 35, 61
los hispanos en Canadá, 26
hobbies and fun activities, 307
holidays and celebrations, 239, 340–341, 341,
        342, 343, 368–369
Honduras, 100, 102, 103
horoscope signs, 186
household routines (*vocabulary*), 142–143
house, items in and parts of, 141
houses in the Hispanic world, 142, 148

I

idiom, defined, 119
idioms
  with **hacer**, 152
  with **tener**, 74, 119–120, 229, 312
imperative. *See* Appendix 2; command forms
imperfect indicative
  forms of, 311
  irregular, 311
  preterite versus, 361–363
  regular, 311
  uses, 312, 361–363
  words and expressions associated with,
        362–363
  See also Appendix 1

impersonal expressions, 83, 403
  See also Appendix 1
Inca culture, 405
indefinite articles, 40–41
indicative, 152–153
  See also Appendix 2
indicative mood, 354, 397
indirect object pronouns, 126–127, 243
  defined, 127
  placement, 127
  with prepositional phrase, 243
  with **gustar**, 243
infinitive, 49, 91
  definition, 18
  ir + **a** + infinitive, 124
  + prepositions, 149
  as singular subject, 243
  See also Appendix 1
informal commands
  with **tú** and **ustedes**, 347–349
  with **vosotros/as**, 350
interrogative, definition, 37
interrogative words, 29, 55, 85, 321–322
  + **ir**, 124
  list of, 37
  + stem-changing verbs, 158
inversion, 56
ir + **a** + infinitive, 124
ir (*irregular*), 199, 311
  See also Appendix 2
-**ir** verbs, 90–92, 162, 238, 348
  See also Appendix 2
-**ísimo/a**, 248, 346

J

jugar, 157

K

Kahlo, Frida, 65

L

la, 40–41
last names, Hispanic, 73
Latin American population in Canada, 12
le, becomes **se**, 317
Lectura (*reading*)
  apartment rental ad, 140
  "**Ch'aska Palomas: Artesanas
    textiles**," 359
  Cuba travel ad, 278
  "**Divórciate del estrés**," 409
  "**Entrevista con Frank Rainieri**," 291–292
  "**¡Época de tradiciones!**," 368–369
  "La familia afectada por migración en
    Centroamérica," 97
  geography of the Hispanic world, 24–25
  graphic design ad, 154
  Hispanic scholarships ad, 352
  "**La cocina de Palomino**," 253
  language courses ad, 45
  library ad, 394
  Maitena cartoon, 406
  newspaper ad, 193
  nonprofit ad, 358
  Quino cartoon, 260
  real estate ads, 169
  rental car ad, 13
  restaurant ad, 242, 321

"**Ropa inteligente en Europa**," 130
"**Todos juntos en los trópicos**,"
    212–213
  travel cartoon, 200
  "**Las universidades hispánicas**," 61
  See also **Estrategia**
leisure activities (*vocabulary*), 58
le / les, clarifying meaning of, 127
likes and dislikes, expressing, 243, 244
ll, pronunciation of, 8n, 183
lo, 280

M

mal(o/a), 78, 206
maps
  Andean nations, 336
  Argentina, 224
  Caribbean region, 264
  Central America, 68
  Chile, 304
  Colombia, 108
  Costa Rica, 180
  Mexican campus, 43
  Mexico, 30
  Panama, 180
  South American countries and
    capitals, 189
  Spain, 138
  Spanish-speaking world, 11
  Venezuela, 380
El mate: una tradición compartida, 236
más (…) que, 205–206
más de, 248
Los mayas en el siglo XXI, 86
mayor, 206
medicine in Hispanic countries, 388
mejor, 248
menor, 206
menos (…) que, 205–206
menos de, 248
-**mente**, 387
Mexico, 64–65, 369
mi, mí, 188
molestar, 383
months of the year, 185
mood of verbs, 354
  See also Appendix 1
mucho, 122
music, 173, 175, 219, 259, 261, 298,
    331, 375, 413–414
Muslim historical architecture, 160

N

narration, fairytales, 364–366
nationalities, 77, 80
  languages and, 78
  See also adjectives, of nationality
negation, verbs and, 51
negative sentences, 51
negative **tú** commands, 348–349
neuter
  demonstrative, 78
  lo, 280
new tourism in the Hispanic world, 272
Nicaragua, 101, 102–103
no, 51
Notas comunicativas. *See* communication
    strategies

Notas culturales. *See* cultural notes
nouns
  + adjectives, 78
  + articles, 40–41
  definition, 16
  gender of, 16, 40–41
  plural, 41
  singular, 40–41
  See also Appendix 1
numbers, 16, 74, 116–117, 185
  See also Appendix 1

O

o (u) → **ue**, 156–157
object
  direct object pronouns, 127, 280
  double object pronouns, 316–317
  indirect object pronouns, 126–127, 243
  pronouns objects of prepositions, 317
oír, 152, 153
  See also Appendix 2
ordinal numbers, dates, 185
otro/a, 78

P

pagar, 50
Panamá, 216, 218
Panama Canal, 204
para, 85
  por versus, 356–357
  ser with, 83, 190
Paraguay, 257, 259
participle, 162
parts of the body, 384
past participle. *See* Appendix 1; Appendix 2
past progressive (-**ndo**), 161–162, 314
pedir (*irregular*), 157, 238
  See also Appendix 2
pensar (en), 158. *See also* Appendix 2
peor, 206, 248
perfect tenses. *See* Appendix 1
personal endings, 49, 91
personal pronouns, 48–49, 92
Peru, 372, 375, 383–384
phrases for wishing luck or cheering
    up, 386
placement, 127
plural
  of adjectives, 77
  of adverbs, 122
  of nouns, 41
poco, 122
poder (*irregular*), 119, 233, 234
  See also Appendix 2
poner (*irregular*), 152, 153,
    233, 392
  See also Appendix 2
por, 53, 356
  in fixed expressions, 356
  para versus, 356–357
porque, 85
position, of adjectives, 78
possessive adjectives
  definition, 87
  unstressed, 87
Pre-Columbian culture, 65, 86, 405
preferir (*irregular*), 119, 399
prepositional phrase, with **a**, 243

prepositions
  defined, 149
  infinitive +, 149
  of location, 188, 246
  with time of day, 53
  See also Appendix 1
present indicative, 50, 91
  of **-ar** verbs, 49–51
  of **-er** and **-ir** verbs, 90–92
  stem-changing verbs, 152–153,
    156–158, 157
  See also Appendix 2
present participle, 161–162
  with verbs other than **estar**, 162
present progressive, 161–162
present subjunctive, 354, 397–399
  stem-changing verbs, 399
preterite
  changes in meaning, 362
  imperfect versus, 361–363
  of irregular verbs, 199, 233–234
  of regular verbs, 197–198
  of stem-changing verbs, 198, 237–238
  summary of uses, 361–363
  verbs that change meaning, 234
  words and expressions associated with,
    362–363
  See also Appendix 1; Appendix 2
primer(o), 185
progressive, defined, 161
progressive forms, 161
  past, 314
  present, 161–162
  present progressive, 161–162
  verbs other than **estar**, 162
pronouns
  definition, 48
  direct object, 280
  double object, 316–317
  indirect object, 126–127, 243
  as objects of prepositions, 188
  order of, 317
  reflexive, 285, 285–286
  subject, 48–49, 92
  See also Appendix 1
pronunciation, 12
  ch, 8n
  ll, 8n, 183
  rising intonation, 55
  schwa, 12
  stress and written accent marks, 81
  vowels, 12
  y, 8n
Puerto Rico, 283, 295, 297–298, 299
punctuation, comma with percentages, 75n

Q
¿qué?, 322
  ¿cuál? versus, 37
que, with subjunctive, 398
querer (*irregular*), 119, 233, 234, 403–404
  See also Appendix 2
questions
  inversion, 56
  rising intonation, 55
  yes/no, 55–56
  See also interrogative words
¿quién(es)?, 279, 321

R
radical changing verbs. *See*
    stem-changing verbs
Reading strategies
  connecting words, 96
  using cognates, 96, 130
reflexive pronouns, 285, 285–286
  placement, 286
República Dominicana, 294,
    295–296, 298
Reyes, Maritza, 135

S
saber (*irregular*), 275
  See also Appendix 2
Salsa de mango y lima (recipe), 253
salir, 152, 153
  See also Appendix 2
Santo Domingo, 295, 296
scholarships (*vocabulary*), 352
schwa, 12
se, 273
  le becomes **se** (pronouns), 317
  reflexive use, 285
seasons of the year (*vocabulary*), 185
"Semillitas del Perú," 376
sentir (*irregular*). *See* Appendix 2
sequence, of verbs, 51
sequence, putting events in, 286
ser, 10, 199, 311
  + adjectives, 77, 191–192
  + **de**, 190
  estar versus, 190–192
  possession, 83
  present tense, 82
  summary of uses, 82–83, 190
  to tell time, 312
  See also Appendix 2
shortened forms. *See* apocopation
soccer. *See* **fútbol**
softened requests. *See* **gustaría**
sonreír(se), 345
Southern Cone, 256
Spain, 160, 172–174, 175
Spanish
  alphabet, 8
  in Canada and the world, 11–12
spelling changes
  in formal commands, 392
  in informal commands, 347–349
  in present participle, 162
  in preterite, 198, 233–234,
    237–238
  in stem-changing verbs, 119, 152–153,
    156–158, 157
  in superlative, 346
sports, 307
stem, 49
stem-changing verbs, 119, 152–153,
    156–158, 157
  present subjunctive, 399
  in preterite, 198
  See also Appendix 2
stress and written accent marks, 81
  See also pronunciation
su(s), 87
subject, definition, 48
  See also Appendix 1

subject pronouns
  gender, 48–49
  plural, 48–49
  singular, 48–49
  use and omission of, 49, 92
subjunctive, 354, 397–399
  definition, 397
  influence, 403–404
  present, 354, 397–399
  present perfect subjunctive.
      See Appendix 1
superlative, 248
superlative (**ísimo/a**), 248, 346
  See also Appendix 1
syllables, 81

T
tan (...) como, 206
tanto/a (...) como, 206
tener (*irregular*), 73, 79, 119, 234, 279
  idioms with, 74, 119–120, 229, 314
  See also Appendix 2
tense, 49, 50
  See also Appendix 1
ti, 188
time
  of day, expressing, 53
  expressions, 28
  telling, 20, 312
time expressions, 145
  prepositions in, 149
titles, 6
tourism in the Hispanic world, 272
traer (*irreg.*), 152, 153, 233
  See also Appendix 2
tú, 48–49
  commands, 347–349

U
university, at the, 33, 36
university systems compared, 44
uno/a, 74
Uruguay, 256, 258, 259
usted, ustedes, 48–49, 392–393
  commands, 349, 392–393

V
vacations (*vocabulary*), 203, 268–269, 271
Venezuela, 395–396, 412–414
venir (*irregular*), 119, 233
  See also Appendix 2
ver (*irregular*), 152, 153, 311
  See also Appendix 2
verbs, definition, 10. *See also* Appendix 1
verbs, used in sequence, 51
vivir, 91, 311
  See also Appendix 2
vocabulary
  academic subjects, 36
  appliances, 166
  appliances and household routines,
    142–143
  bedroom, 46
  body, parts of, 384
  classroom expressions, 14–15, 28
  clothing, 111–112
  colours, 112
  connecting words, 411

daily routines, 145, 147, 285
days of the week, 145–146
directions, 144
doctor's office, at the, 383
emotions, 345, 346
family and relatives, 71–72
food, 227–228, 236, 253
greetings, 4–5, 6, 28
health and physical well-being, 384
hobbies and fun activities, 307
holidays and celebrations, 239, 340–341, 341, 342, 343, 368–369
household routines, 142–143
house, items in and parts of, 141
leisure activities, 58

numbers, cardinal, 28
pastimes, 145, 147
scholarships, 352
sports, 307
time expressions, 28
travel, 268–269, 271
university, at the, 33, 36, 61
vacations, 203, 268–269, 271
weather, 183
volver, 157, 392
    See also Appendix 2
vosotros/as, 48–49
    commands, 350
vowels, 12, 81
vuestro/a/os/as, 87

W
weather (*vocabulary*), 183
words with multiple meaning, 252
written accents, pronoun as object of preposition, 188

Y
years, expressing, 185
yes/no questions, 55–56
y, pronunciation of, 8n

Z
Zardetto, Cárol, 104–105